資料収集・現地調査から評価まで

第4版

ここが違う！ プロが教える

土地評価の

要諦

税理士・不動産鑑定士 東北 篤【著】

清文社

第4版の発刊に当たって

　本書は、平成27年に初版を発刊以来、読者の皆様のご支持をいただき、平成30年、令和2年と版を重ね、この度第4版を発刊することになりました。これまでの皆様方のご愛読に大変感謝しております。

　私が国税職員のころは、路線価図等の財産評価基準を作成したり、納税者の皆様から提出された相続税申告書を審査させていただくことはあっても、自ら申告書を作成することはありませんでした。定年退官後は税理士・不動産鑑定士業を開業し、自分自身が相続税等申告書の作成者となり、作成のために必要な資料は何か、実務に携わる者が真に必要な役所調査や現地調査の方法について勉強いたしましたが、土地等の評価をするためは、財産評価基本通達だけでは当該通達に当てはめるデータの収集方法等の実務的手法が示されていないため、評価することが全く無理であることが骨身にしみて理解できました。

　土地等の評価実務では、財産評価基本通達に掲載されていない各種行政法規の知識、役所調査の仕方並びに役所で収集すべき資料は何かを習得すること、更に、これを基にして評価対象地の個別性に当てはめるための実務経験に裏打ちされた評価能力を養うことが必要であることを痛感しました。この拠り所とするものをまとめたのが本書で、換言すれば、土地を評価するための実務的な必要性に基づいた「土地評価の要諦」を示したものです。

　この観点から、第4版では第3版までの内容を更に充実させるため、財産評価基本通達の改正を織り込むとともに、相続税評価を行う税理士が実務的な判断で困らないよう、できるだけ図面・写真を多用し、実務に必要な評価能力の向上に役立つよう内容を充実させました。また、財産評価基本通達以外の行政法規等の観点から見た幅広い評価の考え方を掲載するなど、税理士の皆様により幅広く評価能力を向上していただけるように工夫しています。

　具体的には、角地加算についての角地の判断基準、評価の減額要素となる造成費の傾斜度の測量方法、土地の評価に大きな影響を与える道路とセットバックできる場合についての事例等を紹介し、法務局等の役所に備え付けの図面やインターネットで入手できる国土地理院地図により具体的に解説するなど、財産評価基本通達では到底表現しきれない実務的なことを盛り込んでいます。

　これから社会は益々高齢化が進み、相続税の申告件数の増加が見込まれます。土地評価に携わる税理士が顧客の信頼に応えるため、十分、「土地評価の要諦」を理解していただき、相続税等の申告書作成に本書を役立てていただければ幸いです。

　令和5年11月

税理士・不動産鑑定士　東北　篤

推薦の言葉

　人間の顔が一人ずつ異なるのと同じで、土地はどの土地をみても同じものは地球上に存在せず、どれ一つとして同じものはない。

　個別性の強い不動産の評価はそれだけ難しく、評価する人の感性もそれぞれ異なるため、異なる評価額が出ても当然のことだと思える。しかし、評価額が多額に及ぶため慎重にせざるを得ないところの難物である。

　私は国税出身ではあるが、初代不動産鑑定士試験の試験委員に従事して以来、長年、日本の不動産鑑定評価と関わり、日本不動産鑑定士協会の仕事にも従事してきたが、土地評価の目的について述べれば、国税が課税の公平性を第一目標とするものであり、不動産鑑定評価が個々の不動産の価額表示を第一義的に目的としており、それぞれ異なる。

　したがって、目的が相違する以上、同じ土地について評価しても評価項目の着眼点や評価の方法等も異なるものである。

　しかしどのような土地評価目的であっても、最初に机上で検討するものは、土地の公図や測量図であり、固定資産の課税証明や権利証などであり同じ資料を見ているのである。

　それらの資料を基礎に現地における物件調査を行って、評価額をはじき出すものであり、どのような資料があるのかを知るのか知らないのか、更に資料の活用方法を知っているかどうかにより評価作業が異なり、評価額に影響を及ぼすことになる。

　巷には裁決事例や判例など高度な判断等を解説等した評価の書物も多いが、どのような解説書であっても、基本は上で述べたような資料の理解が不可欠であり、その理解の上に立って何らかの判断等を行っている訳である。

　本書は、法務局や市町村にどのような基礎資料があり収集すべき資料は何か、不動産評価に当たって知っておくべき都市計画法等の行政法規の知識並びに現地へ赴いての地目の判定、評価単位の取り方などの基本的な評価に関する知識等のいわば「土地評価の要諦」を解説しており、これから土地評価の専門家になろうという税理士や、税に関する評価に関わりたい不動産鑑定士にとって、有意義な知識を紹介している数少ない著作である。

　本書読者の皆様が「土地評価の要諦」を習得して実践し、軸がぶれないよう日々自己研さんしていただきたいと願うものである。

平成27年12月

不動産鑑定士・不動産カウンセラー　　塩見　宙
公認不動産コンサルティングマスター

本書の目的（序にかえて）

　土地建物等の不動産については、相続税申告財産の約5割前後を占めており、申告すべき財産の最大のものです。

　また、税務会計職業人である税理士の方々は、一般的に簿記会計は得意とするところですが、相続税の不動産の申告となると、その評価に不慣れな方も散見されます。

　ところで、不動産は、評価額が大きく、その評価を誤れば課税価格に大きな影響を及ぼし、結果として修正申告や更正の請求を行う必要性が生じるなど、余計な税金（加算税や延滞税）や手間がかかることも予想され、その内容次第では税理士の責任問題になる場合もあり得ます。

　本書は、このようなことを防止するため、不動産評価（特に土地評価）の柱となる、脊椎動物のいわば背骨の部分の解説に軸を置いています。

　まず、土地評価に当たっては、基礎的な資料や現地確認を確実に行い、現地に赴いて物件調査を十分行えるよう解説しています。例えば、土地評価をする場合には、都市計画法や建築基準法に規定された道路に関する知識を理解して、評価する土地にどのように当てはめ、いずれの評価方法を適用するのか、行政法規と評価実務が密接に結びついた知識・理解に重点を置いて説明しています。

　換言しますと、本書では、財産評価基本通達の土地評価に必要な①登記情報等の入手方法や見方を説明し、②都市計画法はじめ建築基準法等の行政法規を解説するとともに法務局や市区町村に備え付けられている評価に必要な簿書や図面の紹介・解説を行い、これをもとに現地における物件調査の手ほどきを行うなどの解説をしています。

　さらに、評価作業を正確に行う上で基礎的な、①地目や②一画地の判定について解説し、次に土地評価に大きな影響がある③道路と評価通達等の関係に理解を深めるように手ほどきし、④路線価による評価を国税庁「質疑応答事例」を基礎にしながら「土地及び土地の上の権利に関する評価明細書」を添付して評価額の算出まで解説をしています。

　本書は、税理士が不得意とする土地評価に対する地力をつけていただき、土地評価の問題を自力で解決するための一助となるように作成したものです。また、不動産鑑定士にとっても不動産鑑定評価と国税の評価の根本的な考え方の相違を知ることができ、極めて有意義なものです。本書の趣旨をご理解いただき、皆様の絶え間ない努力により土地評価に精通されんことを祈念いたします。なお、本文中の評価に関する判断・解釈については、私見であることをお断りさせていただきます。

　最後に、本書の発刊に大きなお力添えをいただきました株式会社清文社の小泉定裕社長はじめ編集部の皆様にお礼申し上げます。

平成27年12月

税理士・不動産鑑定士　東北　篤

（参考１）不動産の申告の重要性

　平成24年以降の相続開始分申告の相続財産の内訳を見ますと、相続財産のうち、不動産が合計に占める割合はここ10年平均で４割以上となっており、このことから不動産の申告の重要性がご理解いただけると思います。

○平成24年以降の相続開始分申告の相続財産の内訳

項目	土地	家屋	不動産計	不動産が合計に占める割合	有価証券	現金・預貯金等	その他	合計
	億円	億円	億円	％	億円	億円	億円	億円
平成24年	53,699	6,232	59,931	51.1	14,351	29,988	12,978	117,248
25	52,073	6,494	58,567	46.7	20,676	32,548	13,536	125,326
26	51,469	6,732	58,201	46.9	18,966	33,054	13,865	124,086
27	59,400	8,343	67,743	43.3	23,368	47,996	17,256	156,362
28	60,359	8,716	69,075	43.5	22,817	49,426	17,345	158,663
29	60,960	9,040	70,000	41.9	25,404	52,836	18,688	166,928
30	60,818	9,147	69,965	40.4	27,733	55,890	19,591	173,179
令和元年	57,610	8,793	66,403	39.6	25,460	56,434	19,228	167,524
2	60,389	9,302	69,691	40.0	25,811	58,989	19,678	174,168
3	65,428	10,133	75,561	38.4	32,204	66,846	22,182	196,794

（参考２）相続財産の金額の構成比の推移

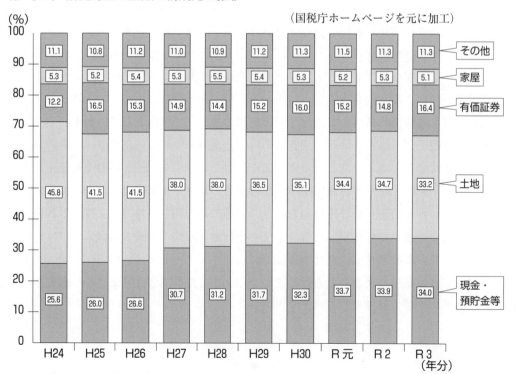

（国税庁ホームページを元に加工）

（注）上記の計数は、相続税額のある申告書（修正申告書を除く。）データに基づき作成している。

目次

第1章 相続税等の不動産評価の事前準備

1 相続税等の不動産評価の作業スケジュール …………………………………… 1

2 相続税等の不動産評価に必要な資料の収集・聴取り等 ……………………… 2

3 不動産評価に利用できる資料の収集先別の一覧表 …………………………… 5

第2章 法務局（登記所）調査

1 法務局の管轄区域 ………………………………………………………………… 6

2 法務局にある登記資料等 ………………………………………………………… 7

　(1) 登記事項証明書 ……………………………………………………………… 7

　(2) 土地の登記事項証明書の表題部の見方 ………………………………… 9

　(3) 建物の登記事項証明書の表題部の見方 ………………………………… 11

3 共同担保目録（建物登記事項証明書の下段）……………………………… 12

4 登記事項要約書 ………………………………………………………………… 13

5 住居表示と地番 ………………………………………………………………… 15

　(1) 住居表示とは ……………………………………………………………… 15

　(2) 地番とは …………………………………………………………………… 15

　(3) 住居表示しか分からない土地の地番の調べ方 ………………………… 16

6 登記事項証明書及び地図・地積測量図等の証明書等請求書の入手方法 ……… 16

　(1) 正しい地番・家屋番号の確認 …………………………………………… 16

　(2) 登記事項証明書の発行年月日に関する注意事項 ……………………… 17

　(3) 登記事項証明書の具体的入手方法 ……………………………………… 17

　(4) インターネットによる登記情報提供サービス ………………………… 18

7 法務局で収集できる資料 ……………………………………………………… 21

　(1) 「14条地図」（不動産登記法第14条地図）……………………………… 21

　(2) 地積測量図 ………………………………………………………………… 26

　(3) 公図（地図に準ずる図面）……………………………………………… 28

(7)

⑷	地役権図面 ……………………………………………………………	30
⑸	建物図面、各階平面図 …………………………………………………	33

第3章 市町村調査

1	固定資産税関係の基礎知識 ……………………………………………	36
⑴	固定資産課税台帳 …………………………………………………………	36
⑵	固定資産課税台帳の閲覧 …………………………………………………	38
⑶	土地の固定資産課税台帳（例）と内容説明 …………………………	39
⑷	固定資産課税台帳の閲覧申請 …………………………………………	40
⑸	土地価格等縦覧帳簿及び家屋価格等縦覧帳簿と縦覧 ………………	40
⑹	土地名寄帳及び家屋名寄帳 ……………………………………………	41
⑺	固定資産税課税明細書 …………………………………………………	43
⑻	固定資産税評価証明書 …………………………………………………	45
⑼	固定資産税路線価閲覧 …………………………………………………	47
⑽	地番参考図 ………………………………………………………………	47
2	市町村で確認する不動産評価に影響を与える法令 ………………	49
⑴	意義 ………………………………………………………………………	49
⑵	法令調査の仕方 …………………………………………………………	49
⑶	市町村役場における法令の担当窓口 …………………………………	50
⑷	収集した資料の整理 ……………………………………………………	50
3	都市計画に関する調査 …………………………………………………	57
⑴	都市計画と不動産評価に与える影響 …………………………………	57
⑵	都市計画図の読み方 ……………………………………………………	57
⑶	都市計画区域・準都市計画区域 ………………………………………	58
⑷	市街化区域・市街化調整区域（都市計画法第7条）…………………	59
⑸	用途地域（都市計画法第9条）等 ……………………………………	59
4	建築基準法上の道路 ……………………………………………………	63
⑴	建築基準法上の道路の種別（建築基準法第42条）…………………	63
⑵	接道義務 …………………………………………………………………	64
⑶	開発道路（建築基準法第42条第1項第2号の道路）………………	66
⑷	位置指定道路（建築基準法第42条第1項第5号）…………………	69
⑸	位置指定道路（私道）の所有の形態 …………………………………	71

⑹	2項道路（建築基準法第42条第2項）	72
⑺	3項道路（建築基準法第42条第3項）	76
⑻	道路の幅員のとらえ方	77
⑼	大阪市の道路幅員のとらえ方	79
⑽	道路台帳平面図、道路境界確定図、道路境界図等	80
⑾	宅地開発等指導要綱	83
⑿	建築計画概要書	84
⒀	相続税の土地評価で活用する容積率	87

5　土地区画整理法 ……………… 92

6　生産緑地法 ……………… 94

(1)　生産緑地とは ……………… 94

(2)　生産緑地法の概要 ……………… 95

(3)　特定生産緑地 ……………… 99

(4)　生産緑地及び特定生産緑地の特例適用の農地等該当証明書 ……………… 103

7　市民農園として貸し付けている農地 ……………… 104

(1)　市民農園とは ……………… 104

(2)　市民農園の開設方法 ……………… 104

(3)　開設に必要な法律の手続 ……………… 104

8　森林簿 ……………… 111

9　ライフラインの図面 ……………… 112

10　その他 ……………… 114

(1)　大きな図書館で収集できる住宅地図等 ……………… 114

(2)　Googleマップの写真等 ……………… 115

第4章　現地における物件調査

1　現地における物件調査の準備 ……………… 116

2　現地における物件調査の作業スケジュール ……………… 116

(1)　作業スケジュールの留意点 ……………… 116

(2)　現地における物件調査により確認すべき事項の抽出 ……………… 117

3　現地における物件調査の実務知識 ……………… 120

(1)　活用する機器 ……………… 120

(2)　机上作業において図面を測定する道具 ……………… 123

(3) 評価対象不動産の間口、奥行等の形状等の測量 ……………………… 124

(4) 道路幅員等の測量 ………………………………………………………… 126

(5) 隣接地等との境界確認 …………………………………………………… 127

(6) 写真撮影 …………………………………………………………………… 130

4 相続税等において申告を要する面積 ……………………………………… 134

5 間口距離の求め方 …………………………………………………………… 136

6 不整形地の奥行距離の求め方 …………………………………………… 136

7 屈折路に面する宅地（角地を除く）の間口距離、奥行距離の求め方 ……… 139

(1) 屈折路に内接する場合 …………………………………………………… 139

(2) 屈折路に外接する場合 …………………………………………………… 141

8 相続税等の財産評価と不動産鑑定評価の不動産の形状等の捉え方 ……… 143

(1) 相続税等の財産評価と不動産鑑定評価の目的等 …………………… 143

(2) 不動産鑑定評価の間口、奥行等の形状等に対する基本的な考え方 ……… 143

(3) 鑑定評価における住宅地の方位による個別格差 …………………… 144

9 不動産鑑定評価実務において現地測量の結果と登記簿記載の地積等が相違する場合等 ……………………………………………………………… 145

10 地形図（国土地理院地図・白地図）から傾斜度を求める方法 …………… 147

第5章 地目の判定と評価単位

1 地目別により行う土地の評価 …………………………………………… 150

2 地目の判定 ………………………………………………………………… 150

3 具体的な地目の判定 ……………………………………………………… 153

4 地目別評価の例外 ………………………………………………………… 162

(1) 地目の異なる土地を一団として評価する理由 ……………………… 162

(2) 地目別評価の例外の具体例 …………………………………………… 162

5 地目別評価単位 …………………………………………………………… 165

6 宅地の評価単位（1画地の判定） ………………………………………… 169

(1) 宅地の評価単位の基本 ………………………………………………… 169

(2) 土地の評価で使用される用語 ………………………………………… 170

(3) 誤りやすい宅地の評価単位（1画地）の事例—建物の存する状態からの分析 …………………………………………………………………………… 170

(4) 不合理分割 ……………………………………………………………… 186

(10)

（参考）　不動産鑑定評価による限定価格の算定例 ……………………………… 189

　⑴　不動産併合による増分価値の算定と配分 ………………………………… 189

　⑵　限定価格の算定例 …………………………………………………………… 190

7　農地の評価上の分類 …………………………………………………………… 191

　⑴　相続税等の農地の区分 ……………………………………………………… 192

　⑵　純農地 ………………………………………………………………………… 192

　⑶　中間農地 ……………………………………………………………………… 193

　⑷　市街地周辺農地 ……………………………………………………………… 193

　⑸　市街地農地 …………………………………………………………………… 193

8　農地の評価単位 ………………………………………………………………… 193

　⑴　農地の評価単位の原則と例外 ……………………………………………… 193

　⑵　農地の種類による評価単位の比較 ………………………………………… 195

　⑶　農地の評価方法 ……………………………………………………………… 195

　⑷　農地の例外的評価単位 ……………………………………………………… 196

9　相続税等と固定資産税の評価単位 …………………………………………… 198

　⑴　誤りやすい事例（【事例1】及び【事例2】）……………………………… 199

　⑵　誤りやすい事例（【事例3－1】及び【事例3－2】）…………………… 201

　⑶　誤りやすい事例（【事例3－3】）…………………………………………… 202

　⑷　誤りやすい事例（【事例4－1】及び【事例4－2】）…………………… 203

　⑸　誤りやすい事例（【事例5】）………………………………………………… 204

　⑹　倍率地域の土地の評価 ……………………………………………………… 207

10　土地分割評価届出書 …………………………………………………………… 209

11　固定資産税の画地認定に関する重要判例 …………………………………… 211

第6章　財産評価基本通達における土地評価の原則

1　財産評価基本通達における土地評価の定め ………………………………… 212

　⑴　宅地評価の概要 ……………………………………………………………… 212

　⑵　路線価図の見方 ……………………………………………………………… 213

　⑶　評価倍率表の見方 …………………………………………………………… 215

　⑷　画地調整率表 ………………………………………………………………… 218

　⑸　平成3年分以前用の画地調整率表 ………………………………………… 223

　⑹　昭和43年分の画地調整率表 ………………………………………………… 225

(7) 平成 3 年分の路線価図（大阪市北区）……………………………………………… 229

(8) 昭和43年分の路線価図（大阪市北区）……………………………………………… 230

2 路線価方式の基礎計算式 ……………………………………………… 231

3 相続税路線価図と固定資産税路線価図の対比 ……………………… 240

(1) 相続税と固定資産税路線価の評価割合（水準）……………………………… 240

(2) 相続税と固定資産税の路線価の評定の基準日 ……………………………… 240

4 基本的な路線価による評価方法 ……………………………………… 242

(1) 正面路線の判定―2 つの路線に面している宅地（角地等）の価額を評価する場合 … 242

(2) 正面路線価の判定―1 つの路線に 2 以上の路線価が付されている場合（不整形地）… 243

(3) 宅地が 2 以上の地区にまたがる宅地の評価 ……………………………… 245

(4) 地区の異なる 2 以上の路線に接する宅地の評価 ……………………… 248

(5) 側方路線影響加算又は二方路線影響加算と間口狭小補正との関係 ………… 249

(6) 側方路線に宅地の一部が接している場合の評価 ……………………… 250

(7) 奥行価格補正率と側方路線影響加算率の計算例（不整形地の計算例）……… 252

(8) 二方路線影響加算の方法 ……………………………………………… 255

(9) 2 つの路線に接する宅地の評価 ……………………………………… 255

(10) 三方又は四方が路線に接する宅地の評価 ………………………… 261

(11) 側方路線影響加算又は二方路線影響加算の方法―三方路線に面する場合 … 262

(12) 多数の路線に接する宅地の評価 ……………………………………… 267

(13) 路線価の高い路線の影響を受ける度合いが著しく少ない場合の評価 ……… 267

(14) 間口が狭い宅地の評価 ……………………………………………… 268

(15) 不整形地の評価 1 ―区分した整形地を基として評価する場合 …………… 269

(16) 不整形地の評価 2 ―計算上の奥行距離を基として評価する場合 ………… 271

(17) 不整形地の評価 3 ―近似整形地を基として評価する場合 ……………… 274

(18) 不整形地の評価 4 ―差引き計算により評価する場合 ……………………… 276

(19) 容積率の異なる 2 以上の地域にわたる宅地の評価（正面路線に接する部分
の容積率と異なる容積率の部分がない場合）…………………………… 279

(20) 容積率の異なる 2 以上の地域にわたる宅地の評価（正面路線に接する部分
の容積率と異なる容積率の部分がある場合）……………………………… 279

(21) 1 画地の宅地が 2 以上の路線に面する場合 ……………………………… 280

(22) 区分地上権に準ずる地役権の目的となっている宅地の評価 ……………… 282

(23) 土地区画整理事業中の土地の評価 ……………………………………… 283

(24) 市民農園として貸し付けている農地の評価 …………………………… 284

(25) 市街地農地、市街地山林等の評価 ……………………………………… 288

⒇　生産緑地及び特定生産緑地の評価 ……………………………………… 298

⒇　耕作権の目的となっている生産緑地等の評価 …………………………… 299

⒇　土砂災害特別警戒区域内にある宅地の評価 ……………………………… 299

⒇　地積規模の大きな宅地の評価 ……………………………………………… 306

5　雑種地の評価

（1）　原則 ………………………………………………………………………… 311

（2）　地域別の雑種地評価 ……………………………………………………… 311

（3）　市街化調整区域における雑種地の評価 ………………………………… 312

（4）　質疑応答事例の表のしんしゃく割合別の評価 ………………………… 314

（5）　開発行為等に係る都市計画法の内容 …………………………………… 318

（6）　ゴルフ場の用に供されている土地の評価 ……………………………… 321

（7）　遊園地用地等の評価 ……………………………………………………… 323

（8）　文化財建造物である構築物の敷地の用に供されている土地の評価 ………… 323

（9）　鉄軌道用地の評価 ………………………………………………………… 324

⑽　雑種地の賃借権等の評価 ………………………………………………… 326

⑾　定期借地権の評価 ………………………………………………………… 329

第7章　道路と宅地評価

1　セットバックを必要とする宅地の評価 …………………………………… 335

（1）　セットバックする面積の算出 …………………………………………… 335

（2）　セットバック距離の測り方 ……………………………………………… 335

（3）　セットバックの確認資料 ………………………………………………… 336

2　私道の評価 …………………………………………………………………… 339

（1）　私道の種類と評価 ………………………………………………………… 339

（2）　私道の評価において確認すべき資料 …………………………………… 340

（3）　特定路線価について ……………………………………………………… 347

（4）　特定路線価の設定が必要な具体事例 …………………………………… 347

（5）　特定路線価が設定されている私道の評価 ……………………………… 348

（6）　特定路線価設定申出書 …………………………………………………… 350

（7）　特定路線価設定申出書の提出手続き …………………………………… 353

（8）　特定路線価チェックシート（東京国税局）…………………………… 354

3　船場建築線とは ……………………………………………………………… 355

(13)

(1)	船場建築線の指定について	355
(2)	建築線の指定の効果	355
(3)	船場建築線の指定のある土地の評価	356
(4)	具体的な評価方法	356

4　道路に関する評価上のしんしゃく 358

(1)	無道路地	358
(2)	無道路地の具体的判定	359
(3)	無道路地の具体的評価事例	362

5　都市計画道路予定地の区域内にある宅地の評価減 368

(1)	概要	368
(2)	都市計画事業と利用制限	369
(3)	都市計画道路予定地の評価で確認を要する資料	369
(4)	誤りやすい事例	371

6　水路を隔てて評価する宅地がある場合 376

7　赤道で分断されている宅地 384

第8章　相続税の申告書等に添付する補足資料

1　地積測量図等がある場合 389

2　地積測量図等がない場合 389

3　事　例 390

第9章　居住用マンションの評価

1　令和6年1月1日からの居住用マンションの評価の概略 404

2　評価水準別の区分所有補正率等の適用 405

(1)	評価水準が低い場合（評価水準60％未満）	405
(2)	評価水準が高い場合（評価水準100％超）	405
(3)	評価水準が適正な場合（評価水準60％以上100％以下）	405

3　「評価乖離率」の算定 406

4　その他 407

| (1) | マンション評価方法の見直し等 | 407 |

⑵　評価対象のマンション用途等 ……………………………………………… 407

　　⑶　マンションの評価の適用範囲 ……………………………………………… 407

　5　マンション評価の具体事例 ………………………………………………… 407

　　⑴　従前の評価方法によるマンションの敷地と建物評価額（補正率適用前）…… 408

　　⑵　令和6年1月1日以後相続・贈与分のマンション評価（補正率適用後）…… 409

（参考）居住用の区分所有財産の評価について（法令解釈通達）…………………… 411

（参考）「居住用の区分所有財産の評価について」（法令解釈通達）の趣旨について

　　　　（情報）…………………………………………………………………………… 415

50音順索引 …………………………………………………………………………… 433

(15)

○法務局・市町村等の調査は、51 ページの「法務局・市町村調査兼物件調査票（例）」を活用すると便利です。

【図面、地図、申請書等の掲載ページ】

備付等公的機関	図面、地図、申請書等	掲載章・ページ	
法務局	登記事項証明書（土地）	第 2 章 2	8 ページ
	登記事項証明書（建物）	第 2 章 2	11 ページ
	登記事項要約書	第 2 章 4	13 ページ
	登記事項要約書交付申請書	第 2 章 4	14 ページ
	登記事項証明書等の交付申請書	第 2 章 6	19 ページ
	地図・地積測量図等の証明書申請書	第 2 章 6	20 ページ
	14条地図	第 2 章 7	24 ページ
	地積測量図	第 2 章 7	28 ページ
	公図（地図に準ずる図面）	第 2 章 7	30 ページ
	地役権図面	第 2 章 7	31 ページ
	地役権が設定された登記事項証明書	第 2 章 7	32 ページ
	建物図面・各階平面図	第 2 章 7	34 ページ
市町村の担当課	固定資産課税台帳	第 3 章 1	39 ページ
	公簿閲覧申請	第 3 章 1	40 ページ
	土地・家屋名寄帳	第 3 章 1	42 ページ
	固定資産税課税明細書	第 3 章 1	43 ページ
	固定資産税評価証明書	第 3 章 1	46 ページ
	公課証明書	第 3 章 1	46 ページ
	固定資産税路線価図	第 3 章 1	47 ページ
	地番参考図	第 3 章 1	48 ページ
	都市計画図	第 3 章 3	58 ページ
	開発登録簿用図面（土地利用計画図）	第 3 章 4	67 ページ
	開発登録簿	第 3 章 4	68 ページ
	道路位置指定申請図	第 3 章 4	69 ページ
	私道の位置指定のための基準	第 3 章 4	70 ページ
	道路の幅員のとらえ方	第 3 章 4	77〜79ページ
	道路台帳平面図	第 3 章 4	81 ページ
	道路境界確定図	第 3 章 4	83 ページ
	宅地開発に関する指導基準例（堺市）	第 3 章 4	83 ページ

備付等公的機関	図面、地図、申請書等	掲載章・ページ	
市町村の担当課	建築計画概要書（付近見取図と配置図）	第3章4	86ページ
	土地区画整理事業等の図面	第3章5	94ページ
	都市計画証明書（生産緑地）	第3章6	103ページ
	ライフライン（上下水道、ガス等）の図面	第3章9	112・113ページ
	境界確定図（官民境界）	第4章3	128ページ
	道路境界明示申請書	第4章3	131ページ
	地形図（白地図）	第4章10	148ページ
	土地分割評価届出書	第5章10	210ページ
	船場建築線	第7章3	357ページ
	都市計画道路予定図	第7章5	370ページ
	法定外公共物占用許可申請書	第7章6	382ページ
	水路等使用許可申請書	第7章6	383ページ
国税庁ホームページ・税務署	路線価図	第6章1	214ページ
	評価倍率表	第6章1	215ページ
	画地調整率表	第6章1	218～223ページ
	画地調整率表（旧）（平成3年分、昭和43年分）	第6章1	224～228ページ
	路線価図（旧）（平成3年分、昭和43年分）	第6章1	229・230ページ
	路線価図（相続税・固定資産税の対比）	第6章3	241ページ
	特定路線価設定申出書	第7章2	350ページ
	特定路線価チェックシート	第7章2	354ページ
その他	住宅地図	第3章10	114ページ
	境界プレート（写真）	第4章3	132～134ページ
	国土地理院地図	第4章10	147ページ
	地目の判定写真	第5章3	153～161ページ

（注）本書の内容は、令和5年11月1日現在の法令等によっています。

第1章

相続税等の不動産評価の事前準備

1　相続税等の不動産評価の作業スケジュール

　相続税等の不動産評価を行うためには、効率的に作業を実施する必要があります。
　基本的には、次の作業スケジュールで行いますが、各種資料を収集する場所へ出向くまでの時間や距離を総合的に考え、計画的、効率的に、かつ、正確に行うことが重要です。

■相続税の不動産評価の作業スケジュールのフロー

1　相続税、贈与税（以下「相続税等」という。）の申告書作成依頼

2　依頼者等から相続税等の不動産評価を行う対象物件に関する概要を聴き取り、資料の提示を受ける。

3　法務局や市町村調査による資料の収集 ・法務局又はインターネット登記情報提供サービス（一般財団法人民事法務協会）で登記事項証明書、公図等の不動産評価に関する資料の入手を行う。 ・市町村等の窓口又は市町村ホームページのインターネットサービスで、相続税等の不動産評価に必要なデータや各種行政法規等を確認する。

4　現地における物件調査

5　地目の判定、地積の確定、評価単位の判定

6　デスクワーク（評価明細書の作成、申告書作成）

2 相続税等の不動産評価に必要な資料の収集・聴取り等

資料等を具体的に収集する前に、相続税等の申告の依頼者等から何処にどのような不動産等を所有しているか資料の提示を受けて詳細を聴取します。

① **依頼者等から固定資産税の課税明細書等や所有不動産の権利書等の提示を受け、評価する不動産の詳細を聴取**

相続人などの依頼者等から市町村から送付された最新分と、相続開始年分の固定資産税の課税明細書（43ページ参照）や過去・現在の権利書等の提示を受け、相続等財産である不動産の所在地、登記地目、現況地目、課税地積、課税床面積、固定資産税評価額、課税標準額等を確認、把握します。

なお、不動産には、登記されている権利とされていない権利があり、登記されていない権利は依頼者からの聴取りが中心となるため、次の事項の聴取りも併せて行います。

　イ　借地権・耕作権などのように登記に現れない権利はないか
　ロ　先代名義のままになっているものはないか
　ハ　最近売買した不動産はないか
　ニ　登記はあるが、所有権等の認識のない不動産はないか

② **上記①以外の書類による所有不動産の確認等**

上記①以外の書類から被相続人が所有していた不動産の状況を確認します。

　イ　過去の先代相続税の申告書、贈与税の申告書（配偶者控除の適用有無、相続時精算課税制度等の適用有無の確認を含む。）、所得税の申告書の収支内訳書、財産債務の明細書（財産債務調書）、地価税（適用停止中）申告書、主宰法人の法人税の申告書などから土地等の所有状況を確認します。
　ロ　所有している建物等について、その敷地と対応させ、土地の所有権がなく、建物のみを所有している場合は、借地権があると想定されるため、財産として計上するべき

か検討します。

ハ　土地建物の賃貸借契約書、地代・家賃の領収書、地代・家賃・駐車場代等の預金口座の入出金などにより所有不動産の存在を確認します。

ニ　過去、現在の権利書、売買契約書、固定資産税の課税明細書等から、現在所有の不動産への変形過程などを確認します。

ホ　各種の図面等（後述）から被相続人が所有していた不動産の確認をします。

> ○**各種の図面等とは**
> 　　各種の図面等には、①地積測量図、②登記申請を目的としない現況測量図、③境界を確定して作成した確定測量図等があり、公簿面積と差異があれば理由等を確認します。

ヘ　土地区画整理事業関係を調査します。土地区画整理事業関係書類には、①換地確定図、②仮換地指定通知書、③使用収益開始通知書、④清算金明細書等があり、所有する面積や清算金について聴き取ります。

ト　周知の埋蔵文化財包蔵地であれば、発掘調査等に要する費用負担の問題や現状を変更する行為の制限があるため、その有無を十分に聴き取ります。

チ　土壌汚染がある不動産があれば、土壌汚染調査報告書の有無及び除去費用推定額を聴き取ります。

リ　余剰容積率の移転のある不動産があれば、容積率の売買契約書の有無を聴き取ります。

ヌ　国外財産調書の提出の有無や国外不動産の権利書保有の有無について聴き取ります。

■相続人等の依頼者から提示を受ける不動産に関する資料と聴取事項等一覧表

資　料　の　名　称　等
固定資産税の課税明細書（市町村から送付） ・建物のみ所有の場合の借地権の有無確認 ・未登記不動産・先代名義不動産の有無の聴取
過去・現在の権利書、売買契約書
土地建物の賃貸借契約書、地代、家賃の領収書
過去の先代相続税の申告書、贈与税の申告書 ・相続税関係 　　先代相続不動産と今回の相続不動産との突合 ・贈与税関係 　　①生前贈与がある場合、贈与税の申告書控から、受贈者、贈与年月日・贈与財産の種類、 　　　数量評価額を確認 　　②配偶者控除の申告の有無 　　③相続時精算課税制度の適用有無
所得税の申告書の収支内訳書、財産債務の明細書、財産債務調書による所有不動産の確認
地価税（適用停止中）申告書による所有不動産の確認
所有する法人の法人税の申告書による不動産賃貸借等の確認
地代・家賃・駐車場代等の預金口座入出金による所有不動産の確認
各種の不動産に関する図面等により、形状や地積を確認 　　①地積測量図、②登記申請目的としない現況測量図、③境界を確定して作成した確定測量 　　図等
行政法規関係の規制等による書類 ・土地区画整理事業関係書類 　　①換地確定図、②仮換地指定通知書、③使用収益開始通知書、④清算金明細書等 ・周知の埋蔵文化財包蔵地に該当の有無 ・土壌汚染調査報告書 ・容積率の売買契約書
国外財産調書、国外不動産の権利書による海外不動産の確認

第1章 相続税等の不動産評価の事前準備

3 不動産評価に利用できる資料の収集先別の一覧表

　不動産評価に利用できる資料は、相続人等の依頼者から収集するもののほか、下表のとおり、法務局や市町村等から収集するものがあり、第2章から第4章において、順次説明します。

資料の収集先	主な資料の名称等	資料の活用目的
法務局又は一般財団法人民事法務協会によるインターネットサービス	（不動産登記関係資料） ・不動産登記事項証明書 ・地図（不動産登記法第14条地図） ・地図に準ずる図面（通称「公図」） ・地積測量図 ・土地所在図 ・建物図面 ・地役権図面 ・ブルーマップ	・不動産の上に存する権利の確認 ・面積・形状等の確認 ・都市計画の内容、所在の確認
市町村の担当課又は市町村ホームページによるインターネットサービス	・固定資産課税台帳 ・名寄帳 ・固定資産評価証明書 ・都市計画図 ・道路に関する資料 ・建築計画概要書 ・開発登録簿 ・ライフラインマップ ・各種法規に基づく規制地域	不動産評価額、地積、現況、各種法的規制等の確認
国税庁ホームページ、税務署	路線価図、評価倍率表	相続税申告書の作成
その他	・実測図 ・建物設計図書の敷地求積図 ・住宅地図、Google-Map	所在・地積・形状等の確認

5

第2章

法務局（登記所）調査

　法務局（登記所）調査は市町村調査と並んで役所調査の重要な位置を占めます。本章では、法務局（登記所）調査における登記資料等の入手等について説明します。

　不動産登記に関する資料は、法務局（登記所）にあります。相続税等の不動産評価においては、法務局（登記所）にある不動産に関する資料は、所有権等の権利のほか、土地等の形状の確認にも有効であり、なくてはならないものです。

　以下、法務局（登記所）で収集できる資料等について説明します。

1　法務局の管轄区域

　法務省は、全国を8ブロックの地域に分け、各ブロックを受けもつ機関として法務局を置いています。この法務局の下に、都道府県を単位とする地域を受けもつ「地方法務局」が置かれています。全国に8か所ある法務局、42か所ある地方法務局には、その出先機関として支局と出張所があります。

　法務局、地方法務局及び支局では、登記だけでなく、戸籍、国籍、供託、訟務、人権擁護の事務を行っており、出張所では 主に登記の事務を中心に行っています。

　現在は、すべての法務局でコンピュータにより事務を取り扱い、電子通信回線を使って最寄りの法務局から全国の異なる法務局の管轄である不動産及び法人の登記事項証明書を入手することができます。

　なお、法務局の不動産登記等に関する管轄区域は、法務局のホームページで確認できます。

　登記所は、登記事務を取扱っている役所のことですが、その名称の役所があるわけではなく、法務局、地方法務局、その支局及び出張所が該当しますので法務局という方が一般的であるため、以下「法務局」といいます。

第2章 法務局（登記所）調査

2 法務局にある登記資料等

法務局には、所有権、地役権等の権利を確認する上で必要な登記簿と図面があります。次表は、登記資料である登記簿と図面の具体的な簿書名です。

	登記資料	具体的な簿書
1	登記簿	不動産登記簿、立木登記簿、工場財団などの各種財団登記簿、船舶登記簿など
2	図面	地図、公図、地積測量図、土地所在図、地役権図面、建物図面など

上表の簿書はインターネットによる登記情報サービスで情報自体は入手可能ですが、登記官が発行した登記事項証明書にはなりません。

次に、上の表のうち、相続税等の不動産評価に関係する簿書について説明します。

(1) 登記事項証明書

従前、登記簿の内容を記載した書類の名称は、紙の場合は「登記簿謄本」でしたが、コンピュータ化により登記事項証明書に変わりました。

登記事項証明書とは、登記事務をコンピュータにより行っている法務局（登記所）において発行される、登記記録に記録された事項の全部又は一部を証明した書面のことです。

登記事項証明書（次ページ参照）に記載されているのは、不動産の所在、地番、地目、数量（地積・床面積）、家屋番号、構造、所有権に関する事項、所有権以外の権利等で、相続税の財産評価を行う不動産についての所在地、数量、所有権者などを確認するために必要で、登記事項証明書交付請求書に必要事項を記載して請求します。

なお、不動産の登記内容の確認の際に留意すべきは、所有権に関する事項（甲区）だけでなく、地上権、地役権などの所有権以外の権利関係（乙区）にも注意して確認する必要があります。

7

■登記事項証明書（土地）

表　題　部　　（土地の表示）			調製	平成８年１０月２４日	不動産番号	１２０７０００■■■７４５
地図番号	余白		筆界特定	余白		
所　在	大阪市阿倍野区■■町■丁目				余白	
①　地　番	②　地　目	③　地　積　　　㎡		原因及びその日付〔登記の日付〕		
17番3	宅地	８２	６４	余白		
８番１６	余白	余白		①変更 〔昭和４１年９月１４日〕		
余白	余白	余白		昭和６３年法務省令第３７号附則第２条第２項の規定により移記 平成８年１０月２４		

権　利　部（甲区）　　（所　有　権　に　関　す　る　事　項）			
順位番号	登　記　の　目　的	受付年月日・受付番号	権　利　者　そ　の　他　の　事　項
1	所有権移転	平成５年１月１２日 第８８３号	原因　平成５年１月１２日売買 所有者　大阪市阿倍野区■■町■丁目■■■ ■■■■ 順位３番の登記を移記
	余白	余白	昭和６３年法務省令第３７号附則第２条第２項の規定により移記 平成８年１０月２４日
2	所有権移転	平成１８年３月２３日 第１１２０４号	原因　平成１８年３月２２日売買 所有者　大阪市阿倍野区■■町■丁目■■■号 ■■■■

権　利　部（乙区）　　（所　有　権　以　外　の　権　利　に　関　す　る　事　項）			
順位番号	登　記　の　目　的	受付年月日・受付番号	権　利　者　そ　の　他　の　事　項
1(あ)	抵当権設定	平成１８年３月２３日 第１１２０５号	原因　平成１８年２月２２日保証委託契約に基づく求償債権平成１８年３月２３日設定 債権額　金４６０万円 損害金　年１４％（年３６５日日割計算） 債務者　大阪市阿倍野区■■町■丁目■■■ ■■■■ 抵当権者　東京都港区六本木■丁目■番■■号 ■■■■株式会社 共同担保　目録㈱第５１７９号 共同担保　目録㈱第５１７９／１２０７号
1(い)	抵当権設定	平成１８年３月２３日 第１１２０５号	原因　平成１８年２月２２日保証委託契約に基づく求償債権平成１８年３月２３日設定 債権額　金５，７００万円 損害金　年１４％（年３６５日日割計算） 債務者　大阪市阿倍野区■■町■丁目■■■号 ■■■■ 抵当権者　東京都港区六本木■丁目■番■■号

＊　下線のあるものは抹消事項であることを示す。

第2章 法務局（登記所）調査

⑵ 土地の登記事項証明書の表題部の見方

登記事項証明書の各欄の内容を説明します。

「調製」欄

調製欄の年月日は、その登記記録が作成された日です。

土地の場合は、法務局で紙の登記簿からコンピュータ上のデータ（登記記録）に移し替えた日のことです。

「不動産番号」欄

不動産を特定するための番号で、法務局ごとの不動産1つひとつに付されます。なお、上4桁は法務局の名前を番号化したもので平成17年3月7日の新不動産登記法の施行により新設されたものです。

なお、インターネットによる登記情報サービスでは、所在を入力しなくても不動産番号のみにより検索できます。

「地図番号」欄

14条地図がある場合は、ここに番号が入ります。法務局が完全なものとして認めている地図があるということになります。

したがって、地図に準ずる図面がある場合は記入されません。

「筆界特定」欄

隣地の境界が決まらない場合は、法務局に決めてもらう制度があり、番号があると隣地所有者と争いがあった可能性があります。なお、争いがなくても隣地所有者が行方不明等の場合も筆界特定を行う場合があります。

> **参考　筆界特定制度とは**
>
> 土地の所有者として登記されている人などの申請に基づいて、筆界特定登記官が、土地家屋調査士などの外部専門家である筆界調査委員の意見を踏まえて、現地における土地の筆界の位置を特定する制度で平成18年1月から運用されています。
>
> 「筆界」とは、土地が登記された際にその土地の範囲を区画するものとして定められた線であり、所有者同士の合意などによって変更することはできません。
>
> これに対し、一般的にいう「境界」は、筆界と同じ意味で用いられるほか、所有権の範囲を画する線という意味で用いられることがあり、その場合には、現実の土地利用に基づく界を意味するため筆界とは異なる概念となります。したがって、筆界は所有権の範囲と一致することが多いですが、一致しないこともあります。
>
> 筆界特定とは、新たに筆界を決めることではなく、実地調査や測量を含む様々な調査を行った上、もともとあった筆界を筆界特定登記官が明らかにすることです。
>
> 筆界特定制度を活用することによって、公的な判断として筆界を明らかにできるため、隣人同士で裁判をしなくても、筆界をめぐる問題の解決を図ることができます。
>
> 筆界が特定されたときは、対象となった土地登記簿表題部にある「筆界特定」欄に年月日と手続番号が記入されます。

筆界特定書は、法務局に保管され写しの交付を受けることができます。

「所在」欄

市、区、郡、町、村及び字により表示される土地の所在場所をいいます。

「地番」欄

土地の1筆ごとに登記所が定めた番号をいいます。

「地目」欄

宅地、田、畑などの地目が記載されています。

地目の変更は、所有者の申請により行われます。例えば、地目は田で、現況が宅地でも申請がないかぎり変更されません。しかし、現況により宅地としての評価をしますので、相続税法課税上の弊害はありません。

なお、固定資産税も現況により課税しています。

参考　地目の登記上の表示と現況地目の相違が不都合である場合

地目田であって、現況が宅地で現にその上に建物が建築されている場合など地目の表示と現況が異なる場合などで不都合だと判断される場合で、例えば、銀行借り入れに際して、銀行が不都合であると判断した場合、地目を更正（変更）する場合があります。

「地積」欄

地目が宅地と鉱泉地の場合は、$10m^2$以上でも小数点以下二ケタで記載します。

他の地目は記載しなくとも整数でよいことになっていますが、$10m^2$以下は全地目について、小数点以下二ケタで記載することになっています。

「原因及びその日付」欄

登記をするに至った原因と、その原因が生じた日付のことです。

「登記の日付」欄

登記官が登記を実行した日付です。

「甲区」欄

土地についての所有権移転登記です。

「乙区」欄

順位番号1番は、銀行が土地に対して、建物と同様に抵当権を設定した登記です。なお、「共同担保目録」の記録もあります。

第2章 法務局（登記所）調査

⑶ 建物の登記事項証明書の表題部の見方

■登記事項証明書（建物）

表 題 部（主である建物の表示）	調製	余 白		不動産番号	1■■■■10061483
所在図番号	余 白				
所　　在	■市■■■町三丁　2番地1、2番地2		余 白		
	■市西区■■■町三丁　2番地1、2番地2		平成18年4月1日区制施行 平成18年10月11日登記		
家屋番号	2番1		余 白		

① 種　類	② 構　造	③ 床 面 積 ㎡	原因及びその日付〔登記の日付〕
診療所	鉄骨造陸屋根3階建	1階　270:68 2階　302:94 3階　302:94	平成17年9月2日新築 〔平成17年9月8日〕
所 有 者	大阪府■市■■■町五丁615番地　有 限 会 社 ■ ■ 地 所		

権 利 部（甲 区）　（所 有 権 に 関 す る 事 項）			
順位番号	登 記 の 目 的	受付年月日・受付番号	権 利 者 そ の 他 の 事 項
1	所有権保存	平成17年9月20日 第49888号	所有者　■市■■■町五丁615番地 有限会社■■地所

権 利 部（乙 区）　（所 有 権 以 外 の 権 利 に 関 す る 事 項）			
順位番号	登 記 の 目 的	受付年月日・受付番号	権 利 者 そ の 他 の 事 項
1	根抵当権設定	平成17年9月20日 第49889号	原因　平成17年9月20日設定 極度額　金2億円 債権の範囲　銀行取引　手形債権　小切手債権 債務者　■市■■■町五丁615番地 　有 限 会 社 ■ ■ 地 所 根抵当権者　東京都千代田区■■■一丁目1番2号 株式会社■■■■銀行（取扱店　■■支店） 共同担保　目録㋑第4101号

共 同 担 保 目 録					
記号及び番号	㋑第4101号			調製	平成17年9月20日
番　号	担保の目的である権利の表示		順位番号	予　　備	
1	■市■■■町三丁　2番1の土地 ■市■■■■町三丁　2番1の土地		1	平成18年10月11日変更（所在）	
2	■市■■■町三丁　2番2の土地 ■市■■■■町三丁　2番2の土地		1	平成18年10月11日変更（所在）	
3	■市■■町三丁　2番地1、2番地2　家屋番号　2番1の建物 ■市■■■■町三丁　2番地1、2番地2、　家屋番号　2番1の建物		1	平成18年10月11日変更（所在）	

*　下線のあるものは抹消事項であることを示す。

「不動産番号」欄

　土地と同様です。

「所在」欄

　建物の敷地である土地の「所在および番地」が表示されます。

　土地と違い、建物の所在については「○番地○」と表示されます（「地」がつきます。）。

11

「家屋番号」欄

建物を特定するために登記所が定めた番号です。原則として建物の敷地の「地番」と同一の番号が定められます。

「種類」欄

建物の利用形態で、その建物の主たる用途により定められます。

「構造」欄

建物の主たる部分の構成材料、屋根の種類および建物階数で定めらます。

「床面積」欄

各階ごとに、壁やその他の区画の中心線で囲まれた部分の水平投影面積により平方メートルを単位として記録することが定められています。

ただし、区分所有建物の場合には、壁その他の区画の内側線になります。

なお、「表題登記」がなされますと、この表題部の末尾に、所有者の住所と氏名が記録されます。その後「所有権の保存登記」がなされると、この欄の内容は抹消されます。

「甲区」欄

順位番号1番は、「有限会社○○地所」所有の建物についての「所有権保存登記」です。

「乙区」欄

順位番号1番は、○○銀行が「有限会社○○地所」の建物に対して、土地と同様に抵当権を設定した登記です。なお、「共同担保目録」の記録もあります。

3 共同担保目録（建物登記事項証明書の下段）

一つの債権を担保するために数個の不動産に担保権（抵当権等）を設定することを共同担保といいます。

例えば、建物の敷地である宅地（A）と接面する私道（B、C）の3個の不動産を共同担保とする抵当権を設定した場合、A不動産の抵当権登記の末尾には、BCが共同担保関係にある旨を表示する必要がありますが、乙区欄に他の全部の不動産の表示を記載することは手数がかかります。

また、誤記・遺漏の危険もあります。そこで、乙区欄には直接記載せずに、別に目録により共同担保関係を明確にしたものが「共同担保目録」です。

共同担保目録は、登記事項とされている二以上の不動産及びその権利を明らかにするため作成され、その記録は登記記録とみなされますが、土地登記記録・建物登記記録とは別個に、「共同担保目録」に受付番号の順に記録されます。

したがって、抵当権等と共同抵当の関係にある他の不動産を調査するためには、乙区に記載された記号番号で「共同担保目録」を特定し、登記事項証明書の交付申請の際に共同担保目録が必要である旨記載して登記事項証明書と同時に入手します。

4 登記事項要約書

不動産の所在地を管轄している法務局において、相続する不動産に関係していると考えられる登記事項要約書を請求することにより、一度に複数筆の不動産の表題部、権利部等が確認でき便利です。

登記事項要約書とは、登記内容を要約したもので、表題部、現在の所有者、乙区登記事項の概要をまとめたもので、いわばメモ代わりですので、発行日付、登記官の印はありません。

■登記事項証明書と登記事項要約書の相違

	登記事項証明書	登記事項要約書
甲区	過去・現在の所有者が記載。所有権の取得原因が記載	現在の所有者のみ記載、所有権取得の原因記載はなし
乙区	抵当権の内容は完全記載	抵当権の内容は簡記

■登記事項要約書（要約書）サンプル

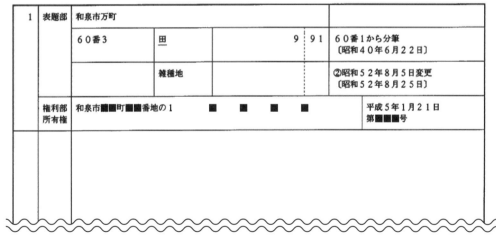

■登記事項要約書交付申請書

不動産用	登記事項要約書交付 閲　　　　　　覧　申請書

※　太枠の中に記載してください。

窓口に来られた人 （請　求　人）	住　所 フリガナ 氏　名	収入印紙欄

※地番・家屋番号は、**住居表示番号（〇番〇号）とはちがいますので、注意してください。**

種　別 （レ印をつける）	郡・市・区	町・村	丁目・大字・字	地　番	家屋番号 又は所有者
1 □土地					
2 □建物					
3 □土地					
4 □建物					
5 □土地					
6 □建物					
7 □土地					
8 □建物					
□財団（□目録付） 9 □船舶 □その他					

収入印紙

収入印紙

（登記印紙も使用可能）

収入印紙は割印をしないでここに貼ってください。

※該当事項の口にレ印をつけ、所要事項を記載してください。

□　**登記事項要約書**
　　※特定の共有者に関する部分のみを請求するときは，次の項目も記載してください。
　　□　共有者＿＿＿＿＿＿＿＿＿＿＿＿＿＿＿に関する部分
　　□　マンション名（＿＿＿＿＿＿＿＿＿＿＿＿＿＿＿＿＿＿）
□　**登記簿の閲覧**
□　閉鎖登記簿の閲覧
　　□　コンピュータ化に伴う閉鎖登記簿
　　□　合筆、滅失などによる閉鎖登記簿・記録（昭和平成＿＿＿年＿＿月＿＿日閉鎖）
□　登記申請書・添付書類の閲覧（閲覧する申請書の受付年月日・受付番号を記載してください。また，利害関係のある方しか閲覧することができませんので，利害関係を記

　　　受付年月日・番号：平成＿＿年＿＿月＿＿日受付第＿＿＿＿＿＿号
　　　利害関係：＿＿＿＿＿＿＿＿＿＿＿＿＿＿＿＿＿＿＿＿＿＿＿

交 付 通 数	交 付 枚 数	手　数　料	受 付・交 付 年 月 日

（乙号・2）

第2章 法務局（登記所）調査

5 住居表示と地番

ここでは、住居表示と土地の地番の仕組みを説明します。

(1) 住居表示とは

住居表示は、郵便物の届く住所のことで、「住居表示に関する法律」に基づいて表示され、住所から場所を特定し、郵便物の配達などに利用されています。

例えば、次の住居表示ですが、町名、街区符号、住居番号は次のとおりです。

住居表示の例
○○一丁目2番3号（簡記すると○○1－2－3）

上記「○○一丁目2番3号（簡記すると○○1－2－3）」について具体的な説明をします。町名は「○○一丁目」又は簡記すると上記の「○○1」です。

日本の住居表示は、街区方式が主流です（欧米では道路方式がよく用いられています。）。

街区方式は原則として道路に囲まれた区画（ブロック）が単位（街区）となり、上記の1つの町名は複数（まれに1つ）の街区で構成されます。街区符号は、「2番」、簡記すると上記の「2」と表示されます。

住居番号は、街区周辺を市町村の中心に近い角を起点にし、そこから街区の外周に沿って時計回りに距離を測って10m（15m）ごとに区切り、順番に1、2、3…と基礎番号をつけます。

そして、建物の玄関又は主要な出入り口が接する位置の基礎番号を住居番号とします。表示方法は「3号」簡記すると上記の「3」となります。

---

(2) 地番とは

地番は、土地の所在を特定するために法務局が定めたもので、「○○番」と表記されます。住居表示とは関係がありません。住居表示が実施されても地番は残ります。なお、建物は「○○番地」と表記されます。

例：住居表示実施に伴う地番の残り方

住居表示実施前	住所表記「○○123番地12」
	登記表記「○○123番12」
住居表示実施後	住所は、「△町二丁目2番3号」となります。
	登記は、「△町二丁目123番12」となり、字名が△町二丁目と変わりますが、地番である最後の123番12は変わりません。

15

また、例えば上記の△町を複数の町や「丁目」に分割したり、飛び地や複雑に入り組んだ町界・町名・地番を整理して、わかりやすい住所に整理する場合があります。これを町界町名整理といいます。

(3) 住居表示しか分からない土地の地番の調べ方

住居表示しかわからない場合でも、不動産登記事項証明書の交付申請を行わなければならない場合があります。この場合、どうすればよいでしょうか。

例えば、住居表示が実施されて「堺市西区浜寺昭和町1丁1番1号」となっており、土地の地番は「堺市西区浜寺1丁123番」であるにもかかわらず、地番がわからない場合とします。

不動産登記事項証明書の交付申請時には、住居表示で申請書を提出しても法務局では受け付けません。法務局の掲示板にも「住居表示番号は地番とは違います。登記簿の地番を書いてください。」と注意書きされています。

この場合、住居表示から地番を探す方法は次のとおりです。

① 住居表示と地番の入った地図（通称「ブルーマップ」株式会社ゼンリン）があります。ブルーマップの正式名称は「住居表示地番対照住宅地図」といいますが、これにより地番を自分で探すことができます。

② 市区町村の住居表示の係に問い合わせて、住居表示に該当する「旧住所」を教えてもらうことで地番が分かります。この場合は、電話でも回答してくれます。また、法務局に電話で問い合わせて地番・家屋番号を照会することもできます。更に法務局に出向く場合には、「新旧住所の対照表」が備えてありますので自分で確認することができます。

---

6 登記事項証明書及び地図・地積測量図等の証明書等請求書の入手方法

登記事項証明書及び地図・地積測量図等の証明書等請求書を入手する際に、留意すべき事項は次のとおりです。

(1) 正しい地番・家屋番号の確認

登記情報を請求する場合は、土地・建物の地番・家屋番号は、いわゆる住居表示と一致しないことが多いので、上記5(3)により正しい地番・家屋番号を登記済証（いわゆる権利書）や登記所備付けの地図又は市区町村役場等で確認し、請求することが必要です。

なお、入手の際には、登記事項全部が記載された全部事項証明書の発行を依頼します。

(2) 登記事項証明書の発行年月日に関する注意事項

登記事項証明書を依頼者から受け取った場合においても、発行年月日が課税時期（相続、遺贈若しくは贈与により財産を取得した日又は相続税法の規定により相続、遺贈若しくは贈与により取得したものとみなされた財産のその取得の日をいいます。）以前の場合には、発行日以降に登記が行われ、所有権者が変更になっている場合等もあるため、新しいものを入手する必要があります。

(3) 登記事項証明書の具体的入手方法

登記官によって発行された登記事項証明書の種類には、土地と建物等の証明書があり、入手方法は次のとおりです。

① 不動産の所在地を管轄する法務局に出向いて交付申請

従来からあるこの方法は、コンピュータ化されていない閉鎖登記簿等を入手する際に利用すると便利です。

② 郵送による交付申請

③ インターネットによる管轄外の法務局での交付申請（以下「登記オンライン申請システム」といいます。）

登記オンライン申請システムは、平成23年2月14日から運用を開始し、申請・請求をインターネット又はLGWAN・政府共通ネットワークを利用して行うシステムです。登記オンライン申請システムを利用することにより法務局の窓口に出向くことなく、自宅やオフィスなどから申請・請求や電子公文書の取得が可能となりました。

イ 登記オンライン申請システムにより請求した登記事項証明書等の受取り方法

・ 受取先法務局として請求者が指定した法務局の窓口で受け取る方法

・ 請求先法務局から請求者が指定した住所に送付して受け取る方法

・ 郵送で受け取る方法

ロ 登記事項証明書、地図・図面等の閲覧・請求手数料

法務局で直接請求する場合、オンライン請求する場合、及び郵送で請求する場合の手数料は、次のとおりです。収入印紙を所定の請求書に添付して納付します。

（令和5年10月1日現在）

	法務局で請求	オンライン請求	郵送で請求
登記事項証明書	600円	郵送500円 窓口480円	600円
地図・図面	450円	郵送450円 窓口430円	450円
登記事項要約書	450円	不可	不可

(4) インターネットによる登記情報提供サービス

イ　登記情報提供サービスは、法務局が保有する登記情報をインターネットを使用してパソコンの画面上で確認できる有料サービスです。法務局の窓口に出向くことなく、自宅やオフィスなどからインターネットによる閲覧が可能なサービスです。このサービスは一般財団法人民事法務協会の登記情報提供センター室が運営するサービスで、あらかじめ申込み手続きが必要です。

ロ　登記情報提供サービスは、インターネットによる閲覧で、提供された情報を印刷することも可能ですが、印刷したものは認証文がないため、メモ代わりに利用できますが証明書としては使用できません。

　したがって、税務署などへ申告手続きの添付書類として提出を求められている場合等には使用できませんので、登記事項証明書を法務局において交付申請するか、オンライン請求による申請をして、認証文付きの登記事項証明書を入手する必要があります。

(令和5年10月1日現在)

情報名称	内容	利用料金（1件）
不動産登記情報	全部事項	332円
	所有者事項	142円
	地図	362円
	図面（土地所在図／地積測量図、地役権図面及び建物図面／各階平面図）	362円
商業・法人登記情報	全部事項	332円

■登記情報提供サービスの画面

第2章 法務局（登記所）調査

■登記事項証明書等の交付申請書（法務局の窓口請求用）

| 不動産用 | 登記事項証明書 登記簿謄本・抄本 交付請求書 | 収入印紙欄 |

※太枠の中に記載してください。

| 窓口に来られた人（請求人） | 住所 フリガナ 氏名 | 収入印紙欄 収入印紙 収入印紙 収入印紙は割印をしないでここに貼ってください。（登記印紙も使用可能） |

※地番・家屋番号は，住居表示番号（〇番〇号）とはちがいますので，注意してください。

種別（✓印をつける）	郡・市・区	町・村	丁目・大字字	地番	家屋番号又は所有者	請求通数
1 □土地						
2 □建物						
3 □土地						
4 □建物						
5 □土地						
6 □建物						
7 □土地						
8 □建物						
9 □財団（□目録付）□船舶□その他						

※共同担保目録が必要なときは，以下にも記載してください。
次の共同担保目録を「種別」欄の番号＿＿＿＿＿＿番の物件に付ける。
□ 現に効力を有するもの □ 全部（抹消を含む）□（＿）第＿＿＿号

※該当事項の□に✓印をつけ，所要事項を記載してください。
□ 登記事項証明書・謄本（土地・建物）
　専有部分の登記事項証明書・抄本（マンション名＿＿＿＿＿＿＿＿＿）
　□ ただし，現に効力を有する部分のみ（抹消された抵当権などを省略）
□ 一部事項証明書・抄本（次の項目も記載してください。）
　共有者＿＿＿＿＿＿＿＿＿＿＿＿＿＿＿に関する部分
□ 所有者事項証明書（所有者・共有者の住所・氏名・持分のみ）
　□ 所有者　　□ 共有者＿＿＿＿＿＿＿
□ コンピュータ化に伴う閉鎖登記簿
□ 合筆，滅失などによる閉鎖登記簿・記録（＿＿＿＿年＿＿月＿＿日閉鎖）

交付通数	交付枚数	手数料	受付・交付年月日
	受付 作成 照合 交付		

一般・公用（乙号・1）

19

■地図・地積測量図等の証明書等申請書（法務局の窓口請求用）

地図・各種図面用　地　　　　図　の　証明書　申請書
地積測量図等　　閲　　覧　申請書

※ 太枠の中に記載してくださ

窓口に来られた人 （申請人）	住　所
	フリガナ 氏　名

※地番・家屋番号は、**住居表示番号（○番○号）** とはちがいますので，注意してください。

種　別 （レ印をつける）	郡・市・区	町・村	丁目・大字・字	地　番	家屋番号	請求 通数
1 □土地						
2 □建物						
3 □土地						
4 □建物						
5 □土地						
6 □建物						
7 □土地						
8 □建物						
9 □土地						
10□建物						

収入印紙欄

収　入
印　紙

収　入
印　紙

（登記印紙も使用可能）

収入印紙 は割印をしないでここに貼ってください。

（どちらかにレ印をつけてください。）
□ 証明書　　　　□ 閲　覧

※該当事項の□にレ印をつけ，所要事項を記載してください。

□ **地図・地図に準ずる図面（公図）**（地図番号：＿＿＿＿＿＿＿）

□ **地積測量図・土地所在図**
　　□ 最新のもの　□昭和平成＿＿年＿＿月＿＿日登記したもの

□ **建物図面・各階平面図**
　　□ 最新のもの　□昭和平成＿＿年＿＿月＿＿日登記したもの
□ その他の図面（　　　　　　　　　　　　　　　　　　）

□ 閉鎖した地図・地図に準ずる図面（公図）

□ 閉鎖した地積測量図・土地所在図（昭和平成＿＿＿＿年＿＿月＿＿日閉鎖）

□ 閉鎖した建物図面・各階平面図（昭和平成＿＿＿＿年＿＿月＿＿日閉鎖）

交 付 通 数	交 付 枚 数	手 数 料	受 付・交 付 年 月 日

（乙号・4）

7 法務局で収集できる資料

　法務局に備え付けられている地図、図面の一覧は次表のとおりです。以下、地図の精度等について説明します。

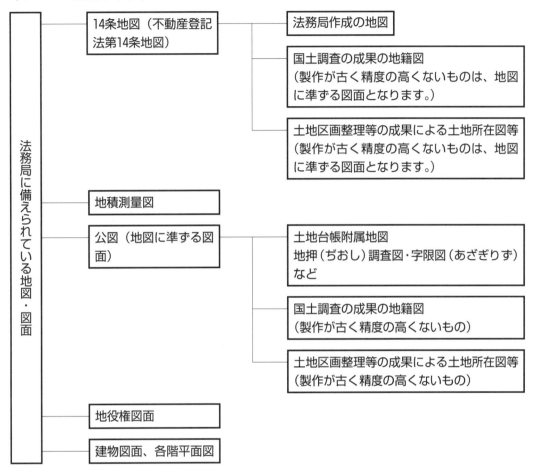

(1) 「14条地図」（不動産登記法第14条地図）

　「地図」といえば実務では公図のことをさすことが多いようですが、不動産登記法上の「地図」とは、一定の精度が要求されるもので、精度を満たさないものは、「地図に準ずる図面」として扱われることになります。

　公図の内容は正確な土地の形状や、位置、寸法を示すものではないため、「地図に準ずる図面」となります。

　不動産登記法上「地図」というときは、国土地理院が決めている国家基準点（三角点）を基準として測量法に基づき境界を測定した一定の精度を有するもので「14条地図」と呼ばれ、もし土地の現状が変わったとしても、境界を復元することができます。

① 法務局作成の地図

法務局に備え付けの地図と現地が著しく相違している場合、その地区の土地、建物の売買などの不動産取引あるいは不動産の表示に関する登記申請等に不都合が生じます。

そこで、法務局では、これらを解消するために、土地の一筆ごとの筆界を確認し、正確な測量を行い、精度の高い地図を作成し、整備している場合があります。

この場合の法務局に備え付けられた地図は、「14条地図」に該当します。

② 国土調査の成果に基づく地籍図

人に関する記録として「戸籍」がありますが、これに対して土地に関する記録を「地籍」と言います。

地籍調査とは、国土調査法に基づき1951年に始まり、地籍の明確化を目的として実施する土地に関する調査で、一筆ごとの土地について境界・所有者・地番・地目の調査及び境界の位置・面積の測量を行い、地図と簿冊を作成する事業です。

地籍調査が行われると、一筆ごとの土地についての正確な情報が簿冊（地籍簿）に記録され、現在の測量技術のもとに正確な地図（地籍図）が作成されます。

また、作成された地籍図及び地籍簿は、その写しが法務局に送付され、法務局において「地籍簿」をもとに土地登記簿が書き改められ、「地籍図」が不動産登記法第14条第1項地図として備え付けられ、表題部の地図番号として記載されます。

しかし、「地籍図」の作製は、登記所の予算・人員・複雑な権利関係等からその作製は遅れがちになっており、実際には、特に大都市の中心地域では権利関係が複雑で、関係者も多数となるので作業は難航しています。順次、整備は図られていますが、この地域では依然として公図に頼らざるを得ないのが実情です。

「14条地図」の具体的製作は、国土調査法に基づく地籍調査によって作成された地籍図が大部分を占め、土地区画整理事業、土地改良事業等により作製された土地の所在図なども活用して、作業を進めています。

なお、「14条地図」を平成17年3月7日まで「17条地図」と呼んでいました。これは法律の改正で条文が移動したためです。

参考 「地積」と「地籍」について

登記簿上の土地の面積のことを「地積」といい、上記の国土調査法に基づき作成された土地に関する戸籍のことを「地籍」といいます。

第2章 法務局（登記所）調査

参考　地籍調査の都道府県ごとの実施状況（国土交通省　地籍調査ウェブサイトより）

　地籍調査は、北海道、東北、九州の各地方では調査が比較的進んでいますが、関東、中部、北陸、近畿の各地方では大幅に遅れています。

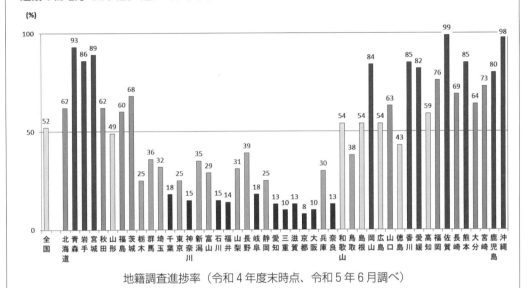

地籍調査進捗率（令和4年度末時点、令和5年6月調べ）

■14条地図（不動産登記法第14条地図）の例示

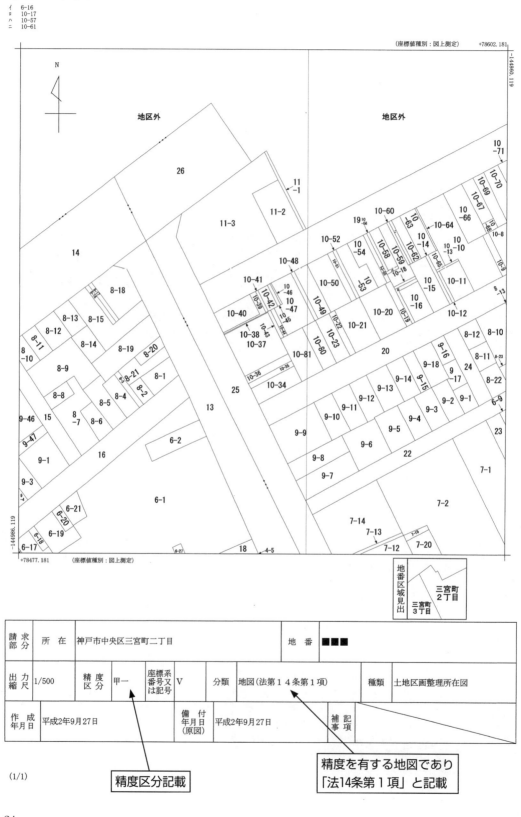

国土調査法による精度区分等は、次のとおりです。

■別表第4　一筆地測量及び地積測定の誤差の限度（第15条関係）

精度区分	筆界点の位置誤差		筆界点間の図上距離又は計算距離と直接測定による距離との差異の公差	地積測定の公差
	平均二乗誤差	公差		
甲1	2 cm	6 cm	$0.020m+0.003\sqrt{Sm}+\alpha mm$	$(0.025+0.003\sqrt[4]{F})\sqrt{F}m^2$
甲2	7 cm	20cm	$0.04m+0.01\sqrt{Sm}+\alpha mm$	$(0.05+0.01\sqrt[4]{F})\sqrt{F}m^2$
甲3	15cm	45cm	$0.08m+0.02\sqrt{Sm}+\alpha mm$	$(0.10+0.02\sqrt[4]{F})\sqrt{F}m^2$
乙1	25cm	75cm	$0.13m+0.04\sqrt{Sm}+\alpha mm$	$(0.10+0.04\sqrt[4]{F})\sqrt{F}m^2$
乙2	50cm	150cm	$0.25m+0.07\sqrt{Sm}+\alpha mm$	$(0.25+0.07\sqrt[4]{F})\sqrt{F}m^2$
乙3	100cm	300cm	$0.50m+0.14\sqrt{Sm}+\alpha mm$	$(0.50+0.14\sqrt[4]{F})\sqrt{F}m^2$

備考

一　精度区分とは、誤差の限度の区分をいい、その適用の基準は、国土交通大臣が定める。

二　筆界点の位置誤差とは、当該筆界点のこれを決定した与点に対する位置誤差をいう。

三　Sは、筆界点間の距離をメートル単位で示した数とする。

四　αは、図解法を用いる場合において、図解作業の級が、A級であるときは0.2に、その他であるときは0.3に当該地籍図の縮尺の分母の数を乗じて得た数とする。図解作業のA級とは、図解法による与点のプロットの誤差が0.1ミリメートル以内である級をいう。

五　Fは、一筆地の地積を平方メートル単位で示した数とする。

六　mはメートル、cmはセンチメートル、mmはミリメートル、m²は平方メートルの略字とする。

■運用

精度区分の適用は、原則として次表のとおりとする。

精度区分	地形区分	地図の縮尺
甲1、甲2	市街地	1/100、1/250
甲3、乙1	平地	1/250、1/500
乙2、乙3	山地	1/500、1/1000

例えば、ある土地の精度区分が甲2、一辺の長さが10m、面積が200m²の場合、許容される公差は、上の式に代入すると

距離の公差：$0.04m+0.01\times\sqrt{10}m=0.072m$

地積の公差：$(0.05+0.01\times\sqrt[4]{200})\sqrt{200}m^2=1.239m^2$

となります。

現在と法務局に備え付けの地図が作られた時の測量機器の精度、境界標の設置精度、地盤の動きなどを考慮すると、この程度の誤差が許容範囲とされています。

誤差の許容範囲は甘いように思えるかもしれませんが、三角点標石等の永久標識であっても地下工作物の施工や地盤の滑動によって数cm移動することは珍しいことではありません。また、施工業者が筆界線に擁壁やコンクリート塀を構築する場合、標石を移動せざ

るを得ず、その復元や新設に若干の誤差を伴うことは避けられません。つまり、精度にゆとりがないと、地積更正、地積測量図の訂正、境界紛争などを多発する結果となり、かえって登記行政の円滑処理の妨げとなることが予想され、ある程度の誤差が認められているのです。

(2) 地積測量図

　地積測量図（①参照）は、土地の表示登記（表題部の登記）（②参照）、地積の変更や分筆の登記など、新たに地積を記載する登記や登記簿上の地積に変更を生じる登記を申請する場合に登記の申請書に添付して法務局へ提出する図面のことです。

　地積測量図は、1筆の土地ごとにその形状、及び隣接地との位置関係などが表示され、また、地積の求積方法が明らかにされた一定の精度（③参照）のある図面で不動産の評価に活用することができます。

① 地積測量図を作成する場合

イ　公有水面を埋め立てた場合

ロ　海面が隆起した場合

ハ　登記漏れの場合

ニ　分筆した場合

　なお、合筆登記では現に表記されている面積を単純に合算するのみで、地積測量図は作成しません。

ホ　地積更正した場合

② 土地の表示登記（表題部の登記）とは

　初めてできた不動産を特定するため物的状況を記載し、その後の変化をアップデートし、物的状況を正しく公示することで、登記簿謄本がないとき届けるための登記です。

　この表示登記は、土地家屋調査士が行います。

③ 地積測量図の精度

　地積測量図は、作成年代などにより、必ずしも厳密な正確性と復元力を有していないものもあります。

　また、上記の表示登記を行うべき、すべての土地について、地積測量図があるわけではありません。登記申請に地積測量図が必要となったのは、昭和35年4月1日からです。

　それ以降の分筆、地積更正等された土地には、地積測量図がありますが、図面に境界標などの記載が義務付けられなかったため、現地測量せずに机上で図面化したものもあるとされています。

　そのため、昭和52年の法改正で境界標を明示させることにしました。なお、昭和35年4月以降でも、昭和40年前後までは地積測量図がない場合もあります。

更に付け加えると、昭和54年1月1日改正で地積測量の際、隣地所有者の立ち合いが必要となり、これ以降がより精度のある地積測量図といえます。

昭和54年以前は、地積測量図があったとしても隣地所有者の立ち合い制度がありませんでした。所有者の申請のみによる地積測量ですので精度的には劣ります。

④　平成17年以降の地積測量図について

平成17年3月以降の地積測量図については、残地計算の方法と地積測量図の作成方法が改正され、飛躍的に精度が高まりました。

【残地計算の方法の変更】

土地の分筆を行う場合、従前まで行ってきた「公簿面積から測量した土地の面積を控除する方法」による残地計算はできなくなり、測量対象地のみならず、分筆後の残地についての境界確定と測量が義務付けられました。

これにより、測量した土地のみならず残地についても地積の精度が向上しました。

【地積測量図作成方法の変更】

街区基準点（注）の整備済の地域内の地積測量図の作成に当たっては、原則として世界標準の座標である基準点に基づく作業が義務付けられました。具体的には三角点等に基づく筆界点測量を行い、更に、地積と求積方法は座標値を利用した面積計算を行うことになりました。

この結果、津波や土砂災害等の自然災害により、土地の原型が跡形もなくなり、不明になった場合においても、従前の土地が地球上のどこにあるか正確に復元できるようになりました。

（注）　街区基準点とは、都市部における地籍調査を推進するため、国土交通省が全国のDID（人口集中地区）を対象に実施した「都市再生街区基本調査」により設置された測量の基準点のことをいい、地籍調査の測量だけでなく、公共工事や土地分筆等の測量の基準としても活用されています。

■地積測量図（例）

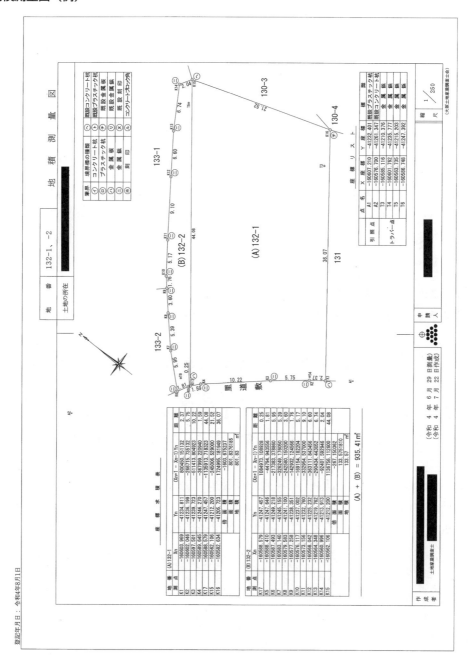

(3) 公図（地図に準ずる図面）

　地図に準ずる図面（公図）は、不動産登記法第14条第4項の規定に基づき、同条第1項の地図（以下「14条地図」といいます。）が備えられるまでの間、これに代えて「地図に準ずる図面」（公図）として法務局に備えられているというものです。現在は、オンライン化された登記情報によって閲覧及び入手することができるようになっています。

第2章 法務局（登記所）調査

| 参考 | 公図の歴史について |

　公図は、明治18年から地租の課税を目的として全国の土地を検査・測量して今の土地台帳及び公図等が作られました。当時、公図の作成には、地元の有力者が立ち会って測量しました。目的は税金の徴収のためで、機械はもちろんなく、人の手で測量していました。

　明治の公図には、赤色の線で里道（りどう）が表され、「あかみち」「あかせん」とか呼ばれました。青色の線は「あおみち」とか「あおせん」と呼ばれ水路や河川を表します。

　地番表示のない土地は無番地の土地になりますが、赤線、青線とも無番地で道路等とともに官有地を表します。網走にある無番地は有名な旧網走刑務所です。

　公図の役割は、登記簿を補足している地図で、旧土地台帳付属地図と呼ばれています。

　また、地図混乱地域には公図はありません。公図は地図に準ずる図面であり、公図に記載のある地番すなわち土地の番号の並びだけが合致していますが、面積、形状は不正確なものです。

　公図の原本は、大きな和紙に書かれ、縮尺は600分の1を原則としますが、精度が低いので、方位や縮尺、形状等は、不正確なものです。公図の原本は、長年の使用によって傷みが激しいので、ポリエステルシートに複製し、原図は閉鎖・保管されています。

　公図は、法務局において、写しの交付申請をするか、コンピュータ化されている場合には登記事項証明書と同様にインターネットで取得することができます。

　土地区画整理事業中などの土地については、公図が書き換えられていないため、従前のままになっていることがあります。この場合には、法務局に備えられている公図は精度が低いため、土地区画整理組合の事務所等において精度の高い換地図、計画図面等を収集することになります。「14条地図」が備えられている場合には、公図ではなく地図の写しを申請します。

■法務局に備えられている「14条地図」と公図の精度

登記簿の呼称	精度区分	地図の種類
「14条地図」（不動産登記法第14条地図）	精度を有する	①法務局作成の地図 ②国土調査による地積図（製作が新しく一定の精度があるもの） ③土地改良法の土地所在図 ④土地区画整理法の土地所在図 ⑤新住宅市街地開発法による土地所在図など
公図（地図に準ずる図面）	精度が低い	⑥土地台帳附属地図 ⑦国土調査の成果の地籍図（製作が古く精度の高くないもの） ⑧土地区画整理等の成果による土地所在図等（製作が古く精度の高くないもの）

29

■公図（地図に準ずる図面）（土地台帳付属地図の例示）

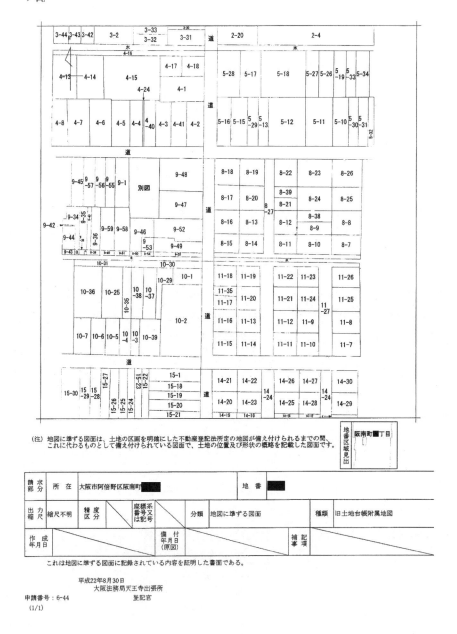

(4) 地役権図面

　不動産登記規則第79条各項によれば、地役権図面について、地役権設定の範囲を明確にし、方位、地番及び隣地の地番並びに申請人の氏名又は名称を記録し、作成の年月日を記録しなければならないとされており、登記所において備付の図面と同様の方法により交付申請等ができます。

　地役権図面は、地役権がその筆（土地）の一部に設定されている場合のみ存在しており、

乙区に地役権設定の記載ある場合のみ備えられていますので注意してください。地役権の設定の有無は、土地の評価に大きな影響を及ぼします。

なお、地役権図面は、適宜の縮尺により作成することができます。

地役権が設定されている宅地の評価については、第6章4⑵（282ページ）で説明しています。

■地役権図面

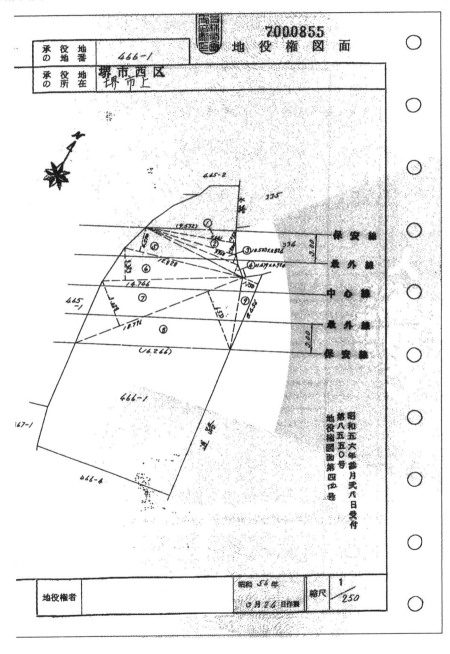

■地役権が設定された登記事項証明書

大阪府堺市■■■466-1　　　　　　　　　　　全部事項証明書　　　　　　（土地）

表　題　部	（土地の表示）		調製	平成１２年１０月１２日	不動産番号	
地図番号	余白		筆界特定	余白		
所　在	堺市■			余白		
	堺市■■■			平成１８年４月１日区制施行 平成１８年９月２１日登記		
①　地　番	②　地　目	③　地　積　　　㎡		原因及びその日付〔登記の日付〕		
４６６番１	田	旧	720	余白		
余白	余白		362	③４６６番１、４に分筆 〔昭和４２年９月１３日〕		
余白	余白	余白		昭和６３年法務省令第３７号附則第２条第２項の 規定により移記 平成１２年１０月１２日		

権　利　部（甲区）　　（所　有　権　に　関　す　る　事　項）			
順位番号	登　記　の　目　的	受付年月日・受付番号	権　利　者　そ　の　他　の　事　項
１	所有権移転	昭和３０年３月１７日 第１３９８号	原因　昭和２９年３月２５日売買 所有者　大阪府堺市■■２１０１番地の９ 　■　■　■　■ 順位１番の登記を移記
	余白	余白	昭和６３年法務省令第３７号附則第２条第２項の規定 により移記 平成１２年１０月１２日

権　利　部（乙区）　　（所　有　権　以　外　の　権　利　に　関　す　る　事　項）			
順位番号	登　記　の　目　的	受付年月日・受付番号	権　利　者　そ　の　他　の　事　項
１	地役権設定	昭和５６年３月２８日 第８５５０号	原因　昭和５６年３月２７日設定 目的　電線の支持物を除く電線路を設置（張替増強等を含む）し、その保守運営の為の、この土地に立入り、通行もしくは使用の認容並びに電線路の最下垂時における電線の高さから３・７５ｍを控除した高さを超える建造物及び工作物の築造ならびに爆発性、可燃性を有する危険物の製造、取扱い、貯蔵その他電線路に支障となる立竹木の育成、その他電線路に支障となる一切の行為禁止 範囲　電線路の最外線から３ｍの両保安線間１７８・９１㎡ 要役地　和泉市■■■６７３番 地役権図面第４４号 順位１番の登記を移記
	余白	余白	昭和６３年法務省令第３７号附則第２条第２項の規定 により移記 平成１２年１０月１２日

＊　下線のあるものは抹消事項であることを示す。

禁止行為とその面積が
わかります。

⑸ 建物図面、各階平面図

① 建物図面、各階平面図とは

　建物に関する登記申請の際に、添付するため建物の所在位置と床面積などが記載されたものが建物図面です。主たる建物又は附属建物の別、方位、敷地の境界、その土地と隣地の地番が記載されています。

　建物図面は依頼者が所有していることもありますが、所在地を管轄する法務局において交付申請して、写しを取得することができます。

　遠隔地の場合には郵送で申請することもできます。登記情報としてオンライン化されている場合にはインターネットで閲覧することも可能です。

　建物図面は建物の位置及び形状などを把握するとともに、建物の増築の有無などの確認に用いることができます。建物が敷地のどの位置に存在しているのか、区分所有建物の場合には何階のどの部屋に該当するのかなどを容易に確認することができます。

　敷地について土地の実測図が無い場合などに、公図よりも正確に記載されていることも多く、間口、奥行きなどを建物図面によって大まかに代用して確認することも可能です。

　なお、未登記等の場合には建物図面がありませんので留意する必要があります。

② 建物図面の精度

　建物図面には建物とともにその敷地形状や距離等も記入されていますが、内容については、土地家屋調査士が敷地形状や距離等を推定で記入しており、敷地形状や距離等は正確ではないと考えられます。

　隣接地の地番や、敷地境界と建物との距離も確実でない場合もあるので、現地調査により再度確認します。

■建物図面・各階平面図の例示

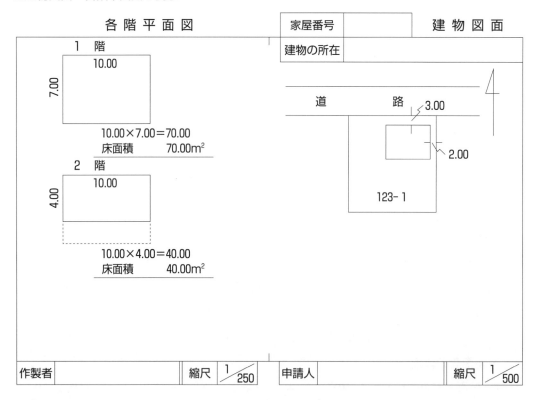

| 参考 | 不動産登記規則 |

（地図）

第10条　地図は、地番区域又はその適宜の一部ごとに、正確な測量及び調査の成果に基づき作成するものとする。ただし、地番区域の全部又は一部とこれに接続する区域を一体として地図を作成することを相当とする特段の事由がある場合には、当該接続する区域を含めて地図を作成することができる。

2　地図の縮尺は、次の各号に掲げる地域にあっては、当該各号に定める縮尺によるものとする。ただし、土地の状況その他の事情により、当該縮尺によることが適当でない場合は、この限りでない。

一　市街地地域（主に宅地が占める地域及びその周辺の地域をいう。以下同じ。）　250分の1又は500分の1

二　村落・農耕地域（主に田、畑又は塩田が占める地域及びその周辺の地域をいう。以下同じ。）500分の1又は1000分の1

三　山林・原野地域（主に山林、牧場又は原野が占める地域及びその周辺の地域をいう。以下同じ。）　1000分の1又は2500分の1

3　地図を作成するための測量は、測量法（昭和24年法律第188号）第2章の規定による基本測量の成果である三角点及び電子基準点、国土調査法（昭和26年法律第180号）第19条第2項の規定により認証され、若しくは同条第5項の規定により指定された基準点又はこれらと同等以上の精

第2章 法務局(登記所)調査

度を有すると認められる基準点(以下「基本三角点等」と総称する。)を基礎として行うものとする。

4　地図を作成するための一筆地測量及び地積測定における誤差の限度は、次によるものとする。

　一　市街地地域については、国土調査法施行令(昭和27年政令第59号)別表第四に掲げる精度区分(以下「精度区分」という。)甲二まで

　二　村落・農耕地域については、精度区分乙一まで

　三　山林・原野地域については、精度区分乙三まで

5　国土調査法第20条第1項の規定により登記所に送付された地籍図は、同条第2項又は第3項の規定による登記が完了した後に、地図として備え付けるものとする。ただし、地図として備え付けることを不適当とする特別の事情がある場合は、この限りでない。

6　前項の規定は、土地改良登記令(昭和26年政令第146号)第5条第2項第3号又は土地区画整理登記令(昭和30年政令第221号)第4条第2項第3号の土地の全部についての所在図その他これらに準ずる図面について準用する。

(地図の記録事項)

第13条　地図には、次に掲げる事項を記録するものとする。

　一　地番区域の名称

　二　地図の番号(当該地図が複数の図郭にまたがって作成されている場合には、当該各図郭の番号)

　三　縮尺又は記号

　四　国土調査法施行令第2条第1項第1号に規定する平面直角座標系の番号又は記号

　五　図郭線及びその座標値

　六　各土地の区画及び地番

　七　基本三角点等の位置

　八　精度区分

　九　隣接図郭との関係

　十　作成年月日

第3章

市町村調査

1　固定資産税関係の基礎知識

　市町村の固定資産税評価に関する情報は、土地や建物等の評価に欠くことのできないものであり、市町村が保有する簿書や発行書類の内容について知っておくことが必要です。

　以下、市町村の固定資産税関係の簿書等について説明します。

(1)　固定資産課税台帳

　市町村は、固定資産税の課税のために、土地建物の調査を行って資料を整備しています。代表的なものは固定資産課税台帳です。

　固定資産課税台帳は、地方税法第380条第1項の規定により、市町村が、固定資産の状況及び固定資産税の課税標準である固定資産の評価を明らかにするために備えなければならない重要な台帳です。

　なお、固定資産課税台帳は、土地課税台帳、土地補充課税台帳、家屋課税台帳、家屋補充課税台帳及び償却資産課税台帳の5つの台帳の総称です。

> **参考　固定資産課税台帳を構成する5つの台帳**
>
> **1　土地課税台帳**
>
> 　土地課税台帳は、土地の固定資産税賦課に関する基本的な台帳です。
>
> 　土地課税台帳への登録は、登記簿に登記されている土地について行われるもので、その登録事項は、次のとおりです（地方税法第381条第1項、6項、地方税法附則第15条の5、第28条）。
>
> ①　不動産登記法第27条第3号及び34条第1項各号に掲げる登記事項（⑦土地の所在する市、区、郡、町、村及び字、地番、地目、地積　⑥所有権の登記のない土地については所有者の氏名又は名称及び住所並びに所有者が2人以上であるときはその所有者ごとの持分）
>
> ②　所有権、質権及び100年より長い存続期間の定めのある地上権の登記名義人の住所及び氏名又は名称
>
> ③　基準年度の価格又は比準価格

④　地方税法第349条の３、第349条の３の２、地方税法附則第15条、第15条の２又は第15条の３の規定による課税標準の特例の適用を受ける土地にあっては、価格にこれらの規定に定める課税標準の特例率を乗じて得た額

⑤　地方税法附則第28条の規定により登録することとされている土地の負担調整措置等に関する事項（例えば、宅地等調整固定資産税額の算定の基礎となる課税標準となるべき額等）

⑥　土地登記簿に所有者として登記されている個人が賦課期日前に死亡しているとき、若しくは所有者として登記されている法人が同日前に消滅しているとき又は所有者として登記されている地方税法第348条第１項の非課税団体が同日前に所有者でなくなっているときは、賦課期日においてその土地を現に所有している者の住所及び氏名又は名称並びに③から⑤まで掲げる事項

⑦　所有者の所在が震災、風水害、火災その他の事由によって不明である場合において、その使用者を所有者とみなして固定資産税を課するときは、その使用者の住所及び氏名又は名称並びに③から⑤まで掲げる事項

2　土地補充課税台帳

　土地補充課税台帳は、登記簿に登記されていない土地で固定資産税を課することができるもの（例えば、国有地から民有地に払い下げになったもの等で賦課期日現在においてまだ未登記のもの）について登録するものであり、その登録事項は、次のとおりとされています（地方税法第381条第２項、第６項、地方税法附則第15条の５、第28条）。

①　土地の所有者の住所及び氏名又は名称

②　土地の所在、地番、地目及び地積｀

③　基準年度の価格又は比準価格

④　地方税法第349条の３、第349条の３の２、地方税法附則第15条、第15条の２又は第15条の３の規定による課税標準の特例の適用を受ける土地にあっては、価格にこれらの規定に定める課税標準の特例率を乗じて得た額

⑤　地方税法附則第28条の規定により登録することとされている土地の負担調整措置等に関する事項

3　家屋課税台帳

　家屋課税台帳は、家屋の固定資産税賦課に関する基本的な台帳です。

　家屋課税台帳への登録は、登記簿に登記されている家屋について行われるもので、その登録事項は、不動産登記法第27条第３号及び第44条第１項各号の規定により登記する事項、所有権の登記名義人の住所及び氏名又は名称並びにその家屋の基準年度の価格又は比準価格等です。

4　家屋補充課税台帳

　登記簿に登記されている家屋以外の家屋で固定資産税を課税することができるものについて登録するもので、家屋補充課税台帳への登録は、所有者の住所及び氏名又は名称並びにその所在、家屋番号、種類、構造、床面積及び基準年度の価格又は比準価格等です。

5　償却資産課税台帳

　償却資産課税台帳は、償却資産で固定資産税の賦課をすることができるものに対して登録する台帳です。

　償却資産台帳への登録は、償却資産の所有者の住所及び氏名又は名称並びにその所在、種類、数量及び価格等です。

⑵　固定資産課税台帳の閲覧

　固定資産税課税の閲覧に必要なものは次のとおりです（大阪市の場合）。

・公簿閲覧申請書

・印鑑

・本人が申請窓口に行く場合の本人確認資料（次の書類のうち、いずれか1点を持参します。）

　　運転免許証、パスポート（旅券）、健康保険証、年金手帳、住民基本台帳カード、

　　納税通知書、その他公の機関が発行した資格証明書又はそれに準ずるもの

　本人の代理人が申請する場合は、上記のほか代理権限授与通知書、委任状などの委任の旨を証する書類が必要です。

　なお、相続等された不動産が複数の市町村で所在しているときは、不動産が所在している市町村ごとに漏れがないよう確認する必要があります。

(3) 土地の固定資産課税台帳（例）と内容説明

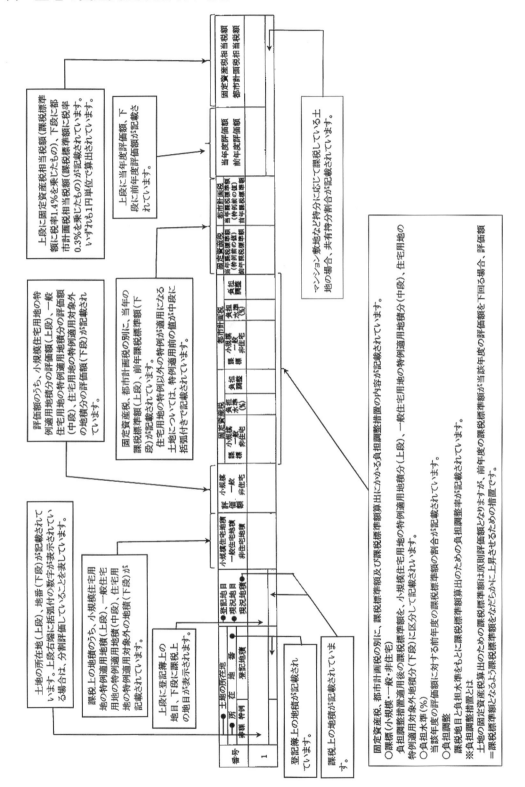

⑷　固定資産課税台帳の閲覧申請

（大阪市の固定資産課税台帳の閲覧「公簿閲覧申請」）

整理番号				
	決裁			

公 簿 閲 覧 申 請

令和　　　年　　　月　　　日

（あて先）大阪市長

申請者　住所 _____

　　　　氏名印 _____

所有者との関係	本人、代理人、納税管理人、その他（　　　　　　　）								
確認	本人確認書類	認納知税等書	通知書等	売買契約等	契約書等	委任状等	賃貸借契約書等	借用等書を処分をする権利権利を有する書類等	その他

次の公簿の閲覧を申請します。

閲　覧　事　項				
所有者住所				
所有者氏名				
公簿の種類	数量	資産所在地		備考
土地課税台帳		区	町通　　　番	
		区	町通　　　番	
		区	町通　　　番	
家屋課税台帳		区	町通　　　番地	
		区	町通　　　番地	
		区	町通　　　番地	
償却資産課税台帳				
数量計		閲覧手数料		円

⑸　土地価格等縦覧帳簿及び家屋価格等縦覧帳簿と縦覧

　市町村では、毎年4月1日から、4月20日又は当該年の最初の納期限日のいずれか遅い日以後の日までの間に、土地又は家屋の所有者に同一区内の土地又は家屋の価格などを記

載した下記の「土地価格等縦覧帳簿及び家屋価格等縦覧帳簿」を縦覧することができます。

　これにより、自身が所有する土地又は家屋の価格と他の所有者の土地又は家屋の価格を比較することが可能となり、評価額の適正さを判断することができます（地方税法第415条、第416条第1項、地方税法規則第14条）。

■縦覧できる帳簿と期間等

1	縦覧帳簿	土地価格等縦覧帳簿及び家屋価格等縦覧帳簿
2	縦覧期間	毎年4月1日から、4月20日又は当該年の最初の納期限日のいずれか遅い日までの間
3	縦覧場所	市町村長によって公示される場所
4	縦覧対象者	市町村内に所在する土地又は家屋に対して課される固定資産税の納税者

参考　土地価格等縦覧帳簿及び家屋価格等縦覧帳簿

　土地価格等縦覧帳簿及び家屋価格等縦覧帳簿とは、次の帳簿をいいます（地方税法第415条第1項）。

・土地価格等縦覧帳簿

　　土地課税台帳又は土地補充課税台帳に登録された土地の所在、地番、地目、地積及び当該年度の固定資産税に係る価格を記載した帳簿

・家屋価格等縦覧帳簿

　　家屋課税台帳又は家屋補充課税台帳に登録された家屋の所在、家屋番号、種類、構造、床面積及び当該年度の固定資産税に係る価格を記載した帳簿

⑹　土地名寄帳及び家屋名寄帳

　固定資産課税台帳は、地番ごと又は家屋番号ごとに作成されていますが、所有者ごとにまとめられていません。

　そこで、市町村は、固定資産課税台帳に基づいてこれを納税義務者ごとにまとめた次の名寄帳を作成して備えることとされています（地方税法第387条第1項）。

　これによって、市町村は、はじめて固定資産税の課税事務を進めていくことができることとなります。また、免税点未満の不動産を含む名寄帳を請求することができます（同一市町村内において土地30万円、家屋20万円、償却資産150万円未満の場合は固定資産税が免除されます。）。

| 参考 | 名寄帳の記載事項 |

① 土地名寄帳

　納税義務者の住所及び氏名又は名称、土地の所在、地目、地積、価格等

② 家屋名寄帳

　納税義務者の住所及び氏名又は名称、家屋番号、床面積、価格

■土地・家屋名寄帳（堺市の例）

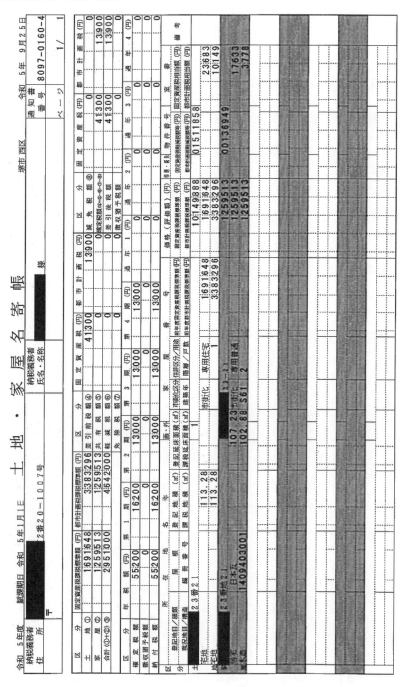

(7) 固定資産税課税明細書

　固定資産税課税明細書とは、毎年6月前後に市町村役場から送られてくる固定資産税の納税通知書のことです。

　納税義務者は1月1日現在の所有者で、年度の途中で売買等により所有者が変わっても、納税義務者は変更されません。

　課税地積は、課税のために採用する地積です。原則として登記上の地積によりますが、現況地積が登記上の地積より著しく小さい場合などは、現況地積で課税することもあります。

　建物の床面積は、市町村が独自に調査した数量であり、必ずしも登記面積と一致しません。増改築したのに変更登記をしていない建物や未登記の建物については、市町村が調査して結果を基づき、現状の面積を記載してあります。

■課税明細書の例（堺市から引用）

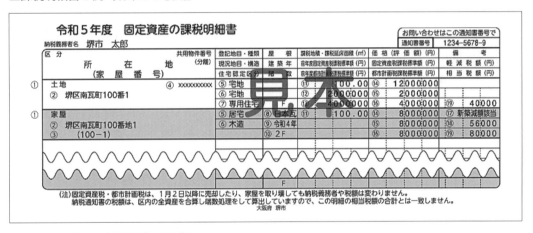

■固定資産税の課税明細書の見方

　上記の令和5年度の固定資産の課税明細書を依頼者から入手した場合の当該明細書の見方について説明します。

①	区　分	土地・家屋の区分です。分譲マンションの敷地や共用の家屋は、共用土地・共用家屋と記載しています。
②	所在地	土地・家屋の所在地です。住居表示の住所とは異なることがあります。なお、一筆の土地や一棟の家屋でも、分離評価や建築年の相違などにより複数の行に記載していることがあります。
③	家屋番号	登記簿に記載されている家屋番号です。
④	共用物件番号	マンション等の共用部分を専有の部屋毎に区分するための整理番号です。(マンション等の共用土地、家屋に記載します。)
⑤	登記地目	登記簿に記載されている地目です。
	種　類	家屋の種類です。登記簿に記載されているものとは異なることがあります。

⑥	現況地目	実際の利用形態による地目です。登記簿に記載されているものとは異なることがあります。
	構　　造	家屋の構造です。一部省略しているものもあります。登記簿に記載されているものとは異なることがあります。
⑦	住宅認定区　　分	専用住宅：住宅やマンション等の敷地として利用されている土地（固定資産税、都市計画税ともに課税標準の特例措置が適用されます。） 併用住宅・混在用地：敷地の一部が住宅として利用されている土地（住宅部分について課税標準の特例措置が適用されます。） 非住宅：住宅用地以外の店舗・駐車場等の敷地として利用されている土地（課税標準の特例措置の適用はありません。）
⑧	屋　　根	屋根の種類です。登記簿に記載されているものとは異なることがあります。
⑨	建築年	家屋が建築された年です。建築年の古い家屋では記載していないことがあります。
⑩	階　　数	家屋の階数です。登記簿に記載されているものとは異なることがあります。
⑪	課税地積・課税延床面積	課税対象となっている土地の地積又は家屋の延床面積です。登記簿に記載されているものとは異なることがあります。
⑫	前年度固定資産税課税標準額	上記の令和5年度の課税明細書の場合は、令和4年度の固定資産税・都市計画税課税標準額です。
⑬	前年度都市計画税課税標準額	ただし、令和4年中に地目の変換等用途変更があった土地は、類似する土地に比準した額ですので、用途変更前の令和4年度課税標準額とは異なります。
⑭	価　　格（評価額）	賦課期日（令和5年1月1日）現在の価格（評価額）です。
⑮	固定資産税課税標準額	令和5年度の固定資産税・都市計画税の算定の基礎となる額です。市街化調整区域に所在する土地・家屋には都市計画税は課税されません。
⑯	都市計画税課税標準額	
⑰	備　　考	「翌年度新築減額終了」：翌年度から減額措置の対象でなくなります。 「新築減額終了」　　　：今年度から減額措置の対象でなくなり本来の税額となっています。 「免税点未満」　　　　：固定資産税、都市計画税ともに課税されません。
⑱	軽減税額	法令などに基づいて軽減した税額です。

⑲	相当税額	土地・家屋別にそれぞれの固定資産税額と都市計画税額を算定し、合計したものです。備考欄に「減免」「軽減有」「新築減額該当」などの記載があるものは、軽減後の税額です。 （算定方法） 固定資産税額＝固定資産税課税標準額×1.4/100（税率） 都市計画税額＝都市計画税課税標準額×0.3/100（税率）

（注）分譲マンションなどの共用土地・家屋について

　　　共用土地・家屋は、全体の地積又は床面積、価格（評価額）及び課税標準額を記載しています。

　　　ただし、税額は持分に応じて按分した持分相当額です。

(8) 固定資産税評価証明書

　固定資産税評価証明書は、固定資産税（地方税）の課税の基礎となる評価額が記載された証明書で相続税等の申告書に添付する書類です。

　家屋の相続税等の評価額は、原則としてこの固定資産税の評価額を基に計算します。

　また、土地等の相続税等の評価においても、路線価の設定されていない倍率地域ではこの固定資産税の評価額が基礎になります。

　したがって、この場合は、必ず市町村などの担当の窓口で固定資産税評価証明書の交付を受け、相続税等の申告書に添付してください。

　また、固定資産税評価額は、原則として3年に一度評価額が改定されます。しかし、地価下落を反映させるための時点修正や、地目等の変更等よって評価額が改定されていることもありますので、相続税等の課税年分と同じ年度の評価証明書を申請する必要があります。申請時に特に指定しない場合には、最新年度の評価証明書が交付されますので注意が必要です。

　なお、固定資産税評価額は、相続税等の評価額を算出するための基礎となるものであり、地方税法等の規定によって減額調整された固定資産税の課税標準額とは異なりますので留意してください。

① 評価証明書は、次の事項を記載した証明書です。

（土地について）

　・土地の所有者の住所、氏名又は名称、その所在、地番、登記地目、課税地目、登記地積、課税地積、当該物件の評価額、共用部分である場合はその持分

　・倍率地域の農地、山林、雑種地等で宅地比準方式により評価する場合には、申請の際に近傍宅地の評価額を評価証明書に付記してもらうように留意します。

（家屋について）

　・家屋の所有者の住所、氏名又は名称、その所在、家屋番号（未登記家屋く）、種類、

構造、登記床面積（未登記家屋除く）、課税床面積、当該物件の評価額、共用部分である場合はその持分、建築年
② 公課証明書は、次の事項を記載した証明書です。
　評価証明書の記載事項に加え、固定資産税、課税標準額、都市計画税課税標準額、税相当額を記載したもので、証明書の様式は、市町村によって違いますが、記載内容はほぼ同じです。

■固定資産税評価証明書（例）

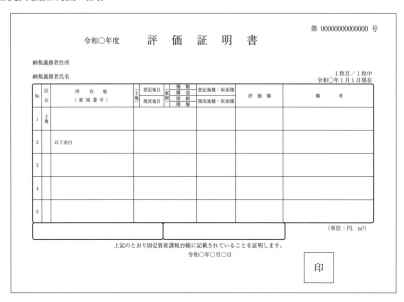

■公課証明書（例）

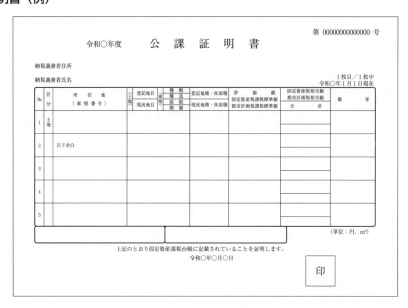

(9) 固定資産税路線価閲覧

　固定資産税の路線価は、担当窓口のほかインターネットでも閲覧できます。

　全国地価マップ（https://www.chikamap.jp/）では、過去３年分の固定資産税路線価、相続税路線価並びに地価公示地・基準地の閲覧が同一画面で閲覧できる便利な地価情報です。

■堺市e-地図帳　固定資産税路線価

⑩ 地番参考図

　市町村は、地番の配置等を示すための参考として地番参考図を作成している場合があります。精度は高くない場合が多いですが、市町村の担当窓口やインターネットで閲覧等することができます。

地番参考図は権利関係を示すものではなく法的効力もありませんが、土地評価の参考となる場合があります。

■大阪府和泉市の地番参考図

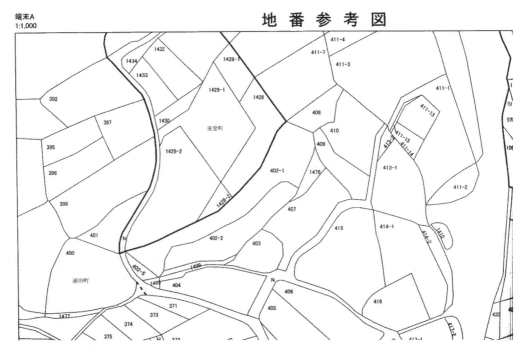

■大阪市の地番参考図

地番参考図のことを大阪市では「大阪市固定資産地籍図」と呼んでおり、図面の原資料は公図が元となっています。

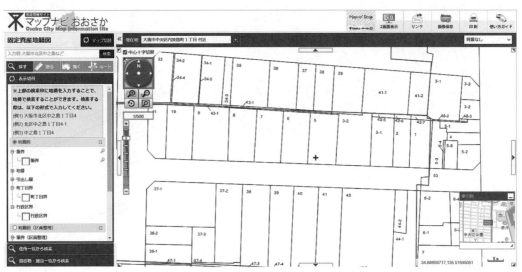

第3章 市町村調査

2 市町村で確認する不動産評価に影響を与える法令

(1) 意義

不動産の評価を行うためには、評価額に影響を与える都市計画法等の法令（ここでは「法令」という。）に関する知識が必要です。

大切なことは、法令上の制限等についてチェックすべきポイントを確実にピックアップできるということであり、それができれば詳細を法令や市町村で調べればよいということです。評価する不動産がどのような法令上の制限を受けているかという確認は、法令の種類が多く、しかも相互に複雑に関係があるため理解することは容易ではありません。

ところで、不動産評価に最も影響する法律は都市計画法で、これは都市の土地利用の基本法令であるため、まず、これを理解し不動産評価への影響度を判断できることが、必要になります。

次に、都市計画法に関連する法令、例えば、建築基準法の集団規定、道路法、土地区画整理法等の理解も重要なものとなります。また、農地については農地法、森林については森林法の適用を調査することが必要です。以下、順次説明します。

(2) 法令調査の仕方

法令の知識を知っているだけでは不動産の評価に役に立ちません。法令にあるどのような制限が適用されるかを系統立ててチェックできる知識が必要です。

法令上の制限に関する知識をたくさん記憶していても、評価する不動産に当てはめることができる能力が身についていないと実務ではほとんど役に立ちません。これは、何度か実務を繰り返して経験していくうちに身につくものです。

法令上の制限は、法律だけでなく、市町村の条例や要綱にも定められていることがあるので注意が必要です。したがって、細部については、条例や要綱などの調査も必要になることがあります。

前記の都市計画法に関する都市計画の指定や制限については、まず「都市計画図」により調べます。都市計画図は、市町村役場等の「都市計画課」に用意されています（市販もされていますし、インターネットでも概要を知ることができます。）。いろいろな都市計画図の見方に慣れておくと便利です。

なお、都市計画図で確実に読みとることができ、調査が十分できることについてはそれでよいのですが、都市計画図の縮尺の関係で詳細が確認できない部分については市町村役場等の窓口に赴いて調べなくては正確なところは判明しません。

49

(3) 市町村役場における法令の担当窓口

　上記のとおり法令上の制限に関する基本的なことを調べるところは、市町村役場等です。しかし、多くの場合、市町村役場等では、多くの法令上の制限を、一つの部課で全部調べることはできず、担当する法令等により窓口が細分化されているのが通常です。

　市町村等の法令を担当する課を示すと、概ね次のとおりです。なお、全国のうち三大都市圏主要111都市の担当窓口は、拙著『土地評価のための役所調査便覧』（平成29年9月・清文社刊）に掲載されています。

・都市計画法に関すること　→　都市計画課

・建築基準法に関すること　→　建築指導課、建築審査課、建築課、建設課

・道路に関すること　→　市町村等の土木課、道路課、街路課

　　　　　　　　　　→　都道府県の管理する道路は都道府県

・私道に関すること　→　建築指導課、建築審査課、都市計画課

・埋蔵文化財包蔵地に関すること　→　教育委員会

・土壌汚染対策法　→　都道府県の環境保全課

・水質汚濁防止法　→　市町村等の水環境課

・農地に関すること　→　農業委員会

・河川に関すること　→　河川管理事務所（主として都道府県）

・がけに関すること　→　都道府県の宅地課、開発課

・公園に関すること　→　公園課、観光課

（注）上記の課の名称については、市区町村により異なることがあります。

---

(4) 収集した資料の整理

　市町村調査の結果については、次ページの「市町村調査兼物件調査票」上段の「市町村調査」欄を利用すると便利です。作業の進ちょく状況も含めて、収集漏れがないかのチェック及び申告までに解決すべき問題点を忘れないためのメモとしても利用できます。

第3章 市町村調査

■法務局・市町村調査兼物件調査票（例）

一例ですが、不動産鑑定士の事務所で使用しているものです（一部変更しています。）。

案 件 名				調査日 令和　年　月　日	担当者	
所 在 地 番			住 居 表 示			
家 屋 番 号						

		役所・法務局調査			

法 務 局	□全部事項証明書　□土地閉鎖 □公図　□地積測量図　□建物図面	その他	↓必要に応じて取得 □地役権図面　□分筆申請図　□

役所関係	都市計画等	地　　域　① 用 途 地 域	市街化区域・市街化調整区域・非線引都市計画区域・都市計画区域外 1低専（※）2低専（※）　1中高　2中高　1住居　2住居　準住居 　　近商　　　商業　　　準工　　工業　　工専　　調整区域	
		建蔽率/容積率	（　　　/　　　）　　容積低減係数　　　/10	
		防 火 指 定	防火地域　　　　　準防火地域　　　　法２２条	
		高 度 地 区	第1種　　第2種　　第3種　　第4種　　第5種	
		日 影 規 制		
		土地区画整理 事業の施行区 域内	計画なし 計画あり	
		都市計画道路 の区域内	計画なし 計画あり｛ 計画日　S・H　年　月　日　計画幅員　　　m 　　　　認可未定・認可有り（認可日　S・H　年　月　日）	
		そ の 他	宅造規制区域　　河川保全区域　　　　　　　　　風致地区 駐車場整備地区（　　　　　　　その他地域地区（　　　　　　　）	
		地　　域　② 用 途 地 域	市街化区域・市街化調整区域・非線引都市計画区域・都市計画区域外 1低専（※）2低専（※）　1中高　2中高　1住居　2住居　準住居 　　近商　　　商業　　　準工　　工業　　工専　　調整区域	
		建蔽率/容積率	（　　　/　　　）　　容積低減係数　　　/10	
		防 火 指 定	防火地域　　　　　準防火地域　　　　法２２条	
		高 度 地 区	第1種　　第2種　　第3種　　第4種　　第5種	
		日 影 規 制		
		そ の 他	宅造規制区域　　河川保全区域　　　　　　　　　風致地区 駐車場整備地区（　　　　　　　　　　　）	
		※1低専・2 低専の場合	低層住居専用地域の絶対高　　　なし・有り（　　　m） 低層住居専用地域の外壁の後退距離 なし・有り（　　　m）	
		建築協定	なし・有り（名称：	
		壁面線の指定	なし・有り（制限の内容：	
	道路① （　　）	種　　類	国道　　都道府県道　　市道　　区道　　町道　　私道 42条1項（　　）号　　附則5項　　42条2項　　43条1項但書許可	
			42-1-5の場合→指定日　S・H　年　月　日　指定No.　　　申請幅員　　m	
		名　　称		
		認 定 幅 員	m（側溝　含　除）/歩道：　　　　　側溝：	
	道路② （　　）	種　　類	国道　　都道府県道　　市道　　区道　　町道　　私道 （42-1-1　42-1-3　42-1-5　　42-2　　42-3-但　　）	
			42-1-5の場合→指定日　S・H　年　月　日　指定No.　　　申請幅員　　m	
		名　　称		
		認 定 幅 員	m（側溝　含　除）/歩道：　　　　　側溝：	
	道路③ （　　）	種　　類	国道　　都道府県道　　市道　　区道　　町道　　私道 （42-1-1　42-1-3　42-1-5　　42-2　　42-3-但　　）	
			42-1-5の場合→指定日　S・H　年　月　日　指定No.　　　申請幅員　　m	
		名　　称		
		認 定 幅 員	m（側溝　含　除）/歩道：　　　　　側溝：	
	上水道	処 理 区 域	外　　内→引き込み　有（　側より、本管Φ　引込管Φ　）無	
	下水道	処 理 区 域	外　　内→引き込み　有（　側より、本管Φ　引込管Φ　）無	
	都市ガス	前面道路配管	有　　　　無	
	建築確認		有（　　　　　　　　）無　検査済証（　　　　　　）無	
	開発許可		有（　　　　　　　　）無　→開発登録簿取得	
	埋蔵 文化財	指定　無・隣接・有（　　　　　　　　）→過去の本掘・試掘記録（	
	土壌汚染対策法		要措置区域・形質変更時要届出区域（　指定されている・指定されていない	
	水質汚濁防止法		特定施設に（　該当　・　非該当　）	
	下水道法		特定施設に（　該当　・　非該当　）	
	その他	必要に応じて取得 □ 地番参考図　　　　　　□ 境界明示図　　　　　　□ 位置指定台帳 □ 課税図面　　　　　　　□ 開発登録簿・開発図面　□ 都市計画道路台帳		

（注）　出典は、株式会社大島不動産鑑定（大阪市中央区）

| 参考 | 大阪市の都市計画、建築、道路等の担当課 |

市町村調査は、最初に担当課を確認しておくと効率的な仕事ができます。

★あしたを築く街づくり　　　　　　　　　　　　　　　　　　　　　大阪市計画調整局

ご　あ　ん　な　い

各事業の詳しいことにつきましては、お手数ですが、下記の各担当部署まで、お問い合わせください。

● **都市計画等**は ― 計画調整局 計画部 又は 開発調整部 **【本庁舎7階】**

	項目	部	課(担当等)	連絡先
☐	都市計画法53条・風致地区の許可・地区計画等の届出、都市計画証明	計画部	都市計画課	TEL 6208-7882
☐	届出駐車場・附置義務駐車場	計画部	都市計画課	TEL 6208-7872
☐	住宅附置誘導	開発調整部	開発誘導課	TEL 6208-7897
☐	開発許可・土地区画整理法76条許可・大規模建築物の事前協議・緑化指導	開発調整部	開発誘導課	TEL 6208-9285 ・9287
☐	福祉に関する府条例・市要綱の事前協議・ワンルーム事前協議	開発調整部	開発誘導課	TEL 6208-9319 ・9303
☐	景観計画・都市景観条例等	計画部	都市計画課(都市景観)	TEL 6208-7885 ・7887
☐ ☐ ☐	国土利用計画法の届出 公有地拡大推進法の届出・申出 地価情報コーナー	計画部	都市計画課	TEL 6208-7891 ・7892

● **建築確認等**は ― 計画調整局 建築指導部 **【本庁舎3階】**

	項目	部	課(担当等)	連絡先
☐	建築確認（申請・審査）・建設リサイクル	建築指導部	建築確認課	TEL 6208-9291
☐	構造強度	建築指導部	建築確認課	TEL 6208-9301
☐	設備・省エネ適判・低炭素建築物の認定	建築指導部	建築確認課	TEL 6208-9304
☐	CASBEE大阪（建築物総合環境評価制度）	建築指導部	建築確認課	TEL 6208-9304
☐	共同住宅のエレベーター防災対策改修補助	建築指導部	建築確認課	TEL 6208-9304
☐	道路位置指定・(船場等)建築線・道路判定・2ヵ年指定道路・優良宅地等の認定	建築指導部	建築企画課(道路判定)	TEL 6208-9286
☐	建築相談・建築計画概要書の閲覧・事前公開制度	建築指導部	建築企画課(建築相談)	TEL 6208-9288
☐	接道特例許可・建築協定	建築指導部	建築企画課	TEL 6208-9300
☐	総合設計許可・地区計画等の認定等	建築指導部	建築企画課	TEL 6208-9284
☐	中間・完了検査・違反建築物の是正指導	建築指導部	監察課	TEL 6208-9311～9318
☐	定期報告（建築物）	建築指導部	監察課	TEL 6208-9312
☐	既存建築物対策（老朽家屋等）	建築指導部	監察課	TEL 6208-9311～9318
☐	民間建築物アスベスト除去等支援	建築指導部	監察課	TEL 6208-9315

● **道路事業**は ― 建設局 **【ATCビルITM棟6階】**

	項目	部	課(担当等)	連絡先
☐	道路の認定・未認定・認定道路の有無、名称等	総務部	管財課	TEL 6615-6482
☐	都市計画道路境域明示、道路区域明示・道路用地境界確定協議	総務部	測量明示課	TEL 6615-6651
☐	一般道路の拡幅計画	道路河川部	道路課	TEL 6615-6782
☐	都市計画道路の事業計画（事業認可）	道路河川部	街路課	TEL 6615-6744～5
☐	事業中の都市計画道路	道路河川部	街路課	TEL 6615-6753～4
☐	都市計画道路と鉄道の立体交差	道路河川部	街路課(鉄道交差)	TEL 6615-6762～4

52

第3章 市町村調査

● **公園事業**は ― 建設局　公園緑化部　**【ATCビルITM棟4階】**

境界確定協議は **【ATCビルITM棟6階】**

項目	部	課(担当等)		連絡先	
□　公園・緑地の建設計画	公園緑化部	調整課		TEL	6615-6705
□　都市計画公園・緑地との境界確定協議	総務部	管財課		TEL	6615-6482

● **土地区画整理事業**は ― 都市整備局　**【本庁舎7階又は現地事務所】**

項目	部	課(担当等)		連絡先	
□　事業完了済の地区	市街地整備部	区画整理課	清算グループ	TEL	6208-9437
□　事業施行中の地区					
□　淡路駅周辺地区	淡路・三国東土地区画整理事務所			TEL	6399-1392
□　三国東地区					
□　新規の区画整理事業の調査・計画	市街地整備部	連携事業課	まちづくり企画グループ	TEL	6208-8397
□　民間施行の区画整理事業の相談・指導	市街地整備部	連携事業課	連携事業グループ	TEL	6208-9403
※　大阪駅北大深西地区	UR都市機構		うめきた都市再生事務所	TEL	6292-5267

● **住宅・住宅整備事業等**は ― 都市整備局　**【本庁舎7階】**

項目	部	課	課(担当等)	連絡先	
□　市街地再開発事業	市街地整備部	住環境整備課	市街地再開発グループ	TEL	6208-9454
□　耐震改修促進法に基づく認定	市街地整備部	住環境整備課	防災・耐震化計画グループ	TEL	6208-9641
□　狭あい道路拡幅促進整備事業	市街地整備部	住環境整備課	密集市街地整備グループ	TEL	6208-9235
□　主要生活道路不燃化促進整備事業	市街地整備部	住環境整備課	密集市街地整備グループ	TEL	6208-9234
□　住宅地区改良事業	市街地整備部	住環境整備課	住宅地区改良グループ	TEL	6208-9231
□　耐震診断・改修補助事業	大阪市都市整備局　耐震・密集市街地整備受付窓口				
□　マンション耐震化緊急支援事業					
□　空家利活用改修補助事業	大阪市立住まい情報センター（4階）			TEL	6882-7053
□　民間老朽住宅建替支援事業					
□　道路等に面したブロック塀等の撤去補助					

● **住宅・住宅整備事業等**は ― 都市整備局　**【本庁舎6階又は現地事務所等】**

項目	部	課	課(担当等)	連絡先	
□　中高層共同住宅の2戸1化設計	企画部	住宅政策課	住宅政策グループ	TEL	6208-9637
□　マンション管理・建替支援事業	企画部	住宅政策課	住宅政策グループ	TEL	6208-9224
□　地域魅力創出建築物修景事業	企画部	住宅政策課	まちなみ環境グループ	TEL	6208-9631
□　HOPEゾーン事業・マイルドHOPEゾーン事業	企画部	住宅政策課	まちなみ環境グループ	TEL	6208-9621
□　エコ住宅普及促進事業	企画部	住宅政策課	まちなみ環境グループ	TEL	6208-9621
□　生野区南部地区整備事業	生野南部事務所			TEL	6717-8266
□　長期優良住宅認定制度	企画部	安心居住課		TEL	6208-9222
□　子育て安心マンション・防災力強化マンション認定制度	企画部	安心居住課		TEL	6208-9648
□　サービス付き高齢者向け住宅登録制度	企画部	安心居住課		TEL	6208-9648

● **その他**

項目	担当局	担当部署			連絡先	
□　臨港地区の規制	大阪港湾局	営業推進室	開発調整課	（P.4 位置図の②）	TEL	6615-7740
□　埋蔵文化財	教育委員会事務局総務部	文化財保護課		（本庁舎3階）	TEL	6208-9168
□　水道	水道局	総務部	総務課	（P.4 位置図の②）	TEL	6616-5400(代)
□　水道管の埋設状況	水道局	図面閲覧コーナー		（本庁舎3階）	TEL	6208-0026
□　下水道用地との境界確定協議	建設局	下水道部	調整課	（下水道管理担当）（P.4 位置図の②）	TEL	6615-6642

◆次ページに続く

53

その他の続き

項目	担当局	担当部署			連絡先	
☐ 下水道用地の占用許可 （敷地の管理）	建設局	各方面管理事務所管理課				
☐東部方面管理事務所管理課（所轄行政区：都島区・旭区・城東区・鶴見区・天王寺区・東成区・生野区）					TEL	6969-5841
☐西部方面管理事務所管理課（所轄行政区：大正区・浪速区・西成区・中央区・西区・港区）					TEL	6567-6491
☐南部方面管理事務所管理課（所轄行政区：住之江区・住吉区・阿倍野区・東住吉区・平野区）					TEL	6686-1240
☐北部方面管理事務所管理課（所轄行政区：福島区・此花区・西淀川区・北区・淀川区・東淀川区）					TEL	6462-1434
☐ ごみ保管施設	環境局	事業部	事業管理課	（まち美化担当）（P.4 位置図の③）	TEL	6630-3244
☐ 農地転用	経済戦略局	産業振興部	産業振興課	（農業担当） （P.4 位置図の②）	TEL	6615-3751～2
☐ 自転車駐車場 （大規模・共同住宅除く）	建設局	企画部	方面調整課	（自転車対策担当） （P.4 位置図の②）	TEL	6615-6684
☐ 広告塔・看板	建設局	総務部	管理課	（P.4 位置図の②）	TEL	6615-6687
☐ 環境アセスメント	環境局	環境管理部	環境管理課（環境影響評価グループ） （P.4 位置図の②）		TEL	6615-7938
☐ 土壌汚染の規制	環境局	環境管理部	環境管理課（土壌汚染対策グループ） （P.4 位置図の②）		TEL	6615-7926
☐ アスベストの届出及び規制	環境局	環境局　各環境保全監視グループ				
☐北部環境保全監視グループ（所轄行政区：北区・都島区・淀川区・東淀川区・旭区）					TEL	6313-9550
☐東部環境保全監視グループ（所轄行政区：中央区・天王寺区・浪速区・東成区・生野区・城東区・鶴見区）					TEL	6267-9922
☐西部環境保全監視グループ（所轄行政区：福島区・此花区・西区・港区・大正区・西淀川区）					TEL	6576-9247
☐南東部環境保全監視グループ（所轄行政区：阿倍野区・東住吉区・平野区）					TEL	6630-3433
☐南西部環境保全監視グループ（所轄行政区：住之江区・住吉区・西成区）					TEL	4301-7248
☐ 大規模小売店舗立地法の届出	経済戦略局	産業振興部	産業振興課(商業担当)　（位置図の②）		TEL	6615-3784
☐ 工場立地法の届出	経済戦略局	産業振興部	産業振興課（産業振興担当）（位置図の②）		TEL	6615-3761

● **道路・下水道資料閲覧コーナー 【本庁舎 3F】**

項目	連絡先	
・認定道路の有無、名称、管理幅員（一部の路線を除く）	TEL 　―	（お問い合わせは、建設局管財課まで）
・水道管の埋設状況	TEL 　6208-0026	（水道に関することのみ）
・下水道管の埋設状況	TEL 　6208-8415	（下水道に関することのみ）

※ 阪神高速道路に関すること…阪神高速道路（株）計画部　　TEL 　06-6232-6261（北区中之島 3-2-4）

※ 地下鉄・バスに関すること…Osaka Metro・シティバス案内コール　　TEL 　06-6582-1400

◇ 白地図の印刷について◇

◆大阪市ホームページの「**マップナビおおさか**」から、大阪市地形図がダウンロードできます。

縮尺 1/25000、1/10000、1／2500、1／500 の 4 種類が、印刷できます。

詳しくは、「マップナビおおさか」で検索し、ご確認ください。

また、**本庁舎 7 階・都市計画案内コーナー**に設置している、**大阪市都市計画窓口システム（O-MAP）**でも印刷できます。

大阪市都市計画窓口システム（O-MAP）について

都市計画（用地計画・風致地区・防火準防火地域・計画道路・計画公園等）の内容については、住宅地図等をお持ちのうえ、**本庁舎 7 階・都市計画案内コーナー**に備えてある 2500 分の 1 縦覧図面、又は、**大阪市都市計画窓口システム（O-MAP）**で確認してください（自由にご覧いただけます）。

また、インターネットにおいて**「マップナビおおさか」**による都市計画情報、道路種別地図情報サービスも行っています。

◆ 大阪市庁舎・事務所等の位置

❶大阪市役所

❷建設局・水道局・大阪港湾局・経済戦略局・環境局
（環境管理部）

❸環境局

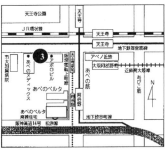

庁舎・局名等		所在地
大阪市役所本庁舎	❶	北区中之島 1-3-20
建設局	❷	住之江区南港北 2-1-10　ＡＴＣビルＩＴＭ棟（6 階）
建設局　公園緑化部	❷	住之江区南港北 2-1-10　ＡＴＣビルＩＴＭ棟（4 階）
水道局	❷	住之江区南港北 2-1-10　ＡＴＣビルＩＴＭ棟（9 階）
大阪港湾局	❷	住之江区南港北 2-1-10　ＡＴＣビルＩＴＭ棟（10 階）
経済戦略局	❷	住之江区南港北 2-1-10　ATCビル　O's（オズ）棟（4 階）
環境局　環境管理部	❷	住之江区南港北 2-1-10　ATCビル　O's（オズ）棟（5 階）
環境局	❸	阿倍野区阿倍野筋 1-5-1　あべのルシアス(12・13 階)
淡路・三国東土地区画整理事務所		淀川区西宮原 2-6-54

※ UR 都市機構 うめきた都市再生事務所　　北区大深町 4-20 グランフロント大阪タワーＡ 17 階

2023.4（改訂）

インターネットにより各種地図情報、固定資産税路線価、地価情報、都市計画等の情報が入手できます。

■例：「マップナビおおさか」（大阪市）

3 都市計画に関する調査

(1) 都市計画と不動産評価に与える影響

　都市計画の内容は相続税の不動産評価に影響を及ぼします。例えば、評価する土地等のうち、都市計画道路予定地となっている部分については、評価額を減額できる場合があります。

　また、土地等が都市計画法による容積率の異なる地域にまたがっている場合には、評価額を調整して計算することもあります。それらを確認するために都市計画に関する図面（これを「都市計画図」といいます。）が必要になります。

　都市計画の概要は、インターネットや市販されて公開されている都市計画図で調べるとわかることがあります。ただし、都市計画図は、縮小されて読みにくい場合があり、その場合は都市計画課に直接行って調べる必要があります。

　都市計画図を読むときは、いつ作成されたものか、方位、縮尺などに注意してください。

■都市計画の具体的把握の手順

1　都市計画図の入手、閲覧

2　都市計画区域、準都市計画区域の把握

3　市街化区域・市街化調整区域の指定の有無の把握

4　地域、地区等の調査、詳細な規制の把握

(2) 都市計画図の読み方

　都市計画図には、その都市の街づくりの方針実現のために、多くの都市計画が定められています。都市計画については都市計画法に定められていますので、都市計画法を理解した上で、どのように都市計画を都市計画図に表現されているかを読み取ることが必要です。

　都市計画はいくつかの柱からできており、それぞれの柱について、更に細かい内容が定められています。

■**都市計画図（例）**

京都市東山区の都市計画図です。用途地域、容積率、建ぺい率等が表示されています。

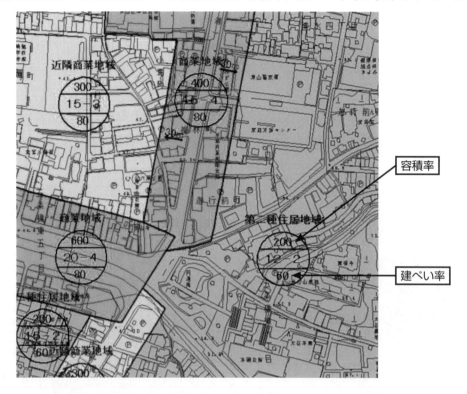

(3) 都市計画区域・準都市計画区域

都市計画区域と準都市計画区域の関係は、次の図のとおりです。

① 都市計画区域（都市計画法第5条）

都市計画区域は、自然的及び社会的条件、人口、土地利用、交通量等に関する現況及び推移を勘案して、一定の要件に該当する市街地を含み、「一体の都市として総合的に整備し、開発し、及び保全する必要がある区域」を都道府県が指定します。

都市計画区域の範囲は必ずしも市町村の区域とは一致せず、複数の市町村にまたがる都市計画区域があるほか、一つの市町村が異なる都市計画区域に分かれている場合もあります。都市計画法により定められた都市計画に基づいて、土地利用の規制・建築その他の規制・各種の都市整備関係の事業等が実施されます。

② 準都市計画区域（都市計画法第5条の2）

準都市計画区域は、①都市計画域外で指定される区域で、②相当数の建築物等の建築や造成が行われており又は将来行われると見込まれる区域で、③そのまま土地利用を整序し、又は環境を保全するための措置を講ずることなく放置すれば、将来における一体の都市としての整備、開発及び保全に支障が生じるおそれがあると認められる区域です。

例えば、高速道路のインターチェンジの周辺、幹線道路の沿道などが準都市計画区域として都道府県が指定します。

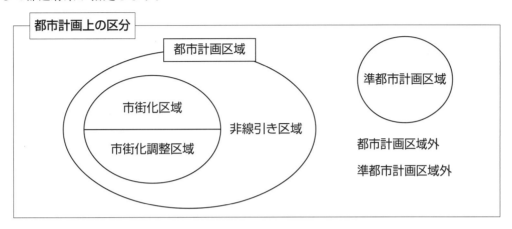

(4) 市街化区域・市街化調整区域（都市計画法第7条）

無秩序な市街化を防止し、計画的な市街化を達成するため、必要に応じて次のとおり区域を指定することができます。

区分	市街化区域	市街化調整区域	非線引き区域
定義	① すでに市街地となっている地域 ② おおむね10年以内に優先的かつ計画的に市街化を図るべき区域	市街化を抑制すべき区域	市街化区域と市街化調整区域の区域区分が定められていない区域
用途地域	必ず定める	原則として定めない	必要に応じて定める

(5) 用途地域（都市計画法第9条）等

都市計画区域については、都市計画に21種類の地域、地区又は街区（以下「地域地区」という。）を定めることができ（都市計画法第8条）、用途地域は地域地区の一つをいいます。また、地域地区は、広大地の評価を行う際、評価対象物件を含む地域の範囲を判定する参考となります。

市街化区域には必ず用途地域を定めるものとし、市街化調整区域においては、原則として用途地域を定めないものとされています（都市計画法第13条1項7号）。

■用途地域一覧表（都市計画法第9条）

地　　域	指　定　目　的
① 第一種低層住居専用地域	低層住宅に係る良好な住居の環境を保護

②	第二種低層住居専用地域	主として低層住宅に係る良好な住居の環境を保護
③	第一種中高層住居専用地域	中高層住宅に係る良好な住居の環境を保護
④	第二種中高層住居専用地域	主として中高層住宅に係る良好な住居の環境を保護
⑤	第一種住居地域	住居の環境を保護
⑥	第二種住居地域	主として住居の環境を保護
⑦	準住居地域	道路の沿道としての地域の特性にふさわしい業務の利便の増進を図りつつ、これと調和した住居の環境を保護
⑧	田園住居地域	平成30年4月から追加された地域。低層住宅地と農業用地が共存する地域で、地域の制限は第一種低層住居専用地域と基本的に同じ。
⑨	近隣商業地域	近隣の住宅地の住民に対する日用品の供給を行うことを主たる内容とする商業その他の業務の利便の増進
⑩	商業地或	主として商業その他の業務の利便の増進
⑪	準工業地域	主として環境の悪化をもたらすおそれのない工業の利便の増進
⑫	工業地域	主として工業の利便の増進
⑬	工業専用地域	工業の利便の増進

■地域地区一覧表

地域・地区又は街区		概　要　等
1	用途地域	目的ごとに12種類の地域に区分される（上表参照）
2	特別用途地区	用途地域内の一定の地区における当該地区の特性にふさわしい土地利用の増進、環境の保護等の特別の目的の実現を図るため当該用途地域の指定を補完して定める地区
3	特定用途制限地域	用途地域の定められていない土地の区域（市街化調整区域を除く。）内において、当該地域の特性に応じ合理的な土地利用が行われるよう制限すべき特定の建築物の概要を定める地域
4	特例容積率適用地区	前記③〜⑪の用途地域内で建築物の容積率の限度からみて未利用となっている建築物の容積の活用を促進して土地の高度利用を図るため定める地区
5	高層住居誘導地区	容積率の最高限度、建ぺい率の最高限度及び建築物の敷地面積の最低限度を定め、住居と住居以外の用途とを適正に配分し、利便性の高い高層住宅の建設を誘導する地区

6	高度地区	市街地の環境を維持し又は土地利用の増進を図るため、建築物の高さの最高限度又は最低限度を定める地区
7	高度利用地区	市街地における土地の合理的かつ健全な高度利用と都市機能の更新を図るため、容積率の最高限度・最低限度、建ぺい率の最高限度、建築面積の最低限度、壁面の位置の制限を定める地域
8	特定街区	市街地の整備改善を図るため、容積率、建築物の高さの最高限度、壁面の位置の制限を定める街区
9	都市再生特別地区	都市再生緊急整備地域のうち、都市再生に貢献し、土地の合理的かつ健全な高度利用を図る特別の用途、容積、高さ、配列等の建築物の建築を誘導する必要があると認められる区域
10	防火地域・準防火地域	市街地における火災の危険を防除するため定める地域
11	景観地区	市街地の良好な景観の形成を図るため定める地区
12	風致地区	建築物の建築・宅地の造成・木竹の伐採・建築物の色彩の変更等を地方公共団体の条例で制限し、都市のの風致を維持するため定める地区
13	駐車場整備地区	自動車交通が著しくふくそうする地区等で、道路の効用保持と円滑な道路交通確保のため定める地区
14	臨港地区	港湾を管理運営するため定める地区
15	歴史的風土特別保存地区	古都の歴史的風土を保存するため国土交通大臣が指定した歴史的風土保存区域のうち、枢要な部分を構成する地域につき、都市計画で定める地区
16	第1種歴史的風土保存地区 第2種歴史的風土保存地区	奈良県明日香村の歴史的風土の保存上枢要な部分を構成していることにより、現状の変更を厳に抑制し、その状態において歴史的風土の保存を図るべき地域（第1種）又は、明日香村の著しい現状の変更を抑制し、歴史的風土の保存を図るべき地域（第2種）につき都市計画で定める地区
17	緑地保全地域 特別緑地保全地区	無秩序な市街地化の防止又は公害もしくは災害の防止のため、保全する必要があるもの等について定める地域と地区
18	緑化地域	用途地域内において、建築物の敷地内おける緑化を推進するため定める地域
19	流通業務地区	大都市における流通機能の向上及び道路交通の円滑化を図るため流通市街地として整備することが適当な区域につき、都市計画で定める地区

20 生産緑地地区	都市の生活環境の確保に相当の効用等があり、用排水等の状況から農林漁業の継続が可能であるものについて定める地区
21 伝統的建造物群保存地区	伝統的建造物群及びこれと一体となっている環境を保全するため定める地区
22 航空機騒音障害防止地区 航空機騒音障害防止特別地区	特定空港の周辺地域における騒音障害防止のため都市計画で定める地区

■路線価地域の地区と都市計画法上の地域の対応表

　全国の国税局（国税事務所）が定める路線価地域については、宅地の利用状況がおおむね同一と認められる地域ごとに次の8つの地区を定めています。

ビル街地区	大都市における商業地域内で、高層の大型オフィスビル、店舗等が街区を形成し、かつ敷地規模が大きい地区
高度商業地区	大都市の都心若しくは副都心又は地方中核都市の都心等における商業地域内で、中高層の百貨店、専門店舗等が立ち並ぶ高度小売商業地区又は中高層の事務所等が立ち並ぶ高度業務地区
繁華街地区	大都市又は地方中核都市において各種小売店舗等が立ち並ぶ著名な商業地又は飲食店舗、レジャー施設等が多い歓楽街など人通りが多く繁華性の高い中心的な商業地区をいい、高度商業地区と異なり比較的幅員の狭い街路に中層以下の平均的に小さい規模の建物が立ち並ぶ地域
普通商業地区	商業地域若しくは近隣商業地域にあって、又は第1種住居地域、第2種住居地域及び準住居地域若しくは準工業地域内の幹線道路（国県道等）沿いにあって、中低層の店舗、事務所等が連たんする商業地区
併用住宅地区	商業地区の周辺部（主として近隣商業地域内）又は第1種住居地域、第2種住居地域及び準住居地域若しくは準工業地域内の幹線道路（国県道等）沿いにあって、住宅が混在する小規模の店舗、事務所等の低層利用の建物が多い地区
中小工場地区	主として準工業地域、工業地域又は工業専用地域内にあって、敷地規模が9,000平方メートル程度までの工場、倉庫、流通センター、研究開発施設等が集中している地区
大工場地区	主として準工業地域、工業専用地域内にあって、敷地規模がおおむね9,000平方メートルを超える工場、倉庫、流通センター、研究開発施設等が集中している地区又は単独で3万平方メートル以上の敷地規模のある画地によって形成される地区（ただし、用途地域が定められていない地区であっても、工業団地、流通業務団地等においては、1画地の平均規模が9,000平方メートル以上の団地は大工場地区に該当する）。

普通住宅地区	主として第1種低層住居専用地域及び第2種低層住居専用地域、第1種中高層住居専用地域及び第2種中高層住居専用地域、第1種住居地域、第2種住居地域及び準住居地域又は準工業地域内にあって、主として居住用建物が連続している地区

4 建築基準法上の道路

　道路には様々な種類があり、土地評価に影響を与えるため、評価するための基礎知識として習得しておく必要があります。道路は、道路法はじめ建築基準法や都市計画法等の行政法規により定められていますが、道路幅員がどのような容積の建物を建築することができるのか決定します。したがって、都市計画法のほか、建築基準法等の知識を理解することは、土地の評価に当たり、必要不可欠なものといえます。

　以下、道路に関する知識と、道路が建築物の建築等に与える影響について説明します。

(1) 建築基準法上の道路の種別（建築基準法第42条）

　建築基準法では建物の建築が可能な道路について下表のとおり規定されています。

幅員	条文（通称名）	道路の種類	区 分	路線価地域の場合の評価方法等
4m以上	1号（認定道路）	道路法による道路（公道）	国道、都道府県道、市町村道（高速道路を除く）	路線価による評価を行う。
	2号（開発道路）	都市計画法、土地区画整理法、旧住宅地造成事業法又は都市再開発法等による道路（公道）	都市計画として決定される都市計画事業・土地区画整理事業等により築造された道路	行止まり道路の場合は特定路線価を設定し評価する。
	3号（既存道路）	法施行（昭25.11.23）の際すでにあった道（公道、私道）	都市計画区域の決定を受けたとき（建築基準法の施行の日にすでに都市計画区域の指定を受けていた区域については建築基準法施行の日）に現に存在する幅員4m以上の道路	路線価による評価を行う。
	4号（計画道路）	道路法、都市計画法、土地区画整理法等で2年以内に事業が執行される予定のものとして特定行政庁が指定したもの（公道）	実際には道路としての効用は果たしていない。	都市計画道路予定地の区域内にある宅地の評価を行う（財産評価基本通達24-7）。
	5号（位置指定道路）	土地を建築物の敷地として利用するため、政令で定める基準に適合する私道を築造し、特定行政庁から指定を受けたもの（私道）	道の基準は、特定行政庁で基準を定めることが可能	行止まり道路の場合は特定路線価を設定し評価する。

4m未満	2項（2項道路・みなし道路）	法施行の際、現に建物が建ち並んでいた幅員4m未満の道で特定行政庁が指定したもの（公道、私道）	道路の中心線から2mの線をその道路の境界とみなす。ただし、道路の片側ががけ地、川、線路等に沿ってある場合は道路の反対側から4m後退の線を道路の境界とみなす。	セットバックを要する宅地の評価を行う（財産評価基本通達24-6）。
	3項（水平距離の指定）	特定行政庁が建築審査会の同意を得て指定したもの	2項道路について土地の状況によりどうしても拡幅することが困難な場合、幅員2.7m以上4m未満が道路幅員となる。	2項道路のセットバックに準じて宅地の評価を行う。ただし、道路の中心線から1.35m以上2m未満を道路の境界とみなす。

(2) 接道義務

　建築物の敷地は建築基準法上の道路に2m以上接しなければなりません（建築基準法第43条）。また、「接道義務」があるのは都市計画区域（及び準都市計画区域）内で、都市計画が定められていない区域では適用されません。なお、上記の条件を満たしていない土地についても、周囲の状況及び建築物の条件により特定行政庁が建築を許可すれば、建物を建てることができます（「第43条第1項ただし書き道路」といいます。）。ただし、この規定の具体的な取扱いは自治体により異なることもあります。

　第43条第1項ただし書きによる許可は、接道義務についての例外的適用で、建築基準法第42条にいう道路に有効に接道できないときや、やむを得ない事情がある場合に適用するものです。また、内容としては主に従前より道路状の形態をした空地がある場合や敷地の一部を道路状にすることのできるものがある場合において、特定行政庁（建築主事を置く市町村の長又は都道府県知事）が認めて建築審査会の同意を得たものについては、一定の条件の下で建築基準法上の道路に接したものと同様に取り扱うことができるというものです。

■第43条第1項ただし書きにより許可される例

① 敷地の周囲に公園、緑地、広場等広い空き地を有している場合
② 敷地が農道その他これに類する公共の用に供する道（幅員4m以上のものに限る。）に2m以上接する場合
③ 敷地が、その建築物の用途、規模、立地及び構造に応じ、避難及び通行の安全等の目的を達成するために十分な幅員を有する通路であって、道路に通ずるものに有効に接する場合

■第43条第1項ただし書き道路のイメージ図

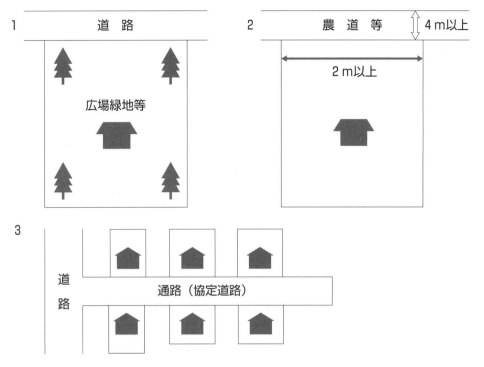

（注）協定道路とは、私道の所有者が私道の利用方法などを定め、私道利用者や私道共有者と協定を締結した道路をいい、協定書は私法上の権利義務についての約定となります。建築基準法第43条第1項ただし書き道路は、関係者全員による私道協定書が存在し、「協定道路」と呼ばれます。

> **参考** 建築基準法の用語の意味（特定行政庁と建築主事）
>
> 1　特定行政庁とは
>
> 　建物を建てようとするときには、ごく小規模のものを除いて建築確認申請を行って建築主事の確認を受けなければなりません。このときに建築確認申請書を提出先が特定行政庁と呼ばれる行政機関です。
>
> 　建築基準法第2条第35号で特定行政庁とは、「建築主事を置く市町村の区域については当該市町村の長をいい、その他の市町村の区域については都道府県知事をいう」と規定されています。
>
> 　要は建築主事がいる行政機関のことです。市町村の建築の課に建築主事がいればその市町村は特定行政庁であり、建築主事がいなければ都道府県の関係事務所が特定行政庁ということになります。
>
> 2　建築主事とは
>
> 　建築主事とは、建物の建築確認に関する事務を行う者のことです。通常、特定行政庁には建築主事以外にも、区域ごとに審査する担当者が配置され、実務上、建築主事は、当該担当者の審査した内容について、適否判定を行う役目を持っています。
>
> 　都道府県及び政令で指定する人口25万人以上の市では建築主事を設置しなければなりませんが、その他の自治体では任意設置となっています。

次に、財産評価を行う上で特に理解しておく必要がある道路（開発道路、位置指定道路、2項道路）について説明します。

(3) 開発道路（建築基準法第42条第1項第2号の道路）

① 開発道路とは

住宅地で行われる比較的大きな開発許可（例えば、開発面積が1,000m²を超えるもの）を得た開発区域内の道路のことです（法律上の用語ではありません。）。開発許可制度の適用を受けるものは、開発道路として建築基準法第42条第1項第2号の道路となります。

法令上の根拠は、都市計画法、土地区画整理法、旧住宅地造成事業に関する法律、都市再開発法、新都市基盤整備法又は大都市地域における住宅及び住宅地の供給の促進に関する特別措置法による道路です。

なお、行止まり道路の場合は、特定路線価（347ページ以降）を設定し、評価します。

② 開発道路の調べ方

対象となる道路が所在する役所の道路管理を担当する部署（道路管理課他）へ赴き、調べます。開発道路は所有権が市町村に移管されるケースが多く、その場合は公道となり、道路管理を担当する部署で詳細を調べることができます。移管されていない場合は私人名義の私道となりますが、建築基準法上の道路の扱いを受けており、その変更や廃止が制限され、公道に準ずる性格を有します。

第3章 市町村調査

■開発道路（例）

■開発道路の図面（開発登録簿用図面（土地利用計画図））

下の図面の場合は、一部の宅地について特定路線価を設定して評価します。

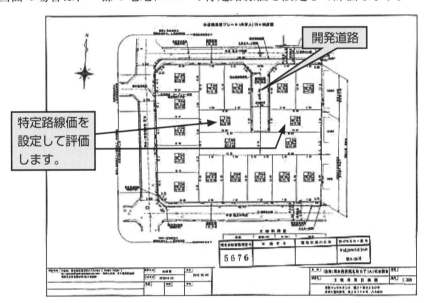

（注）開発登録簿用図面は、開発登録簿に添付されています。

■開発登録簿

　開発登録簿とは、開発許可を受けた土地の許可内容をまとめたもので、担当窓口で閲覧等することができます。また、広大地の評価を行う際、評価対象物件を含む地域の過去から現在に至る開発状況を調べるための参考となります。

開　発　登　録　簿			堺市　　第　**5676**　号		
開発許可番号	平成 26 年 5 月 30 日 　　　　第A－　　26　　号	許可に基づく地位の承継	承継の年月日	平成　　年　　月　　日 　　第　　　　　号	
開　発　許　可　を 受　け　た　者　の 住　所　及　び　氏　名	████████285番地2 　　　　　　　　　　　　　 　　████　株式会社 代表取締役 ██████		承　継　人　の 住　所　及　び　氏　名		
工事施工者の 住　所　及　び　氏　名	███████285番地2 ██████ 株式会社 代表取締役 ██████				
開発区域に含 まれる地域の 名称及び面積	████████342番1 　　　　　　　面積　　　　　　　　　2,205.06　　平方メートル				
法第41条第1項 の制限の内容					
工事完了検査	検 査 済 証 発 行 年 月 日　平成**26**年 **9** 月**12**日		公 告 年 月 日　平成**26**年 **9** 月**12**日		
許　可　条　件	1. 工事の施工にあたっては、施工区域の周辺地に、土砂流出、汚水の流入等による害を与えないよう留意するとともに、適切な防災措置を講ずることによって万全を期すること。 2. 工事の施工に伴い、開発区域の内外を問わず既存の公共施設がそこなわれた場合は、速やかに復旧すること。 3. 法第38条の規定に基づく開発行為の廃止を行う場合は、その廃止に伴う災害の防止、及び工事よってそこなわれた公共施設の機能の回復をはかること。				
予 定 建 築 物	専用住宅				
備　　　　考					

(4) 位置指定道路（建築基準法第42条第1項第5号）
① 位置指定道路とは

広くまとまった土地を複数に分割して建売分譲や土地分譲を行うとき、既存の道路だけで建築基準法に定められた接道義務を満たすことは困難です。このような場合、不動産業者等が開発許可の必要がない、比較的規模の小さい土地を分割して分譲あるいは建売住宅販売をする際、開発行為により新たに開発区域内に築造する道路を位置指定道路といいます。位置指定道路は、特定行政庁に道路の申請手続きをして、その位置の指定を受けなければなりません。

なお、「位置指定道路」は、築造時点において原則的に私道ですが、その後に公道へ移管されているケースも稀にあります。

② 位置指定道路の調べ方

対象となる位置指定道路が所在する市町村の建築を担当する部署（建築指導課・建築調査係等）へ赴き、位置指定図を閲覧又はコピー（有料の場合あり）を行って入手します。位置指定図、あるいは位置指定申請図（申請当時のもの）には、その位置指定された道の長さや幅員、その他が詳しく記載されています。

> **参考　市町村で入手できる位置指定道路や開発道路に関する資料**
>
> **位置指定道路**…位置指定図、又は位置指定申請図面の閲覧、写しの入手認定日、認定番号
> **開発道路**………開発登録簿、開発登録簿用図面（土地利用図面）
> 　上記により、道路幅員、道路の全長の確認が可能です。

■道路位置指定申請図

参考　私道の位置指定のための基準（建築基準法施行令第144条の４）

　位置の指定を受けるためには、いくつかの技術的基準に沿ったものでなければなりません。その主な基準は建築基準法施行令第144条の４により、次のとおり定められていますが、自治体（特定行政庁）によってこれと異なる基準を設けている場合があります。

(1) 構造
　① 砂利敷その他のぬかるみとならない構造とすること。
　② 階段状でなく、かつ、縦断勾配は12％以下とする。
　③ 必要な側溝、街渠その他の施設を設けたもの。
　④ 道が交差し、接続し、又は屈曲する箇所には、すみ切りを設けること。
(2) 道路等との接続又は袋路状道路（参考「前橋市　道路の位置と指定道路」）

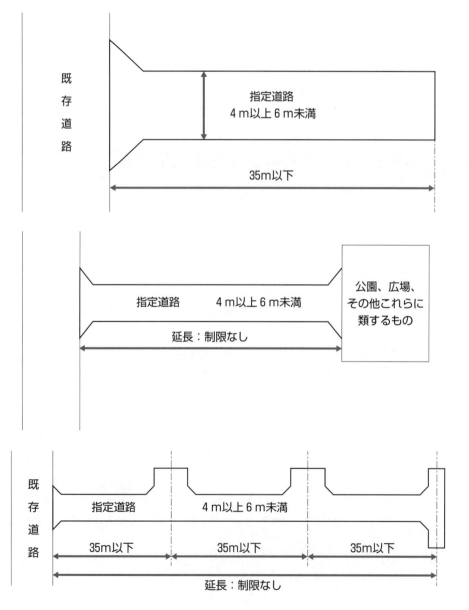

○既存道路と接続部のすみ切り

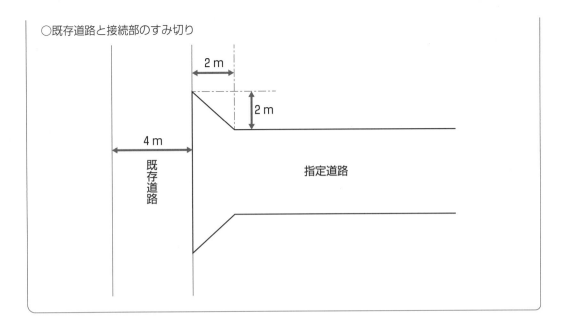

(5) 位置指定道路（私道）の所有の形態
① 道路の部分は分割せず、一筆の土地として全体の土地を各自が共有する場合

全体の面積に対して、それぞれの区画所有者が「○分の○」という形で所有権を記しています（下図の所有形態1）。この場合は、所有する宅地面積の大きさに比例して持分を決め、大きな区画なら私道持分の割合も大きく所有権を登記します。

② 区画数で割り、分筆して各自が一筆ずつ所有する場合

それぞれの所有者が、それぞれ所有する宅地が面する位置に持分を持つ場合（下図の所有形態2）と、所有する区画と離れた位置に持つ場合（下図の所有形態3）があります。

所有区画と離れた位置に自己の持分である私道を配置する理由は、所有する区画の前に自己の私有地があると、自転車や物を置き、通行の妨げ等で周囲に迷惑をかけることが想定できますが、離れた場所に配置すると未然に防げるためなどです。

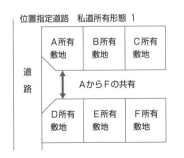 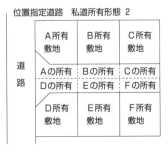

位置指定道路（私道の場合）の評価は、財産評価基本通達24の「私道の用に供されている宅地の評価」に基づいて評価します。この場合、私道の所有が単独か共有の如何にかか

わらず、所有する面積に1m²当たりの単価を乗じて評価額を算出します。

(6) 2項道路（建築基準法第42条第2項）

2項道路の指定を受ける要件は、次のとおりです。
① 建築基準法第3章の規定が適用されるに至った際（昭和25年11月23日）現に建築物が立ち並んでいること
② 幅員4m未満の道であること
③ 特定行政庁によって指定された道であること

2項道路については、原則として、その中心線から2m後退した線が道路の境界線となります。現にある道路と、この境界線の間については、敷地面積に算入できません。また、道の反対側ががけ地、川、線路敷地等である場合には、原則として、反対側の境界線から4mの線が、道路境界線となります。

2項道路に接面する宅地は、セットバックを必要とする宅地の評価（335ページ）を行います。

（注）1 位置指定道路は利害関係者の申請に基づき指定されますが、2項道路は特定行政庁の職権により指定されます。
2 特定行政庁が指定する6m道路区域は、幅員6m以上となり、道路中心線から3m後退した線が道路の境界線となります。

■2項道路のイメージ図

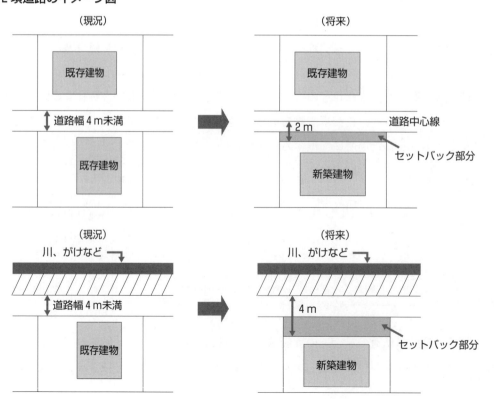

■2項道路の具体的確認事例

現地の写真：ウォーキングメジャーにより道路が幅員2mであることが判明しました。

公図（地図に準ずる図面）：精度の低いものですが地番の並びは参考になります。

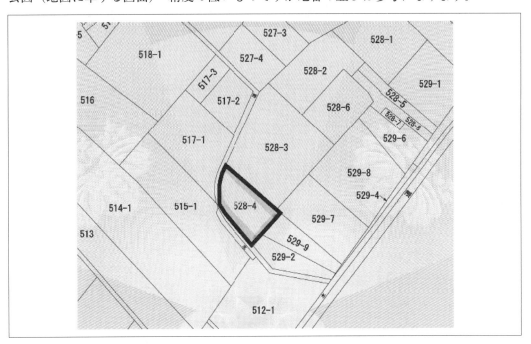

路線価図：前面の道路に路線価が設定されています。

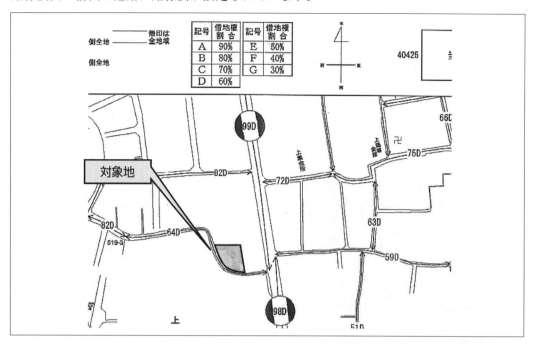

認定路線情報：道路法による道路が確認できます。前面道路は認定道路非該当であることが確認できるため、2項道路の担当課（名称は建築安全課等）で2項道路であることを確認しました。

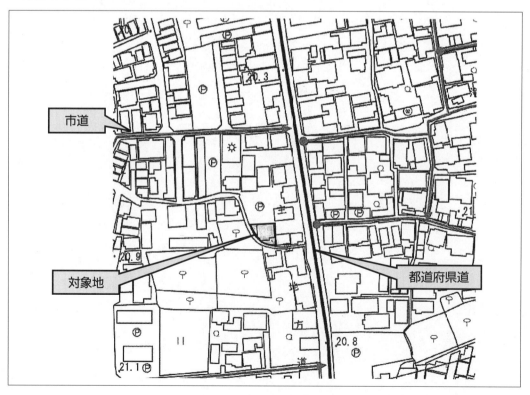

セットバック面積の測定

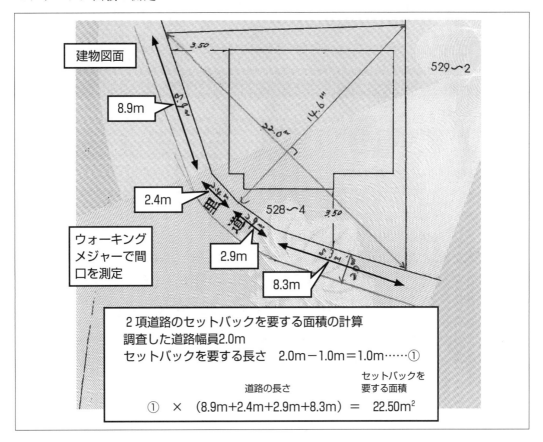

| 参考 | 建築基準法 |

（道路の定義）

第42条　この章の規定において「道路」とは、次の各号の一に該当する幅員４メートル（特定行政庁がその地方の気候若しくは風土の特殊性又は土地の状況により必要と認めて都道府県都市計画審議会の議を経て指定する区域内においては、６メートル。次項及び第３項において同じ。）以上のもの（地下におけるものを除く。）をいう。

一　道路法（昭和27年法律第180号）による道路

二　都市計画法、土地区画整理法（昭和29年法律第119号）、旧住宅地造成事業に関する法律（昭和39年法律第160号）、都市再開発法（昭和44年法律第38号）、新都市基盤整備法（昭和47年法律第86号）、大都市地域における住宅及び住宅地の供給の促進に関する特別措置法（昭和50年法律第67号）又は密集市街地整備法（第六章に限る。以下この項において同じ。）による道路

三　この章の規定が適用されるに至った際現に存在する道

四　道路法、都市計画法、土地区画整理法、都市再開発法、新都市基盤整備法、大都市地域における住宅及び住宅地の供給の促進に関する特別措置法又は密集市街地整備法による新設又は変更の事業計画のある道路で、２年以内にその事業が執行される予定のものとして特定行政庁が指定したもの

五　土地を建築物の敷地として利用するため、道路法、都市計画法、土地区画整理法、都市再開発法、新都市基盤整備法、大都市地域における住宅及び住宅地の供給の促進に関する特別措置法又は密集市街地整備法によらないで築造する政令で定める基準に適合する道で、これを築造しようとする者が特定行政庁からその位置の指定を受けたもの

2　この章の規定が適用されるに至った際現に建築物が立ち並んでいる幅員４メートル未満の道で、特定行政庁の指定したものは、前項の規定にかかわらず、同項の道路とみなし、その中心線からの水平距離２メートル（前項の規定により指定された区域内においては、３メートル（特定行政庁が周囲の状況により避難及び通行の安全上支障がないと認める場合は、２メートル）。以下この項及び次項において同じ。）の線をその道路の境界線とみなす。ただし、当該道がその中心線からの水平距離２メートル未満でがけ地、川、線路敷地その他これらに類するものに沿う場合においては、当該がけ地等の道の側の境界線及びその境界線から道の側に水平距離４メートルの線をその道路の境界線とみなす。

3　特定行政庁は、土地の状況に因りやむを得ない場合においては、前項の規定にかかわらず、同項に規定する中心線からの水平距離については２メートル未満1.35メートル以上の範囲内において、同項に規定するがけ地等の境界線からの水平距離については４メートル未満2.7メートル以上の範囲内において、別にその水平距離を指定することができる。

(7)　3項道路（建築基準法第42条第3項）

　3項道路（水平距離の指定）とは、幅員が４メートル未満でも建築基準法第42条第3項の規定により、建築基準法上の道路とみなされる道のことです。

　2項道路と同様に、建築基準法が施行された昭和25年11月23日現在において、建物が建ち並んでいる幅員４メートル未満の道路で特定行政庁の指定した道路の一つです（2項道

路と３項道路の違いは、道路中心線からの後退距離の違いです。)。

２項道路は、道路中心線から２メートル後退することで建築可能となりますが、土地の状況により建築基準法第42条第２項の規定で定められた後退が困難な場合に、特定行政庁が建築審査会の同意を得て、後退距離を道路の中心線から1.35メートル以上２メートル未満（道路の反対側がや崖等の場合は、その境界から2.7メートル以上４メートル未満）の範囲で指定し、３項道路に指定された場合、建築基準法の接道義務を満たすことになります。

現行の建築基準法の規定では、都市計画区域において敷地が４メートル以上の道路に接していないと原則として建物を建てることはできません。建築基準法第42条第３項の規定は、建築基準法施行前の要件を満たさない敷地を救済するための規定です。

３項道路は、対象となる道路が所在する市町村役場で調査します。

・公道……道路を管理する部署（道路管理課等）
・私道……建築指導を担当する部署（建築指導課等）

確認する内容は、３項道路であることと市町村で把握している道路幅員並びに建築が可能であるか等です。

■京都市東山区祇園町付近図の３項道路の例示　（矢印の道路が３項道路）

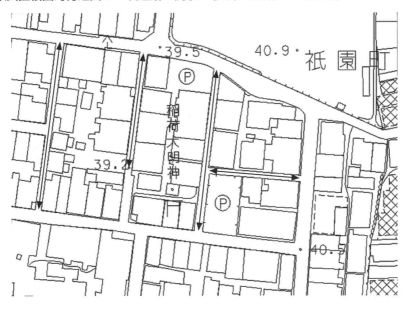

(8)　道路の幅員のとらえ方

道路幅員は、接面する宅地に建築できる建物の容積率や高さを決定し、不動産の評価に大きな影響を与えるため、道路幅員のとらえ方を理解することが重要です。

一般的に道路幅員は、次のように捉えます。

①L形側溝

②蓋ありU形側溝

③蓋なしU形側溝

④マウントアップ歩道

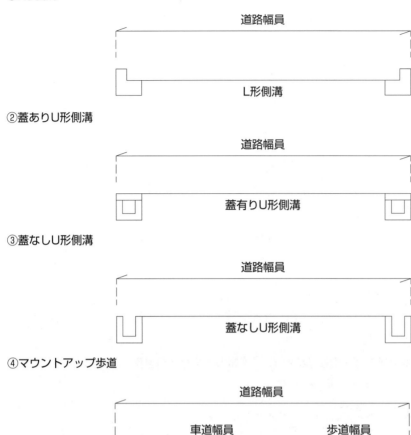

⑤マウントアップ歩道

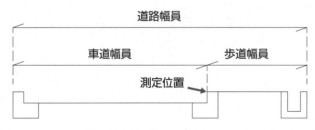

・側溝はふたの有無にかかわらず、通行部分の一部とし、原則的に幅員に含みます。
・歩道は、幅員に含みます。
・法敷は幅員には含めません。
・水路は、原則として幅員に含みません。ただし暗渠となって道路と一体的に管理されている場合は通行部分の一部として含みます。

種類	幅員に含まれるか否か	測定方法
歩道	含まれる	歩道の外端
側溝	含まれる	側溝の外端
L字型溝	含まれる	L字溝の突起部分の外端
法敷（のりじき）	含まれない	—

(9) 大阪市の道路幅員のとらえ方

　大阪市の道路幅員は、上図とはとらえ方が異なり、道路肩石から道路肩石までの距離とし、側溝は含みません。言い換えれば、側溝は大阪市が負担するのではなく、宅地の所有者が負担することになります。

　これは、建築基準法の運用が特定行政庁（市町村等）により異なる一例で、道路幅に限らず細部の建築基準法の運用は、条例等により定められている場合があり、統一されていないことがあります。

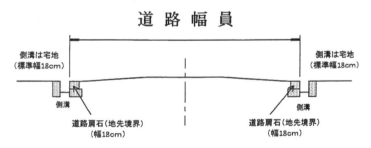

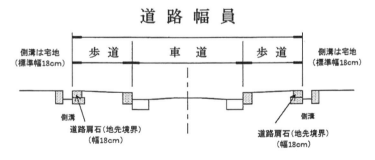

写真では、境界プレートが、側溝の左側にあり、側溝を含んだ右側は民有地ということになります。

■大阪市の道路

⑽ 道路台帳平面図、道路境界確定図、道路境界図等

道路台帳とは、道路管理者が作成する道路に関する調書と図面で、道路法第28条によって作成が義務づけられています。

図面は、道路法施行規則第4条の2によると縮尺1/1000以上となっていますが、多くは縮尺1/500で作成されています。この図面は、国道・県道・市町村道毎に各道路管理者が各々図面作成、保管を行っており、道路台帳平面図、道路境界確定図などがあります。これらの資料は道路幅員を正確に知りたい場合や、道路の境界査定が行われているなどを確認するための資料となります。

道路台帳平面図、道路境界確定図はそれぞれの道路（行動）を管轄している建設事務所、市町村の窓口で閲覧を申請します。国道であれば国の建設事務所・市道であれば市役所の道路課等となります。管理している窓口によって資料の名称は異なります。担当窓口で住宅地図を提示し、閲覧請求を行えます。

なお、可能であれば写しの交付申請をしておきます。また、市町村によってはインターネットによる公開を実施している場合もあります。

道路台帳平面図は、過去に実際の現地を測量しているため、道路沿いの周囲の建物などが書き込まれていることもあります。更に、周囲の建物の配置や敷地境界などの情報が評価作業をする場合に、間口距離などの参考になる場合もあります。また、縄伸び等の確認にも有効です。

なお、道路境界確定図は境界査定が行われていない場合にはありません。

公道であれば道路台帳平面図などはほとんど整備されていますが、私道の場合には未整備の場合が大半です。

■**道路台帳平面図**

■具体的な道路台帳の幅員の見方

　道路幅員は、道路法的にも建築基準法的にも、一般的にアスファルト部分と側溝部分を含む場合が多いようです。なお、建築確認申請の場合の道路幅員は現況幅員によります。

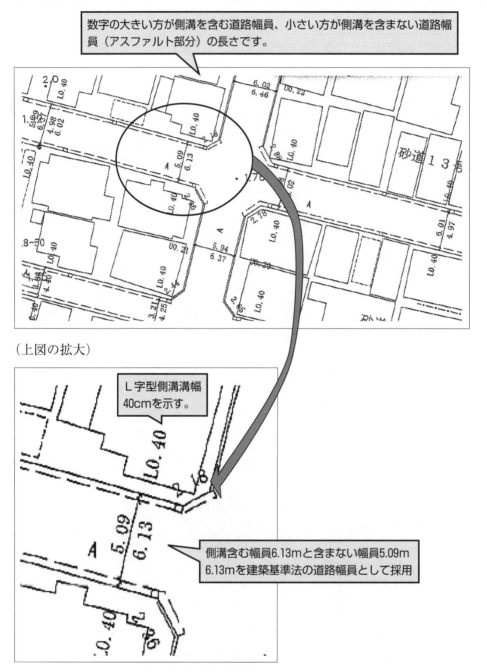

（上図の拡大）

第3章 市町村調査

■道路境界確定図（精度が高い測量図・縮尺200分の１）

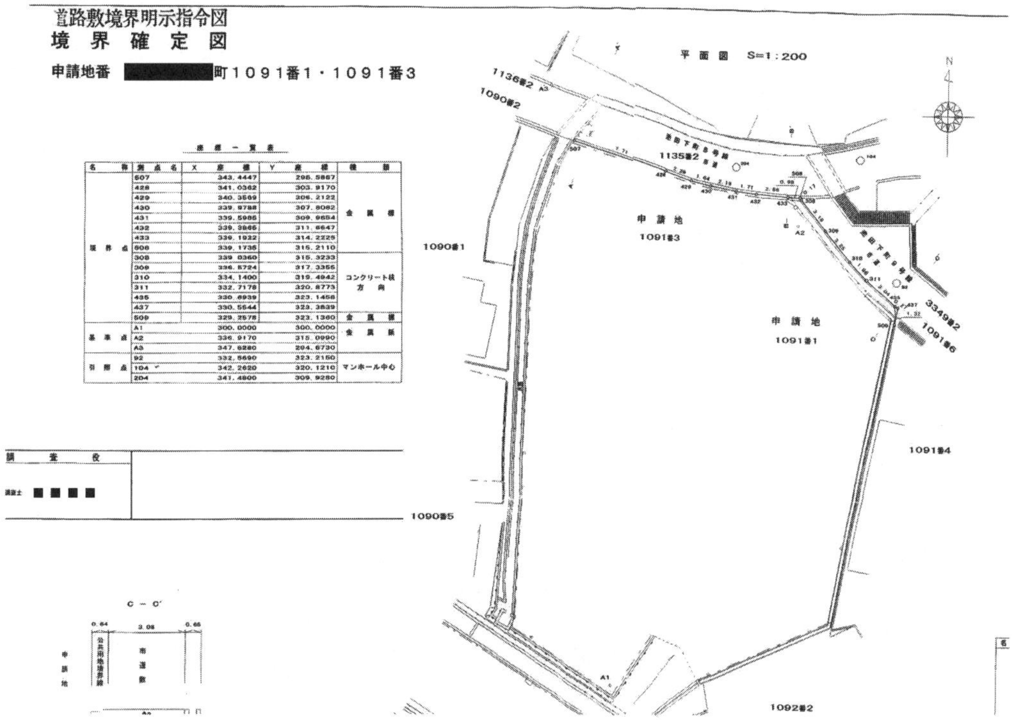

道路敷境界明示指令図
境界確定図

申請地番　　　　　町1091番1・1091番3

平面図 S=1:200

(11)　宅地開発等指導要綱

　宅地開発等指導要綱とは、宅地開発、住宅建設に伴う地方公共団体の財政負担の軽減や良好な都市環境の整備を目的として制定された行政指導の指針です。

　宅地開発等指導要綱は、開発許可を必要とする面積基準や、公共公益的施設用地がどの程度必要になるのかを判断する基礎資料であり、「地積規模の大きな宅地の評価」通達が新設されるまでの旧財産評価基本通達24－4に規定する「広大地の評価」を行う場合に参考資料として活用されました。不動産の所在地を管轄する市町村の開発課、建築指導課などの窓口やインターネットから入手できます。なお、担当の窓口は市町村によって異なります。

参考　宅地開発に関する指導基準例（堺市宅地開発等に関する指導基準）
1　道路の整備基準について
2　排水施設の整備基準について
3　水道施設の整備基準
4　広場等の設置基準について
5　消防水利施設等の設置基準について
6　集会施設及び防犯灯の設置基準について
7　ごみ及び合併浄化槽の設置基準について

8　緩衝帯の設置基準について

9　宅地造成に関する防災のための基準について

10　雨水の流出抑制基準について

11　交通関係施設の整備基準について

12　一部協議に際しての道路の整備基準について

13　一部協議に際しての排水施設の整備基準について

14　一部協議に際しての宅地の安全整備基準

15　一部協議に際しての水道施設の整備について

16　公共施設の管理等に関する手続きについて

17　宅地区画規模について

18　条例第5条第2項第2号の適用を受ける集合建築物についての指導基準

　上記のうち、堺市の場合は、道路幅員基準と宅地区画規模は次のとおり定められています。

■開発等指導要綱による道路幅員の基準（堺市）

	開発規模	0.1ha未満	0.1ha以上 0.3ha未満	0.3ha以上 1.0ha未満	1.0ha以上 2.0ha未満	2.0ha以上 3.0ha未満	3ha以上
道路	一般区画	4.7から6.7	6.7	6.7			
	主要区画	—	6.7		8.5		11.0
	幹線	—				11.0	12.0以上

（単位m）

ただし、上記表の一般区画の築造道路で安全上、避難上及び車両の通行上支障ないと認めた場合はこの限りでない。

■開発等指導要綱による宅地区画規模（堺市）

用途地域（建ぺい率）	最小宅地面積（単位　平方メートル）
第1種低層住居専用地域（10分の4）	130
第1種低層住居専用地域（10分の5）	110
第2種低層住居専用地域（10分の5）	110

⑿　建築計画概要書

　建築計画概要書は、建物がある宅地の評価をする時に有効な資料です。

　建築計画概要書には、建築確認申請書の一部で建築基準法に規定する建築確認等がなされた建築物等について、建築物の概要（建築物の建築主、建築場所、高さ、敷地・建築・延べ床の各面積など）、接道する道路幅員、その建築物の位置や配置を図示した図面、完了検査等の履歴が記載された書面で、特定行政庁（市町村等）の窓口において閲覧所が設

置され、閲覧することができます。また、その写しの交付を受けることもできます。

　建物密集地で土地の奥行が測定不可能な場合にこの書面により、確認することができます。また、配置図により土地の前面道路の幅員等が確認できる場合もあります。

　なお、完了検査を受けていない場合、現況が建築計画概要書の内容どおりの敷地形状・建物であるかは不明であり、記載内容を鵜呑みにできません。例えば、敷地形状について、図面では角地の隅切りや道路の中心後退による敷地の一部道路に提供する計画等が記載されていても、実際は隅切り・中心後退が行われていない場合等があります。

　特に建築計画概要書の図面を利用する場合は、必ず現地で図面の真偽の確認を行ってください。

(注) 建築計画概要書閲覧制度は、昭和46年1月1日施行の建築基準法一部改正により始まりました。

■ **建築計画概要書の付近見取図と配置図**

　下の配置図では、接面する道路が２項道路で、セットバック距離が明瞭に記載されています。

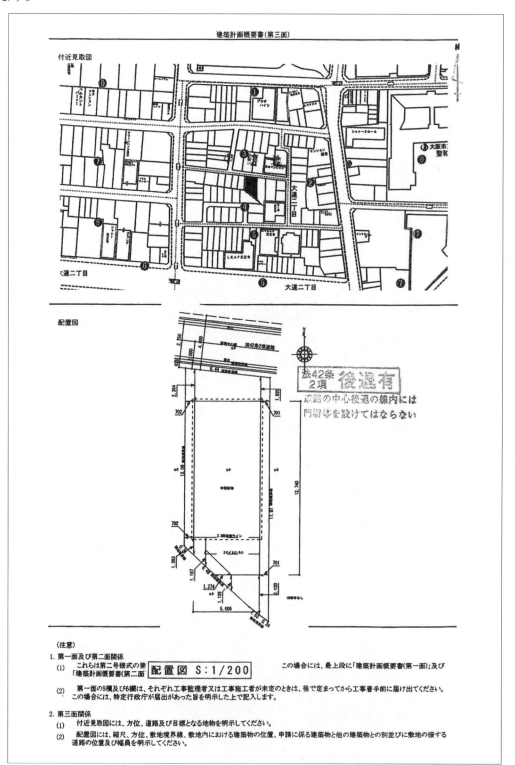

第3章 市町村調査

| 参考 | 建築確認・完了検査とは |

　一定の建物の建築にあたっては、安全性や健康の確保のため建築基準法等により建物について多くの決まりがあります（例えば基礎の配筋の本数や、柱は○m毎に1本無ければならない、天井高は210cm超であること、居室には必ず窓をつけることなど）。建築予定の建物がこの決まりを守った建物であるかを事前にチェックする手続きが建築確認で、事後的にチェックする手続きを完了検査といいます。

　建築には新築以外に増改築・移転・大規模修繕・用途変更も含まれます。

　建築確認は地方公共団体の建築主事と、民間の指定確認検査機関でも平成10年から行うことができるようになりました。なお、完了検査は建築主事が行います。

```
      ┌───────────┐
      │   流れ    │
      └───────────┘
      ┌───────────┐
      │   設計    │
      └───────────┘
            ↓
      ┌───────────┐
      │ 建築確認申請 │
      └───────────┘
          ↓ 適合
      ┌───────────┐
      │  確認済書  │
      └───────────┘
            ↓
      ┌───────────┐
      │  工事施工  │
      └───────────┘
            ↓
      ┌───────────┐
      │  工事完了  │
      └───────────┘
      ↓ 工事完了から4日以内に
      ┌───────────┐
      │ 建築主事に  │
      │ 工事完了届出 │
      └───────────┘
            ↓
      ┌───────────┐
      │  完了検査  │
      └───────────┘
          ↓ 合格
      ┌───────────┐
      │ 検査済証交付 │
      └───────────┘
```

　建築確認の申請内容が法令等に適合していれば建築主事等が確認済書を発行します。それまでは着工できません。

　建築主は工事が完了したら4日以内に工事完了届を提出し完了検査を受けなければなりません。原則、この検査に合格し検査済証の交付後でなければ建物を使用できません。

　この建築確認の制度自体は古くからありましたが、つい20年位前までは建築確認審査は受けたものの完了検査を受けていない建物は数多くありました。完了検査を受けない理由は、①建物が建築確認申請で申請した建物どおりでなく違反建築物であるため完了検査をパスできない場合、又は②単に面倒で受けていないこともあります。

　しかし、近年法令遵守の考えが浸透し、銀行融資においても完了検査を受けている建物であることが条件として挙げられることが多く、最近の建物であればほぼ完了検査を受けています。

　また、違反建築物に対して、特定行政庁は建築中の工事停止や建物の使用禁止や是正を求めることができます。しかし、工事施工中に近隣からの苦情等で違反が判明した場合はすぐに是正が求められるものの、建築してしまえば内容にもよりますが容積率がオーバーしているから建物を取壊して建て直しなさい等の是正が求められることはほとんどなく、建てたもの勝ちの風潮がありました。そのため以前は完了検査を受けず比較的安易に違反建築物を建てられることがありましたが、今は世間の耐震性等建物に対する安全性への関心が高まっており、また、検査済証の有無が銀行融資の条件に挙げられることが多いため、完了検査をほぼ受けています。

⒀　相続税の土地評価で活用する容積率

　容積率の知識は、容積率を基に土地等の評価を行う場合に必要です。財産評価基本通達で活用する容積率は、建築基準法の容積率の一部の内容ですが、ここではもう少し幅広い容積率について説明します。

また、容積率が影響を与える土地評価については、第6章4⒆から㉑（279ページ以降）に説明があります。

　建物は道路と接道することが、その建設に義務付けられています。また、容積率をどれだけ取れるかが建物の大きさの限度を定めるわけで、特に商業地域では宅地等の価格を決定する大きな価格要因となるわけです。一方、容積率は道路の幅員等とも関係し、制限されることになります。したがって、道路と容積率は建物建設に密接な関係があり、宅地等を評価する上で必要不可欠なものになります。

① **容積率の定義**

　容積率とは、敷地面積に対する建築延べ面積（延べ床）の割合のことをいいます（建築基準法第52条第1項、同令第2条第1項第4号）。

○容積率の計算式
$$\frac{建築物の延べ面積}{敷地面積} = 容積率$$

　建築物の容積率は、地域ごとに定められる数値が最高限度となりますが、土地に接続する前面道路が狭い場合には、その道路幅員による制限を受け、評価に影響を与えます。

② **容積率の求め方（例）**

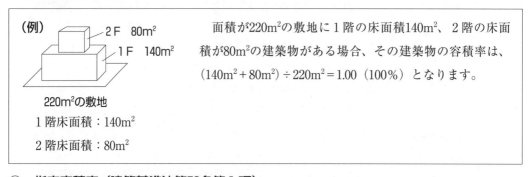

面積が220m²の敷地に1階の床面積140m²、2階の床面積が80m²の建築物がある場合、その建築物の容積率は、(140m² + 80m²) ÷ 220m² = 1.00（100%）となります。

③ **指定容積率（建築基準法第52条第1項）**

　前面道路（2以上あるときは幅員が最大のもの）の幅員が12m以上である場合、建築物の容積率の最大は次のとおりです。

号	地域・区域	容積率
1	第1種低層住居専用地域 第2種低層住居専用地域	50・60・80・100・150・200のうち都市計画で定める割合
2	第1種中高層住居専用地域 第2種中高層住居専用地域 第1種住居地域、第2種住居地域 準住居地域、近隣商業地域、準工業地域	100・150・200・300・400・500のうち都市計画で定める割合

号	地域・区域	
3	商業地域	200・300・400・500・600・700・800・900・1000・1100・1200・1300のうち都市計画で定める割合
4	工業地域 工業専用地域	100・150・200・300・400のうち都市計画で定める割合
5	用途地域の指定のない区域	50・80・100・200・300・400のうち特定行政庁が指定する割合

④ 前面道路による制限を受ける場合の容積率の最高限度

前面道路の幅員が12m未満である場合、建築物の容積率の最高限度は、前記の指定容積率と次の式により求めた数値のうち、いずれか小さい方の数値となります。

前面道路の幅員の数値（m） × 次表中の数値 ÷ 100

（注）「容積率の異なる2以上の地域にわたる宅地の評価」（279ページ以降）に適用する容積率は、上の計算式によります。

号	地域・区域	前面道路幅員に乗じる数値
1号	第1種低層住居専用地域 第2種低層住居専用地域	40
2号	第1種中高層住居専用地域 第2種中高層住居専用地域 第1種住居地域 第2種住居地域 準住居地域	40 （特定行政庁が指定する区域では60）
3号	その他	60 （特定行政庁が指定する区域では40又は80）

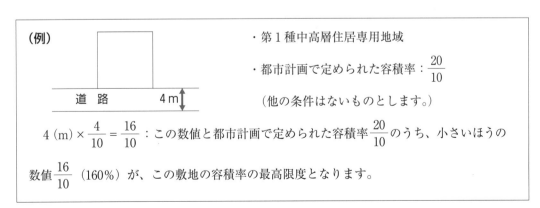

（例）
・第1種中高層住居専用地域
・都市計画で定められた容積率：$\frac{20}{10}$
（他の条件はないものとします。）

$4(m) \times \frac{4}{10} = \frac{16}{10}$：この数値と都市計画で定められた容積率$\frac{20}{10}$のうち、小さいほうの数値$\frac{16}{10}$（160％）が、この敷地の容積率の最高限度となります。

> **参考** 財産評価基本通達の基準容積率の意義（国税庁「質疑応答事例」より）
>
> 容積率の異なる２以上の地域にわたる宅地の評価(1)
> 【照会要旨】
> 　容積率の異なる２以上の地域にわたる宅地の評価に当たり、減額割合の計算を行う場合に適用する容積率は、指定容積率と基準容積率とのいずれによるのでしょうか。
> 【回答要旨】
> 　指定容積率と基準容積率とのいずれか小さい方の容積率によります。
> （理由）
> 　建築基準法は、道路、公園、上下水道等の公共施設と建築物の規模との均衡を図り、その地域全体の環境を守るために、建築物の延べ面積の敷地面積に対する割合の最高限度を定めており、この割合を「容積率」といいます。
> 　容積率には、都市計画にあわせて指定されるもの（指定容積率）と建築基準法独自のもの（基準容積率）とがあり、実際に適用される容積率は、これらのうちいずれか小さい方です。財産評価基本通達20－７において適用する容積率もいずれか小さい方であり、この場合の基準容積率は、建築基準法第52条第２項の規定によるものをいいます。
> （注）　この取扱いは、減額調整方法としての統一基準を定めたものであることから、減額割合の計算上は、容積率の制限を緩和する特例を定めた建築基準法に規定する基準容積率（①特定道路との関係による容積率の制限の緩和、②都市計画道路がある場合の特例、③壁面線の指定がある場合の特例、④一定の条件を備えた建築物の場合の特例）は関係ありません。

⑤　容積率の異なる地域・区域にわたる場合（建築基準法第52条第７項）

　建築物の敷地が２以上の異なる容積率の制限を受ける地域・区域にわたる場合においては、それぞれの地域・区域に属する敷地部分の面積の比を基準として計算した加重平均による容積率が限度となります。

> 【計算方法】
> ①　前面道路の幅員が12m未満である場合は、それぞれの部分ごとに「都市計画等で定められた数値」と「前面道路の幅員に基づき計算した数値」とを比較し、小さいほうを計算します。
> ②　①で計算した数値を基に、面積による加重平均計算をします。

（計算例）

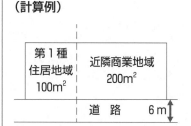

都市計画で定められた容積率

近隣商業地域：$\dfrac{40}{10}$

第１種住居地域：$\dfrac{30}{10}$

（他の条件はないものとします。）

近隣商業地域の部分については、$6(m) \times \frac{6}{10} = \frac{36}{10} < \frac{40}{10}$ であるので $\frac{36}{10}$ となり、

第1種住居地域の部分については、$6(m) \times \frac{4}{10} = \frac{24}{10} < \frac{30}{10}$ であるので $\frac{24}{10}$ となります。

したがって、この敷地の容積率の最高限度は、

$\frac{36}{10} \times \frac{200}{300} + \frac{24}{10} \times \frac{100}{300} = 3.20 \ (320\%)$ となります。

（相続税の土地の評価で考慮しない容積率）
○容積率の制限を緩和する特例

　建築基準法は、上記以外にも容積率に関する規定があり、これを相続税の土地の評価で活用することはありませんが、税の専門家であっても知っておくべきものを以下で説明します。

① **特定道路による前面道路幅員の緩和**（建築基準法第52条等9項）
イ　建築物の前面道路の幅員が6m以上12m未満であり、かつ、
ロ　その前面道路に沿って幅員が15m以上の道路（特定道路という）に接続し、特定道路までの延長が70m以内である敷地については、その前面道路の幅員（m）に特定道路までの延長距離に応じて求める数値（m）を加えたものに4/10、6/10、又は8/10を乗じた数値が容積率の最高限度となります。

なお、このことを図で示すと次のようになり、B（特定道路までの距離に応じて前面道路の幅員に加算する数値）をA（前面道路の幅員）に加算できます。

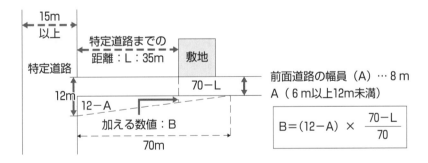

指定容積率300％、第1種住居地域、前面道路の幅員が8m、敷地から特定道路までの延長距離（L）が35mであるとします。

　B　=（　12　-　8　）× $\frac{70-35}{70}$ ＝　2mとなる。

よって、前面道路の幅員＝　8（A）　＋　2（B）　＝　10m
前面道路の幅員によって定まる容積率の最高限度は、
　　8　×　4/10　＝　32/10ではなく、

10 × 4/10 ＝ 40/10となり、都市計画で定められた容積率とのうち、厳しい方となります。

したがって、300％となります。

② **容積率の計算の特例**

容積率の最高限度の計算において、建築物の一定部分の床面積をその建築物の延べ面積に算入しないとする容積率制限の緩和措置があります。

イ　建築物の地階で住宅の用途に供する部分（建築基準法第52条第3項）

　　建築物の地階でその天井が地盤面からの高さ1m以下にあるものの住宅の用途に供する部分の床面積は、当該建築物の住宅の用途に供する部分の床面積の合計1/3を限度として、床面積に算入しません。

ロ　共同住宅の共用の廊下又は階段の用に供する部分（建築基準法第52条第6項）

　　共同住宅の共用の廊下又は階段の用に供する部分の床面積は、延べ面積に算入しません。

ハ　自動車車庫、駐輪場等の用に供する部分（建築基準法施行令第2条第1項第4号、第3項）

　　自動車車庫その他の専ら自動車又は自転車の停留又は駐車のための施設の用途に供する部分の床面積は、当該敷地内の建築物の各階の床面積の合計の1/5を限度として、延べ面積に算入しません。

ニ　許可による容積率制限の緩和（建築基準法第52条第14項、第15項）

　　次のいずれかに該当する建築物で、特定行政庁が交通上、安全上、防火上及び衛生上支障がないと認めて、建築審査会の同意を得て許可したものについては、その許可の範囲内において容積率制限が緩和されます。

　　・同一敷地内の建築物の機械等の床面積が延べ面積に対し著しく大きい建築物

　　・敷地の周囲に広い公園、広場、道路等の空地を有する建築物

5　土地区画整理法

土地区画整理事業中の宅地の評価は、事業が完了するまで、特別扱いを行う場合があります。ここでは、土地区画整理法について概要を説明します。

土地区画整理事業とは、都市計画区域内の土地について、公共施設（道路、公園、広場、河川等）の整備改善及び宅地の利用促進を図るため、土地区画整理法の定めるところに従って行われる土地の区画形質の変更及び公共施設の新設又は変更に関する事業をいいます。

土地区画整理法を理解するため、土地区画整理事業のフローを説明します。

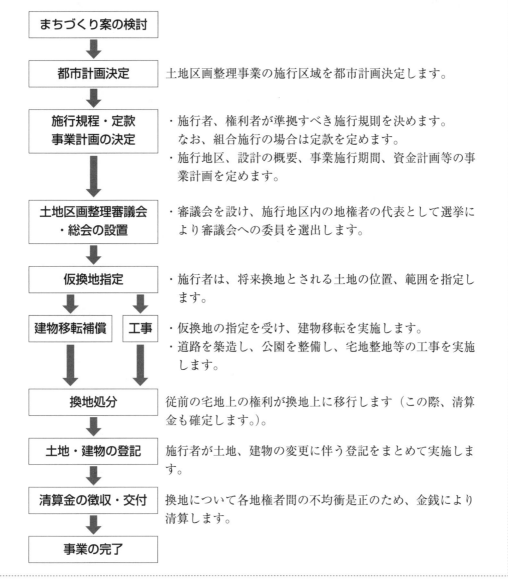

　市町村が行った土地区画整理事業については、換地確定図を担当窓口やインターネット等により公表しているものがあります。

　なお、土地区画整理事業中の土地評価については、第6章4⒇(283ページ)で説明しています。

■土地区画整理事業等の図面

　土地区画整理事業等の図面は、制作時期が新しく精度の高いものは「地図」となりますが、制作時期が古く精度が低いものは「地図に準ずる図面」となります。

（注）　上図は、「地図に準ずる図面」です。

6　生産緑地法

(1)　生産緑地とは

　現行の生産緑地制度が始まったのは平成3年（1991年）で、生産緑地とは、都市における良好な生活環境の保全や都市災害の防止、あるいは将来の公共施設整備に対する土地の確保を目的として、市街化地域内の農地を対象に指定される地区です。

　この地区指定により、農地所有者は営農義務が生じますが、固定資産税の免税措置が図られ、また、農地の納税猶予の特例を受けることができます。

　生産緑地地区に指定されると告示の日から30年間は、原則として建築物の建築、宅地の造成等はできないといういわゆる行為制限が付されることになります（生産緑地法第8条）。

　なお、30年経過するものについては、市町村長に時価による買取りを申し出ることができます。

(2) 生産緑地法の概要

対象地区	① 市街化区域内の農地等であること ② 公害等の防止、農林漁業と調和した都市環境の保全の効用を有し、公共施設等の用地に適したものであること ③ 用排水等の営農継続可能条件を備えていること
地区面積	500m²以上（条例で300m²まで引下げ可能）
建築等の制限	宅地造成・建物等の建築等には市町村長の許可が必要（農林漁業を営むために必要である一定の施設及び市民農園に係る施設等以外の場合は原則不許可）
買取り申出	指定から30年経過後又は生産緑地に係る主たる農林漁業従事者又はそれに準ずる者の死亡等のとき、市町村長へ時価での買取り申出が可能（不成立の場合は、3か月後制限解除）

参考　生産緑地地区農地について

○生産緑地地区に指定されたときに受けられる措置と制限される行為

生産緑地地区に指定されたときに受けられる措置	市街化区域での農業を継続して行うことができます。
生産緑地地区に指定されたときに制限される行為	農地として管理することが義務付けられ、農地以外の利用ができません。ただし、指定後30年を経過したとき、又は主たる従事者が死亡したり農業に従事することを不可能とされる故障を有することとなったときは、買取の申出ができます。

○生産緑地の税金等

　全国の農地における生産緑地の位置付けについて説明します。全国の農地面積の現状は次表のとおりです。生産緑地は、市街化区域内の農地であり、「三大都市圏特定市」に大部分が所在しています。

(令和4年3月31日現在国土交通省資料より引用)

農地面積の現状

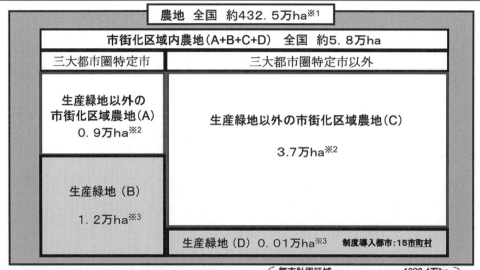

※1 農林水産省「農林水産統計」より耕地面積(R4.7.15現在)
※2 総務省「固定資産の価格等の概要調書」(R4.1.1現在)
※3 国土交通省調べ(R4.12.31現在)

都市計画区域　　　　　　：1028.4万ha
　線引き都市計画区域　　：521.4万ha
　　市街化区域　　　　　：145.4万ha
　　うち三大都市圏特定市：64.7万ha
(R4.3.31現在)

　生産緑地の全国の農地の面積に占める割合は0.3％未満と少ないですが、地価の比較的高い都市部に所在するため、相続税及び固定資産税等の評価等に当たっては、その特色を十分理解しておくことが必要です。

　生産緑地（上表の（B）、（D））の固定資産税は、農地並みの課税であるほか、相続税の納税猶予特例を受けることができ、所有者の負担が軽減されています。

　ところが、上表の「三大都市圏特定市」（後掲の「特定市街化区域農地対象市一覧」記載のある市をいいます。）に所在する農地は、「特定市街化区域農地」といわれ、生産緑地以外の農地は、固定資産税の宅地並み課税が行われおり、相続税の納税猶予の特例適用は受けることができません。

　一方、「三大都市圏特定市以外」の市街化区域の農地については、固定資産税は農地に準じた課税が行われ、相続税の納税猶予の適用を受けることができます。

　税制の詳細は、次々ページの「生産緑地と税制」（国土交通省資料）を参照してください。

　（注）「三大都市圏特定市以外」の市街化区域に所在する農地は、「一般市街化区域農地」ともいわれます。

第3章 市町村調査

参考　特定市街化区域内農地対象市一覧（平成30年4月1日現在）

圏域名	都道府県名	市　町　村　名
首都圏 113市	茨城県 7市	龍ヶ崎市、取手市、坂東市、牛久市、守谷市、常総市、つくばみらい市
	埼玉県 37市	川越市、川口市、行田市、所沢市、飯能市、加須市、東松山市、 春日部市、狭山市、羽生市、鴻巣市、上尾市、草加市、越谷市、蕨市、戸田市、 入間市、朝霞市、志木市、和光市、新座市、桶川市、久喜市、北本市、 八潮市、富士見市、三郷市、蓮田市、坂戸市、幸手市、鶴ヶ島市、 日高市、吉川市、さいたま市、ふじみ野市、熊谷市、白岡市
	千葉県 23市	千葉市、市川市、船橋市、木更津市、松戸市、野田市、成田市、佐倉市、習志野市 柏市、市原市、流山市、八千代市、我孫子市、鎌ヶ谷市、君津市、富津市、（浦安市）、 四街道市、袖ヶ浦市、印西市、白井市、富里市
	東京都 27市	特別区*、八王子市、立川市、武蔵野市、三鷹市、青梅市、府中市、昭島市、 調布市、町田市、小金井市、小平市、日野市、東村山市、国分寺市、国立市、 福生市、狛江市、東大和市、清瀬市、東久留米市、武蔵村山市、多摩市、稲城市、 羽村市、あきる野市、西東京市
	神奈川県 19市	横浜市、川崎市、横須賀市、平塚市、鎌倉市、藤沢市、小田原市、茅ヶ崎市、 逗子市、相模原市、三浦市、秦野市、厚木市、大和市、伊勢原市、海老名市、 座間市、南足柄市、綾瀬市
中部圏 38市	愛知県 33市	名古屋市、岡崎市、一宮市、瀬戸市、半田市、春日井市、津島市、碧南市、刈谷市 豊田市、安城市、西尾市、犬山市、常滑市、江南市、小牧市、稲沢市、 東海市、大府市、知多市、知立市、尾張旭市、高浜市、岩倉市、豊明市、日進市、 愛西市、清須市、北名古屋市、弥富市、あま市、みよし市、長久手市
	三重県 3市	四日市市、桑名市、（いなべ市）
	静岡県 2市	静岡市、浜松市
近畿圏 63市	京都府 10市	京都市、宇治市、亀岡市、城陽市、向日市、長岡京市、八幡市、京田辺市、南丹市、 木津川市
	大阪府 33市	大阪市、堺市、岸和田市、豊中市、池田市、吹田市、泉大津市、高槻市、貝塚市、 守口市、枚方市、茨木市、八尾市、泉佐野市、富田林市、寝屋川市、河内長野市、 松原市、大東市、和泉市、箕面市、柏原市、羽曳野市、門真市、摂津市、高石市、 藤井寺市、東大阪市、泉南市、四條畷市、交野市、大阪狭山市、阪南市
	兵庫県 8市	神戸市、尼崎市、西宮市、芦屋市、伊丹市、宝塚市、川西市、三田市
	奈良県 12市	奈良市、大和高田市、大和郡山市、天理市、橿原市、桜井市、五條市、御所市、 生駒市、香芝市、葛城市、宇陀市、

*　「特定市」とは、以下に掲げる圏域に存在する政令指定都市及び以下に掲げる区域を含む市（東京都の特別区を含む。）をいう。
　　首都圏：首都圏整備法の既成市街地及び近郊整備地帯内にあるもの
　　中部圏：中部圏開発整備法の都市整備区域内にあるもの
　　近畿圏：近畿圏整備法の既成都市区域及び近郊整備区域内にあるもの
*　東京都の特別区の存する区域を一つの市としてカウントしている。
*　（　）は生産緑地地区を有していない都市（浦安市は市街化区域内農地を有していない）。

97

■生産緑地と税制（国土交通省資料より）

区分	三大都市圏特定市※1の市街化区域内農地　生産緑地以外	三大都市圏特定市※1の市街化区域内農地　生産緑地　30年経過後 非特定生産緑地	三大都市圏特定市※1の市街化区域内農地　生産緑地　30年まで 又は 特定生産緑地	一般市町村の市街化区域内農地　生産緑地　30年まで 又は 特定生産緑地	一般市町村の市街化区域内農地　生産緑地以外	一般農地
固定資産税の課税	宅地並み評価 ・宅地評価額－造成費相当額 宅地並み課税 ・課税額＝評価額×1/3×1.4% ・前年度比5%増まで上昇抑制	宅地並み評価 ・宅地評価額－造成費相当額 宅地並み課税 ・課税額＝評価額×1/3×1.4% ・前年度比5%増まで上昇抑制 ・5年間激変緩和措置	農地評価 ・売買事例価格による評価 農地課税 ・課税額＝評価額×1.4% ・前年度比10%増まで上昇抑制	宅地並み評価 ・宅地評価額－造成費相当額 農地に準じた課税 ・課税額＝評価額×1/3×1.4% ・前年度比10%増まで上昇抑制 （宅地並み評価額まで上昇）		農地評価 ・売買事例価格による評価 農地課税 ・課税額＝評価額×1.4% ・前年度比10%増まで上昇抑制
相続税の納税猶予	納税猶予なし	納税猶予なし 現世代の納税猶予のみ 終身営農で免除 （現世代に限り、賃借※2でも納税猶予継続）	納税猶予あり 終身営農で免除 賃借※2でも納税猶予継続	納税猶予あり 20年営農で免除		納税猶予あり 終身営農で免除 （H21改正前は20年） 賃借（農業経営基盤強化促進法）でも、納税猶予継続
都市計画制限	特になし	買取り申出可能 建築制限あり	30年（特定：10年） 建築制限あり	特になし		市街化調整区域内は開発許可
農地転用の制限	原則自由（届出制）	原則自由（届出制）	原則自由（届出制）	原則自由（届出制）	原則自由（届出制）	原則不自由（許可制） 一定の場合、賃貸借可能

※1　三大都市圏特定市とは、①都の特別区の区域、②首都圏、近畿圏又は中部圏内にある政令指定都市、③②以外の市でその区域の全部又は一部が三大都市圏の既成市街地、近郊整備地帯等の区域内にあるもの。ただし、相続税は平成3年1月1日時点で特定市であった区域以外は一般市町村として扱われる。

※2　都市農地の貸借の円滑化に関する法律、特定農地貸し付けに関する農地法等の特例に関する法律に基づく貸借に限る。

（3） 特定生産緑地

　特定生産緑地制度とは、従来の生産緑地が指定から30年経過し、一斉に買取り申出の時期を迎えることへの対応策として、その申出時期の延期を図るために設けられた制度です。

　特定生産緑地の指定を受けた場合でも、生産緑地に係る営農義務や行為制限に変更はなく、この制度の創設によって従来の生産緑地制度は廃止されるものではありません。

参考　特定生産緑地制度

・指定された場合、買取りの申出ができる時期が、「生産緑地地区の都市計画の告示日から30年経過後」から、10年延期されます。

・10年経過する前であれば、改めて所有者等の同意を得て、繰り返し10年の延長ができます。

・特定生産緑地の税制については、従来の生産緑地に措置されてきた税制が継続されます。

・特定生産緑地の指定を受けない場合は、買取りの申出をしない場合でも、従来の税制措置が受けられなくなります（激変緩和措置あり）。

・特定生産緑地の指定は、告示から30年経過するまでに行うこととされており、30年経過後は特定生産緑地として指定できないことに注意してください。

参考　特定生産緑地制度の趣旨

　従来の生産緑地は、その指定から30年経過後に買取り申出が可能となり、買取りが行われない場合には生産緑地の指定が解除されることになっています。地方自治体の財政事情などから、申出が行われても買取りがなされた実績はほとんどなく、今後も生産緑地の指定解除がなされることが多くなると考えられます。

　平成29年の生産緑地法改正によって創設された特定生産緑地は、こうした急激な変化を抑止し、良好な環境や景観を保全することを目的として、継続的に都市農地としての機能を発揮することが望ましい生産緑地について、その所有者等の同意を前提に、買取り申出の始期の延長を可能にするために設けられたものです。

　市町村長が特定生産緑地の指定を行うことで、買取り申出が可能となる時期は生産緑地の指定から30年経過の日（申出基準日）から10年延期でき、10年の経過後は改めて所有者の同意を得て、さらに繰り返して10年延期できることになりました。

　したがって、生産緑地は申出基準日までに市町村長から指定を受けることで、特定生産緑地となりますが、特定生産緑地の指定を受けない生産緑地は30年経過後いつでも買取りの申出ができるものとなり、申出を行っても買取りが行われない場合には生産緑地の指定が解除されることになります。しかし、特定生産緑地の指定を受けない場合でも、指定の解除があるまでは従来の生産緑地であり続けることになります。

　特定生産緑地制度は、生産緑地の買取り申出時期の延期を可能とするために創設されたものであり、その他の営農義務や生産緑地地区内での行為制限などは、特定生産緑地の指定を受けても変更はありません。

■特定生産緑地に指定する場合としない場合（国土交通省資料より）

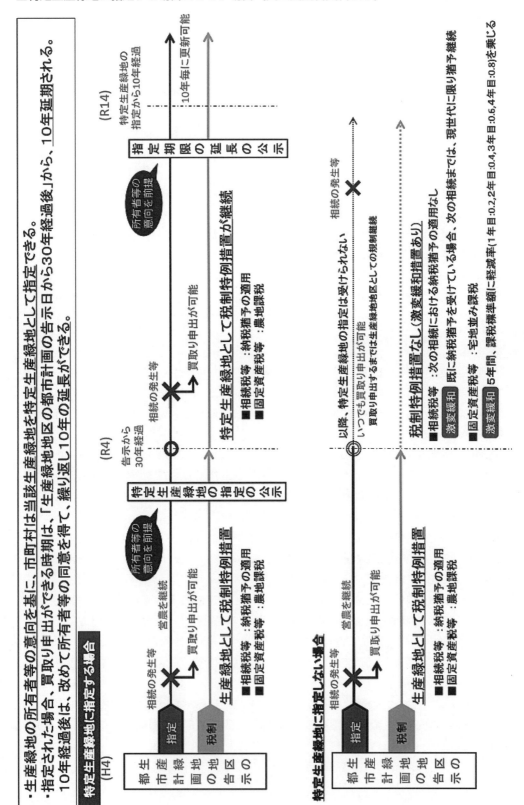

第3章 市町村調査

参考　特定生産緑地の指定状況（国土交通省資料より）

- 平成4年指定の生産緑地を有する自治体に特定生産緑地の指定状況について調査（R4.12月末時点）。
- 特定生産緑地に指定された割合は全体の89.3%、非指定となった割合は10.7%（面積ベースでの集計結果）。

特定生産緑地の指定状況に関する調査結果（令和4年12月末時点）

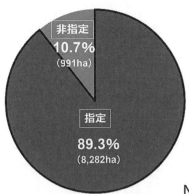

非指定 10.7% (991ha)
指定 89.3% (8,282ha)

N=9,273ha（199都市）

参考　都道府県別　特定生産緑地の指定見込み（令和4年12月末現在）

地域によってばらつきは見られるが、多くの都府県において「指定」の割合が高い。

都道府県	指定%	指定(ha)	非指定%	非指定(ha)	合計(ha)
茨城県	79%	39	21%	10	49.3
埼玉県	89%	1,063	11%	138	1200.5
千葉県	86%	645	14%	107	751.6
東京都	94%	2,233	6%	143	2376.0
神奈川県	92%	868	8%	75	943.0
愛知県	79%	614	21%	166	780.3
三重県	70%	82	30%	36	118.0
京都府	91%	564	9%	57	621.7
大阪府	91%	1,394	9%	132	1526.0
兵庫県	90%	381	10%	41	422.0
奈良県	83%	400	17%	85	484.0

N=9,273ha（199都市）

■大阪市東住吉区の生産緑地の指定状況

■の部分が生産緑地です。

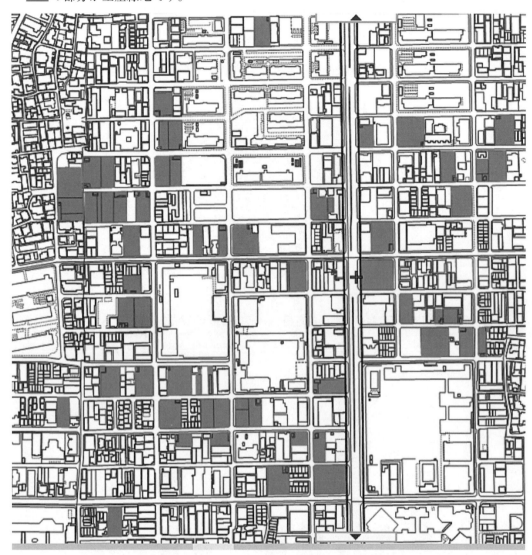

(4) 生産緑地及び特定生産緑地の特例適用の農地等該当証明書

　農地等該当証明書は、不動産の所在地を管轄している市町村の農業委員会等の窓口で申請します。なお、農地等該当証明書の名称は、市町村によって異なります。
　生産緑地等の評価については、6章4㉖（298ページ）で説明しています。

■生産緑地地区の証明書（例）

都市計画証明書

| 証明番号 | 14-0001 |

申　請　地　　泉大津市■■町一丁目■■－1
　　　　　　　泉大津市■■町一丁目■■－2
　　　　　　　泉大津市■■町一丁目■■－3

証明内容　　　都市計画法第8条第1項14号の規定による
　　　　　　　生産緑地地区

証明願理由　　税務署への届出

上記の内容について相違ないことを証明します。

　　　　　　　　　　　　　　平成 26 年 12 月 8 日

　　大阪府泉大津市長　　伊藤　晴彦　　[印]

7　市民農園として貸し付けている農地

　ここでは市民農園の法律関係や開設方法などについて説明するとともに、相続税の納税猶予特例の継続の可否についても説明します。

　（注）以下は農林水産省ホームページ「市民農園を始めよう！！」を参考にしています。

⑴　市民農園とは

　一般に「市民農園」とは、サラリーマン家庭や都市の住民の方々のレクリエーション、高齢者の生きがいづくり、生徒・児童の体験学習などの多様な目的で、農家でない方々が小さな面積の農地を利用して自家用の野菜や花を栽培する農園のことをいいます。

　このような農園は、ヨーロッパ諸国では古くからあり、わが国でも農家でない方々がこのような農地を利用できるよう、自治体、農協、農家、企業、NPOなどが市民農園を開設できるようになっています。

⑵　市民農園の開設方法

　市民農園の開設には①貸付方式と、②農園利用方式があります。

①貸付方式

　利用者に農地を貸す方式です。

　原則として、「特定農地貸付法」又は「都市農地の貸借の円滑化に関する法律」（以下「都市農地貸借法」といいます。）の手続が必要です。

②農園利用方式

　利用者に農地を貸さず、園主の指導の下で利用者が継続的に農作業を行う方式です。

　利用者への農地の権利の設定・移転を伴わないため、農地法等の手続は必要ありません。

　ただし、開設に当たり、農地の権利を取得する場合には、農地法等の手続が必要です。

　なお、上記①又は②のほかに、農地に農機具庫や休憩施設等の施設を設置し、市民農園整備促進法の手続をとれば、「特定農地貸付法」又は「都市農地貸借法」の手続と当該施設整備に必要な農地法の農地転用の手続が不要となるほか、都市計画法の特例も受けることができます。

⑶　開設に必要な法律の手続

　市民農園を開設するに当たっては、自己所有農地か、又は、他者の農地を使用する権利を取得して開設するかにより法律手続が異なります。

　市民農園の開設の態様ごとの法律の手続等は下表のとおりです。なお、下表は簡略化していますので、条件によりこれと異なる法律手続が加わる場合があります。

農地の取得方法	自己所有している農地で開設		他者の農地の権利を取得して開設		
市民農園の方式	農園利用方式	貸付け方式	農園利用方式		
市民農園の施設整備の有無	なし	あり	なし	あり	なし
法律手続	不　要（注２）	市民農園整備促進法（注１）	特定農地貸付法・都市農地貸借法（注３）	市民農園整備促進法（農地の権利を取得する場合は別途農地法等の手続が必要）	（農地の権利を取得する際に農地法等の手続が必要）

（注１）　市民農園整備促進法では、農地と附帯施設を併せ持った優良な市民農園の整備を進めることをねらいとしており、農地と併せて休憩施設等の附帯施設の整備が必須となります。

　　　　一方、特定農地貸付法は、農地を農園利用者に貸し付ける途を開いたもので附帯する施設の整備を要件としているものではありません。

　　　　なお、市民農園整備促進法の規定により特定農地貸付法の承認を受けたものとみなされる場合についても納税猶予の期限は確定しません。

（注２）　自己所有農地で利用者に農作業の一部を体験させる農園利用方式の市民農園の場合は、農地への権利設定・移転を伴わないため、納税猶予の期限は確定しません。

（注３）　特定農地貸付法・都市農地貸借法に基づく生産緑地の貸付については、相続税の納税猶予の期限は確定しません。

参考　関係する法律の概要

　上表の各法律について解説します。

⑴　特定農地貸付法

　特定農地貸付法は、貸付方式の市民農園の開設に伴う農地の貸借等について農地法の許可を不要とする農地法の特例などを定めた法律です。

　なお、平成30年度税制改正により、自ら営農していない貸し付けた生産緑地について相続税の納税猶予の特例が適用できるようになりました。

　イ　特定農地貸付けとは

　　市民農園の利用者への農地の貸付けのことで、次の要件を満たすものをいいます。

　　(イ)　10a（1,000㎡）未満の貸付け

　　(ロ)　相当数の者を対象とした貸付け

　　(ハ)　貸付期間が５年を超えない

　　(ニ)　利用者が行う農作物の栽培が営利を目的としないものであること

　　(ホ)　農業委員会の承認

　　　特定農地貸付けを行うためには、市民農園の開設者が農業委員会に申請して、その承認を受ける必要があります。

□ 開設の手続
　特定農地貸付法による市民農園の開設者ごとの市民農園の開設手続は、次のとおりです。
(イ) 地方公共団体及び農業協同組合が開設者の場合
　　農地所有者が、開設者との間で締結する賃借権その他の使用収益を目的とする権利の設定に関する契約をして農地を貸し付ける。

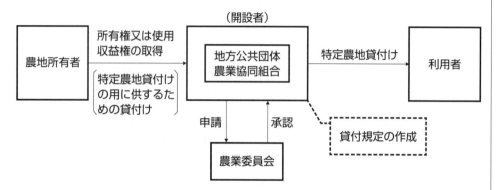

(ロ) 農地を所有している者が開設者の場合
　　農地所有者が、農業委員会の承認を受けて市民農園を開設し、貸付規定に定める者に直接農地を貸し付ける。

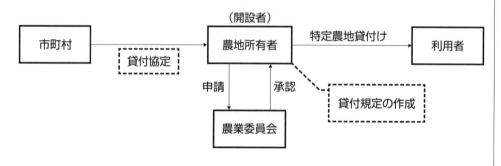

ハ 地方公共団体以外の者が農地を借りて開設者となる場合
　　農地所有者が、開設者との間で締結する賃借権その他の使用及び収益を目的とする権利の設定に関する契約をして農地を貸し付ける。

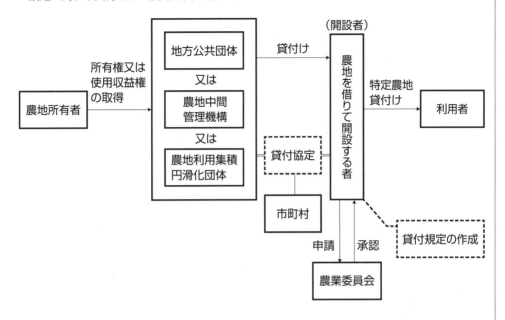

　開設者は、農地所有者から直接農地を借りることはできず、地方公共団体等を介在する必要があります。

(2) 「都市農地貸借法」による場合
　上記(1)ロで説明しましたが、「特定農地貸付法」では、農地を所有していない者が農地を借りて市民農園を開設する場合、農地所有者から直接借りることができず、地方公共団体、農地中間管理機構又は農地利用集積円滑化団体を介して借りる必要がありました。しかし、市街化区域内においては農地中間管理機構や農地利用集積円滑化団体の活用は考えにくく、また、地方公共団体では賃料についての予算措置等、現実的に活用しづらい側面がありました。
　このため、平成30年６月に新たに「都市農地貸借法」が制定され、農地を所有しない者が、直接、農地所有者から都市農地を借りて市民農園を開設することができるようになりました。
　都市農地貸借法では、農地を借りた者が自ら耕作する場合と特定都市農地貸付け（市民農園として利用者へ貸付け）をする場合を対象にしていますが、ここでは、特定都市農地貸付けについて説明します。
　イ　特定都市農地貸付け
　　　特定都市農地貸付けは、農地を借りて市民農園を開設する者（地方公共団体、農業協同組合を除く。）が対象です。
　　・特定都市農地貸付け・承認の要件は特定農地貸付法と同様ですが、市民農園の開設者は、農地所有者から直接農地を借りることができます。
　　・なお、対象は生産緑地地区内の農地に限られます。

・また、当該市民農園としての貸付けを行った場合並びに「都市農地貸借法」に規定する認定事業計画に基づく貸付けを行った場合であっても、一定の手続を行えば、相続税の納税猶予の期限は確定せず、継続適用されます。

□ 開設の手続
　都市農地貸借法（特定都市農地貸付け）での市民農園の開設の手続は、次のとおりです。

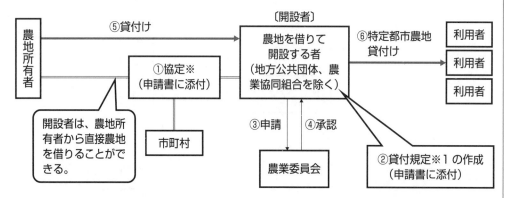

※ 協定：貸付協定の内容に加えて、開設者が都市農地を適切に利用しないと認められる場合に市区町村が協定を廃止する旨を内容とする協定を締結

（参考）特定農地貸付法（特定農地貸付け）との対比

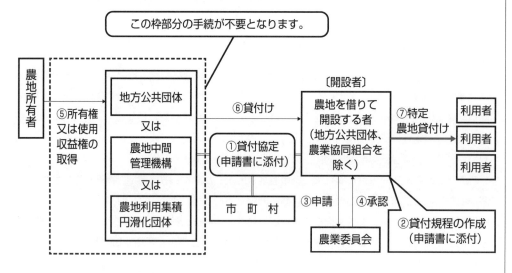

(3) 農園利用方式

　農業を営む園主の指導の下で、利用者に継続的に農作業を行ってもらう方式の市民農園です。

　市民農園の開設者は、農園の利用者に対し農地を貸さない（使用収益する権利が利用者に生じない）ため、農地法等の手続は必要ありません。

　したがって、農地所有者が利用者に農作業の一部を体験させる市民農園については、相続税の納税猶予の期限は確定しません。

　ただし、開設者が、開設に当たって農地の権利を取得する場合には、農業者等が通常、農地の権利を取得するための手続（農地法第3条の許可等）が必要です。

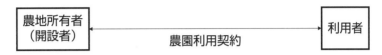

(4) 市民農園整備促進法

　市民農園整備促進法は、農機具庫や休憩施設等の市民農園施設を備えた市民農園（貸付方式及び農園利用方式）を整備する場合の農地法等の特例を設けた法律です。

　郊外に施設と一体的に市民農園を整備・開設する場合に適しています。

イ　市民農園整備促進法の概要

　整備運営計画を作成し、市町村から市民農園の開設の認定を受けると、

・農地の貸付けについて特定農地貸付法（又は都市農地貸借法）の承認

・市民農園施設の整備に必要な農地の転用について農地法第4条第1項、第5条第1項の許可があったとみなされ、また、

・休憩施設等に係る開発行為等については、都市計画法に基づく開発許可が可能になります。

ロ　市民農園施設

　市民農園として利用される農地に附帯して設置される、農地の保全又は利用上必要な施設です。

　農機具収納施設やトイレ、手洗場、水飲場、駐車場、園路、掲示板、柵、照明施設のほか、管理事務所や休憩施設、農作業講習施設、簡易宿泊施設なども該当します。

> **参考** 相続税納税猶予制度との関係のまとめ

① 相続税の納税猶予制度の適用を受けている農地を市民農園の開設者や利用者に貸すと、原則として猶予の期間が確定し、猶予税額及び利子税を納付する必要があります。

　ただし、生産緑地について、以下の貸付けをする場合は、引き続き納税猶予制度が継続します（貸付後、2か月以内に所轄税務署に届け出る必要があります。）。

　なお、市民農園整備促進法の規定により特定農地貸付法の承認を受けたものとみなされる場合についても引き続き納税猶予制度が継続します。

(注) 以下は、農林水産省ホームページ「市民農園を始めよう！！」を参考に記載しています。

　ア　特定農地貸付けの用に供するための地方公共団体及び農業協同組合への貸付け

　イ　自己所有の農地について特定農地貸付け[※1]

※1　貸付協定に本来の記載項目のほかに、「開設者が農地を適切に利用していないと認められる場合に市町村が協定を廃止する旨」等を記載する必要があります。

　ウ　特定都市農地貸付けの用に供するための貸付け

　エ　都市農地貸借法（認定を受けた事業計画に基づく貸付け[※2]）に基づく農園利用方式の市民農園の開設者への貸付け

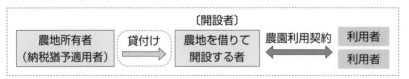

※2　詳しくは、農林水産省のホームページ「都市の農地の貸借がしやすくなります」をご覧ください。

② 自己所有の農地について、利用者に農作業の一部を体験させる農園利用方式の市民農園の用に供する場合については、農地への権利の設定・移転を伴わないため、納税猶予の期限は確定しません。

8 森林簿

　財産評価基本通達では「地積は、課税時期における実際の面積による。」とされていますので地積測量図（測量図）等がある場合には必ず地積を確認する必要があります。

　また、地積測量図等は、間口、奥行距離等の土地の形状を確認するためにも活用することができます。特に、山林については、縄延び等によって面積が大きく異なることもありますので、縄伸びが予想される場合には森林組合の「森林簿」などによって地積を確認することが必要になります。

参考　森林簿とは

　「森林簿」は、地域森林計画樹立のための基礎資料として作成されたもので、個々の森林の所在、面積及び現況等を記録したものです。

　「森林簿」は、個人情報を含むため利用できる方が制限されています。また、「森林簿」を利用するためには、申請者と森林所有者の関係を証明する書類の添付が必要になります。

　利用できるのは次の方などです。

1　森林所有者又は森林所有者の同意若しくは委任を受けた者

2　森林組合法に基づき森林所有者によって組織された協同組合

3　国

4　国から委託を受けた者

5　土地収用法第3条第1項に規定する事業を行う者

6　大学等研究機関

9 ライフラインの図面

　上下水道、ガス管（ライフライン）の引き込み状況等は、特定路線価の設定の際の基礎資料として提出する必要があります。また、敷地と建物の概ねの位置確認等を行う場合に活用します。

■上水道図面

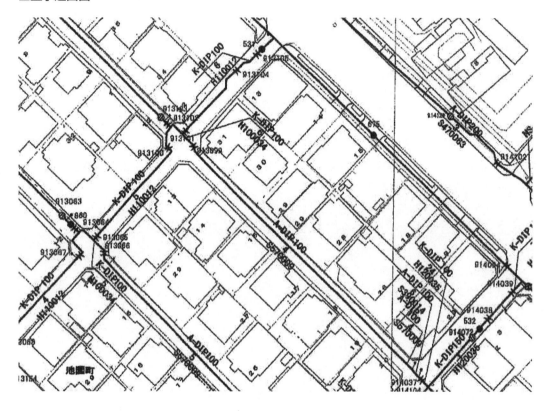

■下水道図面

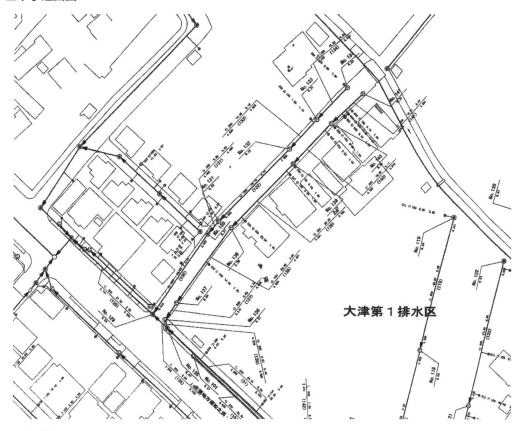

■ガス管図面

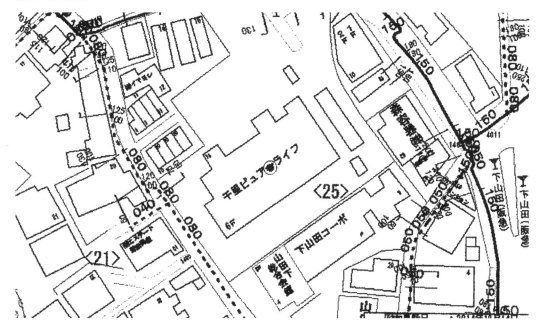

10　その他

(1)　大きな図書館で収集できる住宅地図等

　都道府県立や政令指定都市の図書館では多数の新旧の住宅地図やブルーマップを所蔵しています。下表は、京都府立図書館が所蔵する住宅地図の京都市内の区別・年別の一覧表（一部）です。

　住宅地図は現地における物件調査等で使用します。

　また、住宅地図を新旧で対比しますと、過去から現在に至る宅地開発の状況等がよくわかります。

　新旧住宅地図は、広大地評価の際、評価対象不動産の属する地域が、戸建開発かマンション開発のどちらが見込まれる地域なのかを判定する際の参考資料となります。

■京都府立図書館の新旧住宅地図の所蔵一覧（一部）

住宅地図　京都市内（1974～1997）

吉：吉田地図　　ゼ：ゼンリン地図　　＊：複本有　　　所蔵場所：書庫② 閲覧される方は地下1階カウンターでご請求下さい。

住宅地図　京都市内（1998～2022）

2023.2.1現在

吉：吉田地図　　ゼ：ゼンリン地図　　＊：複本有　　2：年3回発行　　発行年はタイトルによります。
最新刊は地下閲覧室に、それ以外は書庫にあります。書庫の住宅地図を閲覧される方は、地下1階カウンターでご請求下さい。
最新の所蔵状況については、京都府立総合資料館蔵書検索でご確認ください。

⑵ Googleマップの写真等

　航空写真とストリートビューなどをインターネット上で確認することができ、印刷できます。

　現地における物件調査に活用することができ、「土地及び土地の上に存する権利の評価明細書」等の参考資料とすることもできます。

　また、Googleマップの画面上で面積、距離を概測できる機能も公開されています。

　目的地点間の概測方法は、①徒歩による、②車による、③直線距離によるものがあります。

　例えば、対象地とその最寄駅をクリックすると駅までの徒歩経路、道路距離及び所要時間が表示され便利です。

第4章

現地における物件調査

1　現地における物件調査の準備

　現地における物件調査は、不動産の評価を行うには必要不可欠な基礎的作業です。

　財産評価基本通達の土地評価に関する各種補正率等の適用誤りや、適切な不動産の評価に係る判断が行われない場合などは、現地における物件調査が不十分であることが原因であるケースが少なくありません。

　土地等の評価額について、依頼者の納得が得られず、再評価を依頼されるときがありますが、このような場合には現地調査を行うと、土地の傾斜や段差、周囲に著しい騒音などがあるにもかかわらず、それらの補正がなされていないことがあります。このような補正漏れが起こるのは、現地における物件調査を怠っていたことが原因です。特に路線価地域の評価を行う場合には、土地の評価に関する増減価要因の検討に当たり、地図や図面等により確認できる土地の形状に関する各種の補正率の適用等だけでは十分ではなく、それ以外の補正を行うため、現地における物件調査を十分に行う必要があります。

　ここでは、現地における物件調査の作業スケジュールとそれまでの準備等について説明します。

2　現地における物件調査の作業スケジュール

⑴　作業スケジュールの留意点

　相続税の不動産評価の現地における物件調査の作業スケジュールは、下表のとおりですが、「4　現地における物件調査」を行うため、具体的にどのように準備し、実施するかについて説明します。

■相続税の不動産評価の作業スケジュールのフロー

| 1 | 相続税、贈与税（以下「相続税等」という。）の申告書作成依頼 |

| 2 | 依頼者等から相続税等の不動産評価を行う対象物件に関する概要を聴き取り、資料の提示を受ける。 |

| 3 | 法務局や市町村調査による資料の収集 |
・法務局で登記事項証明書、公図等の不動産評価に関する資料の入手を行う。
・市町村等の窓口で、相続税等の不動産評価に必要なデータや各種行政法規等を確認する。

| 4 | 現地における物件調査 |

| 5 | 地目の判定、地積の確定、評価単位の判定 |

| 6 | デスクワーク（評価明細書の作成、申告書作成） |

「4　現地における物件調査」を効率的に行うためには作業手順が重要です。

　現地における物件調査を実施するために計画性を持たず、例えば、とりあえず現地に行くことは、その後の作業効率を考慮すると、複数回現地に行く結果を招来することになり、非効率であるため、避けるべきです。

　「現地における物件調査」に至るまでの作業である、「2　依頼者等から相続税等の不動産評価を行う対象物件に関する概要を聴き取り、資料の提示を受ける」場面においては、対象不動産についての基本情報（自己利用か賃貸か、いつから所有しているかの利用状況等を含む。）を聴取した後、住宅地図、グーグルマップ等で評価対象不動産の概略の位置や形状等を十分に確認し、加えて「3　法務局や市町村調査」により収集した資料を整理した上で、現地における物件調査を行います。

　市町村調査の際は、住宅地図に評価対象不動産と道路を色ペンでマークし、当該地図を持参して市町村の各部課を回ると、市町村の窓口担当者が理解しやすく、こちらも説明が省略でき、調べやすくなります。

(2)　現地における物件調査により確認すべき事項の抽出

　法務局や市町村調査が終了しましたら、現地における物件調査で確認すべきことを抽出します。

イ　現地における物件調査により確認すべき具体的な抽出事項

　　現地における物件調査の目的の一つは、収集した物的確認資料と実際の不動産を比較し、現地に赴いて評価対象不動産の間口、奥行等の形状のほか利用状況等を確認し、相違がないか確認することです。

　　この際に確認すべき具体的な抽出事項は、次のとおりです。

■現地で確認すべき具体的な抽出事項

---

①　平面的状況

・実際の土地の形状（間口、奥行等）確認、接面道路の幅員等の状況、建物の状態、未登記建物の有無

・１画地の判定のための敷地の境界、越境物の有無

②　立体的状況

・隣接地との高低差、敷地内の高低差や傾斜、傾斜方位、段差、騒音、高圧線の有無等

③　利用の状況

・貸家建付地や貸家の場合の利用者や利用の状況等

ロ　現地における物件調査に使用する各種地図等の精度

　　各種地図（第2章7⑴21ページ以下参照）等のうちどの地図を現地における物件調査に活用して不動産評価を行うかは、次の「各種地図等の精度」を参考に精度の高いものを使用してください。

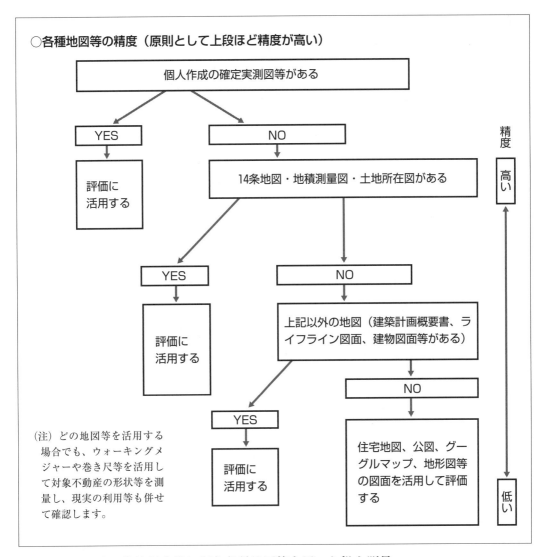

ハ　現地における物件調査前に行う各種地図等を用いた机上測量

　個人作成の確定測量図や地積測量図がある場合は基本的にそれを直接使用します。この場合はそもそも隣接地境界の距離が記載されているため、土地自体をスケールで再度測る必要はありません。

　それがない場合は縮尺の入った14条地図、建築計画概要書や建物図面を活用し、それもない場合は、精度がやや落ちるかもしれませんが、ライフライン地図である上下水道等図面、住宅地図、公図、グーグルマップ、地形図等を用いて間口、奥行、形状等を測量します。

ニ　全体図の作成

　現地における物件調査をスムーズに行うため、測量結果を記載する各種地図や各種図面の縮尺が小さければ拡大コピーし、1つの敷地が複数の各種地図や各種図面からなっており、何枚にもわたっていれば、できる限り切り貼りして1枚にまとめ、全体図を準

119

備します。

ホ　間口、奥行等の形状や各境界部分の距離の記入

　次に、上記の各種地図や各種図面のうち、最も正確と考えられるものを基準に、間口、奥行等の形状や各境界部分の距離等をスケールで測り、各種地図や各種図面に記入します。

3　現地における物件調査の実務知識

(1)　活用する機器

① 　ウォーキングメジャー

ウォーキングメジャー

　一人で歩きながら、距離が測定でき、平坦な地面ではおおむね正確に計測できます。距離測定は自動表示となっています。通称「コロ」又は「コロコロ」とも呼ばれます。

　ウォーキングメジャーがあれば、一人で測量が簡単にでき便利です。また、広い道路幅員や間口など、どんなに距離があっても問題なく計測できます。また、間口が曲線になっていても測量できます。

　ただし、凹凸の激しい地面や砂利道を測る場合、測量するリング部分が地面から浮いてしまい、誤差が大きく生じ得るので、そのような場合は巻尺等を使います。

② 　コンベックス（左側）、巻尺（右側）

コンベックス

　計測部は薄い金属製で断面が湾曲したテープが用いられ、巻き取ることができる柔軟性と直立性があります。テープが出た状態を保持するロック機能付のものが便利です。

　測量の道具としては、最低限「ウォーキングメジャー」、「巻尺」と「コンベックス」を揃えます。巻尺は25m位、コンベックスは5mのものが使い勝手がよいです。コンベックスは100円均一店などでも売られていますが、あまり安いものだと直立して測るときすぐに目盛部分が折れてしまい用をなさない場合があります。

　巻尺の欠点は二人いないと測量できないこと、また、通行人の多い場所では通行の妨げになることです。

③ レーザー距離計等

　レーザー距離計は、レーザー光の反射により数cmから数十mまでの距離（上位機種では約200m）を瞬時に測量できる大変便利な計測機です。

　道路幅員や間口のレーザー光を当てるところさえあれば測量でき、建設、土木、造船、製造現場での作業時や見積時の距離測定、行政書士・司法書士の土地の調査、店舗調査、オフィスの模様替えなど、様々な現場で使われています。

　超音波式の距離計との違いは、超音波式の距離計は超音波を放射状に拡散させるために、障害物等の影響を受けやすいのに対し、レーザータイプの場合はピンポイントに直線で対象を捉えることができより正確な測定が可能なことです。

　なお、天気の良い日はレーザー光が見えにくいという欠点があります。

　レーザー距離計や超音波距離計の利点は、レーザーや超音波を利用しているため、土地の起伏などに関係なく正確な測量ができることです。また、距離のほか高さや、傾斜、面積も測定することが可能です。

　購入価格は数千円から10万円超まで幅広いです。相続税の不動産評価では、多くの機能を使いませんので、安価なものでも十分です。なお、建物内部や部屋の広さ、天井の高さを測るのにも使用できます。

④ カメラ等の撮影道具

　現地の土地・建物・接面道路などを撮影し、第三者に説明するときや、後日の不動産評価時に活用します。今は携帯電話やタブレットでも画質の優れた写真や動画が簡単に撮れますので、動画で対象の不動産全体をざっと撮影しておくと、後日気になる点が出てきた場合などに確認しやすいです。

　また、市町村の担当課で道路等の図面について写しの交付を受けられない場合がありますが、写真撮影は可能である場合があるため、カメラ等を持参します。

⑤ 肩ひも付き鞄

　現地では、地図を片手に図面を見て、写真を撮ったり、距離を測ったり、測定結果を記載したり多数の作業を行いますので、鞄は肩ひも付きのものが有用で便利です。リュックも両手が動かせるので便利です。

⑥　クリップボード（手板）

　現地で筆記する場合、筆記するためのクリップボード（手板）があると便利です。クリップボード（手板）に土地の図面や別紙の現地調査シート等を挟んで測量等の結果をその場で書き込みます。

　予め行った机上作業時に測った寸法と現地で測った寸法の記入には異なる色のペンを使うとわかり易いです。

⑦　方位磁石

　「コンパス」とも呼ばれ、方位を調べるために使用します。

　スマートフォンでも方位機能をアプリケーションで付けることが可能です。

⑧　トータルステーション

　土地家屋調査士等の測量の専門家が使用する測量機器の一つで、現在、あらゆる測量の現場で最もよく使用されているものです。距離を測る光波測距儀と、角度を測るセオドライトとを組み合わせたもので、従来は別々に測量されていた距離と角度を同時に観測できます。

　これによって、観測により得られた角度と距離から新点の平面的な位置を容易に求められます（価格は数十万円から200万円程度と高価です。）。

⑨　クリノメーター（傾斜度を求める）

　クリノメーター（clinometer）は、元来、地質調査（地表踏査）に用いる器具です。

　地層面・断層面などの走向・傾斜を測ることができます。比較的安価で、評価の際の傾斜度の測定に使います。

⑩　その他の機器

　騒音計……騒音レベルを測定します（騒音により利用価値が著しく低下し、取引金額に
　　　　　影響を与えると認められる場合があります。）。

双眼鏡……肉眼で判別しにくい遠方を確認するため使用します。

(2) 机上作業において図面を測定する道具

① 三角スケール（「サンスケ」とも呼ばれる）

　各種の図面から寸法を読み取る三角スケールは必需品です。3つの面の両側（3×2＝6）に計6種類の縮尺（目盛りの縮尺はメートル単位で、1／100、1／200、1／300、1／400、1／500、1／600が一般的ですが、その他にも建築士用の1／20、1／250などの種類があり、備えておくと便利です。）の異なる目盛りが刻まれていて、必要な縮尺に合わせて使用面を選び、描かれた図面から寸法を読み取ることができます。

　地積測量図等は図面によって縮尺が異なりますが、三角スケールがあれば簡単に寸法が測れますので、測定用具として常備します。

② プラニメータ（左）、キルビメータ（右）

プラニメータ……平面図形の面積測定できるデジタル測量器具です。

キルビメータ……地図や図面の線上をなぞるだけで、長さ・距離が測定できるデジタル機器です。

　なお、パソコンのグーグルマップの地図上で面積や距離を測定できるアプリケーションがあり、これを活用すれば概測による測量ができます。

③ 製図板と方眼トレーシングペーパー

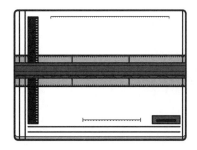

　評価対象不動産の平面の形状を描くため、方眼トレーシングペーパーを製図板で固定し、製図すると精度の高い図面ができます。

(3) 評価対象不動産の間口、奥行等の形状等の測量

　評価対象不動産の物件調査では、上記(1)の物件調査の際に活用する機器を使用し、間口、奥行等の形状等を測量して、評価対象不動産を確定します。

① 現地における物件調査で確認すべき事項
（各種地図等への測量結果の記入）
　机上作業で作成した距離等を記入した各種地図等を現地に持参して、測量結果を記録します。

イ　評価対象不動産の所在地等の確認
　土地等の所在地確認は、できれば依頼者などの土地等の境界等の状況を説明できる者に、案内と立会いを依頼することが効率的で、かつ、物件調査が正確なものとなります。
　しかし、例えば、案内者の指示する境界が本来の境界と異なる場合等があります。仮に、案内者の説明が誤っており、これを鵜呑みにして誤った境界を元に間口や奥行距離を測量した場合、画地の補正率計算に誤りが生じ、依頼者に不利益を与えることが想定されます。
　したがって、案内者の説明のみに頼ることなく、事前収集した地積測量図、公図、住宅地図（案内図）、実測図などの資料により、自らの判断で、土地等の位置を隣接地の所有者（居住者）や道路との関係などについて確認します。
　農地や山林の場合には、目標物が少なく所在地等について誤りやすいことから特に慎重な確認が必要です。また、山林の場合には、地方によって木の表皮をはいで名前を入れたり、立札を立てたり、木に紐を縛ったりと独特の明認（公示）方法が慣行化しているところもあります。
　不動産登記簿、公図には所有者も地番も記載されているにもかかわらず、何らかの原因で実際には所在不明となっている土地もあります。
　このような場合だけでなく、土地等の位置確認が不十分な場合には、誤った路線価に基づき計算することにもなりかねませんので、慎重な所在地の確認を行う必要があります。

ロ　評価対象不動産について測定するポイント

評価対象不動産について、具体的に測量する箇所は、①評価対象不動産が接面する道路幅員、並びに評価対象不動産の②間口、奥行等の形状、③傾斜、④段差、⑤敷地の境界等です。

何らかの事情でウォーキングメジャー等が使用できず間口や奥行距離などを概測せざる得ないときに、境界線上にコンクリートブロック（幅40cm）（132ページ写真参照）や検知ブロックがあれば、その数を数えることによって概測が可能となる場合があります。

(注) コンクリートブロックの幅は40cm、高さは20cmですが、コンクリートブロックの継目に幅約1cmのセメント材が使用され、結果的に幅約41cmとなります。

ハ　各種地図等の図面と現地における物件調査の測量結果が不突合である場合の原因究明

現地における物件調査では、各種測量機器を活用して測量し、終了後は、その測量結果を整理し、各種地図等に基づく机上測量によるものと対比して差異があればこれを検証します。

この対比が合致していれば問題ありませんが、合致していなければその原因を究明するため、必要に応じて役所等に再臨場するなどフィードバック作業を行う場合もあります。

また、現地における物件調査の結果、実測図、公図等と比較して大きく数値が異なる場合には、境界標や境界線の再確認などを行い、差異の原因を究明します。

ニ　評価対象不動産が無道路地の場合

無道路地となった経緯などの状況にもよりますが、一般的には最も近い公道との間に通路を想定することになりますので、評価対象不動産から公道までの距離について各種地図等による机上測量を行うほか現地における測量も行います。

②　境界が不明瞭で測量できない場合

イ　精度の高い地図や図面がなく、しかも評価する不動産を確認しても面積等の確定が困難な場合

精度の高い地図や図面がなく、しかも対象不動産と隣接地の境界が不明瞭であること等があります。例えば、一筆に複数棟の貸家があり、入居者が異なるため、貸家ごとに評価単位をとらなければならないにもかかわらず、敷地の境界が不明瞭である場合などは評価する面積の確定が困難です。

このような場合は、不動産の所有者等の立会いを求め、現地における測量や敷地境界の確認を慎重に行う必要があります。

ロ　物理的に測量できない場合

不動産の所在する場所により、物理的な理由で現地において測量したい物件の距離等が測量できない場合があります。例えば、隣接建物と密接しており境界確認ができない場合などです。また、他人の土地に立ち入らなければ測量できない場合や、建物が邪魔をして

正確な測量が困難な場合も多々あります。

　この場合は、前記２(2)ロ「現地における物件調査に使用する各種地図等」を使用して机上作業により測量しますが、建築計画概要書の配置図があれば参考になる場合があります（第３章「市町村調査」の４の(12)「建築計画概要書」84ページ参照）。

(4)　道路幅員等の測量

①　測量機器による測量

　不動産が接面している道路の幅員は、評価額に影響を及ぼすため「ウォーキングメジャー」、「レーザー等計測器」、「巻尺」又は「コンベックス」等により１箇所だけでなく複数箇所測量します。

　道路幅の測量は、容積率の計算、幅員４ｍ未満の場合におけるセットバック面積の計算を行うために必要です。

　また、容積率は、道路の幅員が12ｍ以上の場合には都市計画の指定容積率が適用されますが、12ｍ未満の場合は、次の（参考）建築基準法第52条第２項の規定による容積率が適用されます。

　したがって、道路の幅員の測量が必要となるのは、容積率の計算が必要な場合で幅員が12ｍ未満の場合とセットバックが必要な場合ということになります。

参考	建築基準法第52条第2項の規定の要約

・住居系の用途地域の場合の容積率は　　　　　　　前面道路幅（ｍ）×４÷10
・その他（商業系・工業系）の用途地域では　　　　前面道路幅（ｍ）×６÷10

　財産評価基本通達の容積率は、上記の前面道路幅から計算された容積率と、都市計画で定める指定容積率の数値を比較して、低い方がその敷地のものとして適用されます。

　例えば、住居系地域で前面道路幅が４ｍ、都市計画法の指定容積率が300％の敷地の場合、当該容積率と実際に建築可能な容積率は、上記算式で計算した４ｍ×４÷10＝160％との低い方、即ち160％が財産評価基本通達適用上の容積率となります。

---

②　現況幅員と認定幅員

　道路幅員には、現況幅員と認定幅員があります。

イ　現況幅員

　現況幅員とは、現地で測定した道路幅員をいいます。

　建築基準法の建築確認の手続では、現況幅員が優先されます。

ロ　認定幅員

　認定幅員とは、道路境界確定（いわゆる道路査定）によって確定した道路幅員をいいます。

　現地で測定した道路幅員をそのまま容積率の計算に用いることが可能かというと、そう

とは限りません。表面的には道路のようになっていても暗渠（あんきょ）となっている水路が存在し、あるいは歩道のような緑地帯がある場合もあります。この場合には、道路幅員と認定されるかどうかについて確認が必要になります。

したがって、現況幅員に疑義がある場合は測量後に、市町村の道路管理課、建築指導課などの担当窓口で確認する必要があります。現況幅員が4ｍ未満の場合にセットバックが必要か否かについても、市町村の建築指導課などの担当窓口で確認する必要があります。

特定行政庁（市町村等）が指定しておらず、建築基準法第42条第2項の道路（いわゆる2項道路）ではない場合もあります（単なる通路）。また、評価する土地等はセットバック済で、道路の反対側のみセットバックが必要な場合などもあります。

評価する土地等が私道にのみ接している場合など、接している道路に路線価が定められていないときには、特定路線価の設定を申請（350ページ「特定路線価設定申出書」参照）することになります。この場合は、道路の幅員のほか道路の奥行、連続性、勾配（傾斜度）、上下水道・都市ガスの有無なども調査します。

評価対象不動産が接面する前面道路について、市町村で作成した道路台帳等があればその数値と照合します。

なお、市町村の道路台帳平面図には、簡略的なものもあれば、細かく側溝の有無なども記載されているものもあります。

③　道路の状況が路線価図と違う場合

評価する土地等に面する道路及び周辺の道路の状況が、開発や区画整理による工事などのため路線価図と異なっている場合があります。

この場合にも、課税時期現在での評価を行うことになるため、課税時期における状況を調査した結果、既に新しい道路ができていたような場合には、特定路線価の申出等をして評価する必要がありますので、管轄の税務署の窓口（資産課税担当部門）へ「特定路線価設定申出書」に必要事項を記載して提出します。

なお、税務署へ相談に行く場合は、現地の地積測量図、住宅地図、公図、実測図、状況を撮影した写真等を持参し、具体的に相談します。

④　収集した資料の整理

道路についての物件調査については、51ページの「法務局・市町村調査兼物件調査票」下段の「道路」欄を利用すると便利です。作業の進ちょく状況も含めて、収集漏れがないかのチェック及び申告までに解決すべき問題点を忘れないためのメモとしても利用できます。

(5)　隣接地等との境界確認

相続税等の不動産評価において、1画地の認定や画地補正率を算出するため、利用区分

や、隣接地との境界を明確にする必要があります。また、売買や物納等の場合にも隣接地との境界確定を行う必要が生ずることがあります。

これらの境界確認作業は、まず、地積測量図、公図等の図面に基づき机上で確認し、次に、現地における物件調査の際に評価対象不動産を現認し、境界プレート（標）などによって確認します。

また、境界プレートがない場合や利用区分の境界の確認の際には、依頼者等の立会いを求めて境界の確認を行います。

① 隣接地との境界が不明確な場合

隣接地との境界が不明確な場合には、隣接地の所有者との間で交わした境界確認書などがないかを依頼者等に確認します。境界プレートは地中に埋まっていることもありますので、状況により、地面をスコップで掘ることも必要になります。

イ 評価対象不動産と道路や河川敷等の公共用地の境界が不明確な場合には、状況により、道路境界明示申請書（131ページ参照）（いわゆる官民査定）により確認を求めることができます。

次の図は、道路と接面する不動産との「境界（官民境界と呼ばれます。）確定図」です。接面する土地との境界や道路幅員の状況等がよくわかります。

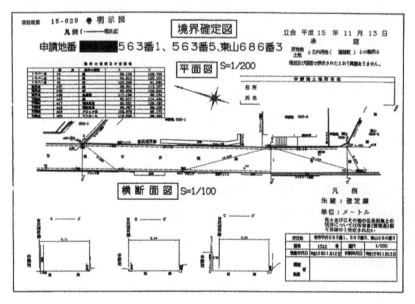

ロ 農地・山林の場合には、市街化調整区域はいうに及ばず、市街化区域内においても境界が明確でない場合があります。

ハ 建築基準法第42条第2項（いわゆる2項道路）に定めるセットバック面積の算定を行う場合において、評価対象不動産と2項道路との境界が不明確なときなどは、特定行政庁（市町村等）の道路管理課等の担当窓口において相談する必要があります。なお、場合により、官地幅を調査し官民査定を行う作業が必要となります。

128

ニ　財産評価とは別の話ですが、相続税等の物納申請を行った場合に、隣接地との境界、接面道路との境界が不明確な場合は物納財産の収納が認められないことがあります。境界査定には時間を必要としますので、物納を予定しているときは予め境界査定を行っておくと後々の作業が順調に進みます。

> **参考　境界の専門家**
>
> ○**境界を確定する職業人について**
>
> 　　境界が不明確で、境界確定が必要な場合、実務的には土地家屋調査士、測量士に依頼することになります。
>
> ○**土地家屋調査士・測量士とは**
>
> 　　土地家屋調査士（とちかおくちょうさし）とは、測量及び不動産の表示に関する登記の専門家のことであり、他人の依頼を受けて、土地や建物の所在・形状・利用状況などを調査して、図面の作成や不動産の表示に関する登記の申請手続などを行います。
>
> 　　測量士（そくりょうし）とは、日本において測量業者に配置が義務づけられている国家資格（業務独占資格）です。測量法に基づき、国土交通省国土地理院が所管しています。
>
> 　　測量士は、測量業者の行う測量に関する計画を作製し、又は実施します。測量士補は、測量業者の作製した計画に従い測量に従事します。
>
> 　　一般に、測量業者の行う基本測量又は公共測量に従事する測量技術者は、測量法に定めるところにより登録された測量士又は測量士補でなければなりません。
>
> 　　また、測量業者はその営業所につき、1人以上の有資格者を設置することが測量法により規定されています。
>
> ○**土地家屋調査士、測量士が行う手続**
>
> ①　依頼を受けた土地家屋調査士等が法務局や関係する役所に保管されている資料（登記簿、地図・公図、地積測量図、道路台帳図、区画整理図等）、その土地及び周辺を調査し、境界点の位置に仮杭を設置します。
>
> ②　関係する役所や隣地所有者の立会のもと現地において境界確認をします。
>
> ③　境界について関係者の了承を得たのち、コンクリート杭等の境界標を設置するとともに、境界確定図面を作成し署名押印して完了します。

② **境界プレート（標）**

　境界プレート（標）は土地の境界の点や線の位置を表すための標識です。コンクリート杭、石杭、金属標、プラスチック杭などがあります。（132ページの境界写真を参照）

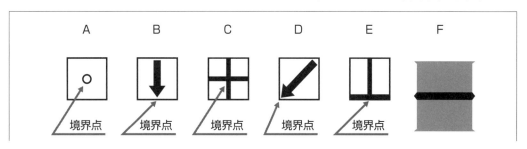

（境界標の設置事例）

A……○印が境界ポイントを示します。

B、C、D、E……矢印は矢の先端、十字と丁字は、線がクロスしたポイントが境界です。

F……直線は、境界標を境界ポイントに設置することが困難な場合（例えば、水中に境界ポイントがある場合など）において、境界ポイントから少し離れたところ設置し、赤い線の延長線が境界ポイントである場合に使用します。

(6) 写真撮影

現地の状況を調査した後、土地等の状況が変化することがあります。また、相続税の税務調査は相続税申告後通常1年以上過ぎた頃に実施されます。

このようなときの説明資料として、現地の状況変化を説明する必要がありますが、現地の調査だけでは通常の道路と評価物件と見分けがつかないこともあります。

前面道路だと思っていた道路が、建築基準法上の道路でなければ標準的な画地としての価格に著しい違いが生じます。また、物納申請にも大きな影響がありますので、土地等の評価及び申告にあたっては充分な確認と注意が必要になります。

このため、評価対象不動産については、写真撮影しておくことが重要です。

第4章 現地における物件調査

■道路境界明示申請書（例）

様式第1号

分類	保存
11・04・03・02	永　年

**道路
溝渠　境 界 明 示 申 請 書**

平成　　年　　月　　日

神 戸 市 長 あて

申請者　住　　所 ＿＿＿＿＿＿＿＿＿＿＿＿＿＿＿

　　　　氏　　名 ＿＿＿＿＿＿＿＿＿＿＿＿＿　　印

　　　　　　　　　　　　　　電話 ＿＿＿＿＿＿＿＿＿

代理人　住　　所 ＿＿＿＿＿＿＿＿＿＿＿＿＿＿＿

　　　　氏　　名 ＿＿＿＿＿＿＿＿＿＿＿＿＿　　印

　　　　　　　　　　　　　　電話 ＿＿＿＿＿＿＿＿＿
　　　　　　　　　　　　　　　　（担当者:　　　　　　　）

下記地先　道路
溝渠　と所有地との境界が不明ですから、明示を申請します

記

明示距離	m

申請を必要とする 境界確定後の理由	: □開発関係　□土地分筆登記　□払下・交換　□その他（　　　　　　）

所有地 　　神戸市　　　　　区　　　　　　町　　　　　丁目 　　　　　　　　　　　　　　　通　　　　　字　　　　　番 　　　　　　　　　　　　　　　　　　　　　　　　　　　地先

平成　年　月　日起案	平成　年　月　日決裁	所管課	3	0	1	0	道路部管理課

決裁	道路部長	管理課長	主　幹	境界 調査　係長		担当者

受　　付

　　上記の土地と道路・溝渠との境界は別紙境界明示図朱線のとおりになりましたので明示してよろしいか、また境界明示済証を交付してよろしいか。

承　　諾　　書

　　前記地先道路・溝渠と私有地との境界は、平成　　年　　月　　日、貴市と現場において、立会の上協議したとおり承諾致します。

　　平成　　年　　月　　日　立会者　　　　　　　　　　印

手 数 料 内 訳	筆　　数	
	1,500円	
	300円	
	合　　計	

神戸市 収入証紙 貼付欄	

■実際の境界の例

（ブロックとフェンスの境界の例）

境界プレート

（壁の境界の例）

境界プレート

（ブロックの境界の例）

境界プレート

境界プレート

（フェンスの境界の例）

（コンクリート擁壁の境界の例）　　　（敷地内側溝の例）

境界プレート

4　相続税等において申告を要する面積

　申告は必ず、実測面積でしなければならないわけではありません。しかし、分筆登記、地積変更登記など、登記簿上の地積に異動を生ずる登記の申請をする等の際に実測し、登記簿面積と相違することが判明している場合は、測量後の面積で申告してください。

　なお、税務調査等で土地の面積の相違が判明した場合は、修正申告等の手続が必要となります。

　また、国税庁ホームページでは、実測について次のように掲載されています。

参考1　国税庁「質疑応答事例」

「実際の地積」によることの意義

【照会要旨】

　土地の地積は、「実際の地積」によることとなっていますが、全ての土地について、実測することを要求しているのでしょうか。

【回答要旨】

　土地の地積を「実際の地積」によることとしているのは、台帳地積と実際地積とが異なるものについて、実際地積によることとする基本的な考え方を打ち出したものです。

　したがって、全ての土地について、実測を要求しているのではありません。

　実務上の取扱いとしては、特に縄延の多い山林等について、立木に関する実地調査の実施、航空写真による地積の測定、その地域における平均的な縄延割合の適用等の方法によって、実際地積を把握することとし、それらの方法によってもその把握ができないもので、台帳地積によることが他の土地との評価の均衡を著しく失すると認められるものについては、実測を行うこととなります。

山林の地積

【照会要旨】

　山林の地積は、水平面積又は傾斜面積のいずれによるのでしょうか。

【回答要旨】

　立木は地表より垂線的に生育するものであり、また植樹本数は一般的には傾斜面積の多少に影響されるものではないので水平面積をその山林の地積とします。

参考2　実際の土地数量に誤差が生じていた事例

この不動産には地積測量図や確定測量図がなく、建物図面のみがあり、それが次の図面です。

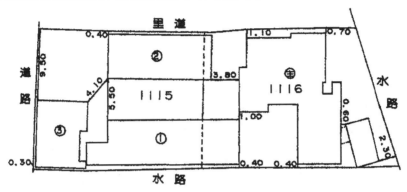

この建物の敷地の登記簿数量は700m²でした。

1/500で書かれた上記建物図面から求めた土地の面積は、ほぼ台形であるため、

（上底＋下底）×高さ÷2で、

（40m＋50m）×20m÷2＝900m²と求められました。

現地の計測でもこの図面の数値と一致していたので、おおよそ200m²の縄伸びが生じていることが判明しました。

5 間口距離の求め方

間口距離は次のように求めます。

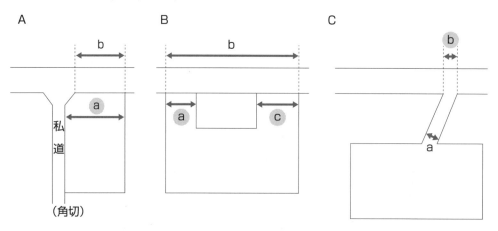

間口距離は、原則として道路と接する部分の距離によります。したがって、Aの場合はa、Bの場合はa＋cによります。Cの場合はbによりますが、aによっても差し支えありません。

また、Aの場合で私道部分を評価する際には、角切で広がった部分は間口距離に含めません。

6 不整形地の奥行距離の求め方

① 不整形地に係る想定整形地の奥行距離を限度としてその不整形地の面積を間口で除して得た数値（以下「計算上の奥行距離」）を奥行距離とする方法

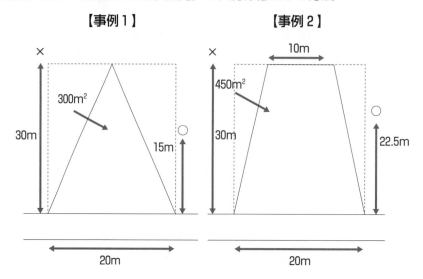

【事例 1 】
　想定整形地の奥行距離30m＞計算上の奥行距離15m（300m²÷20m）
　事例 1 では15mとなります。

【事例 2 】
　想定整形地の奥行距離30m＞計算上の奥行距離22.5m（450m²÷20m）
　事例 2 では22.5mとなります。

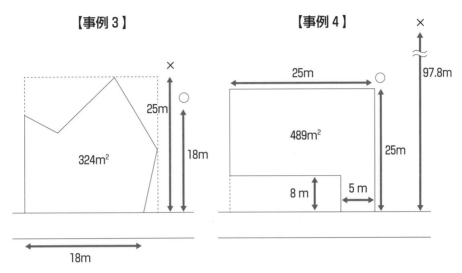

【事例 3 】
　想定整形地の奥行距離25m＞計算上の奥行距離18m（324m²÷18m）
　事例 3 では18mとなります。

【事例 4 】
　想定整形地の奥行距離25m＜計算上の奥行距離97.8m（489m²÷ 5 m）
　事例 4 では25mとなります。

② 奥行距離の異なるごとに区分して求める方法

【事例 5 】

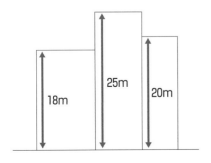

　評価しようとする宅地がそれぞれの整形地に区分できる場合は、それぞれの整形地ごと

に奥行価格補正後の価額の総和により評価額を求めます。

③ **近似整形地を求め奥行距離とする方法**

【事例６】

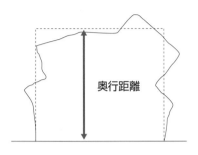

不整形地に近似する整形地（近似整形地）を求めることができるものについては、その近似整形地の奥行距離により、奥行価格補正率を求め、その率を路線価に乗じて奥行価格補正後の価額を求めます。

④ **奥行距離を考慮せず奥行価格補正率を適用しない場合**

【事例７】

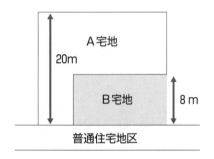

上図の不整形地は、Ａ、Ｂ宅地を合わせて評価しその価額からＢ宅地部分の価額を控除した後、不整形地補正率を乗じてＡ宅地の価額を求めます。

Ｂ宅地の価額を求めるに当たり、奥行距離が短いために奥行価格補正率が1.00未満となる場合は、奥行価格補正率によらず1.00とします。

ただし、全体の整形地の奥行距離が短いため、奥行価額補正率が1.00未満の数値となる場合には、Ｂ宅地の奥行価格補正率もその数値とします。

(注) **奥行価格補正率を1.00とする理由**

普通住宅地区の奥行８mに対応する奥行価格補正率は0.97ですが、これにより宅地を評価すると、不整形地であるにもかかわらず整形地であるとした場合の評価額を上回り、不合理な結果となるため、奥行価格補正率を1.00とします。

7 屈折路に面する宅地（角地を除く）の間口距離、奥行距離の求め方

(1) 屈折路に内接する場合

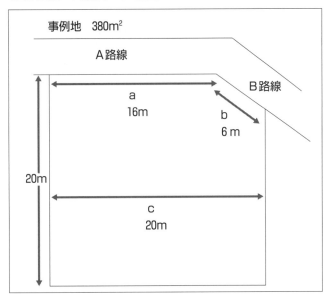

① **間口距離**

屈折路に面している距離（a + b）22mと、の間口に相当する距離（c）20mのいずれか短い距離を間口距離とします。

（c）20m＜（a + b）22m

したがって、事例地の間口は20mとなります。

② **奥行距離**

次ページの図の面積の最も小さい想定整形地400m²の奥行距離20mを限度として、その不整形地の面積を上記の間口距離で除したものと比べて短い方の距離とします。

　　　面積　　　　間口距離　　計算上の奥行距離　　想定整形地の奥行距離
　　380m² ÷ 20m ＝ 19m ＜ 20m

したがって、事例の奥行距離は19mとなります。

③ 三通りの想定整形地

○想定整形地1

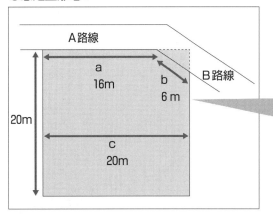

想定整形地「1」から「3」のうち「1」は最小面積（400m²）であるため採用する。

○想定整形地2

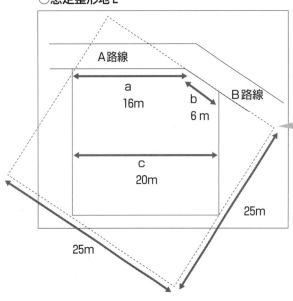

想定整形地としては不採用（625m²）

○想定整形地3

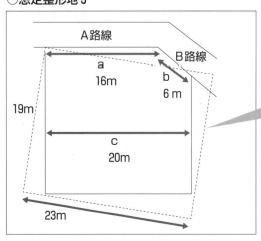

想定整形地としては不採用（437m²）

(2) 屈折路に外接する場合

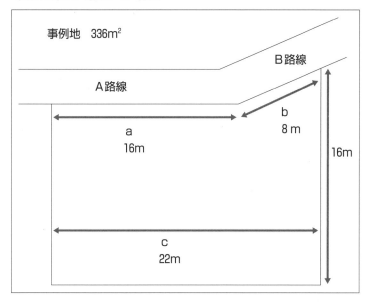

① 間口距離

　屈折路に面している距離（a＋b）24mと、間口に相当する距離（c）22mのいずれか短い距離を間口距離とします。

　（c）22m＜（a＋b）24m

　したがって、事例地の間口は22mとなります。

② 奥行距離

　次ページの図の面積の最も小さい想定整形地1を採用し、地積352m²の奥行距離16mを限度として、その不整形地の面積を上記の間口距離で除したものと比べて短い方の距離とします。

　　　面積　　　間口距離　　計算上の奥行距離　　想定整形地の奥行距離
　　336m² ÷ 22m ＝ 15.27m ＜ 16m

　したがって、事例の奥行距離は15.27mとなります。

③ 三通りの想定整形地

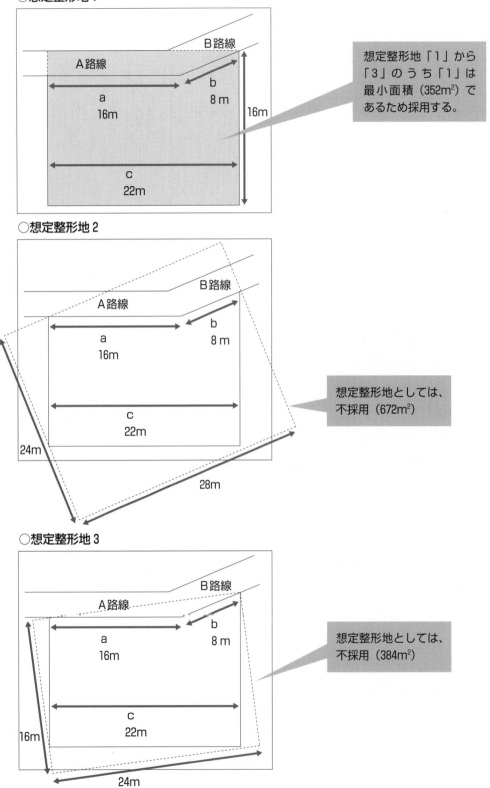

第4章 現地における物件調査

8 相続税等の財産評価と不動産鑑定評価の不動産の形状等の捉え方

(1) 相続税等の財産評価と不動産鑑定評価の目的等

　相続税等の財産評価と不動産鑑定評価の目的は、前者は相続税法の課税目的に即した①画一性、②簡便性、③安全性を重視する評価であり、後者は不動産鑑定士が対象不動産の最有効使用を判定し、不動産鑑定評価の三手法により不動産ごとに鑑定評価し、その経済価値について貨幣額をもって表示するものであるため、評価の目的や評価方法が基本的に相違します。

　不動産鑑定評価は個々の不動産評価という意味では最も精緻で信頼できると考えられるため、相続税等の財産評価においても不動産鑑定評価の間口、奥行等の形状等に対する基本的な考え方が参考になると思われますので、以下で説明します。

(2) 不動産鑑定評価の間口、奥行等の形状等に対する基本的な考え方

① 　不動産鑑定評価では、間口、奥行等の形状等の測量方法等は特に規定されていません。したがって、不動産鑑定評価の作業過程において、間口が○mであるから、不動産鑑定評価額にどのように評価額に反映させるかを意識しながら不動産鑑定評価することはありません。

② 　不動産鑑定評価では間口については、「道路に接する部分」であるというのが基本的な考え方です。奥行については、道路に並行にとった直線上で、不動産に接する一番遠い距離を採用するというのが基本的な考え方です。形状では、正方形、ほぼ正方形、長方形、ほぼ長方形、台形、ほぼ台形、整形、ほぼ整形、不整形に区分し、個別的要因を分析、検討します。

　不動産鑑定評価では、相続税等の財産評価と異なり、「奥行価格補正率表」「不整形地補正率表」といった間口、奥行等の形状等についての地区別の画一的な補正率はありません。

　相続税等の財産評価と類似の考えとして、地域の標準的な画地と比較した対象不動産の個別補正の画地条件として、「間口狭小」「奥行逓減」「奥行短小」「奥行長大」「不整形地」等の格差率がありますが、その格差率に基準とする一定のものはなく、不動産鑑定士が補正率を自己の判断で決定します。

　したがって、例えば間口8m、奥行30mの住宅地に対する「奥行長大」の個別格差率を、甲不動産鑑定士は格差率△3、乙不動産鑑定士は格差率△5と判断するなど、格差率が異なる場合があります。

　また、例えば奥行長大かつ不整形である不動産に対する個別格差率について、丙不動産鑑定士は奥行長大格差率△3、不整形格差率△5と、丁不動産鑑定士は奥行長大も加

143

味した「不整形格差率△10」と判断する場合もあります。

　格差率やその他評価上の多くの判断事項は、不動産の専門家である不動産鑑定士が高度な知識と豊富な経験と的確な判断で行うものとされており、不動産鑑定士によりその結果は異なり、不動産鑑定士間で開差が生じ得るものであり、これがいわゆる「不動産鑑定評価」である所以です。

　ただし、不動産鑑定士なら、どんな格差率を査定してもよいというわけではなく、第三者に説明できる根拠が必要になります。その個別格差が「不動産市場における実際の取引価格」にどのような価格差を生じるか、取引価格の分析を行ったり不動産業者からヒアリングをしたり、また、収益不動産を想定するとその個別格差が収益性にどのような影響を与えるかを計算する等により、その根拠が論理的に説明できなければなりません。

　なお、評価する不動産の間口・奥行及び形状等については、鑑定評価報告書の記載事項の⑦鑑定評価額の決定の理由の要旨のうちの、個別分析に係る事項として記載します。

参考　鑑定評価報告書の記載事項（不動産鑑定評価基準から抜粋）

① 鑑定評価額及び価格又は賃料の種類

② 鑑定評価の条件

③ 対象不動産の所在、地番、地目、家屋番号、構造、用途、数量等及び対象不動産に係る権利の種類

④ 対象不動産の確認に関する事項

⑤ 鑑定評価の依頼目的及び依頼目的に対応した条件と価格又は賃料の種類との関連

⑥ 価格時点及び鑑定評価を行った年月日

⑦ 鑑定評価額の決定の理由の要旨

⑧ 鑑定評価上の不明事項に係る取扱い及び調査の範囲

⑨ 関与不動産鑑定士及び関与不動産鑑定業者に係る利害関係等

⑩ 関与不動産鑑定士の氏名

⑪ 依頼者及び提出先等の氏名又は名称

⑫ 鑑定評価額の公表の有無について確認した内容

（注）　鑑定評価報告書とは、鑑定評価書の素案となるべきものであり、鑑定評価を行った不動産鑑定士が、その成果をその属する不動産鑑定業者に報告するための文書です。

(3)　鑑定評価における住宅地の方位による個別格差

　相続税評価と鑑定評価の相違は、例えば、方位による個別格差に顕在化します。

　相続税の普通住宅地域の評価では、東西南北の方位を考慮しませんが、鑑定評価における住居系の宅地は考慮します。

　南向きの宅地は高価格で取引され、北向きは敬遠されて低価格で取引されます。

第4章 現地における物件調査

下図は通常規模の住宅地（400m²未満）の個別格差の例です。

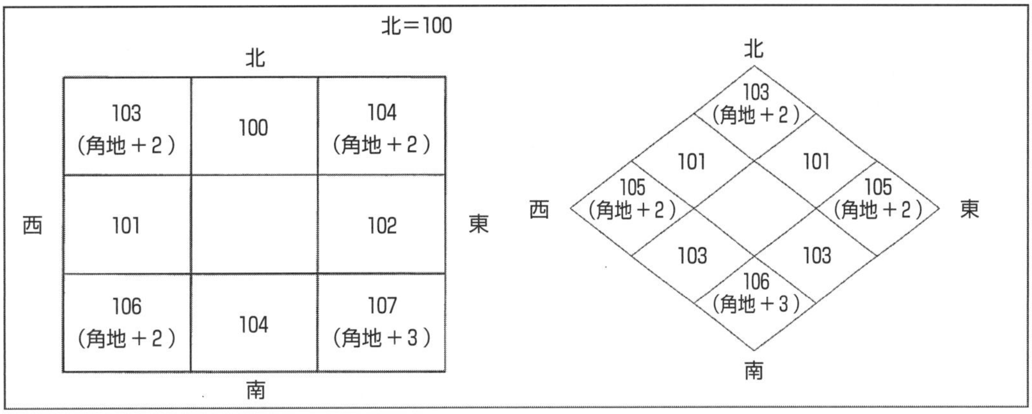

北＝100

	北				北	
103 （角地＋2）	100	104 （角地＋2）			103 （角地＋2）	
101		102		101		101
106 （角地＋2）	104	107 （角地＋3）		103		103

（左図）西　東　南

（右図）西　105（角地＋2）　105（角地＋2）　東　106（角地＋3）　南

---

9 不動産鑑定評価実務において現地測量の結果と登記簿記載の地積等が相違する場合等

（不動産鑑定評価実務における対象不動産の物的確認等の重要性）

対象不動産の物的確認等の結果が、不動産鑑定評価実務に与える影響について説明します。

不動産鑑定評価の手順については、不動産鑑定評価基準において定められています（下記の「鑑定評価の手順」参照）。

参考　鑑定評価の手順

① 鑑定評価の基本的事項の確定

② 依頼者、提出先等及び利害関係等の確認

③ 処理計画の策定

④ 対象不動産の確認
　・対象不動産の物的確認
　・権利の態様の確認

⑤ 資料の収集及び整理

⑥ 資料の検討及び価格形成要因の分析

⑦ 鑑定評価の手法の適用

⑧ 試算価格又は試算賃料の調整

⑨ 鑑定評価額の決定

⑩ 鑑定評価報告書の作成

上記の鑑定評価の手順の「④対象不動産の物的確認」では、所在・地番・数量等を実地に確認し、収集した登記簿等の資料（「確認資料」といいます。）との相違を把握することが必要であると定められています。

145

現地における物件調査の結果、確認資料と対象不動産の地積等が異なる場合は、不動産鑑定評価報告書の記載事項の④に、また詳細な内容や不明事項については⑧にもその内容を記載する必要があります。

> **鑑定評価報告書の記載事項④の例**
> ・地積測量図や土地家屋士の測量した実測図等が無い場合で、現地における物件調査により簡易測量した結果、その地積数量が登記簿記載の地積数量より大きいと推定されるが、正確な地積は不明である。

　上記の場合は、入手できるあらゆる資料を使い、必要があれば再度役所の担当部署に聞き取りに行き、慎重に地積を確認します。その結果、登記簿記載の地積数量と現地における物件調査により測量した結果が相違すると判断された場合は、まず依頼者にそのことを報告し、そのことについて知っている情報はないか、不動産鑑定評価においてはどのような前提条件を付けるか、依頼者にとっての不動産鑑定評価の必要性や意向、更に現実に採用できる不動産鑑定評価の条件等を検討します。

　例えば、上記の例の場合では、不動産鑑定評価の条件として「正確な数量は不明であるが、登記簿記載の数量で不動産鑑定評価を行う。」とするのが一つの選択肢です。

　鑑定評価報告書の記載において留意すべき事項ですが、「登記簿記載の数量で不動産鑑定評価を行う。」という条件を付ける場合、鑑定評価報告書において、登記簿記載の数量と現地測量の結果が異なること、正確な数量は不明であること、更に、本件不動産鑑定評価では登記簿記載数量を採用することを明記する必要があるということです。

　なお、確認資料と現地測量結果と異なることを明記する必要はありますが、その原因究明を行うことや、正確な数量を確定する必要は必ずしもありません。

　また、その場合は、記載事項⑧の不明事項に「確認できなかったため不明である」ことを記載することになります。

　不明事項として記載せず、相違することが認められるのにその事実を記載しないことは不動産鑑定士の大きな責任問題となり、内容によっては損害賠償を求められたり、不当鑑定として罰則を受けたりすることもあります。

　なお、不動産鑑定評価の条件は付けず、「今すぐに不動産鑑定評価するのではなく、土地家屋調査士に地積測量を依頼し、測量後の数量が算出されるのを待って不動産鑑定評価を行う。」という方法も選択肢として挙げられます。

第4章 現地における物件調査

10 地形図（国土地理院地図・白地図）から傾斜度を求める方法

① 国土地理院地図による傾斜度の測定方法

次の画面は、国土地理院地図のツールの活用により指定した部分の断面図を表示した地図です。この断面図により、傾斜度の測定ができます。

さらに、国土地理院地図画面の左下部に、標高のほか緯度、経度が表示されます。

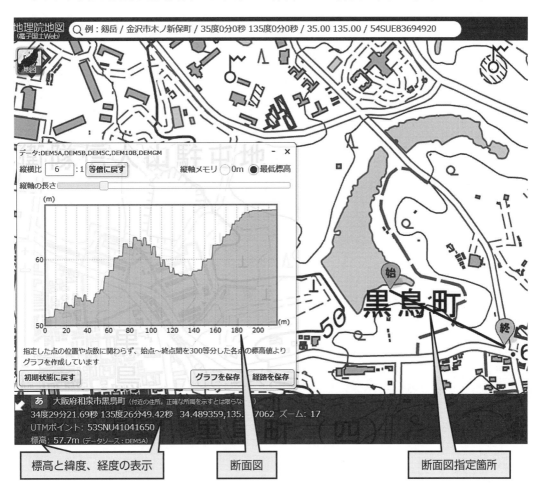

② 白地図による傾斜度の測定方法

標高が明示された地形図（白地図1/2500）は、市町村の都市計画課等で入手できます。

下図の標高差（B）は造成費を計算する場合の傾斜度を測定する上で必要なものです。

また、標高については、国土地理院の地理院地図（電子国土Web）でも簡単にわかります。

地形図（白地図）から距離b又は斜面距離cと標高差aが分かれば、次の三角関数表により数学的に傾斜度θを求め、「傾斜地の宅地造成費」（289ページ以降）を算出することができます。

なお、122ページで紹介した「クリノメーター」による測定方法も有効です。

■地形図（白地図）

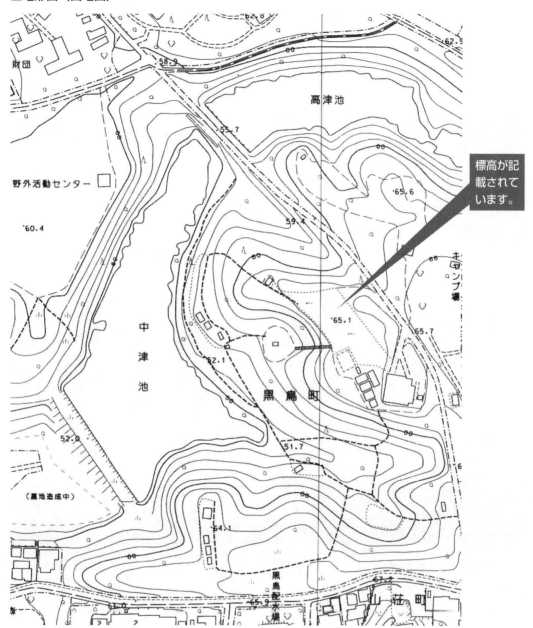

標高が記載されています。

■距離と標高差から傾斜度を求める方法

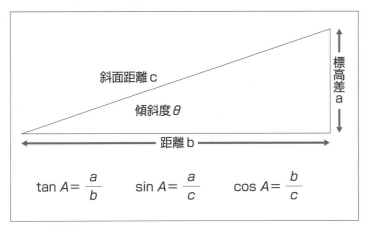

■三角関数表

角度θ	sin（正弦）	cos（余弦）	tan（正接）
0°	0.0000	1.0000	0.0000
1°	0.0175	0.9998	0.0175
2°	0.0349	0.9994	0.0349
3°	0.0523	0.9986	0.0524
4°	0.0698	0.9976	0.0699
5°	0.0872	0.9962	0.0875
6°	0.1045	0.9945	0.1051
7°	0.1219	0.9925	0.1228
8°	0.1392	0.9903	0.1405
9°	0.1564	0.9877	0.1584
10°	0.1736	0.9848	0.1763
11°	0.1908	0.9816	0.1944
12°	0.2079	0.9781	0.2126
13°	0.2250	0.9744	0.2309
14°	0.2419	0.9703	0.2493
15°	0.2588	0.9659	0.2679
16°	0.2756	0.9613	0.2867
17°	0.2924	0.9563	0.3057
18°	0.3090	0.9511	0.3249
19°	0.3256	0.9455	0.3443
20°	0.3420	0.9397	0.3640
21°	0.3584	0.9336	0.3839
22°	0.3746	0.9272	0.4040

角度θ	sin（正弦）	cos（余弦）	tan（正接）
23°	0.3907	0.9205	0.4245
24°	0.4067	0.9135	0.4452
25°	0.4226	0.9063	0.4663
26°	0.4384	0.8988	0.4877
27°	0.4540	0.8910	0.5095
28°	0.4695	0.8829	0.5317
29°	0.4848	0.8746	0.5543
30°	0.5000	0.8660	0.5774
31°	0.5150	0.8572	0.6009
32°	0.5299	0.8480	0.6249
33°	0.5446	0.8387	0.6494
34°	0.5592	0.8290	0.6745
35°	0.5736	0.8192	0.7002
36°	0.5878	0.8090	0.7265
37°	0.6018	0.7986	0.7536
38°	0.6157	0.7880	0.7813
39°	0.6293	0.7771	0.8098
40°	0.6428	0.7660	0.8391
41°	0.6561	0.7547	0.8693
42°	0.6691	0.7431	0.9004
43°	0.6820	0.7314	0.9325
44°	0.6947	0.7193	0.9657
45°	0.7071	0.7071	1.0000

第5章

地目の判定と評価単位

1 地目別により行う土地の評価

　相続税等の土地の評価は、財産評価基本通達7（167ページ参照）に定める「地目別」という評価上の区分により行うことになります。評価上の区分を間違えば、奥行価格補正や側方路線影響加算等の画地計算が正確であっても適正な評価額は算出できません。

　財産評価基本通達では、上記の地目別の評価上の区分は、土地全体としての現況及び利用目的に重点を置き、部分的にわずかな差異のあるときでも、土地全体としての状況を観察して定めると規定されています。

　なお、地目の別に評価するということは、現実の売買等により取引する単位とは別のものになる場合もあり、相続税等の評価上の区分ということになります。

2 地目の判定

⑴　地目別に評価する場合、まず、前提として土地の地目を判定する必要があり、その判定については、国税庁ホームページで概略を説明しています。

> **参考　土地の地目の判定（国税庁「質疑応答事例」より）**
>
> 【照会要旨】
> 　土地の地目はどのような基準で判定するのでしょうか。
>
> 【回答要旨】
> 　土地の地目は全て課税時期の現況によって判定することとし、地目の区分は不動産登記事務取扱手続準則（平成17年2月25日民二第456号法務省民事局長通達）第68条及び第69条に準じて判定します。
>
> 　なお、同準則に定める地目の定め方の概要は次のとおりです。
> ⑴　宅地　建物の敷地及びその維持若しくは効用を果たすために必要な土地
> ⑵　田　農耕地で用水を利用して耕作する土地

第5章 地目の判定と評価単位

- (3) 畑　農耕地で用水を利用しないで耕作する土地
- (4) 山林　耕作の方法によらないで竹木の生育する土地
- (5) 原野　耕作の方法によらないで雑草、かん木類の生育する土地
- (6) 牧場　家畜を放牧する土地
- (7) 池沼　かんがい用水でない水の貯溜池
- (8) 鉱泉地　鉱泉（温泉を含む。）の湧出口及びその維持に必要な土地
- (9) 雑種地　以上のいずれにも該当しない土地
- (注) 駐車場（宅地に該当するものを除きます。）、ゴルフ場、遊園地、運動場、鉄軌道等の用地は雑種地となります。

(2)　上記の(9)雑種地については、不動産登記事務取扱手続準則第69条の五号、七号、八号、九号、十二号から十八号において例示しています。（下記参照）

> **参考**　**不動産登記事務取扱手続準則**
>
> （地目）
> 第68条　次の各号に掲げる地目は、当該各号に定める土地について定めるものとする。この場合には、土地の現況及び利用目的に重点を置き、部分的にわずかな差異の存するときでも、土地全体としての状況を観察して定めるものとする。
>
> 　一　田　農耕地で用水を利用して耕作する土地
> 　二　畑　農耕地で用水を利用しないで耕作する土地
> 　三　宅地　建物の敷地及びその維持若しくは効用を果すために必要な土地
> 　四　学校用地　校舎、附属施設の敷地及び運動場
> 　五　鉄道用地　鉄道の駅舎、附属施設及び路線の敷地
> 　六　塩田　海水を引き入れて塩を採取する土地
> 　七　鉱泉地　鉱泉（温泉を含む。）の湧出口及びその維持に必要な土地
> 　八　池沼　かんがい用水でない水の貯留池
> 　九　山林　耕作の方法によらないで竹木の生育する土地
> 　十　牧場　家畜を放牧する土地
> 　十一　原野　耕作の方法によらないで雑草、かん木類の生育する土地
> 　十二　墓地　人の遺体又は遺骨を埋葬する土地
> 　十三　境内地　境内に属する土地であって、宗教法人法（昭和26年法律第126号）第3条第2号及び第3号に掲げる土地（宗教法人の所有に属しないものを含む。）
> 　十四　運河用地　運河法（大正2年法律第16号）第12条第1項第1号又は第2号に掲げる土地
> 　十五　水道用地　専ら給水の目的で敷設する水道の水源地、貯水池、ろ水場又は水道線路に要する土地
> 　十六　用悪水路　かんがい用又は悪水はいせつ用の水路
> 　十七　ため池　耕地かんがい用の用水貯留池
> 　十八　堤　防水のために築造した堤防
> 　十九　井溝　田畝又は村落の間にある通水路
> 　二十　保安林　森林法（昭和26年法律第249号）に基づき農林水産大臣が保安林として指定した

土地

二十一　公衆用道路　一般交通の用に供する道路（道路法（昭和27年法律第180号）による道路であるかどうかを問わない。）

二十二　公園　公衆の遊楽のために供する土地

二十三　雑種地　以上のいずれにも該当しない土地

（地目の認定）

第69条　土地の地目は、次に掲げるところによって定めるものとする。

一　牧草栽培地は、畑とする。

二　海産物を乾燥する場所の区域内に永久的設備と認められる建物がある場合には、その敷地の区域に属する部分だけを宅地とする。

三　耕作地の区域内にある農具小屋等の敷地は、その建物が永久的設備と認められるものに限り、宅地とする。

四　牧畜のために使用する建物の敷地、牧草栽培地及び林地等で牧場地域内にあるものは、すべて牧場とする。

五　水力発電のための水路又は排水路は、雑種地とする。

六　遊園地、運動場、ゴルフ場又は飛行場において、建物の利用を主とする建物敷地以外の部分が建物に附随する庭園に過ぎないと認められる場合には、その全部を一団として宅地とする。

七　遊園地、運動場、ゴルフ場又は飛行場において、一部に建物がある場合でも、建物敷地以外の土地の利用を主とし、建物はその附随的なものに過ぎないと認められるときは、その全部を一団として雑種地とする。ただし、道路、溝、堀その他により建物敷地として判然区分することができる状況にあるものは、これを区分して宅地としても差し支えない。

八　競馬場内の土地については、事務所、観覧席及びきゅう舎等永久的設備と認められる建物の敷地及びその附属する土地は宅地とし、馬場は雑種地とし、その他の土地は現況に応じてその地目を定める。

九　テニスコート又はプールについては、宅地に接続するものは宅地とし、その他は雑種地とする。

十　ガスタンク敷地又は石油タンク敷地は、宅地とする。

十一　工場又は営業場に接続する物干場又はさらし場は、宅地とする。

十二　火葬場については、その構内に建物の設備があるときは構内全部を宅地とし、建物の設備のないときは雑種地とする。

十三　高圧線の下の土地で他の目的に使用することができない区域は、雑種地とする。

十四　鉄塔敷地又は変電所敷地は、雑種地とする。

十五　坑口又はやぐら敷地は、雑種地とする。

十六　製錬所の煙道敷地は、雑種地とする。

十七　陶器かまどの設けられた土地については、永久的設備と認められる雨覆いがあるときは宅地とし、その設備がないときは雑種地とする。

十八　木場（木ぼり）の区域内の土地は、建物がない限り、雑種地とする。

3 具体的な地目の判定

地目の判定について写真により事例（間違いやすい事例）を紹介します。

【事例1】宅地

　建物の敷地及びその維持若しくは効用を果たすために必要な土地は、「宅地」として取り扱います。建物直下の敷地をはじめ、植込みや築山の敷地、屋敷内の池も「宅地」とします。また、屋敷内の土地の一部を利用して自家用の野菜などを栽培している菜園も「宅地」として取り扱います。

【事例2】宅地

　土地の地目の認定においては、一筆ごとの土地の現況及びその利用目的に重点を置いて、土地全体としての利用状況を観察して、地目を定めます。この例のように宅地の一部に自家用車などの駐車場が設けられている場合であっても、土地全体の利用状況から駐車場の部分を含めて「宅地」として認定します。

【事例3】宅地

　公道に至るまでの私的な通路部分など、建物の敷地の維持若しくは効用を果たすために必要な土地で、建物の敷地と一体として使用されているものは、その全部を宅地として取り扱います。

【事例4】宅地

　建物直下の敷地部分に比べ、庭園部分が広大であっても、建物と一体として使用されているときは、通常、「宅地」として取り扱います。
　屋敷内の畑であっても、垣根などにより建物の敷地と畑の部分とを明確に区分することができる状況にあるときは、「畑」として地目を定めます。

【事例5】宅地

　この工場の敷地内には、建物をはじめいろいろな設備や建造物が設けられていますが、建物の敷地以外の部分が建物の敷地に附随するものであると認められる場合には、その全部を一団として「宅地」とします。

【事例6】宅地

　店舗や事務所の敷地についても同様であり、建物の大きさ業務内容などにより、建物の敷地以外の部分が建物の敷地の維持若しくは効用を果たすために必要な土地であるかどうかによって、宅地とする範囲を判断します。

【事例7】宅地

　これは、ロードサイド店舗の駐車場ですが、業務上店舗との一体的利用が不可欠なものであると認められますから、その全部を「宅地」として取り扱います。
　しかし、垣根や冊等により判然と区別されている場合は、駐車場部分は、「雑種地」として認定します。

【事例8】宅地

　競馬場内の土地については、事務所の敷地、観覧席で屋根を有する部分の敷地、厩舎等永久的設備と認められる建物の敷地は「宅地」とします。
　馬場は雑種地でその他の土地は現況に応じて地目を定めます。

【事例9】 雑種地

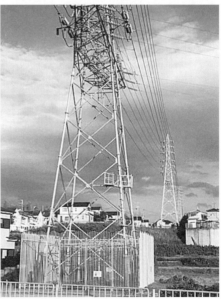

飛行場やゴルフ場、運動場、遊園地内にある建物の敷地についても、それ以外の土地の利用を主とし、建物はその付随的なものにすぎないと認められるときは、それ以外の土地とあわせて「雑種地」として取り扱いますが、道路、溝などにより建物の敷地がそれ以外の部分と判然と区分し得る状況にあるときは、それを区分して「宅地」とすることができます。

【事例10】田

　水稲のほか、「わさび」、「はす」、「いぐさ」など水を利用して肥培管理をする土地の地目は、「田」とします。

【事例11】畑

　密柑などの植物は、林業用の樹木とは異なり、剪定、摘果、施肥、病害虫の防除などの肥培管理を継続して行うことが必要ですから、その栽培地である果樹園は、畑として取り扱います。

【事例12】牧場

　農耕地域には、牛や馬などの飼料用の草を栽培する「牧草栽培地」がみられます。

　農耕地域の牧草栽培地は、通常、「畑」として取り扱いますが、牧場地域内にある牧草栽培地は、「牧場」とすることとされていますので、牧草栽培地の取扱いには注意を要します。

　養畜における土地の利用は、その区域内の施設と敷地とを一体的に利用して獣畜の飼育が行われますから、牧場には、獣畜の放牧場をはじめ、牧畜のために使用する建物の敷地や牧草栽培地、日蔭用の林のある土地などで牧場地域内にあるものは、すべて「牧場」に含めて取り扱います。

【事例13】山林　　　【事例14】鉄道用地

　山林とは、耕作の方法によらないで竹木の生育する土地をいいます。

　鉄道用地とは、鉄道の駅舎、付属施設及び路線の敷地をいいます。

【事例15】鉱泉地　　　　　【事例16】池沼

鉱泉地とは、鉱泉の湧出口及びその維持に必要な土地をいいます。

池沼とは、かんがい用水でない水の貯溜地をいいます。

> **参考** 国税庁「質疑応答事例」より
>
> 土地の地目の判定－農地
>
> 【照会要旨】
>
> 　登記簿の地目は農地（田又は畑）ですが、現況が次のような場合には地目はどのように判定するのでしょうか。
>
> (1)　数年前から耕作しないで放置している土地
> (2)　砂利を入れて青空駐車場として利用している土地
>
> 【回答要旨】
>
> 　土地の地目は、登記簿上の地目によるのではなく課税時期の現況によって判定します。
>
> 　ところで、農地とは耕作の目的に供される土地をいい（農地法第21条）、耕作とは土地に労費を加え肥培管理を行って作物を栽培することをいいます。また、耕作の目的に供される土地とは、現に耕作されている土地のほか、現在は耕作されていなくても耕作しようとすればいつでも耕作できるような、すなわち、客観的に見てその現状が耕作の目的に供されるものと認められる土地（休耕地、不耕作地）も含むものとされています（平成12年6月1日12構改B第404号農林水産事務次官依命通知）。
>
> 　したがって、(1)の耕作していない土地が上記のような状態に該当すれば農地と判定しますが、長期間放置されていたため、雑草等が生育し、容易に農地に復元し得ないような状況にある場合には原野又は雑種地と判定することになります。また、(2)の土地のように駐車場の用に供している土地は、雑種地と判定することになります。

(1) 数年前から耕作しないで放置している土地の例

(2) 砂利を入れて青空駐車場として利用している土地の例

4 地目別評価の例外

財産評価基本通達上、土地の評価は、地目別の区分により評価しますが、地目別に評価すると実情にそぐわない場合が生ずる場合があります。このような場合には、地目の異なる土地を一団として評価するなど、土地の地目別評価の例外が設けられています。

(1) 地目の異なる土地を一団として評価する理由

市街化調整区域以外の都市計画区域（市街化区域と非線引き区域）で市街地的形態を形成する地域において、市街地農地、市街地山林、市街地原野及び宅地と状況が類似する雑種地のいずれか2以上の地目が隣接している場合、全体を一団として評価することが合理的と認められる場合があります。

これら土地は、近隣の宅地の価額の影響を強く受けるため、原則としていわゆる宅地比準方式により評価することとしていますが、地目の別に評価する例外として、その形状、地積の大小、位置等からみて一団として評価することが合理的と認められる場合には、その土地をまとめて評価した方が適正な評価ができます。

(2) 地目別評価の例外の具体例（国税庁「質疑応答事例」より）

市街化調整区域以外の都市計画区域（市街化区域と非線引き区域）で市街地的形態を形成する地域において、地目別評価の例外の具体事例が以下のとおりです。

【事例1】

甲が所有する宅地（図の左側）が地域の標準的規模である宅地である場合、地目の異なる一団の土地A、B、Cを乙が所有している場合、どのように評価するのでしょうか。

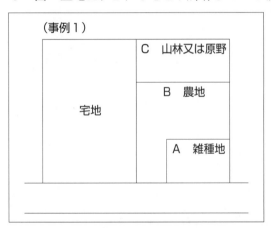

標準的な宅地規模を考えた場合にはA土地は地積が小さく、形状を考えた場合には、B土地は単独で評価するのではなくA土地と合わせて評価するのが妥当と認められます。また、位置を考えた場合には、C土地は道路に面していない土地となり、単独で評価するの

は妥当でないと認められることから、Ａ、Ｂ及びＣ土地全体を一団の土地として評価することが合理的であると認められます。

【事例２】（下図参照）

山林のみで評価することとすると、形状が間口狭小、奥行長大な土地となり、また、山林のみを宅地として利用する場合には、周辺の標準的な宅地と比較した場合に宅地の効用を十分に果たし得ない土地となってしまうため、一団として評価することが合理的と認められます。

【事例３】（下図参照）

各地目の地積が小さい事例ですが、土地取引の実情からみても隣接の地目を含めて一団の土地を構成しているものとみるのが妥当です。したがって、地目別評価の例外として、全体を一団の土地として評価します。

【事例４】（下図参照）

山林部分が道路に面していないため、無道路地となりますが、土地取引の実情からみても隣接の地目を含めて一団の土地を構成しているものとみるのが妥当で無道路地として評価する合理性がありません。したがって、地目別評価の例外として、全体を一団の土地として評価します。

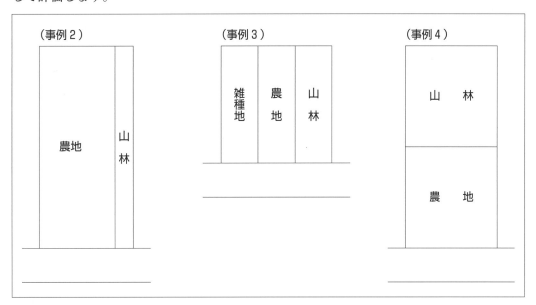

【事例５】

標準的な規模の宅地と同規模である次図の農地と山林の評価はどのようにしたらよいのでしょうか。

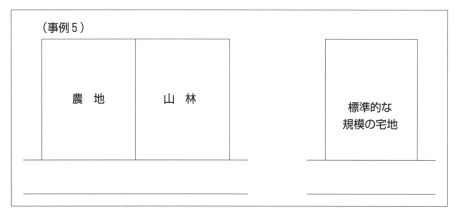

　同一所有者が、農地と山林を所有しており、形状、地積、位置等からみてそれぞれが宅地の効用を果たすと認められる場合は、農地と山林をそれぞれ別個に評価します。

【事例6】

　同一所有者が、地目の異なる一団の土地を所有している場合、どのように評価するのでしょうか。

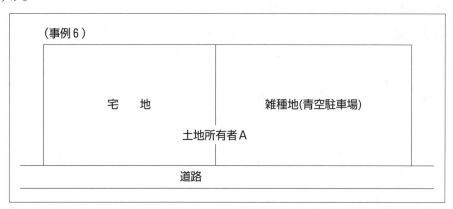

　自宅敷地の一部を青空駐車場として貸し付けている場合の1画地の判定は、宅地と雑種地とでは地目が異なるため、評価区分の原則どおり別々に評価します。

【事例7】

　同一所有者が、地目の異なる一団の土地を所有している場合、どのように評価するのでしょうか。

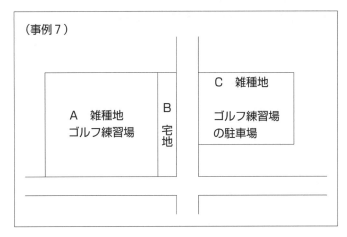

　上図のように、A土地及びB土地の一団の土地がゴルフ練習場として一体利用されている場合には、その一部に建物があっても建物敷地以外の目的による土地（雑種地）の利用を主としていると認められることから、その全体が雑種地からなるものとして雑種地の評価方法に準じて評価することになります。

　なお、駐車場の用に供されているC土地は、不特定多数の者の通行の用に供されている道路によりA土地及びB土地とは物理的に分離されていますから、これらの土地とは区分して評価します。

　土地の価額は、原則として、宅地、田、畑、山林等の地目の別に評価します。これは、課税時期における現況による地目の異なるごとに、価格形成要因が異なると考えられるためです。

　しかし、地目別評価の原則に従うと、大規模な工場用地、ゴルフ練習場用地のように一体として利用されている一団の土地のうちに2以上の地目がある場合にも、その一団の土地をそれぞれ地目ごとに区分して評価することとなりますが、これでは一体として利用されていることによる効用が評価額に反映されないため、実態に即するよう評価を行うこととしています。

5　地目別評価単位

　地目の判定ができましたら、次は各地目ごとに評価単位を決めます。

■地目別の評価単位のまとめ（財産評価基本通達7－2を中心として）

宅　地	1　宅地の価額は、1画地の宅地（利用の単位となっている1区画の宅地をいいます。）ごとに評価します。 　この場合における「1画地の宅地」の判定は、原則として、宅地の ①　所有者による自由な使用収益を制約する他者の権利（原則として使用貸借による使用借権を除く）の存在の有無により区分し、 ②　他者の権利が存在する場合には、その権利の種類及び権利者の異なるごとに区分します。 　なお、贈与、遺産分割等による宅地の分割が親族間等で行われた場合において、例えば分割後の画地が宅地として通常の用途に供することができないなどその分割が著しく不合理であると認められるときは、その分割前の画地を「1画地の宅地」とします。 　したがって、土地を自ら使用している場合には、居住の用か事業の用かにかかわらず、その全体を1画地の宅地とします。 （理由） 　1画地の宅地とは、一般的には、その宅地又は借地権等を取得した者（権利者）が、その土地を使用収益、処分をすることができる利用単位ないし処分単位であって、それを1利用単位つまり1画地として評価するものとされています。（平成10年6月23日裁決・裁決事例集55・P479） 2　「1画地の宅地」は、必ずしも1筆の宅地からなるとは限らず、2筆以上の宅地からなる場合もあり、1筆の宅地が2画地以上の宅地として利用されている場合もあります。
田　畑	1　原則 　1枚の農地（耕作の単位となっている1区画の農地を言う。）を評価単位とします。 2　例外 　1枚の農地ではなく、利用の単位となっている一団の農地を評価単位とする場合 ①　宅地に比準して評価する市街地農地及び市街地周辺農地 （注）詳細は193ページ「農地の評価単位」を参照してください。 ②　生産緑地 3　「1枚の農地」は、必ずしも1筆の農地からなるとは限らず、2筆以上の農地からなる場合もあり、また、1筆の農地が2枚以上の農地として利用されている場合もあります。
山林、 原野、 牧場及 び池沼	1　原則 　1筆の山林・原野を評価単位とします。 2　例外 　1筆の山林原野ではなく利用の単位となっている一団の山林・原野を評価単位とする場合 ・宅地に比準して評価する市街地山林・原野
鉱泉地	原則として、1筆の鉱泉地を評価単位とします。

雑種地	1 原則 利用の単位となっている一団の雑種地を評価単位とします。 なお、いずれの用にも供されていないものについては、その全体を一団の雑種地として評価します。 2 例外 市街化調整区域以外の都市計画区域で市街地的形態を形成する地域において、宅地と状況が類似する雑種地のいずれかが2以上の評価単位により一団となっており、その形状、地積の大小、位置等からみて地目が隣接している場合には、その一団の雑種地ごとに評価します。 3 いずれの用にも供されていない一団の雑種地については、その全体を「利用の単位となっている一団の雑種地」とします。

参考　財産評価基本通達7

（土地の評価上の区分）

7　土地の価額は、次に掲げる地目の別に評価する。ただし、一体として利用されている一団の土地が2以上の地目からなる場合には、その一団の土地は、そのうちの主たる地目からなるものとして、その一団の土地ごとに評価するものとする。

　なお、市街化調整区域（都市計画法（昭和43年法律第100号）第7条（（区域区分））第3項に規定する「市街化調整区域」をいう。以下同じ。）以外の都市計画区域（同法第4条（（定義））第2項に規定する「都市計画区域」をいう。以下同じ。）で市街地的形態を形成する地域において、40（（市街地農地の評価））の本文の定めにより評価する市街地農地（40－3（（生産緑地の評価））に定める生産緑地を除く。）、49（（市街地山林の評価））の本文の定めにより評価する市街地山林、58－3（（市街地原野の評価））の本文の定めにより評価する市街地原野又は82（（雑種地の評価））の本文の定めにより評価する宅地と状況が類似する雑種地のいずれか2以上の地目の土地が隣接しており、その形状、地積の大小、位置等からみてこれらを一団として評価することが合理的と認められる場合には、その一団の土地ごとに評価するものとする。

　地目は、課税時期の現況によって判定する。（昭47直資3－16・平3課評2－4外・平11課評2－12外・平16課評2－7外・平18課評2－27外・平29課評2－46外改正）

(1)　宅地

(2)　田

(3)　畑

(4)　山林

(5)　原野

(6)　牧場

(7)　池沼

(8)　削除

(9)　鉱泉地

(10)　雑種地

（注）地目の判定は、不動産登記事務取扱手続準則（平成17年２月25日付民二第456号法務省民事局
　　長通達）第68条及び第69条に準じて行う。ただし、「⑷山林」には、同準則第68条の「⑳保安林」
　　を含み、また「⑽雑種地」には、同準則第68条の「⑫墓地」から「㉓雑種地」まで（「⑳保安林」
　　を除く。）に掲げるものを含む。

（評価単位）
７－２　土地の価額は、次に掲げる評価単位ごとに評価することとし、土地の上に存する権利につ
　　いても同様とする。（平11課評２－12外追加・平16課評２－７外・平29課評２－46外改正）
　⑴　宅地
　　　宅地は、１画地の宅地（利用の単位となっている１区画の宅地をいう。以下同じ。）を評価単
　　位とする。
　（注）贈与、遺産分割等による宅地の分割が親族間等で行われた場合において、例えば、分割後
　　　の画地が宅地として通常の用途に供することができないなど、その分割が著しく不合理である
　　　と認められるときは、その分割前の画地を「１画地の宅地」とする。
　⑵　田及び畑
　　　田及び畑（以下「農地」という。）は、１枚の農地（耕作の単位となっている１区画の農地を
　　いう。以下同じ。）を評価単位とする。
　　　ただし、36－３（（市街地周辺農地の範囲））に定める市街地周辺農地、40（（市街地農地の評価））
　　の本文の定めにより評価する市街地農地及び40－３（（生産緑地の評価））に定める生産緑地は、
　　それぞれを利用の単位となっている一団の農地を評価単位とする。この場合において、⑴の（注）
　　に定める場合に該当するときは、その（注）を準用する。
　⑶　山林
　　　山林は、１筆（地方税法（昭和25年法律第226号）第341条≪固定資産税に関する用語の意義≫
　　第10号に規定する土地課税台帳又は同条第11号に規定する土地補充課税台帳に登録された１筆を
　　いう。以下同じ。）の山林を評価単位とする。
　　　ただし、49（（市街地山林の評価））の本文の定めにより評価する市街地山林は、利用の単位と
　　なっている一団の山林を評価単位とする。この場合において、⑴の（注）に定める場合に該当す
　　るときは、その（注）を準用する。
　⑷　原野
　　　原野は、１筆の原野を評価単位とする。
　　　ただし、58－３（（市街地原野の評価））の本文の定めにより評価する市街地原野は、利用の単
　　位となっている一団の原野を評価単位とする。この場合において、⑴の（注）に定める場合に該
　　当するときは、その（注）を準用する。
　⑸　牧場及び池沼
　　　牧場及び池沼は、原野に準ずる評価単位とする。
　⑹　鉱泉地
　　　鉱泉地は、原則として、１筆の鉱泉地を評価単位とする。
　⑺　雑種地
　　　雑種地は、利用の単位となっている一団の雑種地（同一の目的に供されている雑種地をいう。）

を評価単位とする。

　ただし、市街化調整区域以外の都市計画区域で市街地的形態を形成する地域において、82《雑種地の評価》の本文の定めにより評価する宅地と状況が類似する雑種地が2以上の評価単位により一団となっており、その形状、地積の大小、位置等からみてこれらを一団として評価することが合理的と認められる場合には、その一団の雑種地ごとに評価する。この場合において、1の(注)に定める場合に該当するときは、その（注）を準用する。

（注）

　1　「1画地の宅地」は、必ずしも1筆の宅地からなるとは限らず、2筆以上の宅地からなる場合もあり、1筆の宅地が2画地以上の宅地として利用されている場合もあることに留意する。

　2　「1枚の農地」は、必ずしも1筆の農地からなるとは限らず、2筆以上の農地からなる場合もあり、また、1筆の農地が2枚以上の農地として利用されている場合もあることに留意する。

　3　いずれの用にも供されていない一団の雑種地については、その全体を「利用の単位となっている一団の雑種地」とすることに留意する。

6　宅地の評価単位（1画地の判定）

　相続税等の宅地の評価を行う際に、重要なのは、まず、宅地のどこで区切って評価するのかということです。

　評価単位（1画地の判定）の判定は、相続税等の不動産評価において基本的な事項であり、評価額の算定の適否に大きな影響を及ぼします。

(1)　宅地の評価単位の基本

　宅地の場合は、宅地の評価単位である1画地の宅地（利用の単位となっている1区画の宅地をいいます。）判定について、国税庁「質疑応答事例」では、次のように示しています。

宅地の評価単位

　宅地の価額は、1画地の宅地（利用の単位となっている1区画の宅地をいいます。）ごとに評価します。

　この場合における「1画地の宅地」の判定は、原則として、①宅地の所有者による自由な使用収益を制約する他者の権利（原則として使用貸借による使用借権を除く）の存在の有無により区分し、②他者の権利が存在する場合には、その権利の種類及び権利者の異なるごとに区分するので、具体的には、例えば次のように判定します。

　なお、贈与、遺産分割等による宅地の分割が親族間等で行われた場合において、例えば分割後の画地が宅地として通常の用途に供することができないなどその分割が著しく不合理であると認められるときは、その分割前の画地を「1画地の宅地」とします。

(1) 所有する宅地を自ら使用している場合には、居住の用か事業の用かにかかわらず、その全体を1画地の宅地とする。

(2) 所有する宅地の一部について普通借地権又は定期借地権等を設定させ、他の部分を自己が使用している場合には、それぞれの部分を1画地の宅地とする。一部を貸家の敷地、他の部分を自己が使用している場合にも同様とする。

(3) 所有する宅地の一部について普通借地権又は定期借地権等を設定させ、他の部分を貸家の敷地の用に供している場合には、それぞれの部分を1画地の宅地とする。

(4) 普通借地権又は定期借地権等の目的となっている宅地を評価する場合において、貸付先が複数であるときには、同一人に貸し付けられている部分ごとに1画地の宅地とする。

(5) 貸家建付地を評価する場合において、貸家が数棟あるときには、原則として、各棟の敷地ごとに1画地の宅地とする。

(6) 2以上の者から隣接している土地を借りて、これを一体として利用している場合には、その借主の普通借地権又は定期借地権等の評価に当たっては、その全体を1画地として評価する。この場合、貸主側の貸宅地の評価に当たっては、各貸主の所有する部分ごとに区分して、それぞれを1画地の宅地として評価する。

(7) 共同ビルの敷地の用に供されている宅地は、その全体を1画地の宅地として評価する。

(2) 土地の評価で使用される用語

評価単位を理解するためには、財産評価基本通達で使用されている土地等に関する専門的な用語の理解が必要です。

「一体」…一つにまとまっている土地のことをいいます。

「一団」…土地が接して一まとまりとなっているなど、物理的な一体性を有し、一つの目的のために利用することが可能な土地をいいます。

「筆」…土地を登記するための土地の単位をいいます。

「画地」…利用又は取引の観点から見て地理的にまとまりのある土地の単位を意味します。

「区画」…区画とはいくつかの部分に区切った土地のことをいいます。

(3) 誤りやすい宅地の評価単位（1画地）の事例─建物の存する状態からの分析

財産評価基本通達による評価を行う際、当該通達で定めるところの評価単位（1画地）を理解し、適切に判断して行うことが重要です。

宅地は、利用の単位となっている1区画ごとに評価しますので、評価対象地の利用状況により敷地に①建物が1棟ある場合、②建物が2棟ある場合に分けて誤りやすい評価単位（1画地）の事例を検討します。

① 敷地に建物が1棟ある場合の評価単位

【事例1－1】

> 敷地が自用地で、一棟の建物が建っている場合は、居住用か事業用にかかわらず、宅地（イ）全部を1画地とします。

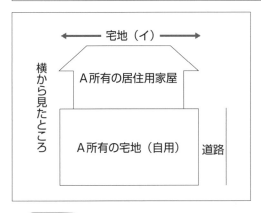
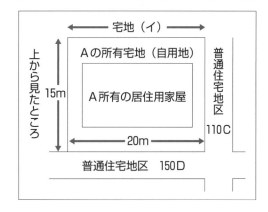

計算

正面路線価　　奥行価格補正率
150,000円 × 1.00 ＝ 150,000円

　　　　　　　側方路線価　　　奥行価格補正率　　側方路線影響加算率
150,000円 ＋（110,000円 × 1.00 × 0.03 ）＝ 153,300円

　　　　　地積　　　　自用地の評価額
153,300円 × 300m^2 ＝ 45,990,000円

【事例1－2】

> 敷地の利用者が、使用貸借であり、使用貸借している者の建物が存する場合は、宅地全部を評価単位（1画地）とします。

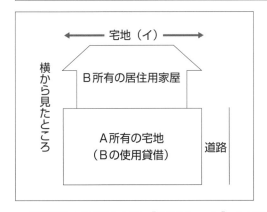
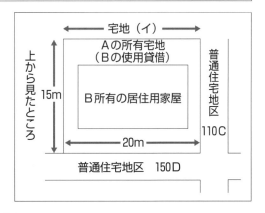

評価額の計算は上記【事例1－1】と同じです。

【事例2】

> 貸宅地の場合は賃貸借契約に基づく制約を受けることになるため、その利用や処分できる単位を評価単位（1画地）とします。
>
> この事例は、A所有の宅地（底地）及びBの借地権は、宅地（イ）を評価単位（1画地）とします。
>
> なお、後述【事例11】の2以上の者に貸し付けられている場合には、借主ごとに評価単位（1画地）とします。

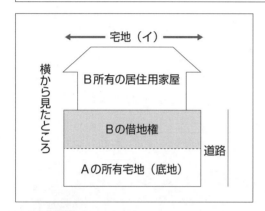
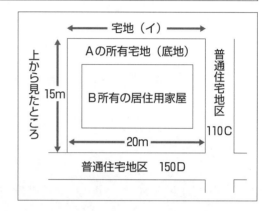

計算

1 Bの普通借地権の評価額の計算

   自用地の評価額は、【事例1−1】の宅地（イ）と同じ計算結果の45,990,000円です。

   宅地（イ）の自用地
   の評価額　　　　　借地権割合　　Aの普通借地権の評価額
   45,990,000円 × 0.6 ＝ 27,594,000円

2 A所有部分貸宅地（底地）の評価額の計算

   自用地の評価額は、【事例1−1】の宅地（イ）と同じ計算結果の45,990,000円です。

   宅地（イ）の自用地
   の評価額　　　　　　　　　　借地権割合　　C所有の貸宅地の評価額
   45,990,000円 × （ 1 − 0.6 ） ＝ 18,396,000円

【事例3】

2以上の者から隣接している宅地を借りて、これを一体として利用している場合には、その借主の普通借地権又は定期借地権等の評価に当たっては、その全体を評価単位（1画地）とします。

一方、貸主側の貸宅地の評価に当たっては、各貸主の所有する部分ごとに区分して、それぞれを評価単位（1画地）とします。

(注) 201ページの固定資産税の【事例3−1】及び【事例3−2】の画地の判定と比較すると相続税等の評価単位との相違がよくわかります。

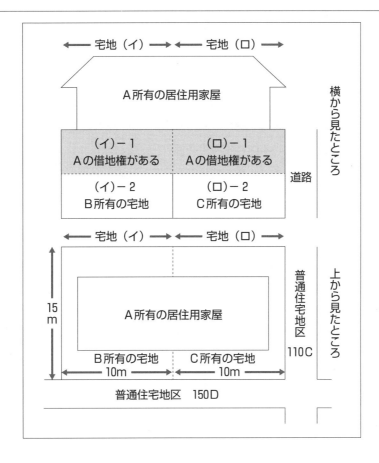

（解説）
① Ａの普通借地権について

Ａが、ＢとＣから隣接土地を借りて、これを一体として居住用に利用している場合には、Ａの普通借地権（又は定期借地権等）の評価に当たっては、宅地（イ）と（ロ）の範囲を併せ一体として利用しており、全体を１画地として普通借地権の評価をします。

② Ｂ及びＣ所有の貸宅地（底地）について

宅地の所有者ＢとＣの底地の評価に当たっては、ＢとＣの所有する部分、それぞれ別に１画地として評価します。

同一の敷地でも普通借地権部分は全体で評価し、底地部分は別々に評価することになります。

【事例４】

> 所有する宅地と隣接地について、他から使用貸借し、両方の宅地にまたがって家屋を建築して利用している場合には、所有する宅地を評価単位（１画地）とします。
> なお、使用貸借している宅地は、権利関係がありませんので評価の対象にはなりません。

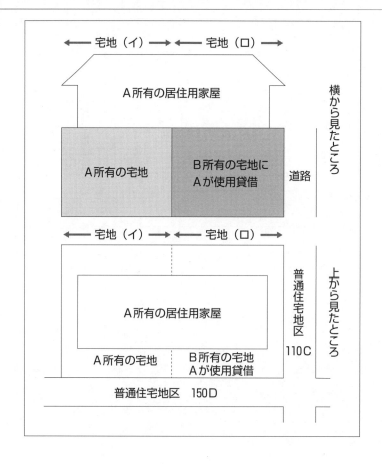

（解説）

　AがA所有の宅地と隣地をBから使用貸借して居住用建物の敷地の用に供している場合には、宅地（イ）のみを1画地の宅地として評価します。

　使用貸借の場合は、自己の権利（借地権、賃借権、借家権等）が及ばないため、自己の所有する宅地のみを利用の単位として評価します。

【事例5－1】

　2筆の宅地（イ）、（ロ）が隣接し、一方はA単独所有であり、他方がA、B共有である場合、評価単位（1画地）は別々となります。

　なお、宅地の上に建物がある【事例6】では敷地を一体利用しているとして1画地と判断しており、その相違にご留意ください。

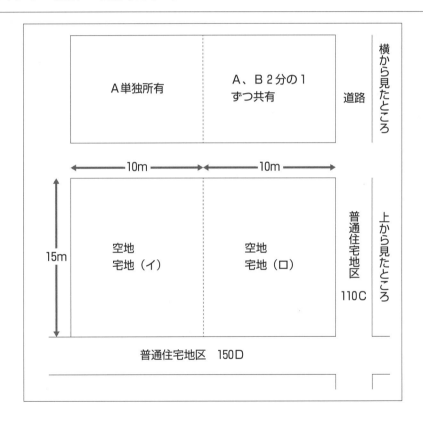

（解説）

　宅地（ロ）は所有形態が共有であるため、宅地（イ）の所有者による自由な処分や使用収益ができないと判断され、評価単位は2画地となります。

【事例５－２】

　２筆の宅地が隣接し、一方はＡ単独所有で、他方がＡ、Ｂ共有である敷地にＡ所有の建物が存する場合の評価単位（１画地）は宅地（イ）と宅地（ロ）の全体を評価単位（１画地）とします。

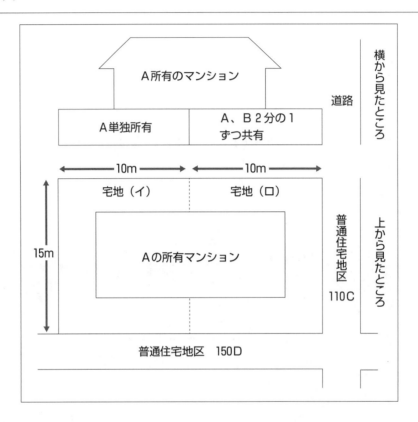

（解説）

　この場合は、両方の宅地にマンションが建築され同一の利用に供されていますので敷地全体を評価単位（１画地）とします。

【事例6】

> 共同ビルの敷地の用に供されている宅地は、その全体を評価単位（1画地）とします。

A、B、C、D、Eは共同ビルを建築しています。

共同ビルの敷地の評価は、宅地（イ）から（ホ）を併せた四方路線価の土地として、評価します。

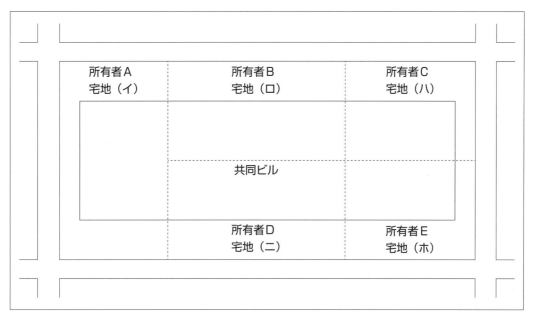

（解説）

この場合の宅地（イ）、（ロ）、（ハ）、（ニ）、（ホ）の所有者に共同ビルの敷地価額を振り分けるための、価額の比の算出方法は、次の二種類あります。

■算出方法

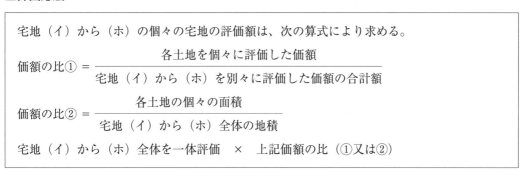

② 敷地に建物が２棟（複数）ある場合の評価単位

（外見上の図）

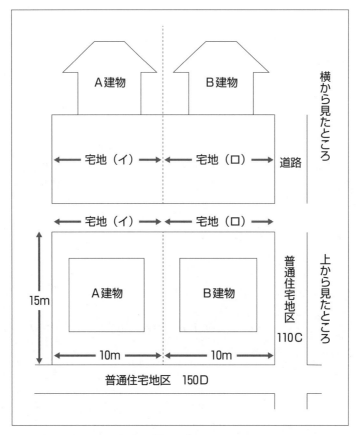

　角地に建物が２棟存在しますが、①宅地の所有者は誰か、②宅地に他人の権利が設定されているか、③更に設定された権利の種類は何か等により、評価単位が相違します。

　【事例７】から【事例12】により説明しますので、判断を誤らないよう留意してください。

【事例7】

> Aは、所有する宅地を自己の居宅と自己が経営する店舗の敷地として使用しています。
> 所有する宅地をいずれもAが自用建物の敷地の用に供している場合には、建物の棟数、用途にかかわらず、宅地（イ）及び（ロ）全体を1画地の宅地として評価します。

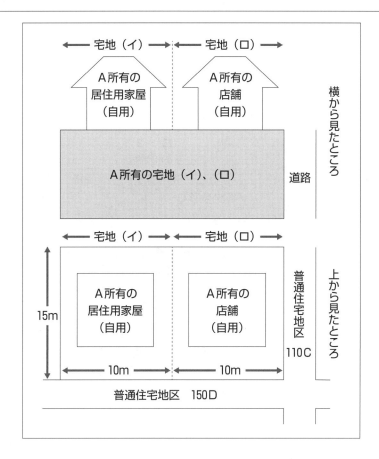

（解説）

　自用の宅地であれば、他人の権利（借地権、賃借権、借家権等）による制約がないため、その全体を一体として利用することが可能です。

　したがって、自用の宅地は、敷地に建物が2棟（複数）あってもその全体を利用の単位として評価します。

【事例8】

　所有する宅地の一部について普通借地権（又は定期借地権等）を設定させ、他の部分を自己が使用している場合には、それぞれの部分を1画地の宅地とします。
　一部を貸家の敷地、他の部分を自己が使用している場合にも同様とします。

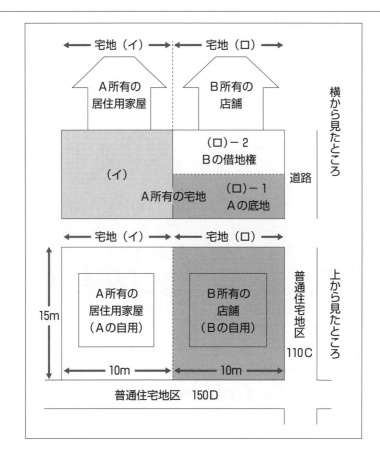

（解説）
① A所有の宅地について

　Aが、宅地（イ）を自用地とし、宅地（ロ）にBの普通借地権（又は定期借地権等）を設定させ、貸地としている場合には、宅地（イ）は自用地で他人による権利の制約がありませんが、宅地（ロ）には他人による権利の制約があるため、一体として利用又は処分することができません。このため、宅地（イ）は一路線に面する自用地、宅地（ロ）は角地（貸地）として、別々の評価単位（1画地）とします。

　宅地（イ）を自用地とし、宅地（ロ）を貸家の敷地（貸家建付地）として利用している場合も別々に評価単位（1画地）とします。

② B所有の借地権について

　B所有の普通借地権（宅地（ロ）-2部分）は、宅地（ロ）の範囲を評価単位（1画地）とします。

【事例9】

> 所有する宅地の一部について他人が使用貸借により家屋を建築して利用し、残りを自己が自用としている場合には、全体を評価単位（1画地）とします。

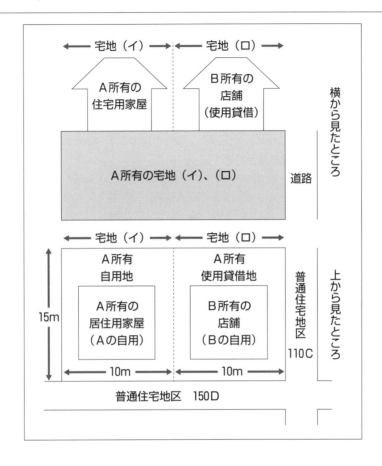

(解説)

　図のように、所有する宅地をAが自用建物の敷地の用に供し、Bが使用貸借により店舗として利用している場合には、宅地（イ）及び（ロ）全体を1画地の宅地として評価します。

　使用貸借であれば、他人の権利（借地権、賃借権、借家権等）による制約がないため、その全体を一体として利用することが可能であるため、その全体を利用の単位として評価します。

【事例10】

> 所有する宅地の一部について普通借地権又は定期借地権等を設定させ、他の部分を貸家の敷地の用に供している場合には、それぞれの部分を評価単位（1画地）とします。

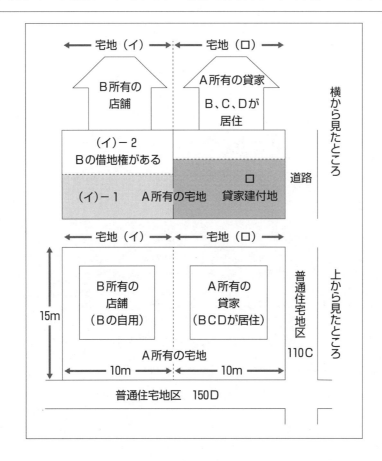

（解説）
① A所有部分について

　Aが所有する宅地（イ）について普通借地権（又は定期借地権等）を設定させ、宅地（ロ）は貸家の敷地の用に供している場合には、宅地（イ）に他人の普通借地権が、宅地（ロ）には他人の借家権が存するため、一体としての利用又は処分を行うことができず、評価単位（1画地）は別々になります。

② B所有の借地権部分について

　B所有の宅地（イ）-2部分の普通借地権は、宅地（イ）の範囲を評価単位（1画地）とします。

【事例11】

> 普通借地権又は定期借地権等の目的となっている宅地を評価する場合において、貸付先が複数であるときには、同一人に貸し付けられている部分ごとに評価単位（1画地）とします。

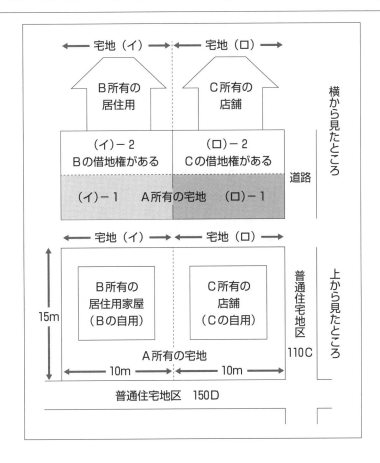

（解説）

① A所有の貸宅地について

Aが所有する宅地をB及びCに貸付け、B及びCがそれぞれ建物を建て、普通借地権（又は定期借地権等）の目的とした場合において、Aの貸付先がそれぞれ異なっているため、利用や処分についてもそれぞれ別となると判断されるため、同一人に貸し付けられている部分ごとに利用の単位とします。

したがって、A所有部分は宅地（イ）と（ロ）の範囲をそれぞれ評価単位（1画地）とします。

② BとCのそれぞれが所有する普通借地権について

宅地（イ）-2部分と宅地（ロ）-2部分は、それぞれBとC所有の普通借地権として宅地（イ）と（ロ）の範囲を評価単位（1画地）とします。

【事例12】

　貸家建付地を評価する場合において、貸家が2棟あるときには、原則として、各棟の敷地ごとに評価単位（1画地）とします。

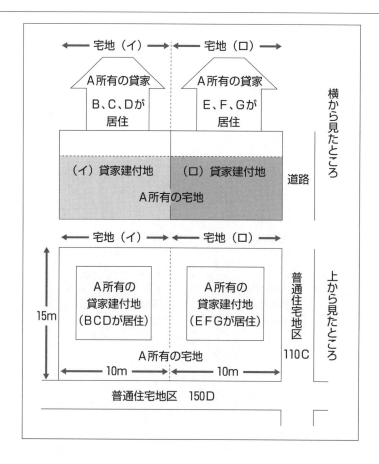

（解説）

　Aが所有する宅地（イ）と（ロ）に貸家が、それぞれ建っているときは、貸付先がそれぞれ異なっていますので、利用や処分についても別になると判断し、貸し付けられている部分ごとに評価単位（1画地）とします。

■事例に基づく評価単位（1画地）の判定のまとめ

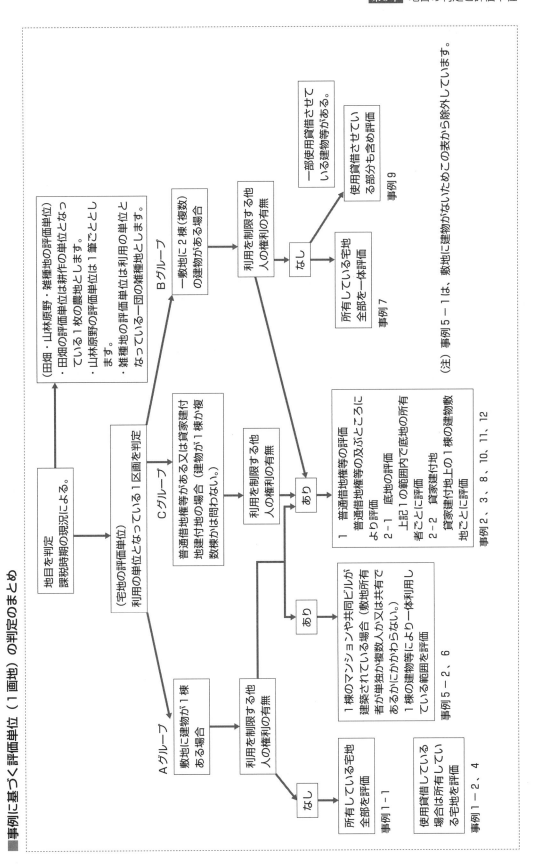

(4) 不合理分割

① 不合理分割とは

相続や贈与による宅地の評価は、遺産分割後や受贈後の宅地の評価になります。

贈与、遺産分割等による宅地の分割が親族間等で行われ、その分割が著しく不合理であると認められる場合における宅地の価額は、所有者単位で評価するのではなくその分割前の画地を「1画地の宅地」として評価します。

「その分割が著しく不合理であると認められる場合」とは、無道路地、帯状地又は著しく狭あいな画地を創出するなど分割後の画地では現在及び将来においても有効な土地利用が図られないと認められる分割をした場合です。

これを言い換えると、不合理分割とは、不動産の評価額を下げるため、現実の利用状況を無視した不合理な分割を行い、遺産分割や贈与を行うための分割をいいます。

不合理であると認められる場合における宅地の価額は、所有者単位で評価するのではなくその分割前の画地を「1画地の宅地」として評価します。なお、この取扱いは同族会社間等でこのような不合理分割が行われた場合にも適用されます。

次の図のように宅地のうちA部分は甲が、B部分は乙が相続した場合の宅地の評価単位は、それぞれどのようになるでしょうか。

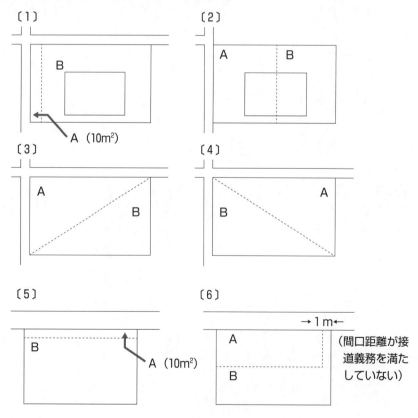

186

(1)については現実の利用状況を無視した分割であり、(2)は無道路地を、(3)は無道路地及び不整形地を、(4)は不整形地を、(5)は奥行短小な土地と無道路地を、(6)は接道義務を満たさないような間口が狭小な土地を創出する分割であり、分割時のみならず将来においても有効な土地利用が図られず通常の用途に供することができない、著しく不合理な分割と認められるため、全体を1画地の宅地としてその価額を評価した上で、個々の宅地を評価することとするのが相当です。

具体的には、A、B宅地全体を1画地の宅地として評価した価額に、各土地の価額の比を乗じた価額により評価します。

② 間違いやすい事例

乙は、亡父甲から次の図のような宅地のうち、A土地を生前に贈与を受けていました。今回、甲の相続開始により、乙はB土地を相続により取得することとなりましたが、この場合のB土地はどのように評価するのでしょうか。

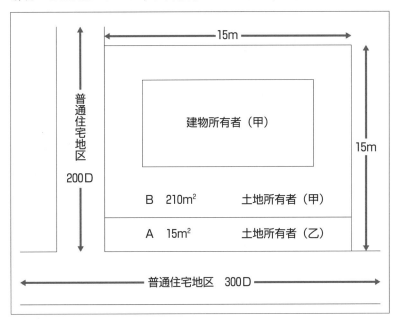

イ 相続時のB土地の評価額

A土地は単独では通常の宅地として利用できない宅地であり、生前の贈与における土地の分割は不合理なものと認められます。したがって、B土地は、分割前の画地（A、B土地全体）を「1画地の宅地」とし、その価額を評価した上で個々の宅地を評価するのが相当ですから、原則として、A、B土地全体を1画地の宅地として評価した価額に、A、B土地を別個に評価した価額の合計額に占めるB土地の価額の比を乗じて評価します。

宅地の評価は、分割後の土地を、それぞれ利用の単位として評価することに留意してください。

計算

○Ａ、Ｂ土地全体を１画地として評価した価額

正面路線価　奥行価格補正率　側方路線価　奥行価格補正率　側方路線影響加算率　地積

$$(300{,}000円 \times 1.00 + 200{,}000円 \times 1.00 \times 0.03) \times 225m^2 = 68{,}850{,}000円$$

○Ａを単独で評価した価額

正面路線価　奥行価格補正率　側方路線価　奥行価格補正率　側方路線影響加算率　地積

$$(300{,}000円 \times 0.90 + 200{,}000円 \times 1.00 \times 0.03) \times 15m^2 = 4{,}140{,}000円$$

○Ｂを単独で評価した価額

正面路線価　奥行価格補正率　地積

$$200{,}000円 \times 1.00 \times 210m^2 = 42{,}000{,}000円$$

○Ｂの適正な評価額

$$68{,}850{,}000円 \times \frac{\overset{\text{価額の比}}{42{,}000{,}000円}}{4{,}140{,}000円 + 42{,}000{,}000円} = 62{,}672{,}301円$$

　利用の単位を考慮しないで評価した場合、相続財産として取得するＢの評価額は上記のとおり42,000,000円ですが、利用単位を考慮してＢの適正な評価額を算定しますと、62,672,301円となります。

ロ　贈与時のＡ土地の評価額

　贈与税の申告におけるＡ土地の評価額は、原則として、Ａ、Ｂ土地を一体として評価した価額に占めるＡ土地の価額の比を乗じて算出します。

（参考）不動産鑑定評価による限定価格の算定例

　前記(4)②は、不合理分割が行われた場合の相続税等の価額の配分比の考え方ですが、次に隣接地を併合する場合の価格算定について、不動産鑑定評価の考え方を説明します。

　隣接地を併合して一体利用する場合、併合される土地は単独で利用する場合に比べて増分価値を発生させる可能性（限定価格の根拠）があります。限定価格とは、この場合の隣接地所有者間でのみ成立する限定市場の価格をいいます。

　また、併合による増分価値を評価対象不動産に配分する方法として、不動産鑑定評価の実務上、①総額比による方法、②買入限度額比による方法が一般的に用いられており、前記(4)②の事例に基づいて説明します。

(1)　不動産併合による増分価値の算定と配分

①　A、B土地の併合による増分価値

併合による評価額　　　　A単独の評価額　　　　B単独の評価額　　　　　　増分価値
68,850,000円　−　（4,140,000円　＋　42,000,000円）　＝　22,710,000円

　不動産鑑定評価では、増分価値を総額比によるか、又は買入限度額比による方法で配分し、鑑定評価額を算出するのが一般的です。

②　B土地への増分価値の配分率

ア　総額比による方法（前記(4)②と同じ考え方）

$$\frac{\text{B単独の価格}}{\text{A単独の価格＋B単独の価格}}$$

$$=\frac{42,000,000円}{4,140,000円＋42,000,000円}　≒　0.9103$$

Bへの配分額：22,710,000円　×　0.9103　＝　20,672,913円

Bの評価額：　42,000,000円　＋　20,672,913円　＝　62,672,913円……A土地所有者がB土地を併合するときの上限額

Aへの配分額：22,710,000円　×　（1−0.9103）　＝　2,037,087円

Aの評価額：　4,140,000円　＋　2,037,087　＝　6,177,087円……B土地所有者がA土地を併合するときの上限額

イ　買入限度額比による方法

$$\frac{\text{Bの買入限度額}}{\text{Aの買入限度額＋Bの買入限度額}}$$

$$= \frac{\text{併合による一体地の評価額－A単独の評価額}}{\left(\begin{array}{l}\text{併 合 に よ る}\\\text{一体地の評価額}\end{array}-\begin{array}{l}\text{B単独の}\\\text{評 価 額}\end{array}\right)+\left(\begin{array}{l}\text{併 合 に よ る}\\\text{一体地の評価額}\end{array}-\begin{array}{l}\text{A単独の}\\\text{評 価 額}\end{array}\right)}$$

$$= \frac{(68,850,000\text{円}-4,140,000\text{円})}{(68,850,000\text{円}-42,000,000\text{円})+(68,850,000\text{円}-4,140,000\text{円})}$$

$$\fallingdotseq 0.70675$$

Bへの配分額（A土地所有者がB土地を購入する時の限度額）

22,710,000円　×　0.70675　＝　16,050,292円

Bの評価額

42,000,000円　＋　16,050,292円　＝　58,050,292円

Aへの配分額（B土地所有者がA土地を購入する時の限度額）

22,710,000円　×（1－0.70675）＝　6,659,708円

Aの評価額

4,140,000円　＋　6,659,708　＝　10,799,708円

⑵　限定価格の算定例

　総額比による方法と買入限度額比による方法が両者とも合理的であると判断される場合は上記の中庸値を採用して計算します。

【増分価値の配分計算】

以上の結果を踏まえ、Aの評価額を算定します。

　　　A単独評価額　＋　増分価値　×　配分率（注）　＝　Aの評価額
　　　4,140,000円　＋　22,710,000円　×　19.1％　＝　8,477,610円

Bの評価額は次のとおりとなります。

　　　B単独評価額　＋　増分価値　×　配分率（注）　＝　Bの評価額
　　　42,000,000円　＋　22,710,000円　×　80.9％　＝　60,372,390円

以上は、不動産鑑定評価における限定価格の考え方に基づいて算定した評価額ですが、売買等の際の売却価格算定に合理性のあるものですので参考にしてください。

（注）配分率19.1％及び80.9％は上記ア及びイの平均値です。

7　農地の評価上の分類

農地は、農地法及び都市計画法等との関係によって、次の「評価上の分類」のいずれかに分類して評価します。

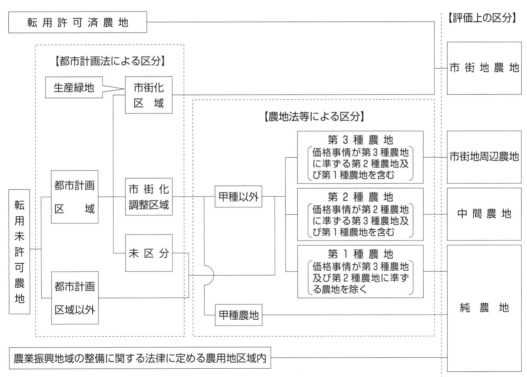

| 参考 | 農地の区分の解説（農林水産省のホームページより） |

　農林水産省ホームページを見ますと、農地については、営農条件及び市街地化の状況から見て次の5種類に区分し、優良な農地での転用を厳しく制限し、農業生産への影響の少ない第3種農地等へ転用を誘導することとしています。

区　分	営農条件、市街地化の状況	許可の方針
農用地区域内農地	市町村が定める農業振興地域整備計画において農用地区域とされた区域内の農地	原則不許可（農振法第10条第3項の農用地利用計画において指定された用途の場合等に許可）
甲種農地	第1種農地の条件を満たす農地であって、市街化調整区域内の土地改良事業等の対象となった農地（8年以内）等特に良好な営農条件を備えている農地	原則不許可（土地収用法第26条の告示に係る事業の場合等に許可）
第1種農地	10ha以上の規模の一団の農地、土地改良事業等の対象となった農地等良好な営農条件を備えている農地	原則不許可（土地収用法対象事業の用に供する場合等に許可）
第2種農地	鉄道の駅が500m以内にある等市街地化が見込まれる農地又は生産性の低い小集団の農地	周辺の他の土地に立地することができない場合等は許可
第3種農地	鉄道の駅が300m以内にある等の市街地の区域又は市街地化の傾向が著しい区域にある農地	原則許可

(1)　相続税等の農地の区分

　相続税等の評価では、農地については、次の4種類に区分して評価します。

① 　純農地

② 　中間農地

③ 　市街地周辺農地

④ 　市街地農地

(2)　純農地

　純農地とは、次に掲げる農地のうち、そのいずれかに該当するもので一般に、宅地の価額の影響を受けない農地のことをいいます。ただし、市街地農地の範囲に該当する農地を除きます。

① 　農用地区域内にある農地

② 　市街化調整区域内にある農地のうち、第1種農地又は甲種農地に該当するもの

③ 　上記①及び②に該当する農地以外の農地のうち、第1種農地に該当するもの。ただし、

近傍農地の売買実例価額、精通者意見価格等に照らし、第2種農地又は第3種農地に準ずる農地と認められるものを除きます。

(3) 中間農地

中間農地とは、次に掲げる農地のいずれかに該当するもので、一般に都市近郊にある農地のことをいいます。ただし、市街地農地の範囲に該当する農地を除きます。

① 第2種農地に該当するもの

② 上記①に該当する農地以外の農地のうち、近傍農地の売買実例価額、精通者意見価格等に照らし、第2種農地に準ずる農地と認められるもの

(4) 市街地周辺農地

市街地周辺農地とは、次に掲げる農地（おおむね宅地などに転用することができる農地）のいずれかに該当するものをいいます。

① 第3種農地に該当するもの

② 上記①に該当する農地以外の農地のうち、近傍農地の売買実例価額、精通者意見価格等に照らし、第3種農地に準ずる農地と認められるもの

(5) 市街地農地

市街地農地とは、主として市街化区域内にある農地のことをいい、次に掲げる農地のいずれかに該当するものをいいます。

① 農地法第4条（農地の転用の制限）又は第5条（農地又は採草放牧地の転用のための権利移動の制限）に規定する許可（以下「転用許可」という。）を受けた農地

② 市街化区域内にある農地

③ 農地法等の一部を改正する法律附則第2条第5項の規定によりなお従前の例によるものとされる改正前の農地法第7条第1項第4号の規定により、転用許可を要しない農地として、都道府県知事の指定を受けたもの

8 農地の評価単位

(1) 農地の評価単位の原則と例外

農地の評価単位は農地の種類により、原則的なものと例外的なものとがあります。

（原則）

中間農地、純農地の評価は、1枚の農地（耕作の単位となっている1区画の農地を言う。）を評価単位とします。

（例外）

原則的評価の耕作の単位ではなく、例外的評価である、利用の単位となっている一団の農地を評価単位とする農地は次のものです。

① 宅地に比準して評価する市街地農地及び市街地周辺農地（以下「市街地農地等」という。）

　所有している農地を自ら使用している場合には、耕作の単位にかかわらず、その全体をその利用の単位となっている一団の農地とします。

② 生産緑地及び特定生産緑地

　所有している農地を自ら使用している場合において、その一部が生産緑地又は特定生産緑地である場合には、生産緑地又は特定生産緑地とそれ以外の部分をそれぞれ利用の単位となっている一団の農地とします。

③ 永小作権等の設定されている農地

　所有する農地の一部について、永小作権又は耕作権を設定させ、他の部分を自ら使用している場合には、永小作権又は耕作権が設定されている部分と自ら使用している部分をそれぞれ利用の単位となっている一団の農地とします。

④ 複数の者に対して永小作権又は耕作権を設定させている農地

　所有する農地を区分して複数の者に対して永小作権又は耕作権を設定させている場合には、同一人に貸し付けられている部分ごとに利用の単位となっている一団の農地とします。

（上記例外による評価単位とする理由）

① 市街地農地等の価額は、宅地の価額の影響を強く受けることから宅地比準方式により評価することとしており、これとの整合性を図るため、評価の単位についても宅地としての効用を果たす規模での評価を行う必要があります。したがって、市街地農地等については、1枚又は1筆ごとといった評価単位によらず、利用の単位となっている一団の農地を評価単位とすることが相当と考えられます。

　なお、市街地山林及び市街地原野の評価単位についても同様の考え方により判定します。

② 生産緑地及び特定生産緑地は農地等として管理しなければならないという制約があることから、市街地農地と隣接しているような場合であっても、それぞれを「利用の単位となっている一団の農地」としています。

③④ 利用の単位とは、一体として利用される範囲を指し、自用の土地であれば、他人の権利による制約がないので、その全体が一体として利用されるものであり、他人の権利が存する土地とは区分されます。したがって、自用の土地は、その全体を利用の単位として評価することとなります。また、他人の権利の存する土地について、貸付先がそれ

ぞれ異なっている場合には、利用についてもそれぞれ異なっているので、同一人に貸し付けられている部分ごとに利用の単位とします。(国税庁「質疑応答事例」「市街地農地等の評価単位」より)

(2) 農地の種類による評価単位の比較

下図を比較しますと、中間農地、純農地の評価単位は耕作の単位の4区分であるのに対して、市街地農地、市街地周辺農地は宅地の評価単位と同様に判定し、一つの評価単位となります。

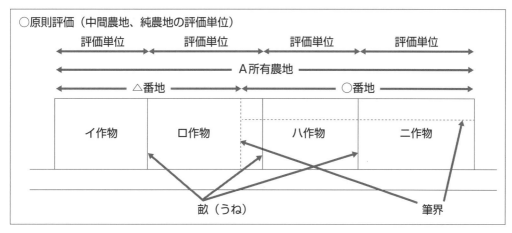

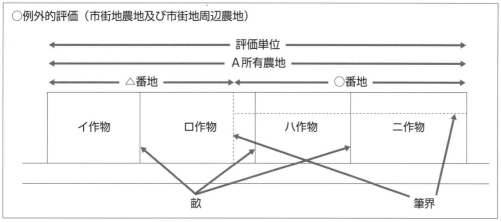

(3) 農地の評価方法

農地の種類別の評価方法は、次のとおりです。

① 市街地農地の評価方法

| 市街地農地の評価額 | = | (その農地が宅地であるとした場合の1m²当たりの評価額 − 宅地転用に必要な1m²当たりの造成費) | × | 地積 |

② 市街地周辺農地の評価方法

| 市街地周辺農地の評価額 | = | その農地が市街地農地であるとした場合の価額 | × | 80% |

③ 中間農地及び純農地の評価方法

中間農地、純農地の評価方法は次のとおりです。

| 固定資産税評価額 | × | 倍率 | = | 中間農地及び純農地の評価額 |

(4) 農地の例外的評価単位

【誤りやすい事例1】（市街地農地及び市街地周辺農地）

下図の左の農地は1枚又は1筆ごとに評価することとすると、宅地の効用を果たさない規模や形状で評価することとなるため、「利用の単位となっている一団の農地」としてまとめて評価します。

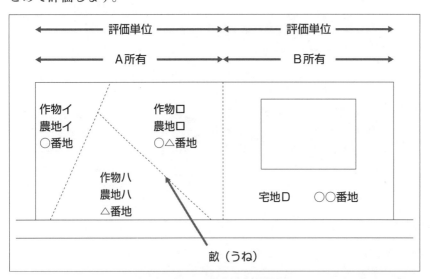

【誤りやすい事例2】（生産緑地又は特定生産緑地（以下「生産緑地等」という。））

所有している農地を自ら使用している場合で、その一部が生産緑地等である場合は、生産緑地等は農地等として管理しなければならないという制約があることから、市街地農地と隣接しているような場合であっても、それぞれを「利用の単位となっている一団の農地」

として別に評価します。

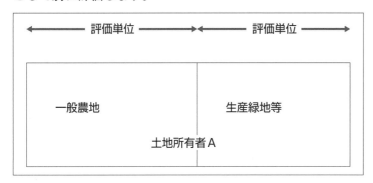

【誤りやすい事例3】（耕作権のある農地）

利用の単位とは、一体として利用される範囲を指し、自用の土地であれば、他人の権利による制約がないので、その全体が一体として利用されるものであり、他人の権利が存する土地とは区分されます。したがって、自用の土地は、その全体を利用の単位として評価することとなります。

しかし、所有する農地の一部について、永小作権又は耕作権を設定させ、他の部分を自ら使用している場合には、他人による権利の制約があるため、永小作権又は耕作権が設定されている部分と自ら使用している部分をそれぞれ利用の単位となっている一団の農地とします。

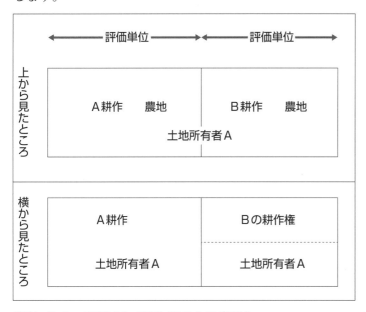

【誤りやすい事例4】（耕作権のある農地）

他人の権利の存する土地について、貸付先がそれぞれ異なっている場合には、利用についてもそれぞれ異なっているので、同一人に貸し付けられている部分ごとに利用の単位とします。

したがって、所有する農地を区分して複数の者に対して永小作権又は耕作権を設定させている場合には、同一人に貸し付けられている部分ごとに利用の単位となっている一団の農地とします。

　なお、市街地山林及び市街地原野の評価単位についても同様の考え方により判定します。

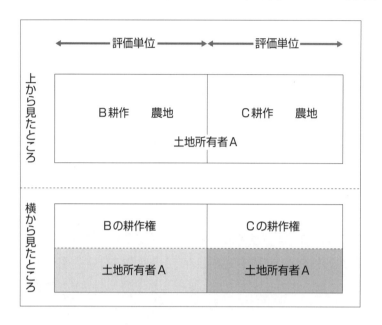

9　相続税等と固定資産税の評価単位

　相続税等の不動産評価と固定資産税評価においては、評価単位（1画地）を定めて、評価対象不動産の間口、奥行、形状、面積、道路との接面状況等を特定し、評価額を決定します。

　ここでは、相続税等と固定資産税の評価単位（1画地）の相違を理解して、相続税等の財産評価基準に定める倍率地域の評価に活用するほか、固定資産評価にも役立てていただきたいと思います。

　相続税等と固定資産税の評価単位（1画地）の判定の原則は、次のとおりです。

○相続税等の評価単位（1画地）の判定の原則
①　相続税等の評価単位（1画地）の判定は、登記簿上の筆は考慮せず、まず、所有権の有無が判定の基準になります。つまり、自用の土地であれば、他人の権利による制約がないので、その全体が一体として利用できます。
　　したがって、自用の土地は、その全体を1画地として評価することになります。
②　自用地でなく、敷地に他者の権利の存在する場合には、その権利の種類及び権利者の異

なるごとに1画地と判定します。

○**固定資産税の評価単位（1画地）の判定の原則**

　固定資産税の評価単位は、原則として土地課税台帳又は土地補充課税台帳に登録された1筆ごとによるものとします。ただし、1筆の宅地又は隣接する2筆以上の宅地について、その形状、利用状況等からみて、一体をなしていると認められる場合、又は、合わせる必要がある場合においては、その一体をなしている部分の宅地ごとに1画地とします。

　固定資産税評価の評価単位の判定は、利用上の一体性に着目したものとなり、所有の有無は問いません。

　1画地をどのように判定するかは、相続税等の不動産評価及び固定資産税評価に大きな影響を与えるため、きわめて重要な事項です。

　固定資産税の実務については、固定資産評価基準（205ページ参照）が定められていますが、解説書が多くなく、また、市町村が公表している固定資産評価要領（205ページ）等の細部の内容において、若干取扱いが異なる場合があるため、固定資産税評価については市町村担当窓口で確認を行うことが重要です。

　ここでは、相続税等の不動産評価と固定資産税評価の基本的考え方を解説し、その違いを理解していただく一助になることを目的としています。

(1) 誤りやすい事例（【事例1】及び【事例2】）

　次の【事例1】及び【事例2】は同じ利用状況でそれぞれ建物が3棟あり、土地建物とも所有者が同一人ですが、【事例1】は1筆、【事例2】は3筆により構成されています。

【事例1】

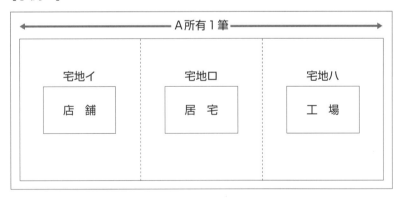

【事例2】

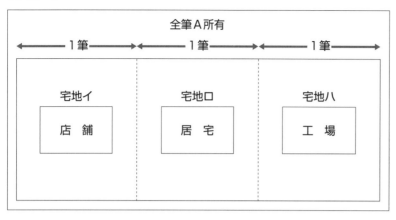

(【事例1】の解説)
① 固定資産税の評価単位
・原則
　固定資産税の評価では、1筆ごとに画地の判定をしますので、1筆が1画地となります。
・例外
　利用状況が、フェンスやブロック塀などにより明確に区分され、独立していると認められる場合は、店舗、居宅、工場の3画地であると判定される場合もあります。
　この場合は、敷地全体（1筆）の面積や形状は判明していても、1画地ごとの面積や形状が不明であるため、土地分割評価届出書（210ページ参照）とともに測量図などを提出し、その結果、敷地それぞれが明確に区分ができ、独立していると判定されれば3つの評価単位となります。
② 相続税等の評価単位
　土地建物が同一人の所有で、利用状況が自用であれば、登記簿上の筆とは関係なく、また、利用状況が居宅や店舗と相違していても、宅地の所有とすべての建物の所有が同一人であるため、全部が1画地となります。

(【事例2】の解説)
① 固定資産税の評価単位
　固定資産税の評価では、1筆ごとに画地の判定をしますので、3筆となった場合は3画地として評価します。
② 相続税等の評価単位
　土地建物が同一人の所有で、利用状況が自用であれば、登記簿上の筆とは関係なく、また、利用が居宅や店舗と相違していても、全部が1画地となります。

(2) 誤りやすい事例（【事例3-1】及び【事例3-2】）

【事例3-1】は、AとBがそれぞれ所有する宅地イ及びロにまたがって店舗が1棟建っている場合であり、【事例3-2】は、Aが所有する宅地ハのみに店舗が1棟建っており、Bが所有する雑種地は店舗の駐車場として一体利用している場合です。

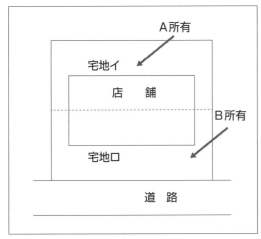

（【事例3-1】の解説）

① 固定資産税の評価単位

宅地イ、ロの上にまたがって店舗がある場合は、同一の利用状況にあると判定されます。したがって、全体を1画地として評価します。

なお、固定資産税の評価では、利用目的の同一性と連続性が重要であり、宅地の所有が同一か否かは問いません。また、店舗の所有が誰であるかも問いません。

② 相続税等の評価単位

相続税等の評価単位の判定は、原則として宅地の所有者A及びBごとに評価します。

店舗の所有者が敷地の所有者と異なり、貸地である場合は、貸地（底地）の評価単位は、所有者ごとで、貸地（底地）が単独所有であれば評価単位は一つとなります。

相続税等では所有の同一性が評価単位の判定基準で、敷地の上に他者の権利の存在する場合には、その権利の種類及び権利者の異なるごとに1画地と判定することになります。

（【事例3-2】の解説）

① 固定資産税の評価単位

店舗と駐車場部分が一体として利用されていると判定できる場合は、宅地ニに建物がなくても全体を1画地として評価します。

なお、この場合、宅地ハ、ニの所有の同一性は問いません。また、店舗の所有者が誰であるのかも問いません。

② 相続税等の評価単位

敷地の所有者が別人であるため、A及びBの所有する宅地ハ、ニについて、それぞれを1画地の宅地とします。

(3) 誤りやすい事例（【事例3－3】）

【事例3－3】は【事例3－1】の応用（店舗が建設される前の）事例です。

解説の前に、事例の宅地の前提条件を説明します。

・宅地イ及びロは相続税等の不動産評価における評価倍率地域にあります。
・【事例3－3】は、【事例3－1】の店舗が建設される前の状態です。

上記を言い換えると、未利用であった宅地イ及びロの上に、後になって店舗が建設された事例です。この場合の評価額の変化を説明します。

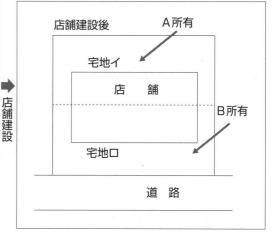

（【事例3－3】の解説）

固定資産税、相続税等とも1画地の判定は同じです。

A所有の宅地イは1画地と認められ、無道路地の補正を行って評価します。

B所有の道路に面する宅地ロも1画地と認められ、一方が道路に面する宅地としての評価を行います。

（【事例3－1】の解説）

① 固定資産税の評価単位

事例3－1になると、宅地イ及びロの上に店舗が建設されており、一体として利用されています。

したがって、宅地イは、宅地ロとともに1画地として判定されることになるため無道路地の評価から一方が道路に面する宅地としての評価となり、無道路地の評価減がなくなりますので評価額が大きく増加します。

第5章 地目の判定と評価単位

② 相続税等の評価単位

固定資産税では、借地権と底地に分けた課税ではなく所有権についての課税が行われるため、相続税等についても所有権（底地）についてのみ説明しますが、宅地イの所有者と宅地ロの所有者は別々で、宅地イに借地権等が設定されても、底地部分は無道路地のままです。

相続税等の不動産評価においては、所有者ごとに1画地の判定を行うため、原則として土地所有者A及びBごとの評価となります。

この場合、評価する不動産が倍率地域にあると、宅地イは無道路地であるにもかかわらず、固定資産税の評価額が増加し、単純に評価倍率を乗じると道路に面した評価額となります。

したがって、現地調査や、賃貸借契約の内容の確認を十分に行って無道路地であるか否かを判断し、同時に、固定資産評価証明書等の1m²当たりの評価単価が、道路に面した宅地の評価単価であるか、無道路地の評価単価であるか等も併せて十分に確認した上で評価する必要があります。

⑷ 誤りやすい事例（【事例4－1】及び【事例4－2】）

1筆の敷地に4つの建物がある場合、固定資産税の評価においては、1画地と判定されます。そこで4筆に分筆した場合について解説します。

【事例4－1】

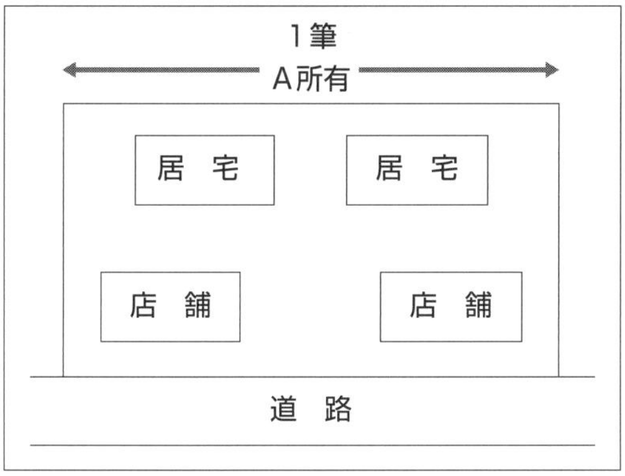

1筆 A所有
居 宅　　　居 宅
店 舗　　　　店 舗
道　路

【事例4－2】

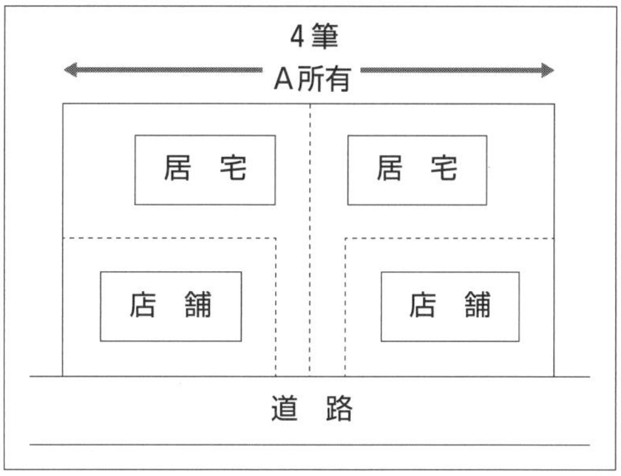

4筆 A所有
居 宅　　　居 宅
店 舗　　　　店 舗
道　路

（【事例4－1】の解説）

① 固定資産税の評価単位

固定資産税の評価は、1筆ごとに評価単位が認定されますので、原則として、敷地全部が1画地となります。

建物が敷地所有者と同一であるか、他人の所有であるか、また、利用目的が自用であるか賃貸借であるか等は問いません。

② 相続税等の評価単位

自用の土地であれば、他人の権利による制約がないので、その全体が一体として利用されるものと判断されます。

したがって、【事例4－1】が自用の土地であれば、その全体を1画地として評価することになります。

また、自用地でなく、貸地等である場合には、その敷地の上にある権利の種類及び権利者の異なるごとに1画地と判定します。

(【事例4－2】の解説)

① 固定資産税の評価単位

固定資産税の評価は、1筆ごとに評価単位が認定されますので、原則として、【事例4－2】にあるように4筆に分筆すれば、それぞれが1画地となり、評価単位は4画地となります。

4筆に分割すると、居宅の敷地は、間口が狭小な宅地となり、評価額が減少しますので、分筆によるメリットを検討する必要があります。

② 相続税等の評価単位

上記の誤りやすい事例4－1②と同じ評価単位で分筆は評価に影響しません。

(5) 誤りやすい事例(【事例5】)

【事例5】は共同ビルの敷地です。

【事例5】

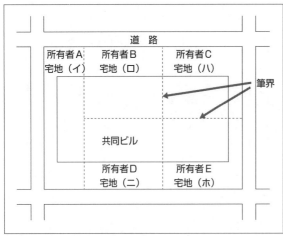

① 固定資産税の評価単位

共同ビルの敷地の用に供されている宅地は、複数筆の宅地にまたがっていても、その全体を一体として利用していると認められますので一つの評価単位(1画地)とします。

筆ごと評価の例外であり、その形状、利用状況等からみて、敷地全体一体をなしている

第5章 地目の判定と評価単位

と認められ１画地として評価します。

② 相続税等の評価単位

固定資産税の評価と同じく敷地全体を１画地として評価します。

参考　固定資産評価基準

総務省が定める固定資産評価基準の画地認定の規定は、次のとおりです。

固定資産評価基準（自治省告示158号）

別表第3　画地計算法

2　画地の認定

　各筆の宅地の評点数は、一画地の宅地ごとに画地計算法を適用して求めるものとする。この場合において、一画地は、原則として、土地課税台帳又は土地補充課税台帳に登録された一筆の宅地によるものとする。

　ただし、一筆の宅地又は隣接する二筆以上の宅地について、その形状、利用状況等からみて、これを一体をなしていると認められる部分に区分し、又はこれらを合わせる必要がある場合においては、その一体をなしている部分の宅地ごとに一画地とする。

参考　市町村が定める固定資産評価における画地認定の基準

市町村が定める固定資産評価における画地認定の基準の規定ぶりは市町村によりやや相違しますが、画地認定の取扱いの基準が以下のとおり公表されています。

京都市固定資産評価要領（土地編）

7　画地の認定方法及び留意事項

(1)　画地の認定方法

［評価要綱］別表1

2　画地の認定

　一画地は、原則として、土地課税台帳又は土地補充課税台帳に登録された１筆の宅地によるものとする。ただし、１筆の宅地又は隣接する２筆以上の宅地について、その形状及び利用状況等からみて、これを一体をなしていると認められる部分に区分し、又はこれらを合わせる必要がある場合においては、その一体をなしている部分の宅地ごとに一画地とする。

［評価要綱］別表2

2　画地の認定

　画地の認定は、別表１の２に定めるところにより行うものとする。

　一画地は、土地課税台帳又は土地補充課税台帳に登録された一筆の宅地をもって認定することを原則とする。

　ただし、数筆の宅地について、その形状及び利用状況等からみて一体をなしていると認められる場合は、その数筆をもって一画地（これを「合画」という。）とし、また、一筆の宅地について、その形状及び利用状況等からみて一体をなしていると認められる部分に区分できる場合は、その

一筆を区分したそれぞれの部分をもって一画地（これを「分離評価」という。）とする。

合画及び分離評価の例示は、次のとおりである。

ア　数筆の宅地にわたり1棟又は数棟の建物が存在し、一体として利用されている場合

（例）ビル敷地

イ　1筆ごとに1棟又は数棟の建物があるがその全体が一体として利用されている場合

（例）建物の多い工場敷地

ウ　数筆の宅地で、建物の有無又はその所在の位置に関係なく、塀その他の囲いにより、一体として利用されていると認められる場合

（例）原材料置場等のある広い工場敷地

エ　一筆の宅地が塀等で仕切られて、それぞれが別途に一体として利用されている場合

（例）事務所建物敷地と隣接する時間貸し駐車場

(2)　画地の認定に当たっての留意点

(1)　により、画地の認定を行うに当たっては、次の点に留意するものとする。

ア　画地の認定を行う場合、特に所有者及び筆界のいかんを問題としないものであり、多数の所有者が共同経営する事業所等として使用する場合等のときも、一体的に利用しているときは合画するものとする。

イ「評価の均衡上必要がある場合」として、特に問題となるのは、相続等により実際の利用状況と無関係に分割登記がなされる場合であるが、利用の状況から、分割して評価することが均衡を失すると認められる場合も当然含まれるものである。

ウ　合画の場合の各筆の評価は、数筆一画地として画地計算して得た当該画地の単位地積当たり評点数に、各筆の地積を乗じて算出するものとする。

名古屋市土地評価事務取扱要領

3　画地の認定

【評価基準】

2　画地の認定

　　各筆の宅地の評点数は、一画地の宅地ごとに画地計算法を適用して求めるものとする。この場合において、一画地は、原則として、土地課税台帳又は土地補充課税台帳に登録された一筆の宅地によるものとする。ただし、一筆の宅地又は隣接する二筆以上の宅地について、その形状、利用状況等からみて、これを一体をなしていると認められる部分に区分し、又はこれらを合わせる必要がある場合においては、その一体をなしている部分の宅地ごとに一画地とする。

第1章別表第3　　2

---

(1)　画地認定の原則

　　画地の認定は、原則として土地課税台帳又は土地補充課税台帳（以下「課税台帳」という。）に登録された一筆の宅地を一画地とするものである。

(2)　画地認定の例外

　　一筆の宅地又は隣接する二筆以上の宅地について、その形状、利用状況等からみて、これを一体をなしていると認められる部分に区分し、又はこれらを合わせる必要がある場合においては、筆界の如何にかかわらず、その一体をなしている部分の宅地ごとに一画地とする。

第5章 地目の判定と評価単位

（具体例）

ア　隣接する二筆以上の宅地にまたがり、一個又は数個の建物が存在し、一体として利用されている場合

（例：ビル敷地）

イ　隣接する二筆以上の宅地について、それらの筆ごとに一個又は数個の建物があり、建物が一体として利用されている場合

（例：母屋の他、倉庫、納屋、離れ等のある農家住宅、建物の多い工場敷地）

ウ　隣接する二筆以上の宅地について、建物の有無又はその所在の位置に関係なく塀その他の囲いにより一体として利用されている場合

（例：原材料置場等のある広い工場敷地）

エ　隣接する二筆以上の宅地について、一体として利用されている場合

（例：駐車場、ガスタンク敷地、居宅及びその駐車場）

オ　一筆の宅地について、一体として利用されていない場合

（例：一戸建貸家の集団、居宅及び店舗）

(3)　画地認定上の留意事項

ア　宅地の評価は、その利用価値に着目して評価するものであるが、現実の利用状況による画地の認定は、家屋の連たんする市街地においてはビルの敷地等特定のものを除き、事務的、技術的に困難であると考えられ、また、市町村が統一的に運用できる限度、土地の価格が一筆ごとに課税台帳に登録されること、同一所有者に属する筆の分合は利用状況の如何に関係なく所有者の自由意志でできること等を総合的に勘案し、原則として、課税台帳に登録された一筆の宅地をもって一画地とすることとされているものである。

イ　(2)の画地認定の例外の趣旨は、利用状況が同一である土地について評価の均衡を保つことであり、「これを一体をなしていると認められる部分に区分し、又はこれらを合わせる必要がある場合」については、専ら賦課期日現在における利用状況の一体性により判断するものである。

ウ　極端な形状の宅地、無道路地又は僅少な面積の宅地等については、二筆以上の宅地が一体として利用されている可能性が高いので、隣接する宅地との利用状況に十分留意する。

エ　複数筆にまたがってビル等の建築工事が行われている場合で、当該工事の状況によって明らかに一体的に利用されていると判断される場合には、当該工事中のビル等の敷地をもって一画地と認定する。

オ　一部非課税である土地の画地認定は、非課税地と課税地が塀等により明確に区分できる場合にはそれぞれ一画地とし、明確に区分できない場合には合わせて一画地とする。

(6)　倍率地域の土地の評価

　相続税の１画地の認定は、利用の単位を基に評価するのに対して、固定資産税では１筆ごとに評価することにしています。

　誤りやすい事例（【事例３－３】202ページ）で少し説明しましたが相続税等の評価を行う場合には、固定資産税評価額が、相続税等の利用の単位により評価されているか否か確認する必要があります。相続税等と固定資産税の評価の１画地の判定が異なれば、適正な

評価を行うことはできません。

　倍率地域の宅地の評価に当たっては、利用の単位をどのように判断して固定資産税評価額が算定されているか検討した上で、評価倍率を乗じる必要があります。

参考　**倍率地域の土地評価特有の取扱い**

1　倍率方式によって評価する土地の実際の面積が台帳地積と異なる場合の取扱い

　固定資産課税台帳に登録されている地積が実際の面積と異なる土地を倍率方式で評価する場合には、具体的にはどのように計算するのでしょうか。

　土地の価額は、課税時期における実際の面積に基づいて評価します。ところで、固定資産課税台帳に登録されている地積は、原則として、登記簿地積とされていますから、実際の面積と異なる場合があります。このような土地を倍率方式により評価する場合には、土地の実際の面積に対応する固定資産税評価額を仮に求め、その金額に倍率を乗じて計算した価額で評価する必要があります。

　この場合、仮に求める固定資産税評価額は、特に支障のない限り次の算式で計算して差し支えありません。（国税庁「質疑応答事例」より）

$$\text{その土地の固定資産税評価額} \times \frac{\text{実際の面積}}{\text{固定資産課税台帳に登録されている地積}}$$

2　固定資産税評価額が付されていない土地の評価

　倍率方式により評価する土地について、課税時期の直前に払下げがあったこと等により固定資産税評価額が付されていない場合には、どのように評価するのでしょうか。また、課税時期直前に地目変更等があり現況に応じた固定資産税評価額が付されていない場合には、どのように評価するのでしょうか。

　倍率方式により評価する土地について、課税時期において、固定資産税評価額が付されていない場合及び地目の変更等により現況に応じた固定資産税評価額が付されていない場合には、その土地の現況に応じ、状況が類似する付近の土地の固定資産税評価額を基とし、付近の土地とその土地との位置、形状等の条件差を考慮して、その土地の固定資産税評価額に相当する額を算出し、その額に評価倍率を乗じて評価します。

　ただし、相続税等の申告書の提出期限までに、その土地に新たに固定資産税評価額が付された場合には、その付された価額を基として評価します。

第5章 地目の判定と評価単位

10 土地分割評価届出書（市区町村により呼称は相違します。）

　１筆の土地について形状・利用状況などにより２以上の部分に明確に区分できる場合には、その利用状況に応じてそれぞれ１画地として認定し、課税を見直す必要があります。このようなときには、「土地分割評価届出書」を提出することにより相当と判断されれば、固定資産税評価額が見直されます。

■土地分割評価届出書を提出する場合の例

　例えば、１筆1,000m²の土地で、現況において700m²を畑に、残り300m²を住宅地の用に供している場合は、利用区分に応じて１筆を分割評価するため、土地分割評価届出書を提出し、課税を適正にする。

209

■土地分割評価届出書の例（大阪市）

土地分割評価届出書

令和　年　月　日

（あて先）
大 阪 市 長

納税義務者
住　所
（法人にあっては、主たる
事務所の所在地）

氏 名 印
（法人にあっては、その名
称及び代表者の氏名印）

連　絡　先

土地の所在地番					
地　　目			課税地積	㎡	
分割する画地の状況	整理番号	相当地積	画地の利用状況		
	1	㎡			
	2	㎡			
	3	㎡			
	4	㎡			
	5	㎡			
添付書類	測量図　・　その他（　　　　　　　　　　　　　　　　　　　　）				

記入要領
1　「相当地積」欄は、利用状況等で区分できる範囲の実測数値を記入した測量図等を添付し、その面積を記入してください。
2　「相当地積」の合計は「課税地積」と一致させてください。
3　「画地の利用状況」欄は、「居住用敷地」・「駐車場の敷地に利用している貸付地」等、具体に記入してください。

本市記入（確認）欄

現況調査日	令和　年　月　日	分割評価が適当でない場合はその理由	調査員
分割評価が	○適当である ○適当でない		

11 固定資産税の画地認定に関する重要判例

高松高裁平成23年12月20日判決（最高裁平成25年7月5日決定）
　固定資産税の画地認定において所有者を要件とした判決です。

（事案の概要）
・3筆（甲、乙、丙）で一体として商業施設の敷地（建物敷地・青空駐車場）として利用、出入り口以外はフェンスで囲まれています。
・本件A土地（青空駐車場）のみが所有者が異なり、賃貸していました。
・建物敷地は国道に面しているが本件A土地は幅員2.1mの背面道路にのみ面しており、本件土地は裏側の道路にのみ面しており、幹線道路からの出入りは店舗敷地を介する必要があります。

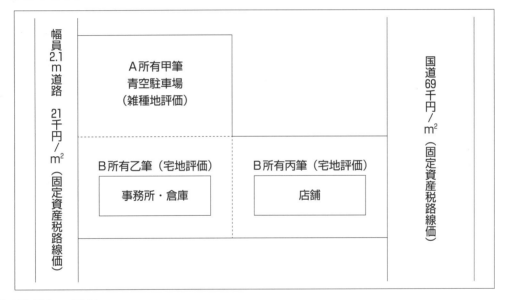

（画地判定の判決）
　「利用状況からは、本件土地を宅地である店舗敷地と一体利用がされているものとして、店舗敷地と合わせて1画地をなす宅地とみることにも一応の合理性がある」と3筆1画地の評価に一定の合理性を認めつつも、「所有者を異にするにもかかわらず本件土地と店舗敷地とを一体として取引の対象とするのが社会通念に照らして合理的であるとまで認めることはできず、画地計算法の適用において、本件土地と店舗敷地を区分したのではこれらの各土地の適正な時価、すなわち客観的な交換価値から乖離する場合に該当するということはできない」として、本件土地と店舗敷地は別個に評価することが相当であり、3筆1画地の評価は評価基準に適合しないものと結論づけました。
　この最高裁の決定は、従前からの固定資産評価における所有の同一性を問わない1画地の判断基準に疑義を投げかけたことになり、注目すべき判決です。

第6章

財産評価基本通達における
土地評価の原則

　評価単位が決まれば、いよいよ具体的に路線価等に基づいて評価額を算出します。

　以下、財産評価基本通達に基づいて、路線価による基本的な宅地等の評価額の算定方法を説明します。

1　財産評価基本通達における土地評価の定め

　相続税等の土地評価では、財産評価基本通達の定めにより、道路に宅地 1 m²当たりの価格を表示し、これに基づいて道路に接面する宅地を評価する「路線価方式」、又は固定資産税評価額に評価倍率を乗ずる「倍率方式」により評価します。

(1)　宅地評価の概要

　宅地の価額は利用の単位となっている 1 区画の宅地、すなわち 1 画地ごとに評価することとされています（財産評価基本通達 7 − 2(1)）。

　宅地の評価方式には、路線価方式と倍率方式があります（財産評価基本通達11）。

（路線価方式）

> 　路線価　×　画地調整率　×　地積

　路線価は、路線価図（次ページ参照）により確認します。

　画地調整率は、画地調整率表（218 〜 223ページ参照）により確認します。

（倍率方式）

> 　固定資産税評価額　×　評価倍率

　評価倍率は、評価倍率表（215ページ）により確認します。

212

第6章 財産評価基本通達における土地評価の原則

(2) 路線価図の見方

「路線価」は、宅地の価額がおおむね同一と認められる一連の宅地が面している路線（不特定多数の者の通行の用に供されている道路をいう。以下同じ。）ごとに設定されています。

参考　路線価が設定されている道路

① 通り抜けできる道路（何ら制約を設けず広く一般公衆の通行の用に供されているもの）

（注）路線価の設定されている道路は、公道と私道の区別を問いません。

② 行止まり道路のうちで現実の利用状況が極めて公共性の高いもの

（注）行止まり道路には、通常、路線価は設定されません。

■路線価図の見方（国税庁ホームページ「路線価図の説明」より）

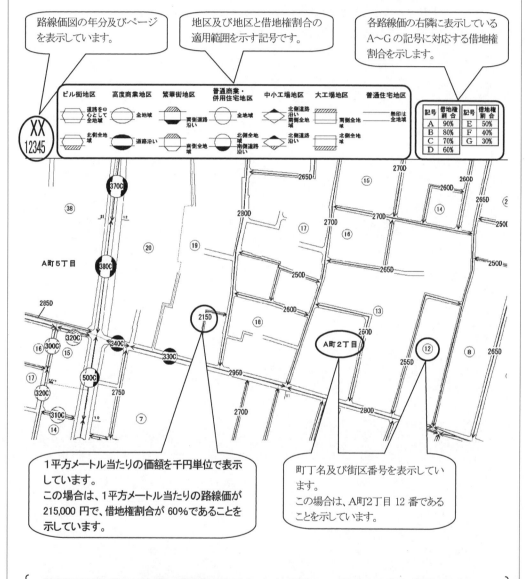

第6章 財産評価基本通達における土地評価の原則

(3) 評価倍率表の見方 （国税庁ホームページ「評価倍率表の説明」より）

評価倍率表（一般の土地等用）の説明

評価倍率は、路線価が定められていない地域の土地等を評価する場合に用います。

1 「町（丁目）又は大字名」欄

「町（丁目）又は大字名」欄には、市区町村ごとに、町（丁目）又は大字名を五十音順に記載しています。

2 「適用地域名」欄

「適用地域名」欄に、「全域」とある場合には、その町（丁目）又は大字の全域が路線価地域又は倍率地域であることを示しています。

また、「一部」又は「路線価地域」とある場合には、その町（丁目）又は大字の地域に路線価地域と倍率地域が存在することを示しています。

したがって、この場合には、路線価図により、その評価しようとする土地等が路線価地域又は倍率地域のいずれに所在するかを確認する必要があります。

〔掲載例〕

市区町村名：〇〇〇市 　　　　　　　　　　　　　　　　　　　　　　　〇〇〇税務署

音順	町（丁目）又は大字名	適　用　地　域　名	借地権割合	固定資産税評価額に乗ずる倍率等						
				宅地	田	畑	山林	原野	牧場	池沼
			％	倍	倍	倍	倍	倍	倍	倍
あ	旭町	全域	―	路線	比準	比準	比準	比準		
	東町	全域	―	路線	比準	比準	比準	比準		
	暁町１丁目	全域	―	路線	比準	比準	比準	比準		
	暁町２丁目	全域	―	路線	比準	比準	比準	比準		
	暁町３丁目	全域	60	1.1	比準	比準	比準	比準		
い	石川町	一部	―	路線	比準	比準	比準	比準		
		上記以外の地域	60	1.1	比準	比準	比準	比準		

3 「借地権割合」欄

「借地権割合」欄には、倍率地域におけるその町（丁目）又は大字の地域につき、「借地権」の価額を評価する場合の借地権割合を掲げています。

215

（注）路線価地域の借地権割合については、路線価図を参照してください。

　　　なお、例えば路線価地域で２路線以上に面する場合の借地権割合又は路線価地域と
　　倍率地域が接続する地域の借地権割合は、原則として、路線価地域の正面路線価に表
　　示してある借地権割合によります。

４　「宅地」欄

　　　「宅地」欄には、その町（丁目）又は大字の地域の「宅地」の価額を評価する場合に
　　おける固定資産税評価額に乗ずる倍率を記載していますが、「路線」と表示してあるの
　　は、その地域が路線価地域であることを示しています。

　　　ただし、農用地区域又は市街化調整区域内に存する農業用施設用地の価額は、財産評
　　価基本通達24－５（農業用施設用地の評価）の定めによって評価します。

５　「田」、「畑」欄

　　　「田」、「畑」欄には、その地域の「田」、「畑」の価額を評価する場合における農
　　地の分類、評価方式及び固定資産税評価額に乗ずる倍率を記載しています。

　　　なお、農地の分類等は、次に掲げる略称を用いて記載しています。

　　　　　　　　（農地の分類等）　　　　　　　　　（略称）
　　　　　　　　純　農　地　…………………………　純
　　　　　　　　中　間　農　地　…………………………　中
　　　　　　　　市街地周辺農地　…………………………周比準
　　　　　　　　市　街　地　農　地　…………………………比　準　又は　市比準

　　　（注）　「比準」、「市比準」及び「周比準」と表示してある地域は、付近の宅
　　　　　　地の価額に比準（「宅地比準方式」という。）して評価する地域です。以
　　　　　　下、山林及び原野についても同様です。

６　「山林」欄

　　　「山林」欄には、その地域の「山林」の価額を評価する場合における山林の分類、評
　　価方式及び固定資産税評価額に乗ずる倍率を記載しています。

　　　なお、山林の分類等は、次に掲げる略称を用いて記載しています。

　　　　　　　　（山林の分類等）　　　　　　　　　（略称）
　　　　　　　　純　山　林　…………………………　純
　　　　　　　　中　間　山　林　…………………………　中
　　　　　　　　市　街　地　山　林　…………………………比　準　又は　市比準

７　「原野」欄

　　　「原野」欄には、その地域の「原野」の価額を評価する場合における原野の分類、評
　　価方式及び固定資産税評価額に乗ずる倍率を記載しています。

なお、原野の分類等は、次に掲げる略称を用いて記載しています。

（原野の分類等）　　　　　　　　　　（略称）

純　　原　　野　…………………………　純

中　間　原　野　…………………………　中

市　街　地　原　野　……………………比　準　又は　市比準

8　「牧場」及び「池沼」欄

「牧場」及び「池沼」欄には、その地域の「牧場」及び「池沼」の価額を評価する場合における評価方式及び固定資産税評価額に乗ずる倍率を記載しています。

〔掲載例〕

市区町村名：○○○町　　　　　　　　　　　　　　　　　　　　　　○○○税務署

音順	町（丁目）又は大字名	適　用　地　域　名	借地権割合	固定資産税評価額に乗ずる倍率等						
				宅地	田	畑	山林	原野	牧場	池沼
			％	倍	倍	倍	倍	倍	倍	倍
ね	根小屋	上記以外の地域	40	1.1	中 90	中 113	純 48	純 48		
ま	又野	農業振興地域内の農用地区域			純 34	純 54				
		上記以外の地域	40	1.1	純 48	純 67	純 46	純 46		
み	三ケ木	用途地域の指定されている地域	―	路線	周比準	周比準	比準	比準		
		農業振興地域内の農用地区域			純 55	純 79				

〔計算例〕

（固定資産税評価額）　　　　（倍率）　　　　　（評価額）

10,000,000 円　　×　　1.1　　＝　　11,000,000 円

※　固定資産税評価額は、都税事務所や市（区）役所又は町村役場で確認してください。

⑷　画地調整率表

付表1

奥行価格補正率表（昭45直資3−13・平3課評2−4外・平18課評2−27外・平29課評2−46外改正）

奥行距離（メートル） ＼ 地区区分	ビル街地区	高度商業地区	繁華街地区	普通商業・併用住宅地区	普通住宅地区	中小工場地区	大工場地区
4未満	0.80	0.90	0.90	0.90	0.90	0.85	0.85
4以上6未満		0.92	0.92	0.92	0.92	0.90	0.90
6〃　8〃	0.84	0.94	0.95	0.95	0.95	0.93	0.93
8〃　10〃	0.88	0.96	0.97	0.97	0.97	0.95	0.95
10〃　12〃	0.90	0.98	0.99	0.99	1.00	0.96	0.96
12〃　14〃	0.91	0.99	1.00	1.00		0.97	0.97
14〃　16〃	0.92	1.00				0.98	0.98
16〃　20〃	0.93					0.99	0.99
20〃　24〃	0.94					1.00	1.00
24〃　28〃	0.95				0.97		
28〃　32〃	0.96		0.98		0.95		
32〃　36〃	0.97		0.96	0.97	0.93		
36〃　40〃	0.98		0.94	0.95	0.92		
40〃　44〃	0.99		0.92	0.93	0.91		
44〃　48〃	1.00		0.90	0.91	0.90		
48〃　52〃		0.99	0.88	0.89	0.89		
52〃　56〃		0.98	0.87	0.88	0.88		
56〃　60〃		0.97	0.86	0.87	0.87		
60〃　64〃		0.96	0.85	0.86	0.86	0.99	
64〃　68〃		0.95	0.84	0.85	0.85	0.98	
68〃　72〃		0.94	0.83	0.84	0.84	0.97	
72〃　76〃		0.93	0.82	0.83	0.83	0.96	
76〃　80〃		0.92	0.81	0.82			
80〃　84〃		0.90	0.80	0.81	0.82	0.93	
84〃　88〃		0.88		0.80			
88〃　92〃		0.86			0.81	0.90	
92〃　96〃	0.99	0.84					
96〃　100〃	0.97	0.82					
100〃	0.95	0.80			0.80		

付表2

側方路線影響加算率表（平3課評2－4外・平18課評2－27外改正）

地区区分	加算率	
	角地の場合	準角地の場合
ビル街地区	0.07	0.03
高度商業地区 繁華街地区	0.10	0.05
普通商業・併用住宅地区	0.08	0.04
普通住宅地区 中小工場地区	0.03	0.02
大工場地区	0.02	0.01

（注）準角地とは、次図のように一系統の路線の屈折部の内側に位置するものをいう。

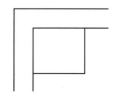

付表3

二方路線影響加算率表（平3課評2－4外・平18課評2－27外改正）

地区区分	加算率
ビル街地区	0.03
高度商業地区 繁華街地区	0.07
普通商業・併用住宅地区	0.05
普通住宅地区 中小工場地区 大工場地区	0.02

付表 4

地積区分表（平11課評 2 －12外追加・平18課評 2 －27外改正）

地区区分＼地積区分	A	B	C
高度商業地区	1,000m²未満	1,000m²以上 1,500m²未満	1,500m²以上
繁華街地区	450m²未満	450m²以上 700m²未満	700m²以上
普通商業・併用住宅地区	650m²未満	650m²以上 1,000m²未満	1,000m²以上
普通住宅地区	500m²未満	500m²以上 750m²未満	750m²以上
中小工場地区	3,500m²未満	3,500m²以上 5,000m²未満	5,000m²以上

付表 5

不整形地補正率表（平11課評 2 －12外追加・平18課評 2 －27外改正）

地区区分	高度商業地区、繁華街地区、普通商業・併用住宅地区、中小工場地区			普通住宅地区		
地積区分＼かげ地割合	A	B	C	A	B	C
10%以上	0.99	0.99	1.00	0.98	0.99	0.99
15% 〃	0.98	0.99	0.99	0.96	0.98	0.99
20% 〃	0.97	0.98	0.99	0.94	0.97	0.98
25% 〃	0.96	0.98	0.99	0.92	0.95	0.97
30% 〃	0.94	0.97	0.98	0.90	0.93	0.96
35% 〃	0.92	0.95	0.98	0.88	0.91	0.94
40% 〃	0.90	0.93	0.97	0.85	0.88	0.92
45% 〃	0.87	0.91	0.95	0.82	0.85	0.90
50% 〃	0.84	0.89	0.93	0.79	0.82	0.87
55% 〃	0.80	0.87	0.90	0.75	0.78	0.83
60% 〃	0.76	0.84	0.86	0.70	0.73	0.78
65% 〃	0.70	0.75	0.80	0.60	0.65	0.70

（注）

1　不整形地の地区区分に応ずる地積区分は、付表 4 「地積区分表」による。

2　かげ地割合は次の算式により計算した割合による。

第6章 財産評価基本通達における土地評価の原則

$$\text{「かげ地割合」} = \frac{\text{想定整形地の地積} - \text{不整形地の地積}}{\text{想定整形地の地積}}$$

3 間口狭小補正率の適用がある場合においては、この表により求めた不整形地補正率に間口狭小補正率を乗じて得た数値を不整形地補正率とする。ただし、その最小値はこの表に定める不整形地補正率の最小値（0.60）とする。

また、奥行長大補正率の適用がある場合においては、選択により、不整形地補正率を適用せず、間口狭小補正率に奥行長大補正率を乗じて得た数値によって差し支えない。

4 大工場地区にある不整形地については、原則として不整形地補正を行わないが、地積がおおむね9,000平方メートル程度までのものについては、付表4「地積区分表」及びこの表に掲げる中小工場地区の区分により不整形地としての補正を行って差し支えない。

付表6

間口狭小補正率表（昭45直資3－13・平3課評2－4外・平18課評2－27外改正）

地区区分 間口距離 （メートル）	ビル街 地区	高度商業 地区	繁華街 地区	普通商業・ 併用住宅地区	普通住宅 地区	中小工場 地区	大工場 地区
4 未満	－	0.85	0.90	0.90	0.90	0.80	0.80
4以上6未満	－	0.94	1.00	0.97	0.94	0.85	0.85
6 〃 8 〃	－	0.97		1.00	0.97	0.90	0.90
8 〃 10 〃	0.95	1.00			1.00	0.95	0.95
10 〃 16 〃	0.97					1.00	0.97
16 〃 22 〃	0.98						0.98
22 〃 28 〃	0.99						0.99
28 〃	1.00						1.00

付表7

奥行長大補正率表（昭45直資3－13・平3課評2－4外改正）

地区区分 奥行距離 間口距離	ビル街 地区	高度商業地区 繁華街地区 普通商業・併用住宅地区	普通住宅 地区	中小工場 地区	大工場 地区
2以上3未満	1.00	1.00	0.98	1.00	1.00
3 〃 4 〃		0.99	0.96	0.99	
4 〃 5 〃		0.98	0.94	0.98	
5 〃 6 〃		0.96	0.92	0.96	
6 〃 7 〃		0.94	0.90	0.94	
7 〃 8 〃		0.92		0.92	
8 〃		0.90		0.90	

221

付表8

がけ地補正率表 (平3課評2－4外・平11課評2－12外改正)

がけ地地積／総地積　　がけ地の方位	南	東	西	北
0.10以上	0.96	0.95	0.94	0.93
0.20 〃	0.92	0.91	0.90	0.88
0.30 〃	0.88	0.87	0.86	0.83
0.40 〃	0.85	0.84	0.82	0.78
0.50 〃	0.82	0.81	0.78	0.73
0.60 〃	0.79	0.77	0.74	0.68
0.70 〃	0.76	0.74	0.70	0.63
0.80 〃	0.73	0.70	0.66	0.58
0.90 〃	0.70	0.65	0.60	0.53

(注) がけ地の方位については、次により判定する。

1　がけ地の方位は、斜面の向きによる。

2　2方位以上のがけ地がある場合は、次の算式により計算した割合をがけ地補正率とする。

$$\frac{\left[\begin{array}{c}\text{総地積に対するがけ}\\\text{地部分の全地積の割}\\\text{合に応ずるA方位の}\\\text{がけ地補正率}\end{array}\right.\times\begin{array}{c}\text{A方位の}\\\text{がけ地の}\\\text{地積}\end{array}+\begin{array}{c}\text{総地積に対するがけ}\\\text{地部分の全地積の割}\\\text{合に応ずるB方位の}\\\text{がけ地補正率}\end{array}\times\begin{array}{c}\text{B方位の}\\\text{がけ地の}\\\text{地積}\end{array}+\cdots\cdots\left.\right]}{\text{がけ地部分の全地積}}$$

3　この表に定められた方位に該当しない「東南斜面」などについては、がけ地の方位の東と南に応ずるがけ地補正率を平均して求めることとして差し支えない。

付表9

特別警戒区域補正率表 (平30課評2－49外追加)

特別警戒区域の地積／総地積	補正率
0.10以上	0.90
0.40 〃	0.80
0.70 〃	0.70

(注) がけ地補正率の適用がある場合においては、この表により求めた補正率にがけ地補正率を乗じて得た数値を特別警戒区域補正率とする。ただし、その最小値は0.50とする。

第6章 財産評価基本通達における土地評価の原則

規模格差補正率（評基通20-2「地積規模の大きな宅地の評価」）

$$規模格差補正率＝\frac{Ⓐ \quad × \quad Ⓑ \quad + \quad Ⓒ}{地積規模の大きな宅地の地積（Ⓐ）}×0.8$$

イ　三大都市圏に所在する宅地

地積㎡　　　記号	地区区分　普通商業・併用住宅　普　通　住　宅	
	Ⓑ	Ⓒ
500以上 1,000未満	0.95	25
1,000 〃 3,000 〃	0.90	75
3,000 〃 5,000 〃	0.85	225
5,000 〃	0.80	475

ロ　三大都市圏以外の地域に所在する宅地

地積㎡　　　記号	地区区分　普通商業・併用住宅　普　通　住　宅	
	Ⓑ	Ⓒ
1,000以上 3,000未満	0.90	100
3,000 〃 5,000 〃	0.85	250
5,000 〃	0.80	500

(注)　1　上記算式により計算した規模格差補正率は、小数点以下第2位未満を切り捨てる。

　　　2　「三大都市圏」とは、次の地域をいう。

　　　　イ　首都圏整備法（昭和31年法律第83号）第2条《定義》第3項に規定する既成市街地又は同条第4項に規定する近郊整備地帯

　　　　ロ　近畿圏整備法（昭和38年法律第129号）第2条《定義》第3項に規定する既成都市区域又は同条第4項に規定する近郊整備区域

　　　　ハ　中部圏開発整備法（昭和41年法律第102号）第2条《定義》第3項に規定する都市整備区域

(5)　平成3年分以前用の画地調整率表

　平成3年分以前用の画地調整率を見ますと現在のものとはかなり相違します。

（相違の例）

・現在の名称は「奥行価格補正率表」ですが、以前は「奥行価格逓減率表」と呼ばれていました。現在の地区区分は7種類で奥行距離はメートル刻みですが、以前は4種類で、奥行距離は平成3年分までは尺貫法の単位である間刻み（表示はメートル）、それ以前（例えば昭和43年分）では間刻み（表示も間）でした。

・また、平成3年分までは、奥行の短いものほど1.00に近い数値でしたが、平成19年分は、例えば普通住宅地区では、20m前後の奥行距離補正率が1.00となっていますが、これより奥行の短いもの及び長いものは1.00より小さくなります。

・現在使用の画地調整率表には不整形地補正率表がありますが、以前はなく、現在にはない三角地補正率表があります。

223

■平成３年分の画地調整率表

奥行価格逓減率表

奥行距離（メートル）	繁華街 高度商業地区	普通商業地区 併用住宅地区	普通住宅地区 家内工業地区	中小工場地区
16.36未満	1.00	1.00	1.00	1.00
16.36以上 18.18未満	0.99			
18.18以上 20.00未満	0.98	0.99		
20.00以上 21.81未満	0.97			
21.81以上 23.63未満	0.96	0.98		
23.63以上 25.45未満	0.95	0.97	0.99	
25.45以上 27.27未満	0.93	0.96		
27.27以上 29.09未満	0.92	0.95	0.98	
29.09以上 30.90未満	0.90	0.93	0.97	
30.90以上 32.72未満	0.89	0.92		
32.72以上 34.54未満	0.87	0.91	0.96	
34.54以上 36.36未満	0.86	0.90	0.95	
36.36以上 38.18未満	0.84	0.89	0.94	
38.18以上 40.00未満	0.83	0.88	0.93	
40.00以上 41.81未満	0.81	0.87		
41.81以上 43.63未満	0.80	0.86	0.92	
43.63以上 45.45未満	0.79	0.85	0.91	
45.45以上 47.27未満	0.78	0.84		0.98
47.27以上 49.09未満	0.77	0.83	0.90	
49.09以上 50.90未満	0.76	0.82		
50.90以上 52.72未満	0.75	0.81	0.89	
52.72以上 54.54未満	0.74	0.80		
54.54以上 56.36未満	0.73	0.79	0.88	
56.36以上 58.18未満	0.72	0.78		
58.18以上 60.00未満	0.71	0.77		0.96
60.00以上 61.81未満	0.70	0.76	0.87	
61.81以上 63.63未満	0.69	0.75		
63.63以上 65.45未満	0.68	0.74		0.94
65.45以上 67.27未満	0.67	0.73	0.86	
67.27以上 69.09未満	0.66	0.72		
69.09以上 70.90未満		0.71		
70.90以上 72.72未満	0.65	0.70	0.85	
72.72以上 81.81未満	0.64	0.69	0.84	0.92
81.81以上 90.90未満	0.62	0.68	0.83	0.90
90.90以上 100.00未満	0.61	0.67	0.82	0.88
100.00以上 109.09未満		0.66	0.81	0.86
109.09以上	0.60	0.65	0.80	0.85

(注)　「大工場地区」の奥行価格逓減率は、奥行距離にかかわらず、すべて「1.00」とする。

側方路線影響加算率表

地区区分	加算率 角地の場合	準角地の場合
繁華街 高度商業地区	0.150	0.075
普通商業地区 併用住宅地区	0.100	0.050
普通住宅地区 家内工業地区	0.070	0.035
中小工場地区 大工場地区	0.050	0.025

二方路線影響加算率表

地区区分	加算率
繁華街 高度商業地区	0.07
普通商業地区 併用住宅地区	0.05
普通住宅地区 家内工業地区	0.03
中小工場地区 大工場地区	0.03

三角地補正率表　(1) 角度補正率表

最小角	10度未満	10度以上 15度未満	15度以上 20度未満	20度以上 30度未満	30度以上 45度未満	45度以上
底角	0.80	0.85	0.89	0.92	0.95	0.97
対角	0.75	0.81	0.86	0.90	0.93	0.95

(注)　逆三角地及び無道路地の三角地補正は、最小角が底角の場合であっても対角の場合の補正率を適用するものとする。

(2) 面積補正率表

最小角 \ 面積（平方メートル）	99.17平方メートル未満	99.17平方メートル以上 132.23平方メートル未満	132.23平方メートル以上 165.28平方メートル未満	165.28平方メートル以上 330.57平方メートル未満	330.57平方メートル以上 991.73平方メートル未満	991.73平方メートル以上 3,305.78平方メートル未満	3,305.78平方メートル以上
30度未満	0.75	0.75	0.80	0.85	0.90	0.95	0.98
30度以上	0.80	0.85	0.85	0.90	0.95	0.98	0.98

間口狭小補正率表

間口距離（メートル）	繁華街 高度商業地区	普通商業地区 併用住宅地区	普通住宅地区 家内工業地区	中小工場地区	大工場地区
1.81未満	0.80	0.80	0.80	0.80	0.80
1.81以上 3.63未満	0.90	0.90	0.86	0.84	0.82
3.63以上 5.45未満	1.00	0.97	0.95	0.92	0.84
5.45以上 7.27未満		1.00	0.99	0.96	0.90
7.27以上 9.09未満			1.00	0.99	0.95
9.09以上 10.90未満				1.00	0.97
10.90以上 14.54未満					0.98
14.54以上 18.18未満					0.99
18.18以上					1.00

奥行長大補正率表

奥行距離 間口距離	4以上 5未満	5以上 6未満	6以上 7未満	7以上 8未満	8以上 9未満	9以上
補正率	0.99	0.98	0.97	0.95	0.92	0.90

奥行短小補正率表

奥行距離（メートル）	繁華街 高度商業地区	普通商業地区 併用住宅	普通住宅地区 家内工業	中小工場地区	大工場地区
1.8以上 3.63未満	0.95	0.91	0.90	0.86	0.80
3.63以上 5.45未満	0.98	0.96	0.95	0.90	0.82
5.45以上 7.27未満	1.00	0.99	0.98	0.93	0.84
7.27以上 9.09未満		1.00	0.99	0.95	0.86
9.09以上 10.90未満			1.00	0.96	0.88
10.90以上 12.72未満				0.97	0.90
12.72以上 14.54未満				0.98	0.92
14.54以上 16.36未満				0.99	0.93
16.36以上 18.18未満				1.00	0.94
18.18以上 20.00未満					0.95
20.00以上 21.81未満					0.96
21.81以上 23.63未満					
23.63以上 25.45未満					0.97
25.45以上 27.27未満					
27.27以上 29.09未満					0.98
29.09以上 30.90未満					
30.90以上 32.72未満					0.99
32.72以上 34.54未満					
34.54以上 36.36未満					
36.36以上					1.00

がけ地補正率表

崖地地積 総地積	0.10以上 0.20未満	0.20以上 0.30未満	0.30以上 0.40未満	0.40以上 0.50未満	0.50以上 0.60未満
補正率	0.95	0.90	0.85	0.80	0.75

崖地地積 総地積	0.60以上 0.70未満	0.70以上 0.80未満	0.80以上 0.90未満	0.90以上 0.95未満	0.95以上
補正率	0.70	0.65	0.60	0.55	0.50

(6) 昭和43年分の画地調整率表

付表　1　　　　　　　　　奥　行　価　格　逓　減　率　表

奥行間数(間)	繁華街 高度商業地区	普通商業地区 併用住宅地区	普通住宅地区 家内工業地区	中小工場地区	大工場地区
9未満	1.00	1.00	1.00	1.00	1.00
9以上10未満	0.99				
10以上11未満	0.98	0.99			
11以上12未満	0.97				
12以上13未満	0.96	0.98			
13以上14未満	0.95	0.97	0.99		
14以上15未満	0.93	0.96			
15以上16未満	0.92	0.95	0.98		
16以上17未満	0.90	0.93	0.97		
17以上18未満	0.89	0.92			
18以上19未満	0.87	0.91	0.96		
19以上20未満	0.86	0.90	0.95		
20以上21未満	0.84	0.89	0.94		
21以上22未満	0.83	0.88	0.93		
22以上23未満	0.81	0.87			
23以上24未満	0.80	0.86	0.92		
24以上25未満	0.79	0.85	0.91		
25以上26未満	0.78	0.84		0.98	
26以上27未満	0.77	0.83	0.90		
27以上28未満	0.76	0.82			
28以上29未満	0.75	0.81	0.89		
29以上30未満	0.74	0.80			
30以上31未満	0.73	0.79	0.88		
31以上32未満	0.72	0.78			
32以上33未満	0.71	0.77		0.96	
33以上34未満	0.70	0.76	0.87		
34以上35未満	0.69	0.75			
35以上36未満	0.68	0.74		0.94	
36以上37未満	0.67	0.73	0.86		
37以上38未満	0.66	0.72			
38以上39未満		0.71			
39以上40未満	0.65	0.70	0.85		
40以上45未満	0.64	0.69	0.84	0.92	
45以上50未満	0.62	0.68	0.83	0.90	
50以上55未満	0.61	0.67	0.82	0.88	
55以上60未満		0.66	0.81	0.86	
60以上	0.60	0.65	0.80	0.85	

（昭和43年分）

付表 2

側 方 路 線 影 響 加 算 率

地　区　区　分	加　算　率	
	角 地 の 場 合	準 角 地 の 場 合
繁　　　華　　　街 高　度　商　業　地　区	0.150	0.075
普　通　商　業　地　区 併　用　住　宅　地　区	0.100	0.050
普　通　住　宅　地　区 家　内　工　業　地　区	0.070	0.035
中　小　工　場　地　区 大　　工　　場　　地　　区	0.050	0.025

（注）　準角地とは、次図のように一系統の路線の屈折部の内側に位置するものをいう。

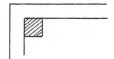

付表 3

二 方 路 線 影 響 加 算 率 表

地　区　分　分	加　算　率
繁　　　華　　　街 高　度　商　業　地　区	0.07
普　通　商　業　地　区 併　用　住　宅　地　区	0.05
普　通　住　宅　地　区 家　内　工　業　地　区	0.03
中　小　工　場　地　区 大　　工　　場　　地　　区	0.03

第6章 財産評価基本通達における土地評価の原則

（昭和43年分）

付表　4

三 角 地 補 正 率 表

(1)　角度補正率表

最　小　角	10度未満	10度以上 15度未満	15度以上 20度未満	20度以上 30度未満	30度以上 45度未満	45度以上
底　　角	0.80	0.85	0.89	0.92	0.95	0.97
対　　角	0.75	0.81	0.86	0.90	0.93	0.95

（注）1.　この表の適用にあたつては、最小角が底角の三角形については「底角」の欄、最小角が対角の三角
地については「対角」の欄の該当角度の補正率による。ただし、逆三角地および盲地の三角補正は、
最小角が底角の場合であつても、対角の場合の補正率による。

　　　2.　底角とは、三角地の路線に接する線と他の一辺が形成する角をいい、対角とは、路線に接しない2
辺が形成する角をいう。

(2)　面積補正率表

面積 最小角	30坪未満	30坪以上 40坪未満	40坪以上 50坪未満	50坪以上 100坪未満	100坪以上 300坪未満	300坪以上 1,000坪未満	1,000坪以上
30度未満	0.75	0.75	0.80	0.85	0.90	0.95	0.98
30度以上	0.80	0.85	0.85	0.90	0.95	0.98	0.98

付表　5

間 口 狭 小 補 正 率 表

地区区分 間口間数(間)	繁　華　街 高度商業地区	普通商業地区 併用住宅地区	普通住宅地区 家内工業地区	中小工場地区	大工場地区
1未満	0.80	0.80	0.80	0.80	0.80
1以上　2未満	0.90	0.90	0.86	0.84	0.82
2以上　3未満	1.00	0.97	0.95	0.92	0.84
3以上　4未満		1.00	0.99	0.96	0.90
4以上　5未満			1.00	0.99	0.95
5以上　6未満				1.00	0.97
6以上　8未満					0.98
8以上10未満					0.99
10以上					1.00

付表　6

奥 行 長 大 補 正 率 表

奥行間数 間口間数	4以上5未満	5以上6未満	6以上7未満	7以上8未満	8以上9未満	9　以　上
補　正　率	0.99	0.98	0.97	0.95	0.92	0.90

（昭和43年分）

付表　7

奥　行　短　小　補　正　率　表

奥行間数(間)／地区区分	繁　華　街 高度商業地区	普通商業地区 併用住宅地区	普通住宅地区 家内工業地区	中小工場地区	大　工　場　地区
1未満	0.89	0.83	0.83	0.81	0.77
1以上　2未満	0.95	0.91	0.90	0.86	0.80
2以上　3未満	0.98	0.96	0.95	0.90	0.82
3以上　4未満	1.00	0.99	0.98	0.93	0.84
4以上　5未満		1.00	0.99	0.95	0.86
5以上　6未満			1.00	0.96	0.88
6以上　7未満				0.97	0.90
7以上　8未満				0.98	0.92
8以上　9未満				0.99	0.93
9以上10未満				1.00	0.94
10以上11未満					0.95
11以上12未満					0.96
12以上13未満					
13以上14未満					0.97
14以上15未満					
15以上16未満					0.98
16以上17未満					
17以上18未満					0.99
18以上19未満					
19以上20未満					
20以上					1.00

付表　8

崖　地　補　正　率　表

崖地地積／総地積	0.10以上 0.20未満	0.20以上 0.30未満	0.30以上 0.40未満	0.40以上 0.50未満	0.50以上 0.60未満
補　正　率	0.95	0.90	0.85	0.80	0.75

崖地地積／総地積	0.60以上 0.70未満	0.70以上 0.80未満	0.80以上 0.90未満	0.90以上 0.95未満	0.95以上
補　正　率	0.70	0.65	0.60	0.55	0.50

(7) 平成3年分の路線価図（大阪市北区）

大阪国税局大阪市北区阪急百貨店前、当時はバブル期で最高路線価2,830万円（令和5年は、1,920万円）です。

(8) 昭和43年分の路線価図（大阪市北区）

　平成３年分と同じ地域です。最高路線価が設定されている道路は、阪急百貨店前ではなく阪神百貨店前です。

　路線価は290万円（１坪当たりの路線価を1,000円単位で表示）です。

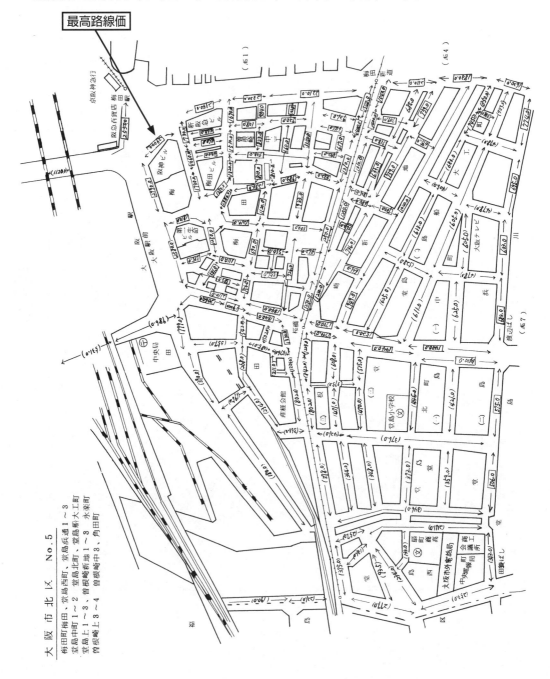

2 路線価方式の基礎計算式

宅地の評価は、道路に設定された路線価等により行います。

次に基本的な類型の宅地と評価の計算式について説明します。

【事例1】一路線に面する宅地

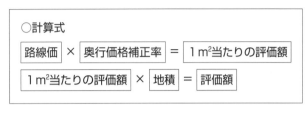

【事例2】角地（正面路線と側方路線に面する宅地）

正面と側方に路線がある宅地の評価方法であり、2系統の路線があるため、利用間口が広くなり、出入りの利便が増し、採光、通風もよくなり、価値が増加します。

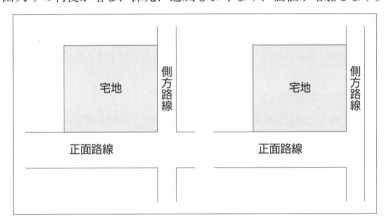

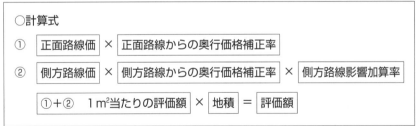

参考　角地の内角の判断基準

　建築基準法により、角地は建ぺい率の10％加算ができますが、角地であるか否かの判断基準となる内角については、特定行政庁（市町村等）が建築条例等により個々に定めており、全国一律ではありません。例えば、角地となるのは東京都は内角120度未満、大阪市は内角150度以下、名古屋市は内角120度以下など様々です。

なお、建築基準法上の角地に該当するための要件は、内角だけではなく、他の要件も満たす必要があります。

参考　相続税法と建築基準法の角地の相違

　相続税法の財産評価基本通達では、角地について側方加算があるため中間画地と評価が相違します。

　しかし、当該通達及び国税庁の質疑応答事例等では角地の定義は見当たりません。

　一方、建築基準法では、角地について建ぺい率の10%緩和制度が設けられており、これにより、角地として一定の効用があるものが定義されています。

○建築基準法の角地と判断する内角の基準

　建ぺい率の角地緩和は、特定行政庁ごとに条件が違うので複雑です。

　建築基準法により、一定の角地は建ぺい率の10%加算ができますが、加算対象であるか否かの判断基準となる内角については、特定行政庁が条例等により個々に定めており、全国一律ではありません。例えば、対象となるのは東京都では内角120度未満、大阪市では内角150度以下、名古屋市では内角120度以下など様々です。

　路線価図に路線価設定があり、また、住宅地図等により確認して角地であっても、市町村（特定行政庁）の条例等の定めにより、建築基準法上の角地（建ぺい率の加算対象となる角地）となるかどうかは別です。

①　相続税評価の側方加算の扱い

　相続税では、側方路線に路線価が設定されている場合、建築基準法の建ぺい率の角地緩和に該当することと関係なく側方加算して評価します。

②　建築基準法の建ぺい率の角地緩和の扱い

　路線価設定の有無とは関係なく、建築基準法上の基準に該当すれば建ぺい率が10%加算されます。

　なお、角地緩和に該当するか否かは一般に各市町村の条例により規定されています。

○堺市の建ぺい率の角地緩和の条例（堺市ホームページより引用）

　建ぺい率が角地等により10%緩和できる要件は以下のとおりです。

・対象不動産が200m²超の場合は、接道幅員が6m、200m²以下の場合は4m以上必要です。

・したがって、堺市条例では側方路線の幅員が4m未満で建ぺい率の緩和措置10%の加算はできませんが、相続税評価では角地加算して評価することになります。

（具体例）

　建築基準法第53条第3項第2号の規定により、街区の角にある敷地又はこれに準ずる敷地については、堺市では以下のとおり定められています（堺市建築基準法細則第6条）。

（2つの道路によってできた角敷地）

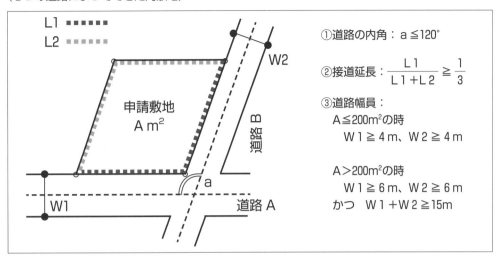

（注）上図の道路A・Bの部分が、公園・広場・水面その他これらに類するものの場合、その部分が上記の①から③の条件に当てはまるものであれば、建ぺい率が緩和できる場合があります。

（事例　宅地　面積383.83m²）

認定道路
正面路線幅員6m

側方路線
幅員2m

（路線価図）相続税評価は側方路線価の設定あり

　上記建物の建築計画概要書では正面路線道路幅員６ｍと記載されています。側方路線の幅員は２ｍで建ぺい率の緩和要件である幅員４ｍ以上を満たさないため、角度が120度未満であっても建ぺい率の角地緩和の対象とはなりません。
（建築計画概要書）

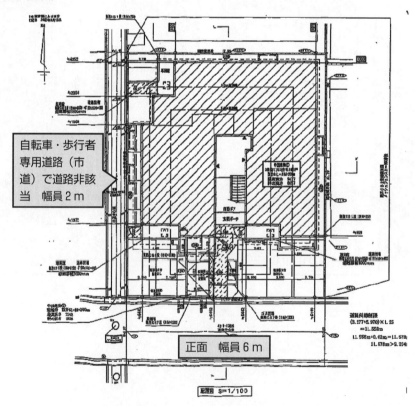

■誤りやすい事例

　下図の左の事例は宅地が接面する道路の系統が3つあるため三方路線価で評価しますが、右の事例は道路の系統が2つですので角地として評価します。

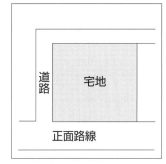

【事例3】準角地（正面路線とその同一系統の側方路線の面する場合）

　下図の事例は角地とは異なり準角地といいます。角地のように2系統の路線（道路）の交差する地点に位置する場合の宅地とは異なり、1系統の路線の屈折部の内側であることから、角地の人の出入り、通風、採光の有利さ等は、低下します。

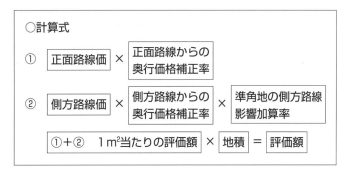

■誤りやすい事例

　準角地とは、一系統の路線（L字型道路）の屈折部の内側に位置している画地をいいます。次の事例の宅地は、準角地にはなりません。

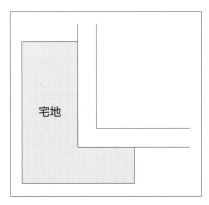

■側方路線影響加算を調整する場合について

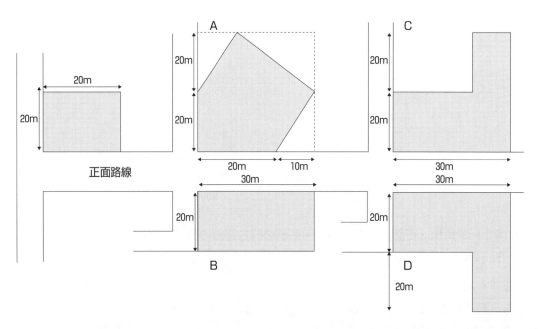

　側方路線影響加算については、国税庁ホームページ質疑応答事例「側方路線影響加算の計算例－不整形地の場合」及び「側方路線に宅地の一部が接している場合の評価」が参考となりますが、同質疑応答事例の「二方路線影響加算の方法」にあるように、「側方路線に接する部分の距離が想定整形地の奥行距離に占める割合」により加算額を調整すると明確に記載されていません。

　しかし、二方路線影響加算の考え方と同様であることが計算例から読み取れますので、

$$側方路線影響加算額 = 側方路線価 \times 奥行価格補正率 \times 側方路線影響加算率 \times \left(\frac{側方路線に接する部分の距離}{想定整形地の奥行距離}\right)$$

となり、以上から、

　Aについては1/2、Bについては100％、Cについては1/2、Dについては1/2となります。

(参考)

　国税庁ホームページ質疑応答事例「側方路線影響加算の計算例－不整形地の場合」「側方路線に宅地の一部が接している場合の評価」「二方路線影響加算の方法」

【事例4】二方路線（正面及び裏面に路線価がある場合）

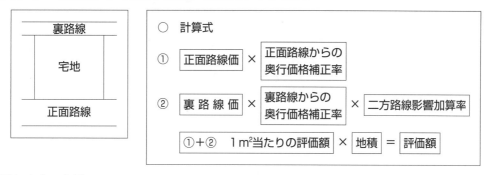

■誤りやすい事例

下図の事例は角地ではなく二方路線に接続する宅地となります。

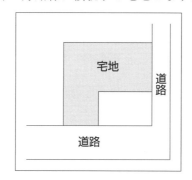

■二方路線影響加算を調整する場合について

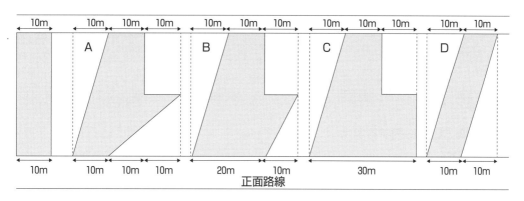

（二方路線影響加算の考え方）

裏面路線に接する部分が、その宅地にかかる想定整形地の間口距離に占める割合により加算額を調整します。

$$\text{二方路線影響加算額} = \text{裏面路線価} \times \text{奥行価格補正率} \times \text{二方路線影響加算率} \times \left(\frac{\text{裏面路線に接する部分の距離}}{\text{想定整形地の間口距離}} \right)$$

以上のことから、

Aについては1/3、Bについては1/3、Cについては1/3、Dについては1/2とな

ります。

(参考)

　国税庁ホームページ質疑応答事例「二方路線影響加算の方法」では、二方路線影響加算率について、「裏面路線に接する部分の距離/想定整形地の間口距離」という考え方を明確にしています。

【事例5】三方路線に面する場合

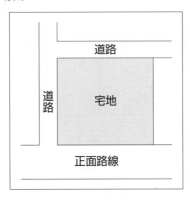

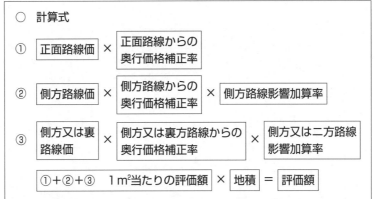

【事例6】四方路線に面する場合

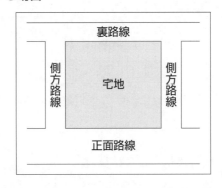

○ 計算式

① | 正面路線価 | × | 正面路線からの奥行価格補正率 |

② | 側方路線価 | × | 側方路線からの奥行価格補正率 | × | 側方路線影響加算率 |

③ | 側方路線価 | × | 側方路線からの奥行価格補正率 | × | 側方路線影響加算率 |

④ | 裏路線価 | × | 裏路線からの奥行価格補正率 | × | 二方路線影響加算率 |

①＋②＋③＋④ | 1㎡当たりの評価額 | × | 地積 | ＝ | 評価額 |

3　相続税路線価図と固定資産税路線価図の対比

　次ページの図面は、同じ場所の相続税と固定資産税の路線価図です。

　比べてみると、固定資産税では行止まり道路に路線価の設定がありますが、相続税ではありません。

　相続税では、不特定多数の者の通行の用に供されている道路にのみ路線価が設定されることになっており、特定の者の用に供される、行き止まり道路等には設定されないことになっています。

(1)　相続税と固定資産税路線価の評価割合（水準）

　同一路線の相続税路線価と固定資産税路線価を比べると、相続税路線価は、固定資産税路線価の概ね1.14倍となっていることが確認できます。

　理由は次のとおりです。

（理由）

　相続税路線価は、地価公示価格の80％、固定資産税路線価は70％の割合で評定されています。したがって、相続税路線価は、固定資産税路線価の1.14倍となります。

（算式）

　相続税路線価 ÷ 固定資産税路線価 ≒ 1.14

　また、前述のとおり、相続税路線価は、行き止まりの道路に接面する土地については相続が発生した場合、特定路線価の設定を申請し、これに基づいて評価することとなっています。

　なお、このような特定路線価の申請が必要な土地であっても、上記の1.14倍の割合を知っておけば、特定路線価設定の前に、特定路線価がどのぐらいになるかを推定できます。

(2)　相続税と固定資産税の路線価の評定の基準日

　相続税の路線価は毎年評価替えされ、例えば令和○○年分路線価の場合は同年1月1日を評定の基準日とし、固定資産税の評価替えは3年に一度であり、評価替え年度の前年の1月1日を価格調査基準日として、評価額の基礎となる路線価などを見直し、評価の均衡化と適正化を図っています。

■固定資産税路線価図（堺市「e-地図帳」）

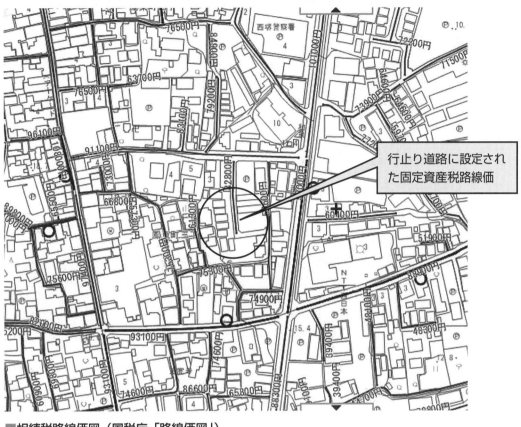

■相続税路線価図（国税庁「路線価図」）

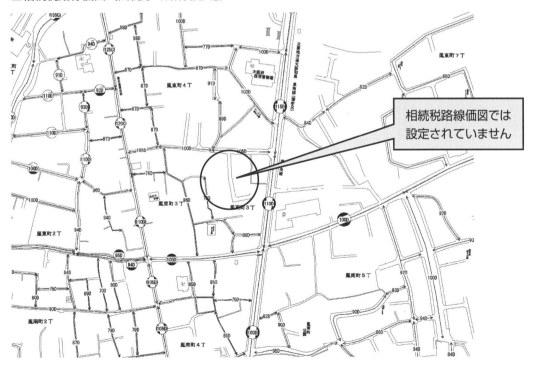

4 基本的な路線価による評価方法

　不動産は、その存する立地、形状、環境等がすべて相違し、更に、その不動産に関係する権利関係も同一のものはありません。そうすると、不動産評価は、基本的に個別評価により行うべきものとなってしまいます。しかし、それでは相続税等の課税標準の計算をして申告することが煩雑になるため、財産評価基本通達が定められ、簡便に、画一的に評価できるように定められているわけです。

　本書では、基本的な路線価による評価方法を習得し、他に応用できる力をつけるため、道路と土地等の接面状況から路線価計算の事例に基づいて要点解説をします。

　なお、国税庁ホームページ「質疑応答事例」を参考にしています。

(1) 正面路線の判定―2つの路線に面している宅地（角地等）の価額を評価する場合

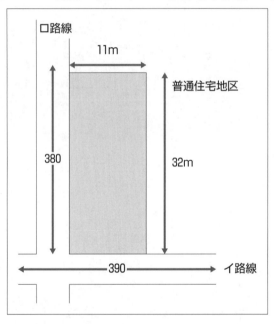

> **要点　正面路線の判定**
>
> 1　宅地が同一地区の2以上の路線に接する場合、各路線価に奥行価格補正率を乗じて計算した金額の高い方の路線を正面路線とします。
>
> 2　地区の異なる2以上の路線に接する宅地の場合には、それぞれの路線の路線価に各路線の存する地区に適用される奥行価格補正率を乗じて計算した金額を基に判定します。
> 　なお、同額となる場合には、路線に接する距離の長い方が正面路線となります。

計算

イ路線　390,000円（路線価） × 0.93（奥行価格補正率） ＝ 362,700円

ロ路線　380,000円（路線価） × 1.00（奥行価格補正率） ＝ 380,000円

ロ路線＞イ路線であるため、ロ路線を正面路線として評価します。

(2) 正面路線価の判定―1つの路線に2以上の路線価が付されている場合（不整形地）

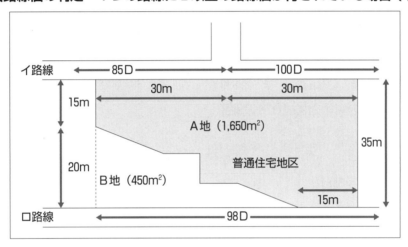

要点　正面路線（不整形地）の判定

1　イ路線については、その宅地の接する路線価（一路線に2以上の路線価が付されている場合には、路線に接する距離により加重平均した価額）に奥行価格補正率を乗じて計算した金額

2　ロ路線については次により計算する。
　　（A地、B地合計の想定整形地の価額－Bの想定整形地の価額）÷Aの面積

3　不整形地の場合の奥行距離は、想定整形地の奥行距離を限度として、「不整形地の面積÷間口距離」の数値とします。

計算

（正面路線価の計算方法　評価対象地は、地積規模の大きな宅地に該当しないものとする。）

イ路線……路線に接する距離により加重平均して計算

$$\frac{85,000円×30m＋100,000円×30m}{60m} × 0.97 = 89,725円$$

奥行距離は、上記の要点3により、27.5m（1,650m²÷60m＝27.5＜35m）となります。

ロ路線……（A地、B地合計の想定整形地の価額－B地の想定整形地の価額）÷A地の面積

・A地、B地の全体の整形地の奥行価格補正後の価額

正面路線価		奥行距離35mの奥行価格補正率		A、B地の地積計		
98,000円	×	0.93	×	2,100m²	=	191,394,000円

・B地の部分の奥行価格補正後の価額

正面路線価		奥行距離10mの奥行価格補正率		B地の地積		
98,000円	×	1.00	×	450m²	=	44,100,000円

B地の奥行距離は、上記の要点3により、10m（450m²÷45m＝10m＜20m）となります。

A地、B地を合わせた価額		B地の部分の価額		A地積		
（191,394,000円	－	44,100,000円）	÷	1,650m²	=	89,269円

以上から、ロ路線（89,269円）＜イ路線（89,725円）であるため、イ路線を正面路線とします。

(3) 宅地が2以上の地区にまたがる宅地の評価

【事例１】奥行距離が一定でない宅地

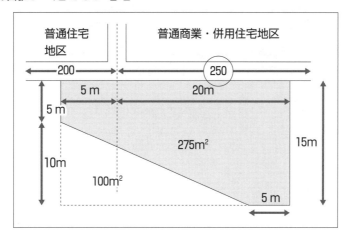

> 要点
>
> 1　宅地が2以上の地区にまたがる場合には、原則として、その宅地の面積等により、いずれか一の地区にかかる画地調整率を用いて評価します。
> 2　奥行距離が一定でない宅地の奥行距離は地積を間口距離で除して求めます（想定整形地の奥行距離を限度とします。）。

計算

上図の事例1の奥行距離が一定でない宅地の奥行距離は、地積を間口距離で除して11mと算出します。この場合、想定整形地の奥行距離が限度になります。

$$275m^2 \div 25m = \underset{\text{計算上の奥行距離}}{11m} < \underset{\text{想定整形地の奥行距離}}{15m}$$

$$\underset{\substack{\text{整形地とした場合の1m}^2\text{当たりの}\\\text{価額（加重平均）}}}{\frac{250,000円 \times 20m + 200,000円 \times 5m}{25m}} \times \underset{\substack{\text{奥行距離11mの普通商業・}\\\text{併用住宅地区の奥行価格補正率}}}{0.99} = 237,600円$$

不整形地補正率を乗じて全体の価額を算出します。

$$\underset{\substack{\text{整形地とした場合の}\\1m^2\text{当たりの価額}}}{237,600円} \times 275m^2 \times \underset{\text{不整形地補正率}}{0.96} = 62,726,400円$$

不整形地補正率　0.96（普通商業・併用住宅地の補正率）

$$かげ地割合 = \frac{\underset{\text{想定整形地の地積}}{375m^2} - \underset{\text{不整形地の地積}}{275m^2}}{375m^2} ≒ 26.7\%　地積区分A$$

【事例２】 奥行距離が一定の宅地

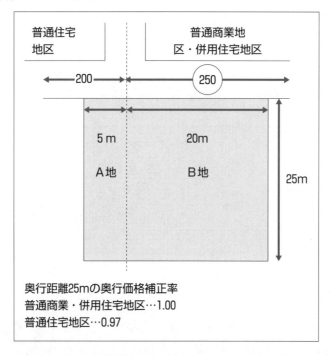

> 要点
>
> 奥行距離が一定で、それぞれの地区の画地調整率を用いて、合理的な方法により評価することができる場合には、分けて評価（Ａ地とＢ地）できます。

計算

宅地が２以上の地区にまたがる場合は、その面積等により、いずれか一の地区の画地調整率を用いますが、事例２のように各地区の画地調整率を用いて合理的な方法により評価することができる場合には、その方法によって差し支えありません。

なお、上記の場合、普通商業・併用住宅地区に属する部分の宅地については、普通住宅地区に属する部分の宅地と合わせて判断するため、間口狭小補正及び奥行長大補正は行わないこととなります。

普通商業・併用住宅地区の路線価		普通商業・併用住宅地区の奥行価格補正率		地積		普通住宅地区の路線価		普通住宅地区の奥行価格補正率		地積
250,000円	×	1.00	×	500m²	+	200,000円	×	0.97	×	125m²

＝ 149,250,000円

第6章 財産評価基本通達における土地評価の原則

■【事例1】「奥行距離が一定でない宅地」の土地及び土地の上に存する権利の評価明細書

土地及び土地の上に存する権利の評価明細書（第1表）

局(所)	署	年分	ページ

（平成三十一年一月分以降用）

所在地番	（住居表示）	（ ）	所有者	住　所（所在地）		使用者	住　所（所在地）	
				氏　名（法人名）			氏　名（法人名）	

地　目		地　積	路　　　　　線　　　　　価				地形図及び参考事項

地目	地積 m²	正面	側方	側方	裏面
（宅地） 山林 田　雑種地 畑 （　）	275.00	200,000 円 250,000	円	円	円

間口距離	25.00 m	利用区分	（自用地） 私　道 貸宅地 貸家建付借地権 貸家建付地 転貸借地権 借地権	地区区分	ビル街地区　（普通住宅地区） 高度商業地区　中小工場地区 繁華街地区　大工場地区 （普通商業・併用住宅地区）
奥行距離	15.00 m				

					(1m²当たりの価額)		
	1 一路線に面する宅地　　（正面路線価）	普通商業・併用住宅地区	（奥行価格補正率）	200,000円 × 5 m ＋ 250,000円 × 20m 25m ＝240,000	237,600	円	**A**
自	240,000 円 ×		0.99				
	2 二路線に面する宅地　　（A）		［側方・裏面 路線価］	（奥行価格補正率）［側方・二方 路線影響加算率］	(1m²当たりの価額)	円	**B**
用	円 ＋ （		円 × ．	× 0. ）			
	3 三路線に面する宅地　　（B）		［側方・裏面 路線価］	（奥行価格補正率）［側方・二方 路線影響加算率］	(1m²当たりの価額)	円	**C**
地	円 ＋ （		円 × ．	× 0. ）			
1	**4** 四路線に面する宅地　　（C）		［側方・裏面 路線価］	（奥行価格補正率）［側方・二方 路線影響加算率］	(1m²当たりの価額)	円	**D**
	円 ＋ （		円 × ．	× 0. ）			
平	**5-1** 間口が狭小な宅地等　（AからDまでのうち該当するもの）	（間口狭小補正率） （奥行長大補正率）			(1m²当たりの価額)	円	**E**
	円 ×	（ ． × ． ）					

方	**5-2** 不　整　形　地　（AからDまでのうち該当するもの）　　不整形地補正率※		(1m²当たりの価額)	円	**F**

（注） 65,340,000 円 × 　　　　0.96　　　　　　　　　　　　　　　　62,726,400

※不整形地補正率の計算

（想定整形地の間口距離）	（想定整形地の奥行距離）		（想定整形地の地積）	
25 m	× 15 m	＝	375.00 m²	
（想定整形地の地積）	（不整形地の地積）	（想定整形地の地積）		（かげ地割合）
（　375.00 m² －	275.00 m²） ÷	375.00 m² ＝		26.7 %

（不整形地補正率表の補正率）	（間口狭小補正率）	（小数点以下2位未満切捨て）	┌ 不整形地補正率 ┐
0.96	× 1.00	＝ 0.96 ①	│ ①、②のいずれか低い │
（奥行長大補正率）	（間口狭小補正率）		│ 率、0.6を下限とする。│
1.00	× 1.00	＝ 1.00 ②	└ 0.96 ┘

ル	**6** 地積規模の大きな宅地　（AからFまでのうち該当するもの）　規模格差補正率※		(1m²当たりの価額)	円	**G**
	円 × 0.				

※規模格差補正率の計算

（地積(Ⓐ)）	（Ⓑ）	（Ⓒ）	（地積(Ⓐ)）	（小数点以下2位未満切捨て）
｛（ m² × ＋ ） ÷			m²｝ × 0.8 ＝	0.

当	**7** 無　道　路　地　（F又はGのうち該当するもの）　　　　　　（※）		(1m²当たりの価額)	円	**H**
	円 × （ 1 － 0. ）				

※割合の計算（0.4を上限とする。）

（正面路線価）	（通路部分の地積）	（F又はGのうち該当するもの）	（評価対象地の地積）
（ 円 × m²） ÷ （ 円 × m²） ＝ 0.			

り	**8-1** がけ地等を有する宅地　〔 南 、 東 、 西 、 北 〕	（がけ地補正率）	(1m²当たりの価額)	円	**I**
	（AからHまでのうち該当するもの） 円 × 0.				

の	**8-2** 土砂災害特別警戒区域内にある宅地　（AからHまでのうち該当するもの）　特別警戒区域補正率※		(1m²当たりの価額)	円	**J**
	円 × 0.				

※がけ地補正率の適用がある場合の特別警戒区域補正率の計算（0.5を下限とする。）

〔 南、東、西、北 〕

（特別警戒区域補正率表の補正率）	（がけ地補正率）	（小数点以下2位未満切捨て）
0. × 0. ＝ 0.		

価	**9** 容積率の異なる2以上の地域にわたる宅地　（AからJまでのうち該当するもの）　（控除割合（小数点以下3位未満四捨五入））		(1m²当たりの価額)	円	**K**
	円 × （ 1 － 0. ）				

額	**10** 私　　道　（AからKまでのうち該当するもの）		(1m²当たりの価額)	円	**L**
	円 × 0.3				

自用地の評価額	自用地1平方メートル当たりの価額（AからLまでのうちの該当記号）	地　積	総　　　　　　　　額（自用地1m²当たりの価額）×（地 積）		**M**
	（ **F** ） 円	275.00 m²	62,726,400 円		

（注） 237,600円 × 275.00m² ＝ 65,340,000円

(4) 地区の異なる2以上の路線に接する宅地の評価

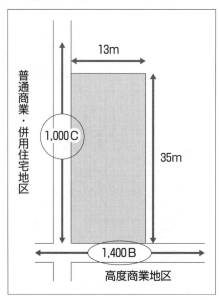

> 要点
>
> 1 側方路線影響加算は、正面路線の地区の奥行価格補正率及び側方路線影響加算率を適用して計算します。
> 2 借地権の価額を評価する場合の借地権割合は、原則として、正面路線の借地権割合を適用して評価します。

計算

$$(\underset{\text{正面路線価}}{1{,}400{,}000\text{円}} \times \underset{\substack{\text{高度商業地}\\\text{区の奥行価}\\\text{格補正率}}}{1.00} + \underset{\text{側方路線価}}{1{,}000{,}000\text{円}} \times \underset{\substack{\text{高度商業地}\\\text{区の奥行価}\\\text{格補正率}}}{0.99} \times \underset{\substack{\text{高度商業地区}\\\text{の側方路線影}\\\text{響加算率}}}{0.10}) \times \underset{\text{地積}}{455\text{m}^2}$$

= 682,045,000円

(5) 側方路線影響加算又は二方路線影響加算と間口狭小補正との関係

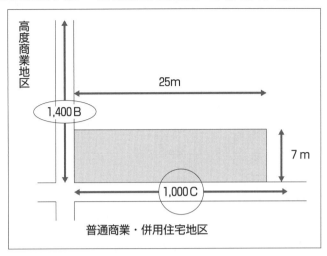

> 要点
>
> 1 間口が狭小な角地については側方路線影響加算又は二方路線影響加算をして計算した1m²当たりの価額に、間口狭小補正率、奥行長大補正率及び宅地の地積を乗じて評価額の計算をします。
> 2 側方路線影響加算は、正面路線の地区の奥行価格補正率及び側方路線影響加算率を適用して計算します。

計算

(1,400,000円 × 1.00 + 1,000,000円 × 0.94 × 0.10) × 0.97 × 0.99
　　正面路線価　奥行価格補正率　　側方路線価　高度商業地区の奥行価格補正率　側方路線影響加算率　間口狭小補正率　奥行長大補正率

= 1,434,688円

1,434,688円 × 175m² = 251,070,400円

(6) 側方路線に宅地の一部が接している場合の評価

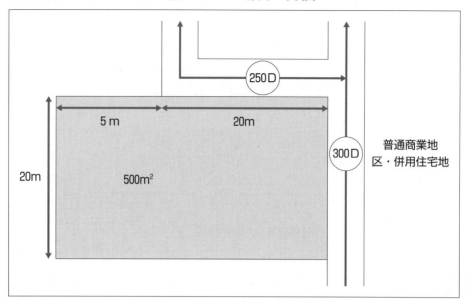

> **要点**
>
> 側方路線の影響を直接受けているのは、正面路線に対する奥行距離のうち、側方路線に直接面している距離部分であるため、側方路線影響加算を行うべき割合を調整して評価します。

計算

正面路線価を基とした価額

$$\underset{\text{正面路線価}}{300,000\text{円}} \times \underset{\text{奥行価格補正率}}{1.00} = 300,000\text{円} \quad \cdots \text{①}$$

側方路線影響加算額

$$\underset{\text{側方路線価}}{250,000\text{円}} \times \underset{\substack{\text{奥行価格}\\\text{補正率}}}{1.00} \times \underset{\substack{\text{側方路線}\\\text{影響加算率}}}{0.08} \times \frac{20\text{m}}{20\text{m}+5\text{m}} = 16,000\text{円} \quad \cdots \text{②}$$

評価額

$$(\underset{①}{300,000\text{円}}+\underset{②}{16,000\text{円}}) \times \underset{\text{地積}}{500\text{m}^2} = 158,000,000\text{円}$$

第6章 財産評価基本通達における土地評価の原則

土地及び土地の上に存する権利の評価明細書（第1表）

局(所)	署	年分	ページ

（平成三十一年一月分以降用）

（住居表示）（　　　　　）	所有者	住　所（所在地）		使用者	住　所（所在地）	
所在地番		氏　名（法人名）			氏　名（法人名）	

地　　目	地　積	路　　　線　　　価				地形図及び参考事項
㋳地 山林 田 畑 雑種地（　　）	㎡ 500.00	正　面 300,000 円	側　方 250,000 円	側　方 円	裏　面 円	

間口距離 20.00 m	利用区分	㋐用地 私　道 貸宅地 貸家建付借地権 貸家建付地 転貸借地権 借地権（　　　）	地区区分	ビル街地区　普通住宅地区 高度商業地区　中小工場地区 繁華街地区　大工場地区 ㋐普通商業・併用住宅地区
奥行距離 25.00 m				

					（1㎡当たりの価額）	
自用地1平方メートル当たりの価額	**1　一路線に面する宅地**　（正面路線価）　　　　　　　　（奥行価格補正率）　　　　300,000 円 × 1.00				300,000 円	A
	2　二路線に面する宅地　（A）　　　　　㋙方・裏面 路線価　（奥行価格補正率）　㋙方 二方 路線影響加算率 300,000 円 ＋（ 250,000 円 × 1.00 × 0.08 × 20m/20m＋5m ）				316,000 円	B
	3　三路線に面する宅地　（B）　　　　　［側方・裏面 路線価］　（奥行価格補正率）　［側方・二方 路線影響加算率］ 円 ＋（　　　円 × ．　× 0. ）				円	C
	4　四路線に面する宅地　（C）　　　　　［側方・裏面 路線価］　（奥行価格補正率）　［側方・二方 路線影響加算率］ 円 ＋（　　　円 × ．　× 0. ）				円	D
	5-1　間口が狭小な宅地等　（AからDまでのうち該当するもの）　（間口狭小補正率）（奥行長大補正率） 円 ×（　．　　×　　． ）				円	E
	5-2　不整形地　（AからDまでのうち該当するもの）　　不整形地補正率※ 円 × 0.				円	F
	※不整形地補正率の計算　（想定整形地の間口距離）　（想定整形地の奥行距離）　（想定整形地の地積）　　　　　m ×　　　　m ＝　　　　㎡ （想定整形地の地積）（不整形地の地積）（想定整形地の地積）（かげ地割合）（　　　㎡ －　　　㎡）÷　　　㎡ ＝　　　％ （不整形地補正率表の補正率）（間口狭小補正率）　小数点以下2位未満切捨て　　不整形地補正率（①、②のいずれか低い率、0.6を下限とする。） 0.　　×　　．　　＝ 0.　　①　　　　　0. （奥行長大補正率）（間口狭小補正率）　　×　　．　＝ 0.　　②					
	6　地積規模の大きな宅地　（AからFまでのうち該当するもの）　規模格差補正率※ 円 × 0.				円	G
	※規模格差補正率の計算　（地積(Ⓐ)）（Ⓑ）（Ⓒ）（地積(Ⓐ)）（小数点以下2位未満切捨て） ｛（　　㎡×　　＋　　）÷　　㎡｝× 0.8 ＝ 0.					
	7　無道路地　（F又はGのうち該当するもの）　　　　（※） 円 ×（ 1 － 0. ）				円	H
	※割合の計算（0.4を上限とする。）　（正面路線価）　（通路部分の地積）　（F又はGのうち該当するもの）（評価対象地の地積）（　　　円 ×　　　㎡）÷（　　　円 ×　　　㎡）＝ 0.					
	8-1　がけ地等を有する宅地　〔 南、東、西、北 〕（AからHまでのうち該当するもの）　（がけ地補正率） 円 × 0.				円	I
	8-2　土砂災害特別警戒区域内にある宅地　（AからHまでのうち該当するもの）　特別警戒区域補正率※ 円 × 0.				円	J
	※がけ地補正率の適用がある場合の特別警戒区域補正率の計算（0.5を下限とする。）　〔 南、東、西、北 〕（特別警戒区域補正率表の補正率）（がけ地補正率）（小数点以下2位未満切捨て） 0.　　× 0.　　＝ 0.					
	9　容積率の異なる2以上の地域にわたる宅地　（AからJまでのうち該当するもの）　（控除割合（小数点以下3位未満四捨五入）） 円 ×（ 1 － 0. ）				円	K
	10　私道　（AからKまでのうち該当するもの） 円 × 0.3				円	L

自用地の評価額	自用地1平方メートル当たりの価額（AからLまでのうちの該当記号）	地　　積	総　　　額（自用地1㎡当たりの価額）×（地積）	
	（ B ）　　　　　316,000 円	500.00 ㎡	158,000,000 円	M

251

(7) **奥行価格補正率と側方路線影響加算率の計算例（不整形地の計算例）**

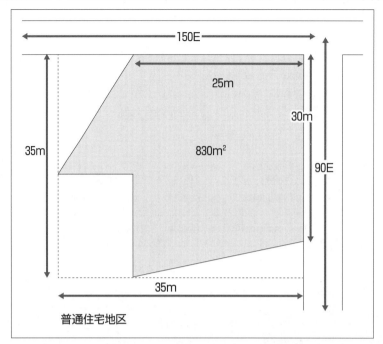

> **要点**
> 1 奥行価格補正は、想定整形地の奥行距離を限度として（不整形地の地積÷正面路線の間口距離）を計算上の奥行距離として行います。
> 2 側方路線価影響加算は、想定整形地の奥行距離を限度として（不整形地の地積÷側方路線の間口距離）を計算上の奥行距離として行います。

計算

1 不整形地の計算上の奥行距離による奥行価格補正

正面路線に対する奥行距離は、次の計算上の奥行距離（33.2m）によります。

　　地積　　　間口距離　　計算上の奥行距離　　想定整形地の奥行距離
　830m² ÷ 25m ＝ 33.2m ＜ 35m

　　　　　　　　計算上の奥行距離33.2m
　正面路線価　の奥行価格補正率　　　　奥行価格補正後の価額
　150,000円 × 　0.93　　＝　139,500円 … ①

側方路線影響加算の奥行距離は、次の計算上の奥行距離（27.67m）によります。

　　地積　　　間口距離　　計算上の奥行距離　　想定整形地の奥行距離
　830m² ÷ 30m ＝ 27.67m ＜ 35m

　　　　　　　奥行距離27.67m　側方路線影
　側方路線価　の奥行価格補正率　響加算率
　90,000円 × 　0.97　× 0.03 × $\dfrac{30m}{35m}$ ＝ 2,244円…②

第6章 財産評価基本通達における土地評価の原則

① ＋ ②

139,500円 ＋ 2,244 ＝ 141,744円 … ③

上記③に地積を乗じた後、不整形地補正を行います。

$$\underset{①}{141,744円} \times \underset{地積}{830m^2} \times \underset{不整形地補正率}{0.96} = 112,941,619円$$

不整形地補正率 … 0.96

かげ地割合 $\dfrac{1,225m^2 - 830m^2}{1,225m^2}$ ＝ 32.2% 地積区分C

土地及び土地の上に存する権利の評価明細書（第1表）

局(所)	署	年分	ページ

（平成三十一年一月分以降用）

		住　所 (所在地)			住　所 (所在地)	
（住居表示）	（　　　　）					
所在地番		所有者 氏　名 (法人名)		使用者	氏　名 (法人名)	

地　　　目	地　積	路　　　線　　　価				地
⑰宅 地　　山 林 田　　　　雑種地 畑　　（　　　）	㎡ 830.00	正　面 150,000 円	側　方 90,000 円	側　方 円	裏　面 円	形 図 及 び 参 考 事 項

間口距離	25.00 m	利	私　　道	地	ビル街地区	⑭普通住宅地区	
奥行距離	33.20 m	用 区 分	⑭自用地　貸家建付借地権 貸宅地　転貸借地権 貸家建付地 借地権（　　　　　）	区 分	高度商業地区　中小工場地区 繁華街地区　大工場地区 普通商業・併用住宅地区	

							（1㎡当たりの価額）円	
自 用 地 1 平 方 メ ー ト ル 当 た り の 価 額	1	一路線に面する宅地 （正面路線価） 150,000 円 ×	（奥行価格補正率） 0.93	$\dbinom{830㎡ \div 25m = 33.2m < 35m}{奥行33.2mの補正率}$			139,500	A
	2	二路線に面する宅地 (A) 139,500 円 ＋	［側方・裏面 路線価］ 90,000 円 ×	（奥行価格補正率） 0.97 ×	［側方・二方 路線影響加算率］ $0.03 \times \frac{30m}{35m}$		141,744	B
	3	三路線に面する宅地 (B) 円 ＋	［側方・裏面 路線価］ （　　　 円 ×	（奥行価格補正率） 0.　　×	［側方・二方 路線影響加算率］ 0.　　）			C
	4	四路線に面する宅地 (C) 円 ＋	［側方・裏面 路線価］ （　　　 円 ×	（奥行価格補正率） 0.　　×	［側方・二方 路線影響加算率］ 0.　　）			D
	5-1	間口が狭小な宅地等 （AからDまでのうち該当するもの） 円 ×	（間口狭小補正率） （　.　 ×	（奥行長大補正率） 　.　 ）				E
	5-2	不　整　形　地 （AからDまでのうち該当するもの） （注）117,647,520 円 ×	不整形地補正率※ 0.96				112,941,619	F
		※不整形地補正率の計算 （想定整形地の間口距離）　（想定整形地の奥行距離） 35.0 m × 35.0 m ＝		1,225 ㎡				
		（想定整形地の地積）　（不整形地の地積）　　（想定整形地の地積）　　　　（かげ地割合） （ 1,225 ㎡ － 830 ㎡）÷ 1,225 ㎡ ＝ 32.2 ％						
		（不整形地補正率表の補正率）（間口狭小補正率） 0.96 × 1.00 ＝ 0.96 ① （奥行長大補正率）　（間口狭小補正率） 1.00 × 1.00 ＝ 1.00 ②		$\left.\begin{array}{}（小数点以下2\\位未満切捨て）\end{array}\right]$	$\begin{bmatrix}不整形地補正率\\①、②のいずれか低い\\率、0.6を下限とする。\end{bmatrix}$ 0.96			
	6	地積規模の大きな宅地 （AからFまでのうち該当するもの） 円 ×	規模格差補正率※ 0.					G
		※規模格差補正率の計算 （地積(Ⓐ)）　(Ⓑ)　　　　(Ⓒ)　　　　　（地積(Ⓐ)） ｛（　　㎡× 　　 ＋ 　　 ）÷ 　　 ㎡｝× 0.8 ＝ 0.			（小数点以下2位未満切捨て）			
	7	無　道　路　地 （F又はGのうち該当するもの） 円 × （ 1 － 0.　　）		（※）				H
		※割合の計算（0.4を上限とする。） （正面路線価）　（通路部分の地積） （　　円 × 　　㎡）÷	$\left(\begin{array}{}F又はGのうち\\該当するもの\end{array}\right)$ （　　円 ×	（評価対象地の地積） 　　㎡）＝ 0.				
	8-1	がけ地等を有する宅地　〔 南 、 東 、 西 、 北 〕 （AからHまでのうち該当するもの） 円 ×	（がけ地補正率） 0.					I
	8-2	土砂災害特別警戒区域内にある宅地 （AからHまでのうち該当するもの） 円 ×	特別警戒区域補正率※ 0.					J
		※がけ地補正率の適用がある場合の特別警戒区域補正率の計算（0.5を下限とする。） 〔 南 、 東 、 西 、 北 〕 （特別警戒区域補正率表の補正率）　　（がけ地補正率）　　（小数点以下2位未満切捨て） 0. × 0. ＝ 0.						
	9	容積率の異なる2以上の地域にわたる宅地 （AからJまでのうち該当するもの） 円 × （ 1 － 0.	（控除割合（小数点以下3位未満四捨五入）） ）					K
	10	私　　道 （AからKまでのうち該当するもの） 円 × 0.3						L

自 用 地 の 評 価 額	自用地1平方メートル当たりの価額 （AからLまでのうちの該当記号）	地　　積	総　　　　　　　額 （自用地1㎡当たりの価額）×（地　積）	
評 価 額	（ F ）　　　　　　円	㎡ 830.00	円 112,941,619	M

（注）141,744円×830.00㎡＝117,647,520円

(8) 二方路線影響加算の方法

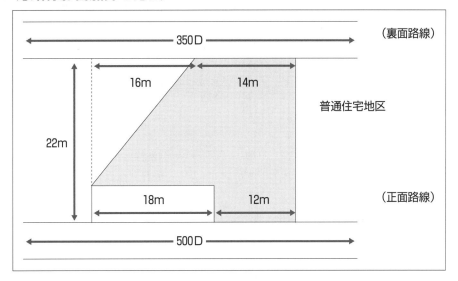

> **要点**
>
> 裏面路線に接する部分＜想定整形地の間口距離の場合は、二方路線影響加算は、「裏面路線に接する部分÷想定整形地の間口距離」の割合により加算額を調整します。
>
> （注）正面路線価は、調整計算しません。

計算

$$\text{二方路線影響加算額} = \underset{\text{裏面路線価}}{350,000\text{円}} \times \underset{\text{奥行価格補正率}}{1.00} \times \underset{\text{二方路線影響加算率}}{0.02} \times \frac{14\text{m}}{14\text{m}+16\text{m}}$$

(9) 2つの路線に接する宅地の評価

2つの路線に接するB地の価額を評価する場合には、A地の部分の面積が大きく、現実に角地としての効用を有しないため、側方路線影響加算率に代えて二方路線影響加算率を適用して評価します。

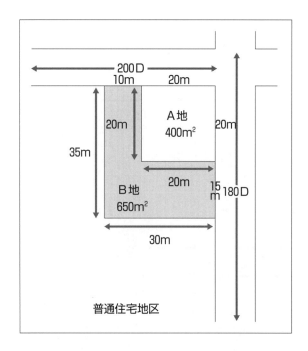

> 要点 （評価方法）
>
> 上記の宅地の評価は、次の順で行います。
> 1　B地の奥行価格補正後の１m²単価を算出
> 　　①　A地、B地全体の整形地の価額を算出…①
> 　　②　A地の価額を算出…②
> 　　③　①−②によりB地の１m²当たりの価額を算出（以下①から③による算出方法を「控除方式」といいます。）
> 2　二方路線影響加算額を算出
> （算出方法１）
> 　　二方路線影響加算は、正面路線に対する奥行距離のうち、二方路線に直接面している距離部分であるため、側方路線価に奥行価格補正と二方路線加算を行った上、側方路線の影響加算を行うべき割合を調整して評価します。
> （算出方法２）
> 　　①　側方路線価を基にしたB地の奥行価格補正後の１m²単価を「控除方式」により算出します。
> 　　②　上記（算出方法１）の側方路線の影響の加算を行うべき割合を用いて調整します。
> 3　不整形地補正率を算出

第6章 財産評価基本通達における土地評価の原則

計算

① Ａ地、Ｂ地を合わせた全体の整形地の奥行価格補正後の価額

正面路線価　奥行距離35mに応ずる奥行価格補正率　Ａ＋Ｂの地積
200,000円　×　0.93　×　1,050m²　＝　195,300,000円

② Ａ地の奥行価格補正後の価額

正面路線価　奥行距離20mに応ずる奥行価格補正率　Ａ地の地積
200,000円　×　1.00　×　400m²　＝　80,000,000円

③ Ｂ地の奥行価格補正後の１m²当たりの価額

Ａ地、Ｂ地を合わせた価額　　Ａ地の価額　　Ｂ地の地積
(195,300,000円　－　80,000,000円)　÷　650m²　＝　177,384円

　Ｂ地の奥行価格補正後の１m²当たりの価額に、側方路線影響加算（この場合は二方路線影響加算率を適用）及び不整形地補正を行い評価額の算出をします。

① 側方路線影響加算額の算出

側方路線価　奥行距離30mに応ずる奥行価格補正率　二方路線影響加算率
180,000円　×　0.95　×　0.02　×　$\dfrac{15m}{35m}$　＝　1,465円

② 側方路線影響加算後の価額

177,384円　＋　1,465円　＝　178,849円

③ 不整形地補正後のＢ地の価額

Ｂ地の地積　　不整形地補正率
178,849円　×　650m²　×　0.91　＝　105,789,183円

不整形地補正率0.91

かげ地割合　$\dfrac{1,050m² － 650m²}{1,050m²}$　≒　38.1％

地積区分　Ｂ

（評価方法２）

　側方路線影響加算額は、次の計算方法により算出しても差し支えありません。

①　側方路線価を基にしたＢ地の１m²当たりの奥行価格補正後の価額

Ａ地、Ｂ地を合わせた奥行価格補正後価額　　　　　Ａ地の奥行価格補正後の価額
（180,000円×0.95×1,050m²　－　180,000円×1.00×400m²）÷　650m²

＝　165,461円

②　側方路線影響加算額

側方路線価を基にした　　二方路線影響
Ｂ地の１m²当たりの価額　　加算額
165,461円　　　×　0.02　×　$\dfrac{15m}{35m}$　＝1,418円

第6章 財産評価基本通達における土地評価の原則

■事例10 評価方法1

土地及び土地の上に存する権利の評価明細書（第1表）

	局（所）	署	年分	ページ

（住居表示）	（ ）	所有者	住　所（所在地）		使用者	住　所（所在地）	
所在地番			氏　名（法人名）			氏　名（法人名）	

地　目	地　積	路　　線　　価				地形図及び参考事項
㊩地 山林 田 雑種地 畑 （　）	㎡ 650.00	正　面 200,000 円	側　方 180,000 円	側　方 円	裏　面 円	

間口距離	10.00 m	利用区分	㊕用地 私　道 貸宅地 貸家建付借地権 貸家建付地 転貸借地権 借地権 （ ）	地区区分	ビル街地区 ㊤普通住宅地区 高度商業地区 中小工場地区 繁華街地区 大工場地区 普通商業・併用住宅地区	
奥行距離	35.00 m					

自 用 地 1 平 方 メ ー ト ル 当 た り の 価 額			
	1　一路線に面する宅地 　　（正面路線価）　　　　　（奥行価格補正率）　　地積 　　200,000　円　×　0.93　×　1,050㎡＝195,300,000円…① 　　　　　　　　　　　　　　　1.00　　　400㎡＝ 80,000,000円…②	（1㎡当たりの価額）円 （①－②）÷650㎡ 177,384	A
	2　二路線に面する宅地 　　（A）　　［側方・裏面 路線価］　（奥行価格補正率）　［側方・㊁方 路線影響加算率］ 　177,384 円 ＋ （ 180,000 円 × 0.95 × 0.02 × $\frac{15m}{35m}$ ）	（1㎡当たりの価額）円 178,849	B
	3　三路線に面する宅地 　　（B）　　［側方・裏面 路線価］　（奥行価格補正率）　［側方・二方 路線影響加算率］ 　　 円 ＋ （ 円 × . × 0. ）	（1㎡当たりの価額）円	C
	4　四路線に面する宅地 　　（C）　　［側方・裏面 路線価］　（奥行価格補正率）　［側方・二方 路線影響加算率］ 　　 円 ＋ （ 円 × . × 0. ）	（1㎡当たりの価額）円	D
	5-1　間口が狭小な宅地等 　　（AからDまでのうち該当するもの）　（間口狭小補正率）　（奥行長大補正率） 　　 円 × （ . × . ）	（1㎡当たりの価額）円	E
	5-2　不　整　形　地 　　（AからDまでのうち該当するもの）　　不整形地補正率※ 　　（注）116,251,850 円 × 0.91 　　※不整形地補正率の計算 　　（想定整形地の間口距離）（想定整形地の奥行距離）（想定整形地の地積） 　　　　30　　m × 35　　m ＝ 1,050　　㎡ 　　（想定整形地の地積）（不整形地の地積）　　（想定整形地の地積）　（かげ地割合） 　　（ 1,050 ㎡ － 650 ㎡）÷ 1,050 ㎡ ＝ 38.1 ％ 　　（不整形地補正率表の補正率）（間口狭小補正率）（小数点以下2位未満切捨て） 　　　0.91 × 1.0 ＝ 0.91 …①　　［不整形地補正率 　　（奥行長大補正率）（間口狭小補正率）　　　　　　　①、②のいずれか低い 　　　1.00 × 1.00 ＝ 1.00 …②　　　率、0.6を下限とする。］ 　　　　　　　　　　　　　　　　　　　　0.91	~~（1㎡当たりの価額）円~~ 105,789,183	F
	6　地積規模の大きな宅地 　　（AからFまでのうち該当するもの）　規模格差補正率※ 　　 円 × 0. 　　※規模格差補正率の計算 　　（地積（Ⓐ））　（Ⓑ）　（Ⓒ）　　（地積（Ⓐ））　　　　（小数点以下2位未満切捨て） 　　｛（ ㎡× ＋ ）÷ ㎡｝× 0.8 ＝ 0.	（1㎡当たりの価額）円	G
	7　無　道　路　地 　　（F又はGのうち該当するもの）　　　　　　（※） 　　 円 × （ 1 － 0. ） 　　※割合の計算（0.4を上限とする。）　　　F又はGのうち 　　（正面路線価）　　（通路部分の地積）　該当するもの　（評価対象地の地積） 　　（ 円 × ㎡）÷（ 円 × ㎡）＝ 0.	（1㎡当たりの価額）円	H
	8-1　がけ地等を有する宅地　　［ 南 、 東 、 西 、 北 ］ 　　（AからHまでのうち該当するもの）　（がけ地補正率） 　　 円 × 0.	（1㎡当たりの価額）円	I
	8-2　土砂災害特別警戒区域内にある宅地 　　（AからHまでのうち該当するもの）　特別警戒区域補正率※ 　　 円 × 0. 　　※がけ地補正率の適用がある場合の特別警戒区域補正率の計算（0.5を下限とする。） 　　　　　　　　　　［ 南 、 東 、 西 、 北 ］ 　　（特別警戒区域補正率表の補正率）　（がけ地補正率）　（小数点以下2位未満切捨て） 　　　0. × 0. ＝ 0.	（1㎡当たりの価額）円	J
	9　容積率の異なる2以上の地域にわたる宅地 　　（AからJまでのうち該当するもの）　（控除割合（小数点以下3位未満四捨五入）） 　　 円 × （ 1 － 0. ）	（1㎡当たりの価額）円	K
	10　私　　　道 　　（AからKまでのうち該当するもの） 　　 円 × 0.3	（1㎡当たりの価額）円	L

自用地の評価額	自用地1平方メートル当たりの価額 （AからLまでのうちの該当記号）	地　積	総　　額 （自用地1㎡当たりの価額）×（地　積）	
	（ F ） 円	㎡ 650.00	円 105,789,183	M

（注）178,849円×650.00㎡＝116,251,850円

259

■事例10　評価方法２

土地及び土地の上に存する権利の評価明細書（第１表）

		局(所)	署	年分	ページ

所在地番	（住居表示） （　　　）	所有者	住　所（所在地） 氏　名（法人名）		使用者	住　所（所在地） 氏　名（法人名）	

（平成三十一年一月分以降用）

地　目	地　積	路　　　線　　　価	地形図及び参考事項

㋳宅　地　山　林 田　　雑種地 畑（　　）	650.00 ㎡	正　面 200,000 円	側　方 180,000 円	側　方 円	裏　面 円	

間口距離 10.00 m	利用区分	㋳自用地　私　　道 貸　宅　地　貸家建付借地権 貸家建付地　転　貸　借　地　権 借　地　権　（　　　　　）	地区区分	ビル街地区　㋳普通住宅地区 高度商業地区　中小工場地区 繁華街地区　大工場地区 普通商業・併用住宅地区
奥行距離 35.00 m				

				（1㎡当たりの価額） 円	
自用地1平方メートル当たりの価額	**1　一路線に面する宅地** （正面路線価） 200,000 円 ×	奥行価格補正率 0.93 1.00	地積 × 1,050㎡＝195,300,000 × 400㎡＝ 80,000,000	（①－②）÷ 650㎡ 177,384	A
	2　二路線に面する宅地 （A） 177,384円＋（180,000円×0.95×1,050㎡－180,000円×1.00×400㎡）÷650㎡×0.02× [側方・裏面 路線価]　[奥行価格補正率]　[側方・二方 路線影響加算率] $\frac{15m}{35m}$			（1㎡当たりの価額） 円 178,802	B
	3　三路線に面する宅地 （B） 円　＋　（ [側方・裏面 路線価] 円　×　.　×　[奥行価格補正率] [側方・二方 路線影響加算率] 0. ）			（1㎡当たりの価額） 円	C
	4　四路線に面する宅地 （C） 円　＋　（ [側方・裏面 路線価] 円　×　.　×　[奥行価格補正率] [側方・二方 路線影響加算率] 0. ）			（1㎡当たりの価額） 円	D
	5-1　間口が狭小な宅地等 （AからDまでのうち該当するもの）　（間口狭小補正率）　（奥行長大補正率） 円　×　（　.　×　.　）			（1㎡当たりの価額） 円	E
	5-2　不整形地 （AからDまでのうち該当するもの）　不整形地補正率※ **（注）** 116,221,300 円　×　0.91 ※不整形地補正率の計算 （想定整形地の間口距離）　（想定整形地の奥行距離）　（想定整形地の地積） 30 m × 35 m ＝ 1,050 ㎡ （想定整形地の地積）　（不整形地の地積）　（想定整形地の地積）　（かげ地割合） （ 1,050 ㎡ － 650 ㎡）÷ 1,050 ㎡ ＝ 38.1 ％ （不整形地補正率表の補正率）　（間口狭小補正率）　（小数点以下2位未満切捨て） 0.91　×　1.00　＝　0.91 ① （奥行長大補正率）　（間口狭小補正率） 1.00　×　1.00　＝　1.00 ②		不整形地補正率 （①、②のいずれか低い 率、0.6を下限とする。） 0.91	~~（1㎡当たりの価額）~~ 円 105,761,383	F
	6　地積規模の大きな宅地 （AからFまでのうち該当するもの）　規模格差補正率※ 円　×　0. ※規模格差補正率の計算 （地積(Ⓐ)） （Ⓑ） （Ⓒ） （地積(Ⓐ)） （小数点以下2位未満切捨て） {（　㎡× ＋ ）÷ ㎡}× 0.8 ＝ 0.			（1㎡当たりの価額） 円	G
	7　無　道　路　地 （F又はGのうち該当するもの）　（※） 円　×　（ 1 － 0. ） ※割合の計算（0.4を上限とする。） （正面路線価）　（通路部分の地積） （F又はGのうち該当するもの） （評価対象地の地積） （ 円 × ㎡）÷（ 円 × ㎡）＝ 0.			（1㎡当たりの価額） 円	H
	8-1　がけ地等を有する宅地　〔 南 、 東 、 西 、 北 〕 （AからHまでのうち該当するもの）　（がけ地補正率） 円　×　0.			（1㎡当たりの価額） 円	I
	8-2　土砂災害特別警戒区域内にある宅地 （AからHまでのうち該当するもの）　特別警戒区域補正率※ 円　×　0. ※がけ地補正率の適用がある場合の特別警戒区域補正率の計算（0.5を下限とする。） 〔 南 、 東 、 西 、 北 〕 （特別警戒区域補正率表の補正率） （がけ地補正率） （小数点以下2位未満切捨て） 0.　×　0.　＝　0.			（1㎡当たりの価額） 円	J
	9　容積率の異なる2以上の地域にわたる宅地 （AからJまでのうち該当するもの）　（控除割合（小数点以下3位未満四捨五入）） 円　×　（ 1 － 0. ）			（1㎡当たりの価額） 円	K
	10　私　　道 （AからKまでのうち該当するもの） 円　×　0.3			（1㎡当たりの価額） 円	L

自用地の評価額	自用地1平方メートル当たりの価額 （AからLまでのうちの該当記号） （ **F** ） 円	地　積	総　　額 （自用地1㎡当たりの価額）×（地　積）	
	円	650.00 ㎡	105,761,383 円	M

（注）178,802円×650.00㎡＝116,221,300円

⑽ 三方又は四方が路線に接する宅地の評価 （国税庁「質疑応答事例」より引用）

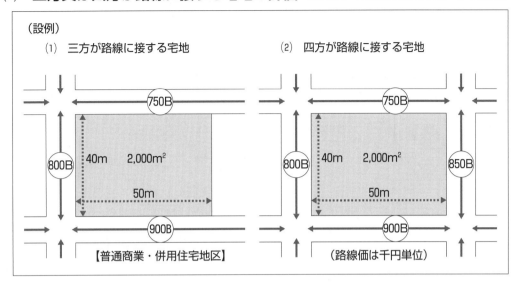

> **要点**
>
> 　三方又は四方が路線に接する宅地の価額は、正面と側方が路線に接する宅地の評価方法と正面と裏面が路線に接する宅地の評価方法を併用して計算した価額に地積を乗じた金額によって評価します。

計算

(1) 三方が路線に接する宅地の価額

　　　　正面路線価　奥行価格補正率　　　側方路線価　奥行価格補正率　側方路線影響加算率　裏面路線価
　　　（900,000円 × 0.93 ＋ 800,000円 × 0.89 × 0.08 ＋ 750,000円

　　　　奥行価格補正率　二方路線影響加算率　地積
　　　　× 0.93 × 0.05) × 2,000m² ＝ 1,857,670,000円

(2) 四方が路線に接する宅地の価額

　　　　正面路線価　奥行価格補正率　　　側方路線価　奥行価格補正率　側方路線影響加算率　側方路線価
　　　（900,000円 × 0.93 ＋ 800,000円 × 0.89 × 0.08 ＋ 850,000円

　　　　奥行価格補正率　側方路線影響加算率　裏面路線価　奥行価格補正率　二方路線影響加算率
　　　　× 0.89 × 0.08 ＋750,000円 × 0.93 × 0.05) × 2,000m²

　　　＝ 1,978,710,000円

⑾ 側方路線影響加算又は二方路線影響加算の方法―三方路線に面する場合

（国税庁「質疑応答事例」より引用）

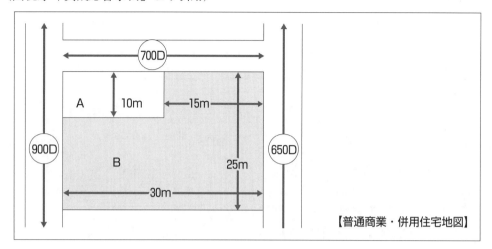

> **要点** （評価方法）
>
> 1　正面路線を基にした宅地の奥行価格補正後の１m²単価を「控除方式」により算出
>   ①　A、B全体の整形地の価額を算出…①
>   ②　Aの価額を算出…②
>   ③　①－②により宅地Bの１m²当たりの価額を算出
>
> 2　側方路線の影響加算額を算出
>
>   事例の場合は、側方路線の影響が、実質的に二方路線の影響加算と同じと判断されます。
>   さらに、側方路線の影響加算は、正面路線に対する奥行距離のうち、側方路線に直接面している距離部分であるため、その割合を調整して評価します。（計算方法１）
>   なお、「控除方式」によっても側方路線の影響加算額を算出できます。（計算方法２）
>
> 3　二方（裏面）路線影響加算額を算出
>
> 4　不整形地補正率を算出
>
>   評価額は、上記1に2及び3を加算し、4を適用して算出します。
>
> （注）　A土地の奥行距離10mにかかる奥行価格補正率は0.99ですが、0.99とするとAとBを合わせた整形地の奥行価格補正後の単価より、側方路線に接する部分が欠落している不整形地Bの奥行価格補正後の単価が高くなり不合理なので、このように前面宅地の奥行が短いため奥行価格補正率が1.00未満となる場合においては、奥行価格補正率を1.00とします。
>   ただし、AとBを合わせて評価する場合において奥行距離が短いため奥行価格補正率が1.00未満の数値となる場合には、Aの奥行価格補正率もその数値とします。

第6章 財産評価基本通達における土地評価の原則

計算

【計算方法１】

側方路線影響加算額の計算方法

$$側方路線価 \times 奥行価格補正率 \times 二方路線影響加算率 \times \frac{15m}{15m+15m}$$

二方路線影響加算額の計算方法

裏面路線価 × 奥行価格補正率 × 二方路線影響加算率

（計算例）

(1) 正面路線価を基にしたＢの１m²当たりの奥行価格補正後の価額を求めます。

$$\underbrace{(\underset{正面路線価}{900,000円} \times \underset{\substack{奥行30mの\\補正率}}{1.00} \times 750m²}_{A、Bを一体とした価額} - \underbrace{\underset{正面路線価}{900,000円} \times \underset{\substack{奥行15mの\\補正率}}{1.00} \times 150m²}_{Aの価額}) \div 600m²$$

$$= \underset{Bの１m²当たりの奥行価格補正後の価額}{900,000円}（A）$$

(2) 側方路線の影響加算額の計算方法

$$\underset{側方路線価}{700,000円} \times \underset{奥行25mの補正率}{1.00} \times \underset{二方路線影響加算率}{0.05} \times \frac{15m}{15m+15m} = 17,500円（B）$$

（注）奥行距離（25m）は、面積（600m²）を間口距離（15m）で除して求めますが、想定整形地の奥行距離（25m）を限度とします。

$$600m² \div 15m = 40m > 25m$$

(3) 二方路線影響加算額の計算方法

$$\underset{裏面路線価}{650,000円} \times \underset{\substack{奥行24mの補正率\\（注）}}{1.00} \times \underset{二方路線影響加算率}{0.05} = 32,500円（C）$$

（注）奥行距離（24m）は、面積（600m²）を間口距離（25m）で除して求めています。

$$600m² \div 25m = 24m < 30m（想定整形地の奥行距離）$$

(4) Ｂ土地の価格

$$\underset{\substack{正面路線価を基にした\\Bの１m²当たりの奥行\\価格補正後の価格}}{900,000円（A）} + \underset{\substack{側方路線影\\響加算額}}{17,500（B）} + \underset{\substack{二方路線影響\\加算額}}{32,500（C）} = 950,000円$$

$$950,000円 \times 600m² \times \underset{不整形地補正率}{0.97} = 552,900,000円$$

$$\left[・かげ地割合 \quad \frac{750m² - 600m²}{750m²} = 20\% \quad ・地積区分 \quad A \right]$$

263

【計算方法２】（控除方式）

側方路線の影響加算額は、次の計算方法により算出しても差し支えありません。

① 側方路線価を基にしたＢの１m²当たりの奥行価格補正後の価額を求めます。

$$\underbrace{(\underset{\text{側方路線価}}{700{,}000円} \times \underset{\text{奥行25mの補正率}}{1.00} \times 750m^2}_{\text{Ａ、Ｂを一体とした価額}} - \underbrace{\underset{\text{側方路線価}}{700{,}000円} \times 1.00 \times \underset{(※)}{150m^2})}_{\text{Ａの価額}}$$

$$\div \underset{\text{Ｂの地積}}{600m^2} = \underset{\text{側方路線価を基にしたＢの１m²当たりの価額}}{700{,}000円}$$

（※）249ページ要点の（注）を参照。

② 側方路線の影響加算額

$$\underset{\substack{\text{側方路線価を基にした}\\\text{Ｂの１m²当たりの価額}}}{700{,}000円} \times \underset{\substack{\text{二方路線}\\\text{影響加算率}}}{0.05} \times \frac{15m}{15m+15m} = 17{,}500円$$

二方路線影響加算額は、次の計算方法により算出しても差し支えありません。

① 裏面路線価を基にしたＢの１m²当たりの奥行価格補正後の価額を求めます。

$$(\underset{\text{裏面路線価}}{650{,}000円} \times \underset{\text{奥行15mの補正率}}{1.00} \times 150m^2 + \underset{\text{裏面路線価}}{650{,}000円} \times \underset{\text{奥行30mの補正率}}{1.00} \times 450m^2)$$

$$\div 600m^2 = 650{,}000円$$

② 二方路線影響加算額

$$\underset{\substack{\text{裏面路線価を基にした}\\\text{Ｂの１m²当たりの価額}}}{650{,}000円} \times \underset{\substack{\text{二方路線}\\\text{影響加算率}}}{0.05} = 32{,}500円$$

第6章 財産評価基本通達における土地評価の原則

■計算方法1

土地及び土地の上に存する権利の評価明細書（第1表）

	局（所）	署	年分	ページ

（平成三十一年一月分以降用）

（住居表示）	（ ）	所有者	住 所（所在地）		使用者	住 所（所在地）	
所在地番			氏 名（法人名）			氏 名（法人名）	

地 目	地 積		路 線 価				地形図及び参考事項
㊹ 宅 地 山 林 田 雑種地 畑 （ ）	600.00 ㎡	正 面 900,000 円	側 方 700,000 円	側 方 円	裏 面 650,000 円		

間口距離	15.0 m	利用区分	㊹自用地 貸宅地 貸家建付地 借地権	私 道 貸家建付借地権 転 貸 借 地 権 （ ）	地区区分	ビル街地区 高度商業地区 繁華街地区 ㊹普通商業・併用住宅地区	普通住宅地区 中小工場地区 大工場地区
奥行距離	30.0 m		貸家建付地 借地権				

自 用 地 1 平 方 メ ー ト ル 当 た り の 価 額	**1 一路線に面する宅地** （正面路線価）　　　　　（奥行価格補正率） 900,000 円 × 1.00 地積 750m²…① 1.00 × 150m²…②			（1㎡当たりの価額） （①－②）÷600m²　　円 **900,000**	A
	2 二路線に面する宅地 （A）　　　　　［側方・裏面 路線価］（奥行価格補正率）［側方・二方 路線影響加算率］ 900,000 円 ＋ （ 700,000 円 × 1.00 × 0.05 × $\frac{15m}{15m+15m}$ ）			（1㎡当たりの価額）　円 **917,500**	B
	3 三路線に面する宅地 （B）　　　　　［側方・裏面 路線価］（奥行価格補正率）［側方・二方 路線影響加算率］ 917,500 円 ＋ （ 650,000 円 × 1.00 × 0.05 ）			（1㎡当たりの価額）　円 **950,000**	C
	4 四路線に面する宅地 （C）　　　　　［側方・裏面 路線価］（奥行価格補正率）［側方・二方 路線影響加算率］ 円 ＋ （ 円 × . × 0. ）			（1㎡当たりの価額）　円	D
	5-1 間口が狭小な宅地等 （AからDまでのうち該当するもの）（間口狭小補正率）（奥行長大補正率） 円 × （ . × . ）			（1㎡当たりの価額）　円	E
	5-2 不 整 形 地 （AからDまでのうち該当するもの）　不整形地補正率※ （注）570,000,000 円 × 0.97 ※不整形地補正率の計算 （想定整形地の間口距離）（想定整形地の奥行距離）（想定整形地の地積） 25.0 m × 30.0 m = 750.00 ㎡ （想定整形地の地積）（不整形地の地積）（想定整形地の地積）　（かげ地割合） （ 750.00 － 600.00 ㎡）÷ 750.00 ㎡ = 20.0 ％ （不整形地補正率表の補正率）（間口狭小補正率）　　小数点以下2位未満切捨て 0.97 × 1.00 = 0.97 ① （奥行長大補正率）（間口狭小補正率） 1.00 × 1.00 = 1.00 ②　　0.97　　不整形地補正率（①、②のいずれか低い率、0.6を下限とする。）			（1㎡当たりの価額）　円 **552,900,000**	F
	6 地積規模の大きな宅地 （AからFまでのうち該当するもの）　規模格差補正率※ 円 × 0. ※規模格差補正率の計算 （地積（Ⓐ））（Ⓑ）　（©）　（地積（Ⓐ））　　（小数点以下2位未満切捨て） { （ ㎡× ＋ ）÷ ㎡ }× 0.8 = 0.			（1㎡当たりの価額）　円	G
	7 無 道 路 地 （F又はGのうち該当するもの）　　　　　（※） 円 × （ 1 － 0. ） ※割合の計算（0.4を上限とする。） （正面路線価）　（通路部分の地積）（F又はGのうち該当するもの）（評価対象地の地積） （ 円 × ㎡）÷（ 円 × ㎡）= 0.			（1㎡当たりの価額）　円	H
	8-1 がけ地等を有する宅地　〔 南 、 東 、 西 、 北 〕 （AからHまでのうち該当するもの）　　　（がけ地補正率） 円 × 0.			（1㎡当たりの価額）　円	I
	8-2 土砂災害特別警戒区域内にある宅地 （AからHまでのうち該当するもの）　特別警戒区域補正率※ 円 × 0. ※がけ地補正率の適用がある場合の特別警戒区域補正率の計算（0.5を下限とする。） 〔 南 、 東 、 西 、 北 〕 （特別警戒区域補正率表の補正率）（がけ地補正率）（小数点以下2位未満切捨て） 0. × 0. = 0.			（1㎡当たりの価額）　円	J
	9 容積率の異なる2以上の地域にわたる宅地 （AからJまでのうち該当するもの）　（控除割合（小数点以下3位未満四捨五入）） 円 × （ 1 － 0. ）			（1㎡当たりの価額）　円	K
	10 私 道 （AからKまでのうち該当するもの） 円 × 0.3			（1㎡当たりの価額）　円	L

自用地の評価額	自用地1平方メートル当たりの価額（AからLまでのうちの該当記号）	地 積	総　　額（自用地1㎡当たりの価額）×（地　積）	
	（ **F** ）　　　円	600.00 ㎡	552,900,000 円	M

（注）950,000円×600.00㎡＝570,000,000円

■計算方法2

土地及び土地の上に存する権利の評価明細書（第1表）

	局（所）	署	年分	ページ

（平成三十一年一月分以降用）

（住居表示）	（　　　　）	所有者	住　所（所在地）		使用者	住　所（所在地）	
所在地番			氏　名（法人名）			氏　名（法人名）	

地　目	地　積	路　　線　　価				地形図及び参考事項
⑳宅地　山林　田　畑　雑種地（　　）	600.00 ㎡	正面 900,000 円	側方 700,000 円	側方 円	裏面 650,000 円	

間口距離	15.0 m	利用区分	⑳自用地　私道 貸宅地　貸家建付借地権 貸家建付地　転貸借地権 借地権（　　　）	地区区分	ビル街地区　普通住宅地区 高度商業地区　中小工場地区 繁華街地区　大工場地区 ⑳普通商業・併用住宅地区
奥行距離	30.0 m				

自用地1平方メートル当たりの価額	**1 一路線に面する宅地** （正面路線価）　　　　　（奥行価格補正率） 900,000 円 × 1.00	地積 750㎡…① × 1.00 × 150㎡…②	(1㎡当たりの価額) （①－②）÷600㎡ 900,000	円 A
	2 二路線に面する宅地 （A）　　〔側方・裏面 路線価〕（奥行価格補正率）〔側方・二方 路線影響加算率〕 900,000円＋（700,000円 × 1.00 × 750㎡ － 700,000円 × 1.00 × 150㎡）÷ 600㎡ × 0.05 × $\frac{15m}{15m+15m}$		(1㎡当たりの価額) 917,500	円 B
	3 三路線に面する宅地 （B）　　〔側方・裏面 路線価〕（奥行価格補正率）〔側方・二方 路線影響加算率〕 917,500円＋（650,000円 × 1.00 × 150㎡＋650,000円 × 1.00 × 450㎡）÷ 600㎡ × 0.05		(1㎡当たりの価額) 950,000	円 C
	4 四路線に面する宅地 （C）　　〔側方・裏面 路線価〕（奥行価格補正率）〔側方・二方 路線影響加算率〕 　　円 ＋ （　　円 × ． × ． ）		(1㎡当たりの価額) 円	D
	5-1 間口が狭小な宅地等 （AからDまでのうち該当するもの）（間口狭小補正率）（奥行長大補正率） 円 × （ ． × ． ）		(1㎡当たりの価額) 円	E
	5-2 不整形地 （AからDまでのうち該当するもの）　不整形地補正率※ （注）570,000,000 円 × 0.97 ※不整形地補正率の計算 （想定整形地の間口距離）（想定整形地の奥行距離）（想定整形地の地積） 25.0 m × 30.0 m ＝ 750.00 ㎡ （想定整形地の地積）　（不整形地の地積）（想定整形地の地積）　（かげ地割合） （ 750.00 ㎡ － 600.00 ㎡）÷ 750.00 ㎡ ＝ 20.0 ％ （不整形地補正率表の補正率）（間口狭小補正率）（小数点以下2位未満切捨て） 0.97 × 1.00 ＝ 0.97 …① （奥行長大補正率）（間口狭小補正率） 1.00 × 1.00 ＝ 1.00 …②　　0.97 〔不整形地補正率（①、②のいずれか低い率、0.6を下限とする。）〕		(1㎡当たりの価額) 552,900,000	円 F
	6 地積規模の大きな宅地 （AからFまでのうち該当するもの）　規模格差補正率※ 円 × 0. ※規模格差補正率の計算 （地積（Ⓐ））（Ⓑ）　（Ⓒ）　（地積（Ⓐ））（小数点以下2位未満切捨て） ｛（　㎡× ＋ ）÷ ㎡｝× 0.8 ＝ 0.		(1㎡当たりの価額) 円	G
	7 無道路地 （F又はGのうち該当するもの）　（※） 円 × （ 1 － 0. ） ※割合の計算（0.4を上限とする。） （正面路線価）（通路部分の地積）〔F又はGのうち該当するもの〕（評価対象地の地積） （ 円 × ㎡）÷（ 円 × ㎡）＝ 0.		(1㎡当たりの価額) 円	H
	8-1 がけ地等を有する宅地〔南、東、西、北〕 （AからHまでのうち該当するもの）（がけ地補正率） 円 × 0.		(1㎡当たりの価額) 円	I
	8-2 土砂災害特別警戒区域内にある宅地 （AからHまでのうち該当するもの）　特別警戒区域補正率※ 円 × 0. ※がけ地補正率の適用がある場合の特別警戒区域補正率の計算（0.5を下限とする。） 〔南、東、西、北〕 （特別警戒区域補正率表の補正率）（がけ地補正率）（小数点以下2位未満切捨て） 0. × 0. ＝ 0.		(1㎡当たりの価額) 円	J
	9 容積率の異なる2以上の地域にわたる宅地 （AからJまでのうち該当するもの）（控除割合（小数点以下4位未満四捨五入）） 円 × （ 1 － 0. ）		(1㎡当たりの価額) 円	K
	10 私道 （AからKまでのうち該当するもの） 円 × 0.3		(1㎡当たりの価額) 円	L

自用地の評価額	自用地1平方メートル当たりの価額 （AからLまでのうちの該当記号） （　F　）　円	地　積	総　　　額 （自用地1㎡当たりの価額）×（地積）	
	円	600.00 ㎡	552,900,000 円	M

（注）950,000円×600.00㎡＝570,000,000円

⑿ 多数の路線に接する宅地の評価

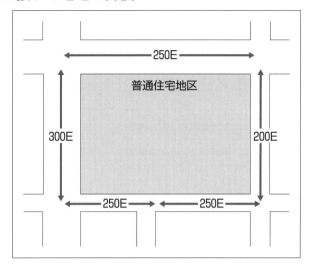

> **要点**
> 1　側方路線影響加算率又は二方路線影響加算率を乗じた金額を基に評価します。
> 2　側方路線にａ及びｂの路線価が付されている場合は、距離により加重平均した価額を基に側方路線影響加算等を行います。

⒀ 路線価の高い路線の影響を受ける度合いが著しく少ない場合の評価

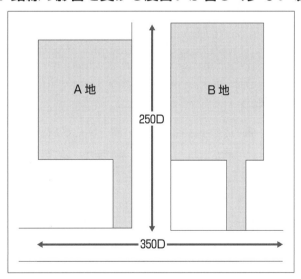

> **要点**
>
> 1　間口が狭小で接道義務を満たさないなど正面路線の影響を受ける度合いが著しく低い立地条件にある宅地については、その宅地が影響を受ける度合いが最も高いと認められる路線を正面路線として差し支えありません。
> 2　上記の土地は、帯状部分（乙）とその他の部分（甲）に分けて評価した価額の合計額により評価し、不整形地としての評価は行いません。

⒁　間口が狭い宅地の評価

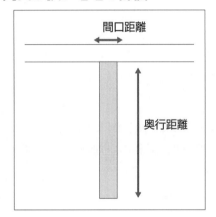
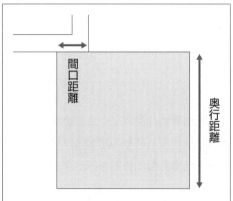

> **要点**
>
> 路線価に奥行価格補正率及び間口狭小補正率を乗じ、更に奥行が長大な宅地については、奥行長大補正率を乗じた価額によって評価します。

■間口狭小と奥行長大な宅地

地区区分	間口が狭小な宅地 間口距離	奥行が長大な宅地 奥行距離÷間口距離
ビ ル 街 地 区	28m未満	－
高 度 商 業 地 区	8 m未満	3以上
繁 華 街 地 区	4 m未満	3以上
普通商業・併用住宅地区	6 m未満	3以上
普 通 住 宅 地 区	8 m未満	2以上
中 小 工 場 地 区	10m未満	3以上
大 工 場 地 区	28m未満	－

⒂ 不整形地の評価1―区分した整形地を基として評価する場合

不整形地については、事例⒂から⒅までのいずれかの方法により評価します。
(国税庁「質疑応答事例」より引用)

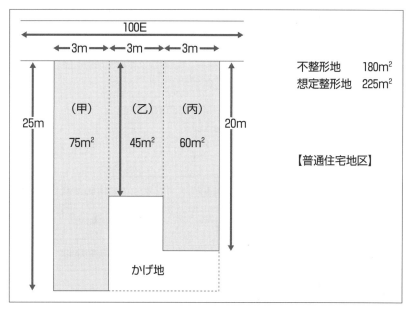

不整形地を区分して求めた整形地を基として計算した価額の合計額に、不整形地補正率を乗じて評価します。

計算

1　不整形地を整形地に区分して個々に奥行価格補正を行った価額の合計額

　　　　　　路線価　　奥行距離25mの場合の奥行価格補正率　　地積
甲土地　100,000円　×　0.97　×　75m² ＝ 7,275,000円

　　　　　　路線価　　奥行距離15mの場合の奥行価格補正率　　地積
乙土地　100,000円　×　1.00　×　45m² ＝ 4,500,000円

　　　　　　路線価　　奥行距離20mの場合の奥行価格補正率　　地積
丙土地　100,000円　×　1.00　×　60m² ＝ 6,000,000円

　　甲土地　　　　　乙土地　　　　　丙土地
7,275,000円　＋　4,500,000円　＋　6,000,000円　＝　17,775,000円

2　不整形地補正率

不整形地補正率　0.94（普通住宅地区　地積区分A　かげ地割合20%）

$$かげ地割合 = \frac{225m^2 - 180m^2}{225m^2} = 20\%$$

想定整形地の地積　9m × 25m ＝ 225m²

3 評価額

甲+乙+丙　　不整形地補正率
17,775,000円　×　0.94　＝　16,708,500円

土地及び土地の上に存する権利の評価明細書（第１表）				局(所)　署		年分	ページ

（平成三十一年一月分以降用）

（住居表示） （　　　　　）		所有者	住　所（所在地）氏　名（法人名）		使用者	住　所（所在地）氏　名（法人名）	地形図及び参考事項
所在地番							

地　　目	地　積	路　　　　線　　　　価				
㉛地 山林田 畑 雑種地（　　）	㎡ 180.00	正面 100,000 円	側方 円	側方 円	裏面 円	

間口距離	9.0 m	利用区分	㉛用地 貸宅地 貸家建付地 借地権	私道 貸家建付借地権 転貸借地権（　　　）	地区区分	ビル街地区　　㊟通住宅地区 高度商業地区　中小工場地区 繁華街地区　　大工場地区 普通商業・併用住宅地区
奥行距離	25.0 m					

自用地1平方メートル当たりの価額	**1　一路線に面する宅地**（正面路線価）　　100,000　円　×　（奥行価格補正率）　　　地積甲 0.97　×　75㎡　＝　7,275,000円乙 1.00　×　45㎡　＝　4,500,000円丙 1.00　×　60㎡　＝　6,000,000円		(1㎡当たりの価額)17,775,000 円	A
	2　二路線に面する宅地（A）　　　円　＋　（ ［側方・裏面 路線価］ 円 × ［奥行価格補正率］ . × ［側方・二方 路線影響加算率］ 0. ）		(1㎡当たりの価額) 円	B
	3　三路線に面する宅地（B）　　　円　＋　（ ［側方・裏面 路線価］ 円 × ［奥行価格補正率］ . × ［側方・二方 路線影響加算率］ 0. ）		(1㎡当たりの価額) 円	C
	4　四路線に面する宅地（C）　　　円　＋　（ ［側方・裏面 路線価］ 円 × ［奥行価格補正率］ . × ［側方・二方 路線影響加算率］ 0. ）		(1㎡当たりの価額) 円	D
	5-1　間口が狭小な宅地等（AからDまでのうち該当するもの）　（間口狭小補正率）　（奥行長大補正率）　　円　×　（ . × . ）		(1㎡当たりの価額) 円	E
	5-2　不整形地（AからDまでのうち該当するもの）　　不整形地補正率※17,775,000 円　×　0.94※不整形地補正率の計算（想定整形地の間口距離）　（想定整形地の奥行距離）　（想定整形地の地積）9.00　m　×　25.0　m　＝　225.00　㎡（想定整形地の地積）　（不整形地の地積）　（想定整形地の地積）　　（かげ地割合）（ 225.00　㎡ － 180.00　㎡ ）÷ 225.00　㎡ ＝ 20.00 ％（不整形地補正率表の補正率）（間口狭小補正率）　　　　　　（小数点以下2位未満切捨て）0.94　×　1.00　＝　0.94　①（奥行長大補正率）（間口狭小補正率）0.98　×　1.00　＝　0.98　②　　不整形地補正率（①、②のいずれか低い率、0.6を下限とする。）0.94		(1㎡当たりの価額) 円16,708,500	F
	6　地積規模の大きな宅地（AからFまでのうち該当するもの）　　規模格差補正率※　　円　×　0.※規模格差補正率の計算（地積（Ⓐ））（Ⓑ）　（Ⓒ）　　（地積（Ⓐ））　　（小数点以下2位未満切捨て）{ (㎡× ＋) ÷ ㎡ }× 0.8 ＝ 0.		(1㎡当たりの価額) 円	G
	7　無道路地（F又はGのうち該当するもの）　　　（※）　　円　×　（ 1 － 0. ）※割合の計算（0.4を上限とする。）（正面路線価）　（通路部分の地積）　　（ F又はGのうち該当するもの ）　（評価対象地の地積）（ 円 × ㎡ ）÷（ 円 × ㎡ ）＝ 0.		(1㎡当たりの価額) 円	H
	8-1　がけ地等を有する宅地　〔 南 、 東 、 西 、 北 〕（AからHまでのうち該当するもの）　（がけ地補正率）　　円　×　0.		(1㎡当たりの価額) 円	I
	8-2　土砂災害特別警戒区域内にある宅地（AからHまでのうち該当するもの）　　特別警戒区域補正率※　　円　×　0.※がけ地補正率の適用がある場合の特別警戒区域補正率の計算（0.5を下限とする。）〔 南 、東、 西、 北 〕（特別警戒区域補正率表の補正率）（がけ地補正率）（小数点以下2位未満切捨て）0.　×　0.　＝　0.		(1㎡当たりの価額) 円	J
	9　容積率の異なる2以上の地域にわたる宅地（AからJまでのうち該当するもの）　　（控除割合（小数点以下3位未満四捨五入））　　円　×　（ 1 － 0. ）		(1㎡当たりの価額) 円	K
	10　私　　道（AからKまでのうち該当するもの）　　円　×　0.3		(1㎡当たりの価額) 円	L

自用地の評価額	自用地1平方メートル当たりの価額（AからLまでのうちの該当記号）（ **F** ）　円	地　　積180.00 ㎡	総　　　　　　　額（自用地1㎡当たりの価額）×（地　積）16,708,500 円	M

270

⒃ 不整形地の評価２─計算上の奥行距離を基として評価する場合

（国税庁「質疑応答事例」より引用）

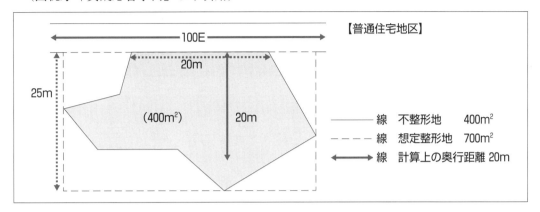

想定整形地の奥行距離を限度として、不整形地の地積を間口距離で除して算出した計算上の奥行距離を基として求めた整形地としての価額に、不整形地補正率を乗じて評価します。

計算

1　不整形地の計算上の奥行距離による奥行価格補正

　　地積　　間口距離　　計算上の奥行距離　　想定整形地の奥行距離
　400m² ÷ 20m ＝ 20m 　　　（＜25m）

　　路線価　　奥行距離20mの場合の奥行価格補正率　　１m²当たりの価額
　100,000円 × 1.00 ＝ 100,000円

2　不整形地補正率

不整形地補正率0.85（普通住宅地区　地積区分Ａ　かげ地割合42.86％）

$$\text{かげ地割合} = \frac{700\text{m}^2 - 400\text{m}^2}{700\text{m}^2} ≒ 42.86\%$$

（分子：想定整形地の地積　不整形地の地積／分母：想定整形地の地積）

3　評価額

　整形地とした場合の
　　１m²当たりの価額　　　地積　　不整形地補正率
　100,000円 × 400m² × 0.85 ＝ 34,000,000円

参考　想定整形地（点線分）の取り方

接面道路から垂線を描き、評価する土地を矩形で囲む形によります。

① 　② 　③

④ 　⑤ 　⑥

⑦ 　⑧ 　⑨

⑩ 　⑪ 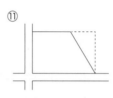　⑫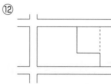

⑬ 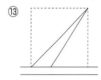　⑭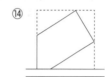

第6章 財産評価基本通達における土地評価の原則

土地及び土地の上に存する権利の評価明細書（第1表）

	局(所)	署	年分	ページ

（住居表示）	（　　　　　　　　）	所有者	住　所 (所在地)		使用者	住　所 (所在地)	
所在地番			氏　名 (法人名)			氏　名 (法人名)	

地　　目	地　積		路　　　　線　　　　価				地形図及び参考事項
㊂地 山　林 田　　畑 雑種地　（　　）	㎡ 400.00	正　面 100,000 円	側　方 円	側　方 円	裏　面 円	

間口距離	20.00 m	利用区分	㊟用地　私　道 貸宅地　貸家建付借地権 貸家建付地　転貸借地権 借地権　（　　　　　）	地区区分	ビル街地区　㊟通住宅地区 高度商業地区　中小工場地区 繁華街地区　大工場地区 普通商業・併用住宅地区
奥行距離	20.00 m				

			（1㎡当たりの価額）円	
自 用 地 1 平 方 メ | ト ル 当 た り の 価 額	1　一路線に面する宅地 　（正面路線価）　　　　　（奥行価格補正率） 　　100,000　円　×　　　1.00		100,000	A
	2　二路線に面する宅地 　　　（A）　　　　　［側方・裏面 路線価］　（奥行価格補正率）　［側方・二方 路線影響加算率］ 　　　　　円　＋　（　　　円　×　．　　　×　0.　　　）		（1㎡当たりの価額）円	B
	3　三路線に面する宅地 　　　（B）　　　　　［側方・裏面 路線価］　（奥行価格補正率）　［側方・二方 路線影響加算率］ 　　　　　円　＋　（　　　円　×　．　　　×　0.　　　）		（1㎡当たりの価額）円	C
	4　四路線に面する宅地 　　　（C）　　　　　［側方・裏面 路線価］　（奥行価格補正率）　［側方・二方 路線影響加算率］ 　　　　　円　＋　（　　　円　×　．　　　×　0.　　　）		（1㎡当たりの価額）円	D
	5-1　間口が狭小な宅地等 　（AからDまでのうち該当するもの）　（間口狭小補正率）　（奥行長大補正率） 　　　　　円　×　（　．　　　×　　．　　　）		（1㎡当たりの価額）円	E
	5-2　不　整　形　地 　（AからDまでのうち該当するもの）　　　不整形地補正率※ 　（注）40,000,000　円　×　　　　0.85 　※不整形地補正率の計算 　　（想定整形地の間口距離）　（想定整形地の奥行距離）　（想定整形地の地積） 　　　28.00　m　×　　25.00　m　＝　　700.00　㎡ 　　（想定整形地の地積）　（不整形地の地積）　（想定整形地の地積）　　（かげ地割合） 　（　700.00　㎡　−　400.00　㎡）÷　700.00　㎡　＝　42.86　％ 　（不整形地補正率表の補正率）（間口狭小補正率）（小数点以下2位未満切捨て）　［不整形地補正率 　　　0.85　　×　　1.00　　＝　　0.85　①　　①、②のいずれか低い 　（奥行長大補正率）（間口狭小補正率）　　　　　　　　　　　率、0.6を下限とする。］ 　　　1.00　　×　　1.00　　＝　　1.00　②　　　　　0.85		（1㎡当たりの価額）円 34,000,000	F
	6　地積規模の大きな宅地 　（AからFまでのうち該当するもの）　規模格差補正率※ 　　　　　円　×　　　　0. 　※規模格差補正率の計算 　（地積（Ⓐ））　（Ⓑ）　（Ⓒ）　（地積（Ⓐ））　　　　（小数点以下2位未満切捨て） 　｛（　　　㎡×　　　＋　　　）÷　　　㎡｝×　0.8　＝　0.		（1㎡当たりの価額）円	G
	7　無　道　路　地 　（F又はGのうち該当するもの）　　　　　　　　（※） 　　　　　円　×　（　1　−　0.　　　） 　※割合の計算（0.4を上限とする。）　　（F又はGのうち 　（正面路線価）　（通路部分の地積）　　該当するもの）　　（評価対象地の地積） 　（　　円　×　　　㎡）÷　（　　円　×　　　㎡）＝0.		（1㎡当たりの価額）円	H
	8-1　がけ地等を有する宅地　〔　南　、　東　、　西　、　北　〕 　（AからHまでのうち該当するもの）　　　（がけ地補正率） 　　　　　円　×　　　　0.		（1㎡当たりの価額）円	I
	8-2　土砂災害特別警戒区域内にある宅地 　（AからHまでのうち該当するもの）　　　特別警戒区域補正率※ 　　　　　円　×　　　　0. 　※がけ地補正率の適用がある場合の特別警戒区域補正率の計算（0.5を下限とする。） 　　　　　　　　　　　〔　南　、　東　、　西　、　北　〕 　（特別警戒区域補正率表の補正率）（がけ地補正率）（小数点以下2位未満切捨て） 　　　0.　　　×　0.　　　＝　0.		（1㎡当たりの価額）円	J
	9　容積率の異なる2以上の地域にわたる宅地 　（AからJまでのうち該当するもの）　（控除割合（小数点以下3位未満四捨五入）） 　　　　　円　×　（　1　−　0.　　　）		（1㎡当たりの価額）円	K
	10　私　　　　　道 　（AからKまでのうち該当するもの） 　　　　　円　×　0.3		（1㎡当たりの価額）円	L

自用地の評価額	自用地1平方メートル当たりの価額 （AからLまでのうちの該当記号）	地　　積	総　　　　　額 （自用地1㎡当たりの価額）×（地　積）	
	（　F　）　　円	㎡ 400.00	34,000,000 円	M

（注）100,000円×400.00㎡＝400,000,000円

273

(17) 不整形地の評価 3 ─ 近似整形地を基として評価する場合

（国税庁「質疑応答事例」より引用）

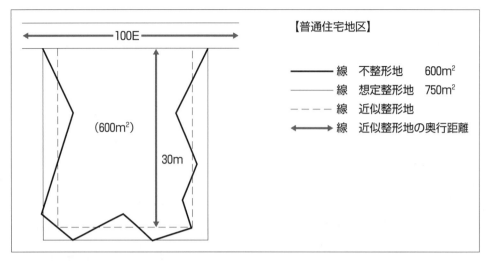

　不整形地に近似する整形地を求め、その近似整形地を基として求めた価額に不整形地補正率を乗じて評価します。

（注意事項）

1　近似整形地は、近似整形地からはみ出す不整形地の部分の地積と近似整形地に含まれる不整形地以外の部分の地積がおおむね等しく、かつ、その合計地積ができるだけ小さくなるように求めます。

2　近似整形地の屈折角は90度とします。

3　近似整形地と想定整形地の地積は必ずしも同一ではありません。

計算

1　近似整形地の奥行価格補正後の1m^{2}当たりの価額（不整形地の奥行価格補正後の1m^{2}当たりの価額）

　　路線価　　奥行距離30mの場合の奥行価格補正率
　　100,000円　×　0.95　＝　95,000円

2　不整形地補正率

　不整形地補正率0.97（普通住宅地区　地積区分B　かげ地割合20%）

$$かげ地割合 = \frac{750 m^2 - 600 m^2}{750 m^2} = 20\%$$

（想定整形地の地積　不整形地の地積／想定整形地の地積）

3　評価

　　近似整形地の単価　不整形地の地積　不整形地補正率
　　95,000円　×　600m^2　×　0.97　＝　55,290,000円

第6章 財産評価基本通達における土地評価の原則

土地及び土地の上に存する権利の評価明細書（第1表）

	局(所)	署	年分	ページ

（平成三十一年一月分以降用）

所在地番	（住居表示）（ ）	所有者	住 所（所在地） 氏 名（法人名）	使用者	住 所（所在地） 氏 名（法人名）

地 目	地 積	路 線 価				地形図及び参考事項
ⓐ宅地 山林 田 畑 雑種地 （ ）	m² 600.00	正面 100,000 円	側方 円	側方 円	裏面 円	

間口距離 20.00 m	利用区分	ⓐ自用地 私 道	地区区分	ビル街地区 ⓐ普通住宅地区
奥行距離 30.00 m		貸宅地 貸家建付借地権 貸家建付地 転貸借地権 借地権 （ ）		高度商業地区 中小工場地区 繁華街地区 大工場地区 普通商業・併用住宅地区

			(1 m²当たりの価額)		
自 用 地 1 平 方 メ ー ト ル 当 た り の 価 額	**1 一路線に面する宅地** （正面路線価）　　　　（奥行価格補正率） 　100,000 円 × 0.95		円 95,000		A
	2 二路線に面する宅地 　（A）　　［側方・裏面 路線価］（奥行価格補正率）［側方・二方 路線影響加算率］ 　　円 ＋ （　　円 × ．　　×　0.　　）		(1 m²当たりの価額) 円		B
	3 三路線に面する宅地 　（B）　　［側方・裏面 路線価］（奥行価格補正率）［側方・二方 路線影響加算率］ 　　円 ＋ （　　円 × ．　　×　0.　　）		(1 m²当たりの価額) 円		C
	4 四路線に面する宅地 　（C）　　［側方・裏面 路線価］（奥行価格補正率）［側方・二方 路線影響加算率］ 　　円 ＋ （　　円 × ．　　×　0.　　）		(1 m²当たりの価額) 円		D
	5-1 間口が狭小な宅地等 　（AからDまでのうち該当するもの）（間口狭小補正率）（奥行長大補正率） 　　円 × （　．　　× 　．　　）		(1 m²当たりの価額) 円		E
	5-2 不整形地 　（AからDまでのうち該当するもの）　不整形地補正率※ 　（注）57,000,000 円 × 0.97 ※不整形地補正率の計算 （想定整形地の間口距離）（想定整形地の奥行距離）（想定整形地の地積） 　20.00 m × 37.50 m = 750.00 m² （想定整形地の地積）（不整形地の地積）（想定整形地の地積）（かげ地割合） （ 750.00 m² － 600.00 m²）÷ 750.00 m² = 20.00 ％ （不整形地補正率表の補正率）（間口狭小補正率）［小数点以下2位未満切捨て］ 　0.97 × 1.00 ＝ 0.97 ① （奥行長大補正率）（間口狭小補正率） 　1.00 × 1.00 ＝ 1.00 ②　［不整形地補正率（①、②のいずれか低い率、0.6を下限とする。）0.97］		(1 m²当たりの価額) 円 55,290,000		F
	6 地積規模の大きな宅地 　（AからFまでのうち該当するもの）　規模格差補正率※ 　　円 × 0. ※規模格差補正率の計算 （地積（Ⓐ）） （Ⓑ） （Ⓒ） （地積（Ⓐ））（小数点以下2位未満切捨て） ｛（ m²× ＋ ）÷ m²｝× 0.8 ＝ 0.		(1 m²当たりの価額) 円		G
	7 無 道 路 地 　（F又はGのうち該当するもの）　　（※） 　　円 × （ 1 － 0. ） ※割合の計算（0.4を上限とする。）（F又はGのうち該当するもの） （正面路線価）（通路部分の地積）（評価対象地の地積） （　円 × m²）÷（　円 × m²）＝ 0.		(1 m²当たりの価額) 円		H
	8-1 がけ地等を有する宅地〔南、東、西、北〕 　（AからHまでのうち該当するもの）（がけ地補正率） 　　円 × 0.		(1 m²当たりの価額) 円		I
	8-2 土砂災害特別警戒区域内にある宅地 　（AからHまでのうち該当するもの）　特別警戒区域補正率※ 　　円 × 0. ※がけ地補正率の適用がある場合の特別警戒区域補正率の計算（0.5を下限とする。） （特別警戒区域補正率表の補正率）〔南、東、西、北〕（がけ地補正率）（小数点以下2位未満切捨て） 　0. × 0. ＝ 0.		(1 m²当たりの価額) 円		J
	9 容積率の異なる2以上の地域にわたる宅地 　（AからJまでのうち該当するもの）（控除割合（小数点以下3位未満四捨五入）） 　　円 × （ 1 － 0. ）		(1 m²当たりの価額) 円		K
	10 私 道 　（AからKまでのうち該当するもの） 　　円 × 0.3		(1 m²当たりの価額) 円		L

自用地の評価額	自用地1平方メートル当たりの価額 （AからLまでのうちの該当記号）	地 積	総 額 （自用地1 m²当たりの価額）×（地 積）	
	（ F ） 円	m² 600.00	円 55,290,000	M

（注）95,000円 × 600.00m² ＝ 57,000,000円

⒅ **不整形地の評価 4 —差引き計算により評価する場合**

(国税庁「質疑応答事例」より引用)

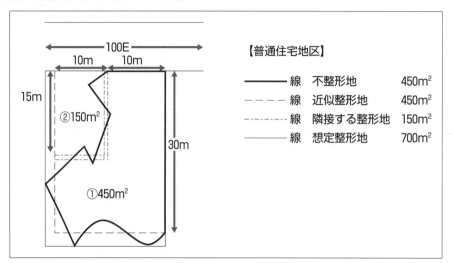

近似整形地（①）を求め、隣接する整形地（②）と合わせて全体の整形地の価額の計算をしてから隣接する整形地（②）の価額を差し引いた価額を基として計算した価額に、不整形地補正率を乗じて評価します。

> 計算

1 近似整形地（①）と隣接する整形地（②）を合わせた全体の整形地の奥行価格補正後の価額

　　　路線価　　　奥行距離30mの場合の奥行価格補正率　　①＋②の地積
　　100,000円　×　　0.95　　×　600m² ＝ 57,000,000円

2 隣接する整形地（②）の奥行価格補正後の価額

　　　路線価　　　奥行距離15mの場合の奥行価格補正率　　②の地積
　　100,000円　×　　1.00　　×　150m² ＝ 15,000,000円

3 1の価額から2の価額を控除して求めた近似整形地（①）の奥行価格補正後の価額

　　　①＋②　　　　②　　　　　近似整形地（①）の価額
　　57,000,000円 － 15,000,000円 ＝ 42,000,000円

4 近似整形地の奥行価格補正後の1m²当たりの価額（不整形地の奥行価格補正後の1m²当たりの価額）

　　近似整形地（①）の評価額　①の地積
　　42,000,000円 ÷ 450m² ＝ 93,333円

5　不整形地補正率

不整形地補正率0.88（普通住宅地区　地積区分Ａ　かげ地割合35.71%）

$$
\left[\text{かげ地割合} = \frac{\overset{\text{想定整形地の地積}}{700\text{m}^2} - \overset{\text{不整形地の地積}}{450\text{m}^2}}{\underset{\text{想定整形地の地積}}{700\text{m}^2}} \fallingdotseq 35.71\% \right]
$$

6　評価額

$$
\overset{\text{近似整形地の単価}}{93,333\text{円}} \times \overset{\text{不整形地の地積}}{450\text{m}^2} \times \overset{\text{不整形地補正率}}{0.88} = 36,959,868\text{円}
$$

（注意事項）

1　近似整形地を設定する場合、その屈折角は90度とします。

2　想定整形地の地積は、近似整形地の地積と隣接する整形地の地積との合計と必ずしも一致しません。

3　全体の整形地の価額から差し引く隣接する整形地の価額の計算に当たって、奥行距離が短いため奥行価格補正率が1.00未満となる場合においては、当該奥行価格補正率は1.00とします。

　　ただし、全体の整形地の奥行距離が短いため奥行価格補正率が1.00未満の数値となる場合には、隣接する整形地の奥行価格補正率もその数値とします。

土地及び土地の上に存する権利の評価明細書（第1表）

	局(所)	署	年分	ページ

（住居表示）	（ ）	所有者	住　所（所在地）		使用者	住　所（所在地）	
所在地番			氏　名（法人名）			氏　名（法人名）	

地　　目	地　積	路　　　線　　　価				地形図及び参考事項
⑲宅地　山林　田　畑　雑種地（　）	450.00 ㎡	正　面	側　方	側　方	裏　面	
		100,000 円	円	円	円	

間口距離	10.0 m	利用区分	⑲自用地　私道　貸宅地　貸家建付借地権　貸家建付地　転貸借地権　借地権（　）	地区区分	ビル街地区　高度商業地区　繁華街地区　普通商業・併用住宅地区　⑲普通住宅地区　中小工場地区　大工場地区
奥行距離	30.0 m				

自用地1平方メートル当たりの価額		

A 1　一路線に面する宅地　　（奥行価格補正率）　　　**地積**
（正面路線価）　　　（30m対応）0.95　×　600㎡ = 57,000,000円…①　（1㎡当たりの価額）
100,000 円　×　（15m対応）1.00　×　150㎡ = 15,000,000円…②　（① − ②）÷450㎡　93,333（単価）円

B 2　二路線に面する宅地　　（A）　　［側方・裏面 路線価］（奥行価格補正率）　［側方・二方 路線影響加算率］
円 ＋ （　　　円 ×　　　 . ×　　0. 　）　（1㎡当たりの価額）円

C 3　三路線に面する宅地　　（B）　　［側方・裏面 路線価］（奥行価格補正率）　［側方・二方 路線影響加算率］
円 ＋ （　　　円 ×　　　 . ×　　0. 　）　（1㎡当たりの価額）円

D 4　四路線に面する宅地　　（C）　　［側方・裏面 路線価］（奥行価格補正率）　［側方・二方 路線影響加算率］
円 ＋ （　　　円 ×　　　 . ×　　0. 　）　（1㎡当たりの価額）円

E 5-1　間口が狭小な宅地等　（AからDまでのうち該当するもの）（間口狭小補正率）（奥行長大補正率）
円 × （　 . × 　 . 　）　（1㎡当たりの価額）円

F 5-2　不整形地　（AからDまでのうち該当するもの）　不整形地補正率※
（注）41,999,850 円 × 0.88　　（1㎡当たりの価額）36,959,868 円

※不整形地補正率の計算
（想定整形地の間口距離）（想定整形地の奥行距離）（想定整形地の地積）
m × m = 700.00 ㎡
（想定整形地の地積）（不整形地の地積）（想定整形地の地積）（かげ地割合）
（ 700.00 ㎡ − 450.00 ㎡）÷ 700.00 ㎡ = 35.71 %
（不整形地補正率表の補正率）（間口狭小補正率）　　　（小数点以下2位未満切捨て）　　［不整形地補正率（①、②のいずれか低い率、0.6を下限とする。）］
0.88 × 1.00 = 0.88 ①
（奥行長大補正率）（間口狭小補正率）
0.90 × 1.00 = 0.90 ②　　　0.88

G 6　地積規模の大きな宅地　（AからFまでのうち該当するもの）　規模格差補正率※
円 × 0.　（1㎡当たりの価額）円

※規模格差補正率の計算
（地積（Ⓐ））（Ⓑ）（Ⓒ）（地積（Ⓐ））　　（小数点以下2位未満切捨て）
{（ ㎡× ＋ ）÷ ㎡ } × 0.8 = 0.

H 7　無　道　路　地　（F又はGのうち該当するもの）　（※）
円 × （ 1 − 0. 　）　（1㎡当たりの価額）円

※割合の計算（0.4を上限とする。）（F又はGのうち該当するもの）
（正面路線価）（通路部分の地積）（該当するもの）（評価対象地の地積）
円 × ㎡）÷（ 円 × ㎡）= 0.

I 8-1　がけ地等を有する宅地　〔 南 、 東 、 西 、 北 〕（AからHまでのうち該当するもの）（がけ地補正率）
円 × 0.　（1㎡当たりの価額）円

J 8-2　土砂災害特別警戒区域内にある宅地　（AからHまでのうち該当するもの）　特別警戒区域補正率※
円 × 0.　（1㎡当たりの価額）円

※がけ地補正率の適用がある場合の特別警戒区域補正率の計算（0.5を下限とする。）
〔 南 、 東 、 西 、 北 〕
（特別警戒区域補正率表の補正率）（がけ地補正率）　（小数点以下2位未満切捨て）
0. × 0. = 0.

K 9　容積率の異なる2以上の地域にわたる宅地　（AからJまでのうち該当するもの）（控除割合（小数点以下3位未満四捨五入））
円 × （ 1 − 0. 　）　（1㎡当たりの価額）円

L 10　私　　道　（AからKまでのうち該当するもの）
円 × 0.3　（1㎡当たりの価額）円

自用地の評価額	自用地1平方メートル当たりの価額（AからLまでのうちの該当記号）	地　積	総　　　　　額（自用地1㎡当たりの価額）×（地　積）
	（ F ）　　　円	450.00 ㎡	36,959,868 円

（注）93,333円×450.00㎡＝41,999,850円

⑲ **容積率の異なる2以上の地域にわたる宅地の評価（正面路線に接する部分の容積率と異なる容積率の部分がない場合）**

（国税庁「質疑応答事例」より引用）

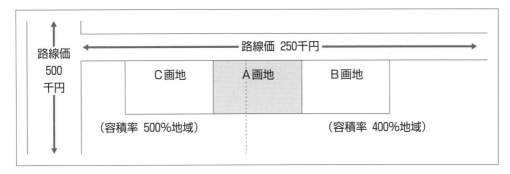

> 要点
>
> 1画地の宅地の正面路線に接する部分の容積率が2以上の場合、その正面路線に接する部分の容積率と異なる容積率の部分がない場合には、容積率の格差による減額調整を行いません。

⑳ **容積率の異なる2以上の地域にわたる宅地の評価（正面路線に接する部分の容積率と異なる容積率の部分がある場合）**

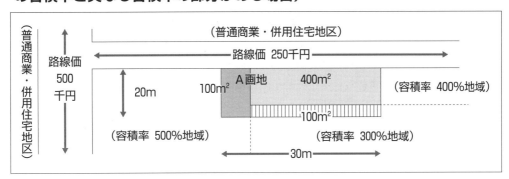

> 要点
>
> その宅地の正面路線に接する部分の容積率が2以上である場合で、その正面路線に接する部分の容積率と異なる容積率の部分がある場合には、異なる容積率の部分との違いによる減額調整を行います。

（注）この場合の調整計算に当たっては、容積率500%地域は容積率400%地域と一体であるものとして取扱い、容積率400%地域と容積率300%地域との格差の調整計算とします。

容積率の格差に基づく減額率

$$\left[1-\frac{400\%\times500m^2+300\%\times100m^2}{400\%\times600m^2}\right]\times 0.5 = 0.021$$

（小数点3位未満は四捨五入）

減額調整後の価額

正面路線価 250,000円 × 奥行価格補正率 1.00 －（正面路線価 250,000円 × 奥行価格補正率 1.00 × 減額率 0.021）＝ 244,750円

(21) 1画地の宅地が2以上の路線に面する場合

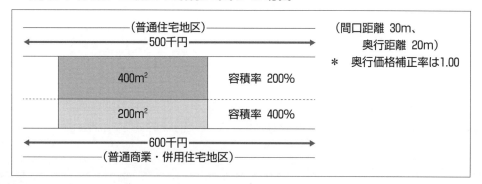

> **要点**
>
> 1　1画地の宅地が2以上の路線に面する場合
>
>　　正面路線の路線価 × 奥行価格補正率 × 容積率の格差による減額調整 ＜ 正面路線以外の路線価 × 奥行価格補正率
>
>　の場合には、容積率の格差による減額調整を適用しません。
>
> 2　上記の場合は、正面路線以外の路線の路線価について、奥行価格補正率を乗じて計算した価額のうち最も高い価額となる路線を当該画地の正面路線とみなして、財産評価基本通達15（奥行価格補正）から20－5（がけ地等を有する宅地の評価）までの定めにより計算した価額によって評価します。

○容積率の格差に基づく減額率

$$\left[1-\frac{400\%\times200m^2+200\%\times400m^2}{400\%\times600m^2}\right]\times 0.5 = 0.167$$

(1) 正面路線の路線価に奥行価格補正率を乗じて求めた価額に容積率の格差による減額調整を行った価額

　　600,000円 × 1.00 －（600,000円×1.00×0.167）＝ 499,800円

第6章 財産評価基本通達における土地評価の原則

(2) 裏面路線の路線価に奥行価格補正率を乗じて求めた価額

500,000円×1.00 ＝ 500,000円

(3) (1)＜(2)となるので、容積率の格差による減額調整の適用はなく、裏面路線を正面路線とみなして、当該画地の評価額を求めます。

なお、この場合、宅地の価額は最も高い効用を有する路線から影響を強く受けることから、正面路線とみなされた路線（裏面路線）の路線価の地区区分に応じた補正率を適用することに留意してください。

参考 財産評価基本通達20－7 容積率の異なる2以上の地域にわたる宅地の評価

20－7 容積率（建築基準法第52条に規定する建築物の延べ面積の敷地面積に対する割合をいう。以下同じ。）の異なる2以上の地域にわたる宅地の価額は、15（（奥行価格補正））から前項までの定めにより評価した価額から、その価額に次の算式により計算した割合を乗じて計算した金額を控除した価額によって評価する。この場合において適用する「容積率が価額に及ぼす影響度」は、14－2（（地区））に定める地区に応じて下表のとおりとする。（平11課評2－12外追加、平12課評2－4外・平16課評2－7外・平29課評2－46外・平30課評2－49外改正）

$$1 - \frac{\text{容積率の異なる部分の各部分に適用される容積率にその各部分の地積を乗じて計算した数値の合計}}{\text{正面路線に接する部分の容積率 × 宅地の総地積}} \times \text{容積率が価額に及ぼす影響度}$$

○容積率が価額に及ぼす影響度

地区区分	影響度
高度商業地区、繁華街地区	0.8
普通商業・併用住宅地区	0.5
普通住宅地区	0.1

（注）

1 上記算式により計算した割合は、小数点以下第3位未満を四捨五入して求める。

2 正面路線に接する部分の容積率が他の部分の容積率よりも低い宅地のように、この算式により計算した割合が負数となるときは適用しない。

3 2以上の路線に接する宅地について正面路線の路線価に奥行価格補正率を乗じて計算した価額からその価額に上記算式により計算した割合を乗じて計算した金額を控除した価額が、正面路線以外の路線の路線価に奥行価格補正率を乗じて計算した価額を下回る場合におけるその宅地の価額は、それらのうち最も高い価額となる路線を正面路線とみなして15（（奥行価格補正））から前項までの定めにより計算した価額によって評価する。なお、15（（奥行価格補正））から前項までの定めの適用については、正面路線とみなした路線の14－2（（地区））に定める地区区分によることに留意する。

281

⑵ 区分地上権に準ずる地役権の目的となっている宅地の評価

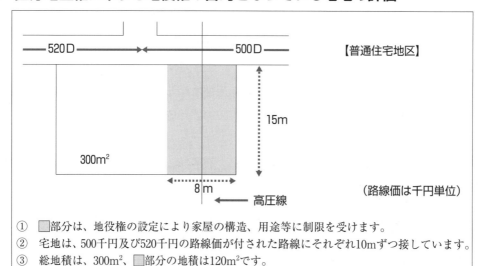

① ▨部分は、地役権の設定により家屋の構造、用途等に制限を受けます。
② 宅地は、500千円及び520千円の路線価が付された路線にそれぞれ10mずつ接しています。
③ 総地積は、300m²、▨部分の地積は120m²です。

区分地上権に準ずる地役権とは、「土地の上に存する権利の評価上の区分」の一つであり、次のような目的のため地下又は空間について上下の範囲を定めて設定された地役権で、建造物の設置を制限するものをいいます。

① 特別高圧架空電線の架設
② 高圧のガスを通ずる導管の敷設
③ 飛行場の設置
④ 建築物の建設その他の目的

区分地上権に準ずる地役権として評価するか否かは、設定登記の有無は問わないとされています。

当該地役権が設定されている宅地の価額は、承役地である部分も含め全体を1画地の宅地として評価した価額から、その承役地である部分を1画地として計算した自用地価額を基に、土地利用制限率を基に評価した区分地上権に準ずる地役権の価額を控除して評価します。この場合、区分地上権に準ずる地役権の価額は、その承役地である宅地についての建築制限の内容により、自用地価額に次の割合を乗じた金額によって評価することができます。

⑴ 家屋の建築が全くできない場合……50%と承役地に適用される借地権割合とのいずれか高い割合
⑵ 家屋の構造、用途等に制限を受ける場合……30%

図の場合において、区分地上権に準ずる地役権の割合を30%とすると、次のように評価します。

第6章 財産評価基本通達における土地評価の原則

計算

宅地全体を1画地として評価した価額（自用地価額）

$$\frac{\overset{\text{加重平均による路線価}}{520,000円 \times 10m + 500,000円 \times 10m}}{20m} \times \underset{1.00}{\overset{\text{奥行価格補正率}}{}} \times \underset{300m^2}{\overset{\text{地積}}{}} = \underset{153,000,000円}{\overset{\text{自用地価額}}{}}$$

区分地上権に準ずる地役権の価額

$$\underset{500,000円 \times}{\overset{\text{路線価}}{}} \underset{1.00}{\overset{\text{奥行価格補正率}}{}} \times \underset{120m^2}{\overset{\text{地積}}{}} \times \underset{30\%}{\overset{\text{区分地上権に準ずる地役権の割合}}{}} = \underset{18,000,000円}{\overset{\text{区分地上権に準ずる地役権の価額}}{}}$$

区分地上権に準ずる地役権の目的となっている宅地の価額

$$\underset{153,000,000円}{\overset{\text{自用地価額}}{}} - \underset{18,000,000円}{\overset{\text{区分地上権に準ずる地役権の価額}}{}} = 135,000,000円$$

（注）地役権図面等については、29ページで説明しています。

㉓ 土地区画整理事業中の土地の評価

① 仮換地の指定と土地の評価

　土地区画整理事業が行われると、従前の土地について有していた権利関係は、換地処分の公告の日の翌日から換地上に同一性を維持しながら移行することになります。この場合、事業開始から換地処分が行われるまでには、長期間を要することから、建築物等の移転や権利関係を早期に安定させるため、換地計画で定められた事項を考慮しながら仮換地の指定が行われます。仮換地の指定は、

　イ　換地処分を行う前に、土地の区画形質の変更、公共施設の新設若しくは変更に係る工事のために必要がある場合

　ロ　換地計向に基づき換地処分を行う必要がある場合

に施行地区内の宅地について、できることになっています（土地区画整理法第98条）。その指定は、公法上の独立した処分で通常の場合は、将来被指定者の換地となる予定のもとに行われます。

　仮換地の指定が行われると、①従前の宅地に対する使用収益権は停止され（処分権は残ります。）、代わりに仮換地について従前地に有していた使用収益権を取得することとなること、②区画整理の工事が進捗すると、従前の宅地は、その形骸をとどめない場合も生じてきて、従前の宅地そのものを評価することは物理的に不可能であることなどから、仮換地の指定が行われ、換地処分の公告が未了である段階で課税時期が到来した場合には、仮換地の指定されている土地については、仮換地の価額に相当する価額によって評価することとされています（評基通24-2）。

283

② 仮換地が造成工事中の土地の評価

その仮換地の造成工事が施工中で、当該工事が完了するまでの期間が1年を超えると見込まれる場合の仮換地の価額に相当する価額は、その仮換地について造成工事が完了したものとして評価した価額の100分の95に相当する価額によって評価します。

③ 換地処分による精算金

換地処分により徴収又は交付されることとなる精算金のうち、課税時期において確実と見込まれるものがある場合には、徴収されることとなる精算金の額は、仮換地の評価額から控除し、交付されることとなる精算金は仮換地の予価額に加算することになります。

(注) 仮換地が指定されている場合であっても、次の事項のいずれにも該当するときには、従前の宅地の価額により評価します。

1　土地区画整理法第99条第2項の規定により、仮換地について使用又は収益を開始する日を別に定めるとされているため、当該仮換地について使用又は収益を開始することができないこと

2　仮換地の造成工事が行われていないこと

3　土地区画整理法については、92ページで説明しています。

㉔　市民農園として貸し付けている農地の評価

① 貸付け方式

市民農園のうち、農地所有者が市民農園の開設者に農地を貸し付けた（貸付け方式）場合は、農地法第18条に定める賃貸借の解約制限の規定の適用はないものとされており、耕作権の目的となっている農地に該当しないため、生産緑地としての利用制限に係る斟酌と賃貸借契約の期間制限に係る斟酌を行って評価することになります。

（算式）

市民農園に供されている
土地の自用地価額　×　$\left(1 - \dfrac{\text{生産緑地の}}{\text{斟酌割合}}\right)$　×　$\left(1 - \dfrac{\text{法定地上権割合の1／2}}{\text{に相当する割合}}\right)$

(注)　生産緑地の斟酌割合は、生産緑地の評価を参照

この場合、賃貸借契約の期間制限に係る斟酌は、原則として、財産評価基本通達87（賃借権の評価）(2)の定めに準じて、賃借権の残存期間に応じ、その賃借権が地上権であるとした場合に適用される法定地上権割合の2分の1に相当する割合とされます。

第6章 財産評価基本通達における土地評価の原則

| 参考 | 相続税法第23条に定める法定地上権割合の１/２に相当する割合 |

残存期間	地上権割合	残存期間	地上権割合
10年以下	2.5%	30年超　35年以下	25%
10年超　15年以下	5	35年〃　40年〃	30
15年〃　20年〃	10	40年〃　45年〃	35
20年〃　25年〃	15	45年〃　50年〃	40
25年〃　30年〃	20	50年〃	45

　ただし、次の要件の全てを満たす市民農園の用に供されている農地については、残存期間が20年以下の法定地上権割合に相当する20％の斟酌をすることとして差支えないこととされています。

　イ　地方自治法第244条の２の規定により条例で設置される市民農園であること

　ロ　土地の賃貸借契約に次の事項が定められ、かつ、相続税及び贈与税の課税時期後において市民農園として貸し付けられること

　㈛　貸付期間が20年以上であること

　㈙　正当な理由がない限り貸付けを更新すること

　㈜　農地所有者は、貸付けの期間の途中において正当な事由がない限り土地の返還を求めることはできないこと

② 農園利用方式

　利用者に農地を貸さず、園主の指導で利用者が継続して農作業を行う方式（農園利用方式）による市民農園については、農地に対して賃借権や使用収益権などの権利の設定はされないため、賃貸借契約の制限期間に係る斟酌は行われません。

③ 特定市民農園

　市民農園のうち、次に掲載した国税庁ホームページの一定条件を満たす特定市民農園のために貸し付けられている土地については、特定市民農園として貸し付けられていないものとして評価した価額から、30％を控除した金額によって評価することとされています。

(注)　条例で定められた市民農園の20％減額又は特定市民農園の30％減額の適用を受けるには、相続税又は贈与税の申告書に一定の書類を添付する必要があります。

　以下は国税庁ホームページに掲載されている「特定市民農園」の用地として貸し付けられている土地の評価についての国税庁の回答です。

285

| 参考 | 特定市民農園の評価 |

課評 2 -15

課資 2 -212

平成 6 年12月19日

国税局長　殿

沖縄国税事務所長　殿

国税庁長官

特定市民農園の用地として貸し付けられている土地の評価について

　　標題のことについては、農林水産省構造改善局長及び建設省都市局長から別紙 2 のとおり照会
があり、これに対して別紙 1 のとおり回答したから了知されたい。

別紙 1

課評 2 -14

課資 2 -211

平成 6 年12月19日

農林水産省構造改善局長　殿

建設省都市局長　殿

国税庁長官

**特定市民農園の用地として貸し付けられている土地の評価について（平成 6 年11月22日付 6 構改B
　第1067号及び建設省都公緑発第90号照会に対する回答）**

　　標題のことについては、貴見のとおり取り扱うこととします。

別紙 2

平成 6 年11月22日

6 構改B　第1067号

建設省都公緑発第90号

国税庁長官　殿

農林水産省構造改善局長

建設省都市局長

特定市民農園の用地として貸し付けられている土地の評価について

　　緑豊かなまちづくりを推進し、自然との触れ合いの場を確保するため、現在、各地方公共団体
において市民農園の整備が進められているところですが、その用地については借地方式によるも
のが多いのが現状であります。

　　農林水産省及び建設省では、健康でゆとりある国民生活の確保を図るとともに、良好な都市環
境の形成等にも資するとの観点から、この借地方式による市民農園のうち、地方公共団体の条例
で設置され、契約期間も長期にわたるなど一定の要件（下記 1 参照）を満たす市民農園を「特定
市民農園」として認定する制度を創設し、特に積極的にその整備を推進していくことといたしま
した。

　　この特定市民農園は、土地の貸借期間が20年以上であり、かつ、正当事由がなければ土地所有

者が土地の返還を求めることはできないものであること、議会の過半数の同意がなければ廃止できないものであり、また、公益上特別の必要がある場合等を除き、廃止されないようその開設者である地方公共団体が的確に管理運営するとともに、認定権者においても認定後の管理運営状況を常時把握することによりその適正な運営が図られるものであることなどから、特定市民農園の用地として貸し付けられている土地については、相当長期にわたりその利用等が制限されることになります。

　このようなことから、相続税及び贈与税の課税上、特定市民農園の用地として貸し付けられている土地の評価については、下記のとおり取り扱っていただきたく、照会します。

記

1　特定市民農園の範囲

　特定市民農園とは、次の各基準のいずれにも該当する借地方式による市民農園であって、都道府県及び政令指定都市が設置するものは農林水産大臣及び建設大臣から、その他の市町村が設置するものは都道府県知事からその旨の認定書の交付を受けたものをいう。

(1)　地方公共団体が設置する市民農園整備促進法第2条第2項の市民農園であること

(2)　地方自治法第244条の2第1項に規定する条例で設置される市民農園であること

(3)　当該市民農園の区域内に設けられる施設が、市民農園整備促進法第2条第2項第2号に規定する市民農園施設のみであること

(4)　当該市民農園の区域内に設けられる建築物の建築面積の総計が、当該市民農園の敷地面積の100分の12を超えないこと

(5)　当該市民農園の開設面積が500㎡以上であること

(6)　市民農園の開設者である地方公共団体が当該市民農園を公益上特別の必要がある場合その他正当な事由なく廃止（特定市民農園の要件に該当しなくなるような変更を含む。）しないこと

　なお、この要件については「特定市民農園の基準に該当する旨の認定申請書」への記載事項とする。

(7)　土地所有者と地方公共団体との土地貸借契約に次の事項の定めがあること

　イ　貸付期間が20年以上であること

　ロ　正当な事由がない限り貸付けを更新すること

　ハ　土地所有者は、貸付けの期間の中途において正当な事由がない限り土地の返還を求めることはできないこと

2　特定市民農園の用地として貸し付けられている土地の評価

　特定市民農園の用地として貸し付けられている土地の価額は、その土地が特定市民農園の用地として貸し付けられていないものとして、昭和39年4月25日付直資56、直審（資）17「財産評価基本通達」の定めにより評価した価額から、その価額に100分の30を乗じて計算した金額を控除した金額によって評価する。

　なお、この取扱いの適用を受けるに当たっては、当該土地が、課税時期において特定市民農園の用地として貸し付けられている土地に該当する旨の地方公共団体の長の証明書（相続税又は贈与税の申告期限までに、その土地について権原を有することとなった相続人、受遺者又は受贈者全員から当該土地を引き続き当該特定市民農園の用地として貸し付けることに同意する旨の申出

書の添付があるものに限る。）を所轄税務署長に提出するものとする。

3　適用時期

　この取扱いは平成7年1月1日以後に相続若しくは遺贈又は贈与により取得した特定市民農園の用地として貸し付けられている土地の評価に適用する。

㉕　市街地農地、市街地山林等の評価

①　財産評価基準書の「比準」となっている地域の農地、山林等の評価

　市街地農地、市街地山林等は、市街地に近接する宅地化傾向の強い農地、山林等であるため、付近の宅地価格の影響により、農地、山林等としての価額よりむしろ宅地の価額に類似する価額で取引されます。

（注）農地の分類については、191ページ以降をご覧ください。

　財産評価基準書で「比準」となっているのは、「市街地農地」あるいは「市街地山林」等で、宅地比準方式により評価することになります。

　宅地比準方式で評価する農地、山林等の評価については、その農地、山林等が宅地であるとした場合の1㎡当たりの価額から、その農地、山林等を宅地に転用する場合に通常必要と認められる1㎡当たりの造成費に相当する金額を控除して評価することになります（評基通40、49等）。

■宅地比準方式による市街地農地、市街地山林等や市街地周辺農地の評価方法

〔市街地農地、市街地山林等の価額〕

$$\left(\begin{array}{c} \text{その農地、山林等が宅地である} \\ \text{とした場合の1㎡当たりの価額} \end{array} - \begin{array}{c} \text{1㎡当たりの} \\ \text{宅地造成費} \end{array} \right) \times \text{地積}$$

〔市街地周辺農地の価額〕

$$\left(\begin{array}{c} \text{その農地が宅地であるとし} \\ \text{た場合の1㎡当たりの価額} \end{array} - \begin{array}{c} \text{1㎡当たりの} \\ \text{宅地造成費} \end{array} \right) \times \text{地積} \times 0.8$$

イ　市街地農地、山林等についての間口、奥行や不整形等の画地調整率の適用

　市街地農地、山林等については、宅地であるとしたこの場合における評価をしますので、その間口、奥行や不整形等の画地調整率は、評価する農地、山林等の所在する地区について定められている当該率を参考として計算します。

　また、倍率地区にあるものについては、普通住宅地区の画地調整率を参考として評価します。

ロ　造成費について

　対象地が東京国税局管内にある場合、令和5年分の1㎡当たりの造成費に相当する金

額は、次のように定められています。

なお、「地積規模の大きな宅地の評価」の適用要件を満たす市街地農地、市街地周辺農地及び市街地山林の評価については財産評価基本通達20-2等により評価します（㉙参照）。

■平坦地の宅地造成費・傾斜地の宅地造成費

市街地農地等の平坦な土地を宅地に転用するために通常必要と認められる1㎡当たりの造成費に相当する金額は、その土地の現況に応じ、次表に掲げる造成工事の費目別の工事量（体積又は面積）を積算し、当該積算した工事量に費目別の工事単価を乗じて計算した金額の合計額を当該土地の地積で除して求めた金額とします。

○造成費（東京都）

下表は令和5年分東京都の造成費です。

造成費は都道府県ごとに異なりますが、平坦地・傾斜地とも平成27年分と比べて毎年増額され約1.5倍に急騰しており、適切に算出する必要があります。

令和5年分 → 平成27年分

表1　平坦地の宅地造成費

工事費目		造成区分	金額	金額
整地費	整地費	整地を必要とする面積1平方メートル当たり	800円	600円
	伐採・抜根費	伐採・抜根を必要とする面積1平方メートル当たり	1,000円	600円
	地盤改良費	地盤改良を必要とする面積1平方メートル当たり	1,800円	1,300円
土盛費		他から土砂を搬入して土盛りを必要とする場合の土盛り体積1立方メートル当たり	7,400円	4,400円
土止費		土止めを必要とする場合の擁壁の面積1平方メートル当たり	77,900円	50,500円

傾斜地の宅地造成費（東京都）

表2　傾斜地の宅地造成費

令和5年分

傾斜度	金額
3度超　5度以下	20,300円/㎡
5度超　10度以下	24,700円/㎡
10度超　15度以下	37,600円/㎡
15度超　20度以下	52,700円/㎡
20度超　25度以下	58,400円/㎡
25度超　30度以下	64,300円/㎡

平成27年分

傾斜度	金額
3度超　5度以下	9,900円/㎡
5度超　10度以下	17,200円/㎡
10度超　15度以下	23,900円/㎡
15度超　20度以下	39,100円/㎡

傾斜度を求めるため利用する地図は、第4章10の「国土地理院地図」（インターネット）及び「地形図（白地図）」などがあります。

○平坦地の宅地造成費の留意事項

① 「整地費」とは、①凹凸がある土地の地面を地ならしするための工事費又は②土盛工事を要する土地について、土盛工事をした後の地面を地ならしするための工事費をいいます。

② 「伐採・抜根費」とは、樹木が生育している土地について、樹木を伐採し、根等を除去するための工事費をいいます。したがって、整地工事によって樹木を除去できる場合には、造成費に本工事費を含めません。

③ 「地盤改良費」とは、湿田など軟弱な表土で覆われた土地の宅地造成に当たり、地盤を安定させるための工事費をいいます。

④ 「土盛費」とは、道路よりも低い位置にある土地について、宅地として利用できる高さ（原則として道路面）まで搬入した土砂で埋め立て、地上げする場合の工事費をいいます。

⑤ 「土止費」とは、道路よりも低い位置にある土地について、宅地として利用できる高さ（原則として道路面）まで地上げする場合に、土盛りした土砂の流出や崩壊を防止するために構築する擁壁工事費をいいます。

○傾斜地の宅地造成費の留意事項

① 「傾斜地の宅地造成費」の金額は、整地費、土盛費、土止費の宅地造成に要するすべての費用を含めて算定したものです。

なお、この金額には、伐採・抜根費は含まれていないことから、伐採・抜根を要する土地については、「平坦地の宅地造成費」の「伐採・抜根費」の金額を基に算出し加算します。

② 傾斜度3度以下の土地については、「平坦地の宅地造成費」の額により計算します。

③ 傾斜度については、原則として、測定する起点は評価する土地に最も近い道路面の高さとし、傾斜の頂点（最下点）は、評価する土地の頂点（最下点）が奥行距離の最も長い地点にあるものとして判定します。

④ 宅地への転用が見込めないと認められる市街地山林については、近隣の純山林の価額に比準して評価します（財産評価基本通達49）。したがって、宅地であるとした場合の価額から宅地造成費に相当する金額を控除して評価した価額が、近隣の純山林に比準して評価した価額を下回る場合には、経済合理性の観点から宅地への転用が見込めない市街地山林に該当するので、その市街地山林の価額は、近隣の純山林に比準して評価します。

（注）1 比準元となる具体的な純山林は、評価対象地の近隣の純山林、すなわち、評価対象地からみて距離的に最も近い場所に所在する純山林です。

2 宅地造成費に相当する金額が、その山林が宅地であるとした場合の価額の100分の50に相当する金額を超える場合であっても、上記の宅地造成費により算定します。

3 宅地比準方式により評価する市街地農地、市街地周辺農地及び市街地原野等についても、市街地山林と同様、経済合理性の観点から宅地への転用が見込めない場合には、宅地への転

用が見込めない市街地山林の評価方法に準じて、その価額は、純農地又は純原野の価額により評価することになります。

なお、市街地周辺農地については、市街地農地であるとした場合の価額の100分の80に相当する金額によって評価する（財産評価基本通達39（市街地周辺農地の評価））ことになっていますが、これは、宅地転用が許可される地域の農地ではあるが、まだ現実に許可を受けていないことを考慮したものですので、純農地の価額に比準して評価する場合には80％相当額に減額する必要はありません。

■市街地山林の評価額（「財産評価基準書」より）

（参考）市街地山林の評価額を図示すれば、次のとおりです。

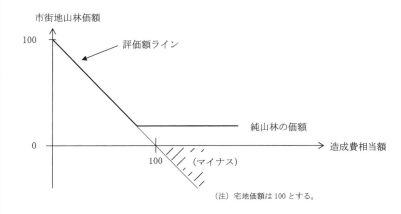

（参考）高さと傾斜度との関係

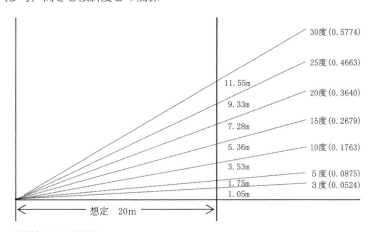

傾斜度区分の判定表

傾　斜　度	①高さ÷奥行	②奥行÷斜面の長さ
3度超5度以下	0.0524超 0.0875以下	0.9962以上 0.9986未満
5度超10度以下	0.0875超 0.1763以下	0.9848以上 0.9962未満
10度超15度以下	0.1763超 0.2679以下	0.9659以上 0.9848未満
15度超20度以下	0.2679超 0.3640以下	0.9397以上 0.9659未満
20度超25度以下	0.3640超 0.4663以下	0.9063以上 0.9397未満
25度超30度以下	0.4663超 0.5774以下	0.8660以上 0.9063未満

（注）①及び②の数値は三角比によります。

② 市街地農地（平坦地）の評価の例

例えば、東京国税局管内にある間口が20m、奥行が20mの平坦な田で、土盛りを要する高さが1mである次の略図のような土地の造成費について説明します。

なお、現況が田であるため伐採、抜根の必要はありませんが、地盤改良が必要です。

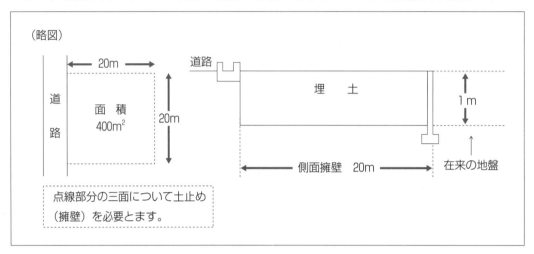

宅地造成費については、各国税局で工事単価を定めていますので、その金額に基づき計算します。

設例の土地の造成費は、令和5年分について次のように計算します。

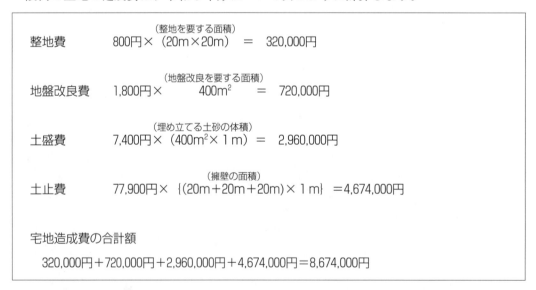

③ 市街地山林の評価

例として、東京国税局管内にある400m²の市街地山林の評価について解説します。

宅地としての相続税評価額を計算したところ、30,000千円となりました。この市街地山林の道路面からの平均的な傾斜度は15度です。

この場合、相続税評価額を算定するために適用する宅地造成費はどのようになるか計算

します。

　なお、この山林は全体的に雑木が生い茂っており、宅地にするためには、伐採・抜根が必要です。

　東京国税局以外の市街地山林等の傾斜地に適用する宅地造成費については、各国税局で傾斜度に応じた造成費を定めていますので、その金額に基づき評価します。

　市街地山林のような傾斜地を評価する場合の宅地造成費は、「傾斜地の宅地造成費」を適用します。設例の市街地山林の場合、令和5年分の傾斜度「10度超〜15度以下」の造成費の単価は、37,600円となっています。また、この金額には、伐採・抜根費は含まれていないことから、伐採・抜根を要する土地については、「平坦地の宅地造成費」の「伐採・抜根費」の金額を基に加算します。

　造成費は具体的には次のとおりです。

（造成費の計算）

37,600円（傾斜度10度超〜15度以下の造成費）×400㎡　＝　15,040,000円

1,000円（伐採・抜根費）×400㎡　＝　400,000円

したがって、市街地山林の評価額は次のとおり、14,560,000円となります。

30,000,000円 −（15,040,000円＋400,000円）＝14,560,000円

（注）　宅地であるとした場合の価額から宅地造成費に相当する金額を控除して評価した価額が近隣の純山林に比準して評価した価額を下回る場合には、経済合理性の観点から宅地への転用が見込めない市街地山林に該当しますので、その市街地山林の価額は、近隣の純山林の価額に比準して評価します。

■ （参考）擁壁工事の作業工程

　造成工事に必要な擁壁工事等の概要は次表のとおりで、いくつもの工程が必要です（イラストはイメージ）。

工程	工　事　内　容
1	○工事開始前に現場の測量・構造の検討・擁壁の設計を行います。 ○工作物確認申請、宅地造成許可の取得を事前に行います。
2	○既存の擁壁が不適格の場合に、擁壁を取り壊しながら掘削作業を行います。
3	○掘削した土砂を宅地内に仮置き、又は現場の外へ搬出します。

工程	工 事 内 容
4	○計画の深さまで掘削し平らにしたのち、仕上がった面の上に砕石を敷き固めます。（基礎砕石）
5	○基礎砕石の上に、数㎝の厚さのコンクリートを打設します。

第6章 財産評価基本通達における土地評価の原則

工程	工　事　内　容
6	○基礎部分を、鉄筋で組み立てます。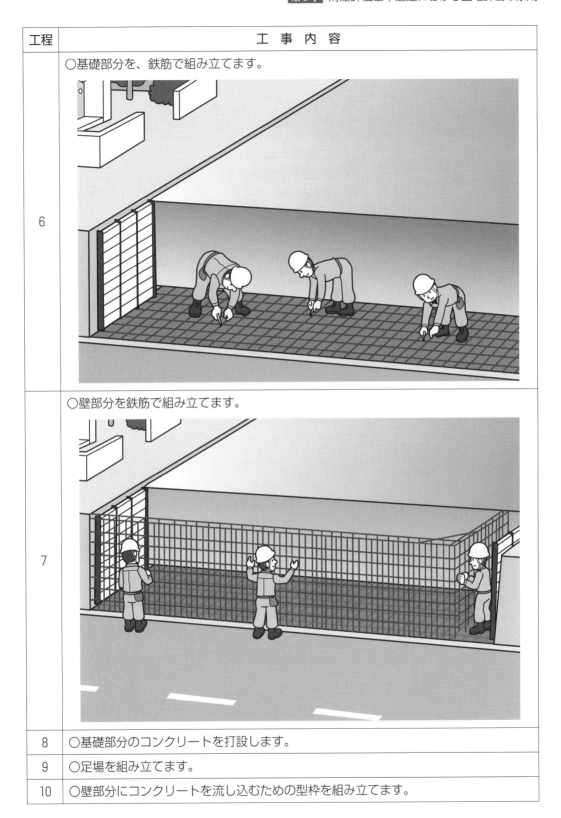
7	○壁部分を鉄筋で組み立てます。
8	○基礎部分のコンクリートを打設します。
9	○足場を組み立てます。
10	○壁部分にコンクリートを流し込むための型枠を組み立てます。

295

工程	工 事 内 容
11	○壁部分にコンクリートを打設します。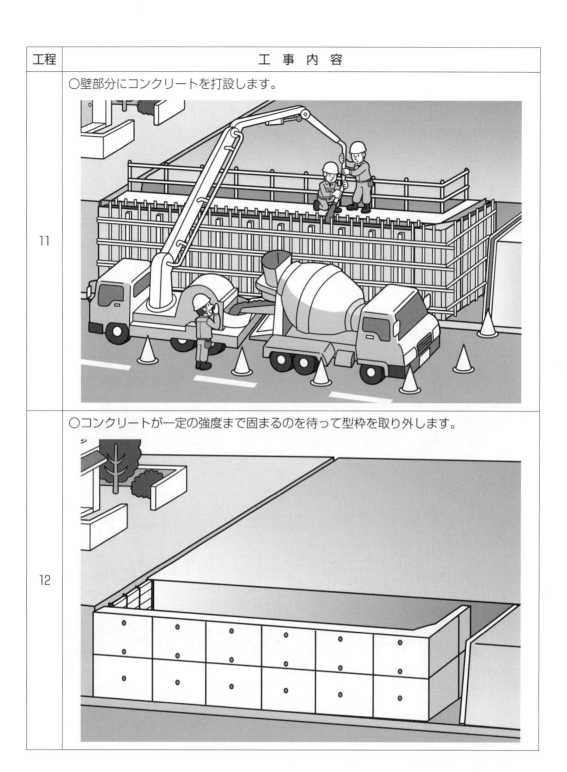
12	○コンクリートが一定の強度まで固まるのを待って型枠を取り外します。

第6章 財産評価基本通達における土地評価の原則

工程	工 事 内 容
13	○背面側の足場、型枠を取り外し、不要な資材、残材を搬出します。
14	○一番下段の水抜きパイプまで埋め戻し、止水コンクリートを設置します。
15	○擁壁背面に土を埋め戻しながら、雨水などが水抜きパイプに流れるよう、壁沿いに幅30cm程度の砕石を埋めて行きます。

工程	工事内容
16	○擁壁部分の埋戻しを行い、完成です。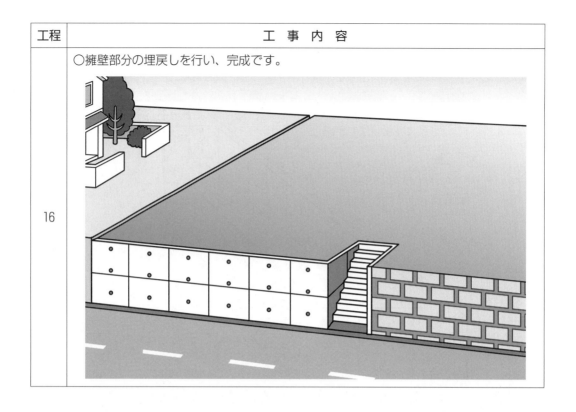

⑳ 生産緑地及び特定生産緑地の評価

　生産緑地及び特定生産緑地（以下「生産緑地等」といいます。）の価額は、行為制限の解除の前提となっている買取りの申出のできる日までの期間に応じて定めた一定の割合を減額して評価することとしています。

$$\text{生産緑地等の評価額} = \text{その土地が生産緑地等でないものとして評価した価額} \times \left[1 - \text{次の①又は②に掲げる割合} \right]$$

① 課税時期（相続の場合は被相続人の死亡の日、贈与の場合は贈与により財産を取得した日）において市町村長に対し買取りの申出をすることができない生産緑地等の場合は、課税時期から買取りの申出をすることができる日までの期間に応じて、それぞれ次のとおり割合が定められています。

■課税時期において買取りの申出をすることができない生産緑地等の場合の割合

課税時期から買取りの申出をすることができることとなる日までの期間	割合（%）
5年以下のもの	10
5年を超え10年以下のもの	15
10年を超え15年以下のもの	20
15年を超え20年以下のもの	25

20年を超え25年以下のもの	30
25年を超え30年以下のもの	35

② 課税時期において市町村長に対し買取りの申出が行われていた生産緑地等又は買取りの申出をすることができる生産緑地等

　5％

⑳　耕作権の目的となっている生産緑地等の評価

　耕作権の目的となっている農地が生産緑地等に指定されている場合は、次により評価します。

$$
\left[\begin{array}{c}\text{自用地}\\\text{価額}\end{array} - \begin{array}{c}\text{耕作権}\\\text{の価額}\end{array}\right] \times \left[1 - \begin{array}{c}\text{課税時期から買取りの申出をすることができる}\\\text{こととなる日までの期間に応ずる割合}\end{array}\right]
$$

（注）生産緑地法については、94ページで説明しています。

㉘　土砂災害特別警戒区域内にある宅地の評価

　近年、土砂災害特別警戒区域の指定件数が増加していることを踏まえ、土砂災害特別警戒区域内にある宅地の評価に当たっては、その宅地に占める土砂災害特別警戒区域内となる部分の地積の割合に応じて一定の減額補正を行うこととされています。

①　財産評価基本通達改正の背景

　土砂災害防止法では、都道府県知事は、急傾斜地の崩壊等が発生した場合に、住民等の生命又は身体に危害が生ずるおそれがあると認められる区域で一定のものを土砂災害警戒区域（以下「警戒区域」という。）として指定することができ、この警戒区域のうち、急傾斜地の崩壊等が発生した場合に、建築物に損壊が生じ住民等の生命又は身体に著しい危害が生ずるおそれがあると認められる区域で一定のものを土砂災害特別警戒区域（以下「特別警戒区域」という。）として指定することができる（土砂災害防止法7、9）とされています。

　このうち、特別警戒区域内にある宅地については、建築物の構造規制（土砂災害防止法24、25）が課せられ、宅地としての通常の用途に供するとした場合に利用の制限があると認められることから、特別警戒区域内に存しない宅地の価額に比して、一定の減価が生ずるものと考えられます。近年、特別警戒区域の指定件数が増加していることから、今後、更なる指定件数の増加が想定されます。

　このような状況を踏まえ、平成30年12月に財産評価基本通達が改正され、特別警戒区域内にある宅地の評価方法が定められました。

② 制度の概要

イ 「土砂災害特別警戒区域内にある宅地の評価」の適用対象

　「土砂災害特別警戒区域内にある宅地の評価」の適用対象となる宅地は、課税時期において、土砂災害防止法の規定により指定された特別警戒区域内にある宅地です（注）。したがって、従前、特別警戒区域内にあったが、土砂災害の防止に関する工事の実施等により、特別警戒区域の指定の事由がなくなったと認められ、課税時期前に特別警戒区域の指定が解除された場合には、「土砂災害特別警戒区域内にある宅地の評価」の適用対象とはなりません。

（注）特別警戒区域の指定及び解除は、公示によってその効力を生ずることとされている（土砂災害防止法9⑥、⑨）ことから、当該公示の有無により特別警戒区域の指定及び解除を判断することとなります。

　なお、警戒区域については、市町村地域防災計画による警戒避難体制の整備、土砂災害ハザードマップによる周知など、市町村長等に義務は課せられていますが、特別警戒区域に指定されない限り、宅地としての利用は法的に制限されません。さらに、警戒区域に指定されることにより、当該区域について一定の土砂災害発生の危険性の存在が公表されますが、一般に、警戒区域内にある宅地は、背後にがけ地が控える場合や谷・渓流の近くに存する場合など、区域指定以前から当該危険性の存在は認識されている場合が多く、また、土砂災害発生の危険性は警戒区域内外にわたり比較的広範囲に及んでいることから、土地価格の水準に既に織り込まれているとも考えられます。

　したがって、警戒区域内にあるとしても、特別警戒区域内に存しない宅地については、「土砂災害特別警戒区域内にある宅地の評価」の適用対象とはなりません。

第6章 財産評価基本通達における土地評価の原則

■参考 和歌山県紀の川市粉河寺周辺の「わかやま土砂災害マップ」

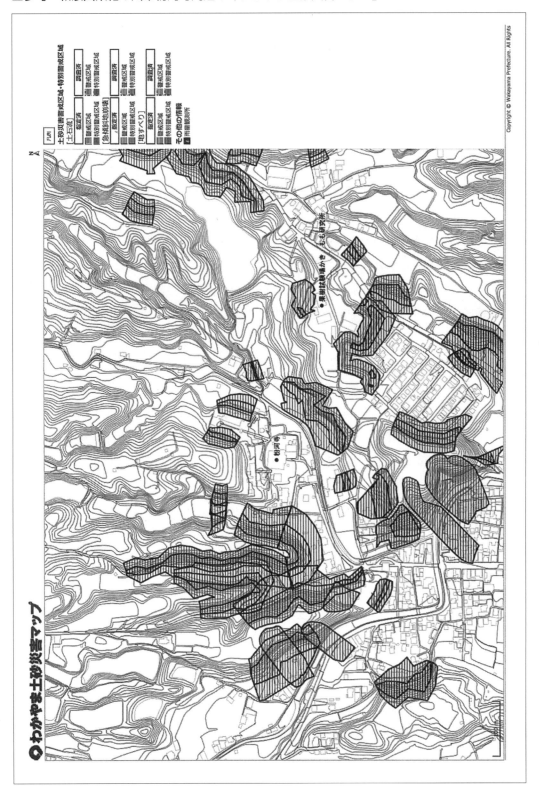

ロ 「土砂災害特別警戒区域内にある宅地の評価」の評価方法

　特別警戒区域内にある宅地における建築物の構造規制に伴う減価としては、

　①構造強化等に係る対策費用の負担による減価

　②建築物の敷地として利用できないことによる減価

　が考えられます。ただし、経済合理性の観点からは、多額の対策費用を要する場合には、その費用を投じてまで建築物の敷地として利用することは通常考えられず、駐車場等として利用するものと考えられることから、当該規制に伴う減価は、②の減価が下限値となります。これに加えて、①の減価については、汎用性のある対策費用の負担による減価の見積もりが困難であることや評価の簡便性を考慮すると、②の減価を反映した評価方法とすることが相当です。

　そこで、特別警戒区域内となる部分を有する宅地の価額については、その宅地のうちの特別警戒区域内となる部分が特別警戒区域内となる部分でないものとした場合の価額に、その宅地の総地積に対する特別警戒区域内となる部分の地積の割合に応じて、次の「特別警戒区域補正率表」に定める補正率を乗じて計算した価額によって評価することとなりました。

　なお、特別警戒区域は、基本的には地勢が傾斜する地域に指定されることから、特別警戒区域内にある宅地にはがけ地を含む場合もあると考えられるので、評価通達20－5 （《がけ地等を有する宅地の評価》）における付表8に定めるがけ地補正率の適用がある場合においては、次の「特別警戒区域補正率表」により求めた補正率にがけ地補正率を乗じて得た数値を特別警戒区域補正率とすることとし、その最小値は0.50とされました。

○特別警戒区域補正率表

特別警戒区域の地積 総地積	補正率
0.10以上	0.90
0.40 〃	0.80
0.70 〃	0.70

ハ　倍率地域に所在する特別警戒区域内にある宅地

　倍率方式により評価する地域（以下「倍率地域」という。）に所在する宅地の価額は、その宅地の固定資産税評価額に倍率を乗じて評価することとしています（評価通達21－2）。特別警戒区域内の宅地の固定資産税評価額の算定については、特別警戒区域の指定による土地の利用制限等が土地の価格に影響を与える場合には、当該影響を適正に反映させることとされており、特別警戒区域に指定されたことに伴う宅地としての利用制限等により生ずる減価は、既に固定資産税評価額において考慮されていると考えられます。

したがって、倍率地域に所在する特別警戒区域内にある宅地については、「土砂災害特別警戒区域内にある宅地の評価」の適用対象とはなりません。

ニ　市街地農地等への適用

　市街地農地、市街地周辺農地、市街地山林及び市街地原野（以下、これらを併せて「市街地農地等」という。）については、評価通達39《市街地周辺農地の評価》、40《市街地農地の評価》、49《市街地山林の評価》及び58－3《市街地原野の評価》の定めにおいて、その農地等が宅地であるとした場合を前提として評価（宅地比準方式により評価）することとされていますが、市街地農地等が特別警戒区域内にある場合には、その農地等を宅地に転用するときには、宅地としての利用が制限され、これによる減価が生ずることになります。

　したがって、市街地農地等が特別警戒区域内にある場合には、「土砂災害特別警戒区域内にある宅地の評価」の適用対象となります。

　また、雑種地の価額は、近傍にある状況が類似する土地に比準した価額により評価する（評価通達82）とされていますので、評価対象となる雑種地の状況が宅地に類似する場合には宅地に比準して評価し、農地等に類似する場合には農地等に比準して評価することとなります。このとき、市街化区域内の農地等の価額は宅地比準方式により評価することとしていることから、市街化区域内の雑種地についても、宅地比準方式により評価することとなります。

　このような宅地に状況が類似する雑種地又は市街地農地等に類似する雑種地が特別警戒区域内にある場合、その雑種地を宅地として使用するときには、その利用が制限され、これによる減価が生ずることになります。したがって、宅地に状況が類似する雑種地又は市街地農地等に類似する雑種地が特別警戒区域内にある場合には、「土砂災害特別警戒区域内にある宅地の評価」の適用対象となります。

ホ　具体的な計算例

　「土砂災害特別警戒区域内にある宅地の評価」の具体的な計算例を示せば、次のとおりです。

（設例１）特別警戒区域内にある宅地の場合

① 　総地積：400m^2

② 　特別警戒区域内となる部分の地積：100m^2

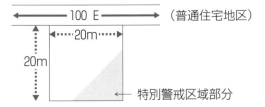

計算

1　総地積に対する特別警戒区域となる部分の地積の割合

$$\frac{100\text{m}^2}{400\text{m}^2} = 0.25$$

2　評価額

　　　　（路線価）　　（奥行価格補正率）（特別警戒区域補正率）　（地積）
　　　　100,000円　×　　1.00　　×　　0.90　　×　400m² ＝ 36,000,000円

（設例２）特別警戒区域内にある宅地でがけ地等を有する場合

① 総地積：400m²
② 特別警戒区域内となる部分の地積：300m²
③ がけ地（南方位）の地積：200m²

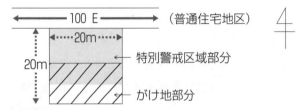

計算

1　総地積に対する特別警戒区域となる部分の地積の割合

$$\frac{300\text{m}^2}{400\text{m}^2} = 0.75$$

2　総地積に対するがけ地部分の割合

$$\frac{200\text{m}^2}{400\text{m}^2} = 0.5$$

3　特別警戒区域補正率

　（特別警戒区域補正率表の補正率）（南方位のがけ地補正率）（特別警戒区域補正率）
　　　　　0.70　　　×　　　0.82　　＝　0.57 ※　（小数点以下２位未満を切捨て）

　　※　0.50未満の場合は、0.50となる。

4　評価額

　　　　（路線価）　　（奥行価格補正率）（特別警戒区域補正率）　（地積）
　　　　100,000円　×　　1.00　　×　　0.57　　×　400m² ＝ 22,800,000円

ヘ　適用時期

平成31年１月１日以後に相続、遺贈又は贈与により取得した財産の評価に適用されます。

参考　東京都建築安全条例で定めるがけ地面積（制限受ける範囲）

　東京都建築安全条例第6条に規定する建築敷地周辺の高低差がある場合のがけ地面積は周辺部分を含みます。
　建築基準法（以下「法」という）第19条（敷地の衛生及び安全）第4項では、建築物ががけ崩れ等による被害を受けるおそれのある場合において、擁壁の設置その他安全上適当な措置を講じなければならないと定められています。
　さらに、法第40条に基づく、東京都建築安全条例（以下「条例」という）第6条（がけ）では、高さ2メートルを超え、かつ傾斜2分の1こう配を超える「がけ」に近接して建築物を建てる場合、建築物の安全性を確保するため具体的な規制が付加されています。

○「がけ条例」の制限を受ける範囲とは
　原則として、下図のように高さ2メートルを超えるがけの下端からの水平距離ががけ高（H）の2倍までが条例第6条（がけ）の制限を受ける範囲となります。

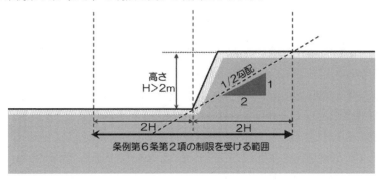

（東京都北区ホームページより）

参考　急傾斜地の崩壊による災害の防止に関する法律

　急傾斜地の崩壊による災害の防止に関する法律による急傾斜地法書き危険区域指定基準では、傾斜度30度以上の高さ5m以上の土地となります。
【急傾斜地崩壊危険区域指定基準】
・急傾斜地（傾斜度が30度以上）の高さが5メートル以上の土地
・急傾斜地の崩壊により危害が生ずるおそれのある人家が5戸以上ある、または5戸未満であっても官公署、学校、病院、旅館等に危害が生ずるおそれがある区域

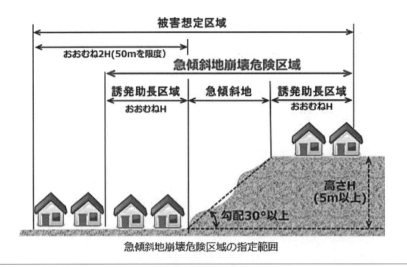

（東京都建設局ホームページより）

> **参考** 財産評価基本通達20−6（土砂災害特別警戒区域内にある宅地の評価）
>
> 20−6　土砂災害特別警戒区域内（土砂災害警戒区域等における土砂災害防止対策の推進に関する法律（平成12年法律第57号）第9条《土砂災害特別警戒区域》第1項に規定する土砂災害特別警戒区域の区域内をいう。以下同じ。）となる部分を有する宅地の価額は、その宅地のうちの土砂災害特別警戒区域内となる部分が土砂災害特別警戒区域内となる部分でないものとした場合の価額に、その宅地の総地積に対する土砂災害特別警戒区域内となる部分の地積の割合に応じて付表9「特別警戒区域補正率表」に定める補正率を乗じて計算した価額によって評価する。（平30課評2−49外追加）

㉙　地積規模の大きな宅地の評価

　平成29年9月の財産評価基本通達の一部改正により、「地積規模の大きな宅地の評価」（評基通20−2）が新設されました。これにより、平成30年1月1日以後に相続等により取得する宅地で、一定の要件を満たすものは、「地積規模の大きな宅地の評価」の定めを適用して評価します。なお、この改正に伴い、広大地の評価（改正前の評基通24−4）は廃止されました。

①　地積規模の大きな宅地とは

　地積規模の大きな宅地とは、三大都市圏においては500m^{2}以上の地積の宅地、三大都市圏以外の地域においては1,000m^{2}以上の地積の宅地をいいます。

（注）　次の1から4のいずれかに該当する宅地は、地積規模の大きな宅地から除かれます。
　　1　市街化調整区域（宅地分譲に係る開発行為を行うことができる区域を除きます。）に所在する宅地
　　2　都市計画法の用途地域が工業専用地域に指定されている地域に所在する宅地
　　3　指定容積率が400％（東京都の特別区においては300％）以上の地域に所在する宅地

4 財産評価基本通達22-2に定める大規模工場用地

② 「地積規模の大きな宅地の評価」の対象となる宅地

「地積規模の大きな宅地の評価」の対象となる宅地は、路線価地域では、地積規模の大きな宅地のうち、普通商業・併用住宅地区及び普通住宅地区に所在するものとなります。

(注) 倍率地域では、地積規模の大きな宅地に該当する宅地であれば対象となります。

③ 評価方法

イ 路線価地域に所在する場合

「地積規模の大きな宅地の評価」の対象となる宅地は、路線価に、奥行価格補正率や不整形地補正率などの各種画地補正率のほか、規模格差補正率を乗じて求めた価額に、その宅地の地積を乗じて計算した価額によって評価します。

$$評価額 = 路線価 \times \frac{奥行価格}{補\ 正\ 率} \times \frac{不整形地補正率など}{の各種画地補正率} \times \frac{規模格差}{補\ 正\ 率} \times 地積（m^2）$$

ロ 倍率地域に所在する場合

「地積規模の大きな宅地の評価」の対象となる宅地は、次に掲げる①の価額と②の価額のいずれか低い価額により評価します。

> ① その宅地の固定資産税評価額に倍率を乗じて計算した価額
>
> ② その宅地が標準的な間口距離及び奥行距離を有する宅地であるとした場合の1m²当たりの価額に、普通住宅地区の奥行価格補正率、不整形地補正率などの各種画地補正率のほか、規模格差補正率を乗じて求めた価額に、その宅地の地積を乗じて計算した価額

(注) 市街地農地等（市街地農地、市街地周辺農地、市街地山林及び市街地原野をいいます。）については、その市街地農地等が宅地であるとした場合に「地積規模の大きな宅地の評価」の対象となる宅地に該当するときは、「その農地が宅地であるとした場合の1m²当たりの価額」について「地積規模の大きな宅地の評価」を適用して評価します。

④ 規模格差補正率

規模格差補正率は、次の算式により計算します（小数点以下第2位未満は切り捨てます。）。

$$\frac{規模格差}{補\ 正\ 率} = \frac{A \times B \times C}{地積規模の大きな宅地の地積A} \times 0.8$$

上記算式中の「B」及び「C」は、地積規模の大きな宅地の所在する地域に応じて、それぞれ次に掲げる表のとおりです。

■三大都市圏^(注)に所在する宅地

地　積	普通商業・併用住宅地区、普通住宅地区	
	Ⓑ	Ⓒ
500m²以上　1,000m²未満	0.95	25
1,000m²以上　3,000m²未満	0.90	75
3,000m²以上　5,000m²未満	0.85	225
5,000m²以上	0.80	475

■三大都市圏以外の地域に所在する宅地

地　積	普通商業・併用住宅地区、普通住宅地区	
	Ⓑ	Ⓒ
1,000m²以上　3,000m²未満	0.90	100
3,000m²以上　5,000m²未満	0.85	250
5,000m²以上	0.80	500

（注）　三大都市圏とは、次の地域をいいます。

　　1　首都圏整備法第2条第3項に規定する既成市街地又は同条第4項に規定する近郊整備地帯

　　2　近畿圏整備法第2条第3項に規定する既成都市区域又は同条第4項に規定する近郊整備区域

　　3　中部圏開発整備法第2条第3項に規定する都市整備区域

⑤　地積規模の大きな宅地に準じた農地の評価

　市街地農地について、「地積規模の大きな宅地の評価」の適用要件を満たす場合には、その適用対象となり、市街地周辺農地、市街地山林及び市街地原野についても同様の取扱いとなります。

　宅地の場合と同様に、普通商業・併用住宅地区及び普通住宅地区に所在するものに限られます。

　また、市街地農地及び市街地周辺農地であっても、宅地へ転用するには多額の造成費を要するため、経済合理性の観点から宅地への転用が見込めない場合や、急傾斜地などのように宅地への造成が物理的に不可能であるため宅地への転用が見込めない場合については、戸建住宅用地としての分割分譲が想定されませんので、「地積規模の大きな宅地の評価」の適用対象となりません。

　倍率地域に所在する「地積規模の大きな宅地」については、次のうちいずれか低い方の価額により評価します（財産評価基本通達20-2、21-2）。

- 倍率方式により評価した価額
- その宅地が標準的な間口距離及び奥行距離を有する宅地であるとした場合の1m²当たりの価額を路線価とし、かつ、その宅地が普通住宅地区に所在するものとして「地積規模の大きな宅地の評価」に準じて計算した価額

(注)「その宅地が標準的な間口距離及び奥行距離を有する宅地であるとした場合の1m²当たりの価額」は、付近にある標準的な画地規模を有する宅地の価額との均衡を考慮して算定する必要があります。具体的には、評価対象となる宅地の近傍の固定資産税評価に係る標準宅地1m²当たりの価額を基に計算することが考えられますが、当該標準宅地が固定資産税評価に係る各種補正の適用を受ける場合には、その適用がないものとしたときの1m²当たりの価額に基づき計算します。

【評価事例】

① 所在地：三大都市圏内
② 地目：畑（市街化区域内）
③ 地積：1,200m²
④ 宅地造成費：（平坦地）
　　1m²当たり整地費800円×1,200m²＝960,000円

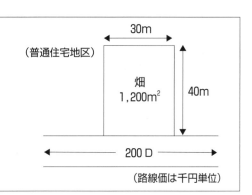

計算

1　通常の宅地であるとした場合の価額
　　路線価200,000円　×　奥行価格補正率0.91　＝　182,000円

2　規模格差補正率（小数点以下第2位未満切捨て）
$$\frac{1,200m^2 \times 0.90 + 75}{1,200m^2} \times 0.8 = 0.77$$

3　地積規模の大きな宅地としての場合の価額
　　182,000円/m²　×　規模格差補正率0.77　＝　140,140円/m²
　　140,140円/m²　×　1,200m²　＝　168,168,000円

4　市街地農地の評価
　　（140,140円　－　1m²当たりの整地費800円）　×　1,200m²　＝　167,208,000円
　この畑の評価額は、167,208,000円となります。

■「地積規模の大きな宅地の評価」の適用対象の判定のためのフローチャート

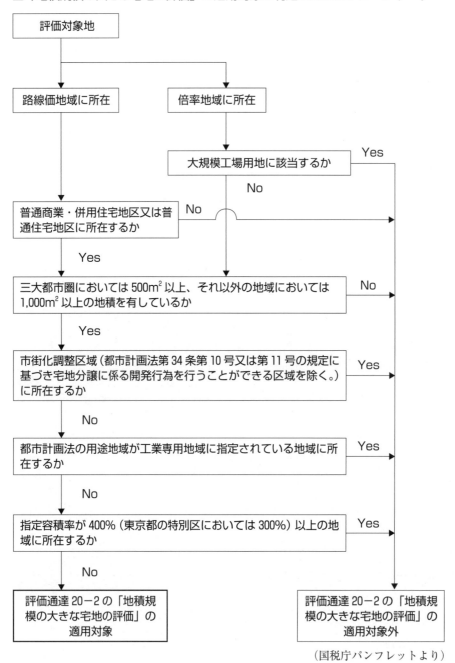

（国税庁パンフレットより）

第6章 財産評価基本通達における土地評価の原則

5　雑種地の評価

(1)　原則

　雑種地は、宅地、農地、山林、原野等のどの地目にも属さず、現状が様々であり、評価については、現状に応じて次の5つに分類して評価します。

---

①　②から⑤以外の雑種地

②　ゴルフ場の用に供する雑種地

③　遊園地等の用に供する雑種地

④　文化財建造物である構築物の敷地である雑種地

⑤　鉄軌道用地である雑種地

　上記①の雑種地は、次のイ近傍地比準価額方式又はロ倍率方式のいずれかにより評価することになっています（財産評価基本通達82）。

イ　近傍地比準価額方式による評価

　雑種地の価額は、原則として、その雑種地と状況が類似する近傍の土地について評価した1m²当たりの価額を基とし、その土地とその雑種地の位置、形状等の状況の格差を勘案した価額に、その雑種地の地積を乗じて計算した金額により評価します。

ロ　倍率方式による評価

　雑種地の固定資産税評価額に、地価事情の類似する地域ごとに、その地域にある雑種地の売買実例価額、精通者意見価格等を基として国税局長が定める倍率が公表されている場合があり、その場合には、当該雑種地の評価は「イ　近傍地比準価額方式」によらず、当該雑種地の固定資産税評価額にその倍率を乗じて計算した金額によって評価します。

参考　財産評価基本通達82《雑種地の評価》

　雑種地の価額は、原則として、その雑種地の状況が類似する付近の土地についてこの通達で定めるところにより評価した1平方メートル当たりの価額を基とし、その土地とその雑種地との位置、形状等の条件の差を考慮して評定した価額に、その雑種地の地積を乗じて計算した金額によって評価する。

　ただし、その雑種地の固定資産税評価額に、状況の類似する地域ごとに、その地域にある雑種地の売買実例価額、精通者意見価格等を基として国税局長の定める倍率を乗じて計算した金額によって評価することができるものとし、その倍率が定められている地域にある雑種地の価額は、その雑種地の固定資産税評価額にその倍率を乗じて計算した金額によって評価する。

---

(2)　地域別の雑種地評価

　次に、雑種地の存する地域別の評価方法について具体的に説明します。

311

① 路線価地域に存する雑種地の評価方法

雑種地が路線価地域に存する場合には、宅地比準方式によって評価します。

この場合、評価する雑種地の所在する路線価図の「地区区分」に応じる「画地調整率」を用いて評価することになります。

なお、雑種地の現況が農地や山林、原野であると認められる場合には、市街地農地や市街地山林、市街地原野の評価方法に準じて評価します。

② 倍率地域に所在する雑種地の評価方法

雑種地が倍率地域に所在するときは、その雑種地の近傍で、かつ、状況が類似している宅地を基準として、普通住宅地区の画地調整率を基に評価します。

■雑種地の評価額算定方法

（倍率地域）

1 付近の標準宅地の価額の算定

　　近傍宅地の1m²当たりの固定資産税評価額（注） × 宅地の倍率

　　　＝ 付近の1m²当たりの標準宅地の価額

（注）近傍宅地の1m²当たりの固定資産税評価額は、市町村の固定資産税担当窓口で評価証明書を入手することによりますが、その際に評価証明書の備考欄に近傍宅地の1m²当たりの評価額を記載してもらう方法等が考えられます。

2 1m²当たりの雑種地の価額の算出

　　上記1の価額に対象雑種地の個別格差を加味（財産評価基本通達の定めにより画地調整）（注）－1m²当たりの造成費 ＝ 1m²当たりの雑種地の価額

　　（注）普通住宅地区の画地調整率によります。

3 その雑種地の評価額の算出

　　上記2の価額 × 面積 ＝ 雑種地の評価額

（路線価地域）

　路線価地域の評価額の算定は、宅地の路線価評価に準じた方法により算定し、造成費を控除したものが雑種地の評価額となります。

(3) 市街化調整区域における雑種地の評価

市街化調整区域は、原則として開発行為を行うことは不可で、建物の建築についても制限があります。このため、市街化調整区域内にある雑種地の評価方法については、国税庁ホームページの質疑応答事例及びタックスアンサーに評価対象雑種地に係る周囲（地域）

の状況別の評価方法の概要が掲載されています。

しかし、質疑事例集に記載されている3種類のしんしゃく割合のうちどの割合を採用するか判断するためには、都市計画法等の行政法規の知識が必要です。

さらに、開発の可否及び建築物の建築制限等について、市町村の担当部課にヒアリングすることが必要となる場合があります。

> **参考** 国税庁　質疑応答事例「市街化調整区域内にある雑種地の評価」
>
> 【照会要旨】
> 　市街化調整区域内にある雑種地はどのように評価するのですか。
>
> 【回答要旨】
> 　雑種地（ゴルフ場用地、遊園地等用地、鉄軌道用地を除きます。）の価額は、原則として、その雑種地の現況に応じ、評価対象地と状況が類似する付近の土地について評価した1m²当たりの価額を基とし、その土地と評価対象地である雑種地との位置、形状等の条件の差を考慮して評定した価額に、その雑種地の地積を乗じて評価することとしています。
>
> 　ところで、市街化調整区域内にある雑種地を評価する場合に、状況が類似する土地（地目）の判定をするときには、評価対象地の周囲の状況に応じて、下表により判定することになります。
>
> 　また、付近の宅地の価額を基として評価する場合（宅地比準）における法的規制等（開発行為の可否、建築制限、位置等）に係るしんしゃく割合（減価率）は、市街化の影響度と雑種地の利用状況によって個別に判定することになりますが、下表のしんしゃく割合によっても差し支えありません。

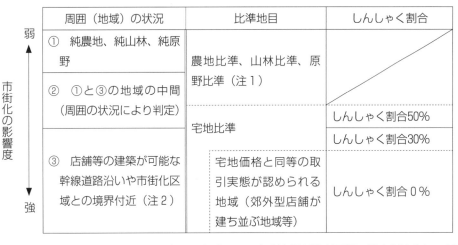

> （注）1　農地等の価額を基として評価する場合で、評価対象地が資材置場、駐車場等として利用されているときは、その土地の価額は、原則として、財産評価基本通達24-5（農業用施設用地の評価）に準じて農地等の価額に造成費相当額を加算した価額により評価します（ただし、その価額は宅地の価額を基として評価した価額を上回らないことに留意してください。）。
> 　　　2　③の地域は、線引き後に沿道サービス施設が建設される可能性のある土地（都市計画法第34条第9号、第43条第2項）や、線引き後に日常生活に必要な物品の小売業等の店舗と

して開発又は建築される可能性のある土地（都市計画法第34条第1号、第43条第2項）の存する地域をいいます。

　　3　都市計画法第34条第11号に規定する区域内については、上記の表によらず、個別に判定します。

【関係法令】財産評価基本通達7、82

（注）　この国税庁ホームページの質疑応答事例（タックスアンサー No.4628も同内容）に掲載されている内容の基となったのは、平成16年7月5日付国税庁資産評価企画官情報第3号「土壌汚染地の評価等の考え方について（情報）」内で「市街化調整区域内の雑種地の評価」として示されたものですが、現在において、国税庁ホームページには掲載されていません。

　市街化調整区域の雑種地は、原則として宅地化することができない土地ですので、近傍宅地の価額を参考に評価するのではなく、付近の純農地、純山林、又は純原野の価額を基に評価することが相当であると考えられます（質疑応答事例の表の①や②の一部に該当する場合です。）。したがって、通常は「その付近の農地等の固定資産税評価額に財産評価基準書の評価倍率を乗じて計算した金額によって評価します。

　ただし、「（注）1」にあるように評価対象地が資材置き場、駐車場等として利用されているときは、その土地の価額は、原則として、財産評価基本通達24-5《農業用施設用地の評価》に準じて評価し、算式は以下のとおりです。

$$\left\{\begin{array}{l}\text{近傍の1m}^2\text{当たりの}\\\text{農地、山林、原野の}\\\text{固定資産税評価額}\end{array}\times\begin{array}{l}\text{（国税局長}\\\text{が定める）}\\\text{評価倍率}\end{array}+\begin{array}{l}\text{1m}^2\text{当たりの}\\\text{宅地造成費}\end{array}\right\}\times\quad\text{地積}$$

（注）　近傍の農地、山林、原野の固定資産税評価額は、市町村の固定資産税の窓口で評価証明書を入手することによりますが、その際に、評価証明書の備考欄へ1m²当たりの評価額を記載してもらう方法等が考えられます。

　なお、上記算式で求めた価額は、宅地の価額を基として評価した価額を上回らないことに留意してください。

⑷　質疑応答事例の表のしんしゃく割合別の評価

①　しんしゃく割合50%の場合

　しんしゃく割合50%の地域は、純農地や純山林又は純原野の地域と、店舗等の建築が可能な幹線道路沿いや市街化区域との境界付近の地域の中間にあり、この地域においては原則として開発行為や建物の建築が禁止されています。

　したがって、市町村により定められた「市街化調整区域にかかる開発行為の許可基準に関する条例」による建物の建築等ができない雑種地であるということになりますが、実務

的に確認するには、雑種地の所在する市町村の担当窓口で開発行為の可否や建築物の建設制限等を確認して判断することになります。

この場合の評価方式は「宅地比準方式」となります。

○しんしゃく割合50％で評価する雑種地の具体的な算式（宅地比準）

$$\left\{ \begin{array}{c} \text{近傍比準宅地} \\ \text{の1m}^2\text{当たり} \\ \text{の価額} \end{array} \times \begin{array}{c} \text{評価対象地の} \\ \text{画地調整率} \end{array} \times （1-50％） - \begin{array}{c} \text{1m}^2\text{当たりの} \\ \text{宅地造成費} \end{array} \right\} \times \text{地積}$$

（注）　画地調整率は、普通住宅地区のものを使用する。

---

②　しんしゃく割合30％の場合

しんしゃく割合30％で評価する雑種地の地域は、店舗等の建築が可能な幹線道路沿いや市街化区域との境界付近にあることにより、市街化の影響度が強く、宅地としての有効利用度が図れる地域で、市街化調整区域内であるが、開発に関しての法的規制が緩やかであり、店舗等の建築であれば可能性がある地域です。

質疑応答事例の「（注）2」によると、市街化区域と市街化調整区域との線引き後に、沿道サービス施設が建設される可能性のある土地（都市計画法第34条第9号、第43条第2項）や日常生活に必要な物品の小売業等の店舗として開発又は建築される可能性のある土地（都市計画法第34条第1号、第43条第2項）の存在する地域であるとされています。

都市計画法第34条には、市街化調整区域に係る開発行為については、一定の「立地条件」を満たす必要がある旨と同条の各号にはその概要が規定されており、これらの規定の要件を満たさない限り、都道府県知事は開発許可をしてはならない旨が定められています。

また、都市計画法第43条には、以前からすでに開発が完了していた市街化調整区域内の土地を再び開発する場合においても、都道府県知事の許可が改めて必要である旨が記載されています（都市計画法第34条と第43条の該当箇所の抜粋を次ページに掲載していますので参照してください）。

しんしゃく割合30％で評価する雑種地で建築可能な建物の具体例は次のとおりですが、実務的には雑種地の所在する市町村の開発を担当する窓口で、許可の可否や建築物の建設制限を確認して判断することになります。

（具体例）
・都市計画法第34条第1号に該当するものでは、社会福祉サービス施設、診療所、小規模な小売店舗等
・都市計画法第34条第9号に該当するものでは、コンビニエンスストア、ガソリンスタンドや飲食店等のドライブイン等

なお、しんしゃく割合30%の場合の地域の評価計算も「宅地比準方式」を基に計算することになります。

○しんしゃく割合30%で評価する雑種地の具体的な算式

$$\left\{ \begin{array}{c} \text{近傍比準宅地} \\ \text{の１㎡当たり} \\ \text{の価額} \end{array} \times \begin{array}{c} \text{評価対象地の} \\ \text{画地調整率} \end{array} \times （１－30％） － \begin{array}{c} \text{１㎡当たりの} \\ \text{宅地造成費} \end{array} \right\} \times \text{地積}$$

（注）　画地調整率は、普通住宅地区のものを使用する。

参考　都市計画法（抜粋）

第34条　前条の規定にかかわらず、市街化調整区域に係る開発行為（主として第２種特定工作物の建設の用に供する目的で行う開発行為を除く。）については、当該申請に係る開発行為及びその申請の手続が同条に定める要件に該当するほか、当該申請に係る開発行為が次の各号のいずれかに該当すると認める場合でなければ、都道府県知事は、開発許可をしてはならない。

　一　主として当該開発区域の周辺の地域において居住している者の利用に供する政令で定める公益上必要な建築物又はこれらの者の日常生活のため必要な物品の販売、加工若しくは修理その他の業務を営む店舗、事業場その他これらに類する建築物の建築の用に供する目的で行う開発行為

　九　前各号に規定する建築物又は第１種特定工作物のほか、市街化区域内において建築し、又は建設することが困難又は不適当なものとして政令で定める建築物又は第１種特定工作物の建築又は建設の用に供する目的で行う開発行為

（開発許可を受けた土地以外の土地における建築等の制限）

第43条　何人も、市街化調整区域のうち開発許可を受けた開発区域以外の区域内においては、都道府県知事の許可を受けなければ、第29条第１項第２号若しくは第３号に規定する建築物以外の建築物を新築し、又は第１種特定工作物を新設してはならず、また、建築物を改築し、又はその用途を変更して同項第２号若しくは第３号に規定する建築物以外の建築物としてはならない。ただし、次に掲げる建築物の新築、改築若しくは用途の変更又は第１種特定工作物の新設については、この限りでない。

　一　都市計画事業の施行として行う建築物の新築、改築若しくは用途の変更又は第１種特定工作物の新設

　二　非常災害のため必要な応急措置として行う建築物の新築、改築若しくは用途の変更又は第１種特定工作物の新設

　三　仮設建築物の新築

　四　第29条第１項第９号に掲げる開発行為その他の政令で定める開発行為が行われた土地の区域内において行う建築物の新築、改築若しくは用途の変更又は第１種特定工作物の新設

　五　通常の管理行為、軽易な行為その他の行為で政令で定めるもの

２　前項の規定による許可の基準は、第33条及び第34条に規定する開発許可の基準の例に準じて、政令で定める。

③ しんしゃく割合0％で評価する場合

しんしゃく割合0％で評価する雑種地は、上記と同様に、店舗等の建築が可能な幹線道路沿いや市街化区域との境界付近であることにより、市街化の影響度が強く、宅地としての有効利用度が高い地域です。この地域は市街化調整区域内ではあるものの、開発に関する法的規制が緩やかであり、店舗等の建築であれば可能性がある地域といえます。この地域で宅地価格と同等の取引実態が認められる場合は、評価対象地の近傍宅地の価額を基に計算し、しんしゃく割合を考慮せず評価することとなります。

なお、財産評価をする場合においても「宅地比準方式」で評価することとなります。具体的な算式は以下のとおりです。

$$\left\{\begin{matrix}\text{近傍比準宅地}\\\text{の1m}^2\text{当たり}\\\text{の価額}\end{matrix}\right. \times \begin{matrix}\text{評価対象地の}\\\text{画地調整率}\end{matrix} - \left.\begin{matrix}\text{1m}^2\text{当たりの}\\\text{宅地造成費}\end{matrix}\right\} \times \begin{matrix}\text{地積}\end{matrix}$$

（注）　画地調整率は、普通住宅地区のものを使用する。

なお、質疑応答事例の注3によると、都市計画法第34条第11号に規定する区域内（条例指定区域といいます。）については、上記の「しんしゃく割合表」によらず、個別に判定する旨の記載があります。都市計画法第34条第11号の内容は以下のとおりです。

> **参考　都市計画法（抜粋）**
>
> 第34条
>
> 十一　市街化区域に隣接し、又は近接し、かつ、自然的社会的諸条件から市街化区域と一体的な日常生活圏を構成していると認められる地域であって、おおむね50以上の建築物（市街化区域内に存するものを含む。）が連たんしている地域のうち、政令で定める基準に従い、都道府県（指定都市等又は事務処理市町村の区域内にあっては、当該指定都市等又は事務処理市町村。以下この号及び次号において同じ。）の条例で指定する土地の区域内において行う開発行為で、予定建築物等の用途が、開発区域及びその周辺の地域における環境の保全上支障があると認められる用途として都道府県の条例で定めるものに該当しないもの

都市計画法第34条第11号は平成12年の都市計画法の改正によって定められ、市街化調整区域内の土地であったとしても、同号に規定する区域（条例指定区域）内の土地であれば、都市計画法の定めにより開発行為をすることが許可されています。つまり、雑種地であったとしても一般的な宅地と同様に取り扱うこととされています。

実務上、条例指定区域内の雑種地はしんしゃく割合を0％として、宅地比準方式で評価することが妥当であると考えられます。

⑸ 開発行為等に係る都市計画法の内容

　質疑応答事例を理解するためには、都市計画法で定める市街化調整区域における開発行為（第29条）、立地基準（34条）及び建築制限（第43条）等の内容を知ることが必要です。以下でその内容を説明します。

　次の様式は、実際の開発行為の適否判定を依頼するときに使用するものです。

開発行為等に係る適用法令等要否判定依頼書

　別添のとおり開発行為等を行うので、堺市開発行為等の手続に関する条例第4条第1項の規定により当該開発行為等に適用される法令等の許認可に係る要否判定を依頼します。

開発行為等に係る計画書

受付番号	※

受付年月日		
※	年　月	日

市街化区域　　　　正　　副
市街化調整区域　　正　　正　　副

開発区域の所在地	堺市　　　　区			
土地所有者の住所・氏名				
開発区域の面積	㎡	開　発　用　途 （予定建築物の用途）		
建　築　戸　数		用　途　地　域		
接続道路の種類		建　築　面　積	既存（	）㎡ ㎡
現　　　　況		延　べ　面　積	既存（	）㎡ ㎡
既存建築物がある場合その用途		最　高　の　高　さ	既存（	）m m

参考　**開発行為（第29条）等について**

① 開発行為

　都市計画法において「開発行為とは、主として建築物の建築又は特定工作物の建設の用に供する目的で行なう土地の区画形質の変更をいう」と定義されています（都市計画法4十二）。

　「土地の区画形質の変更」とは、道路の新設・廃止（区画の変更）、切土や盛土等建築物を建てる前の宅地造成（形の変更）、宅地以外の土地を宅地とする行為（質の変更）をいいます。

　市街化調整区域は市街化を抑制すべき区域であることから、市街化を誘引する開発行為については、開発許可制度によって厳格に規制されています。

（上記語句の意味）

・開発行為

　区画の変更……道路の新設、廃止

第6章 財産評価基本通達における土地評価の原則

　　形の変更……切土・盛土・宅地造成

　　質の変更……宅地化

・開発許可制度とは

　　開発許可制度は、都市の周辺部における無秩序な市街化を防止するため、「市街化区域」と「市街化調整区域」に区域区分した目的を担保するとともに開発行為において公共施設や排水設備等の必要な施設の整備を義務付ける等によって一定の宅地水準を確保することを目的とする都道府県知事による許可制度です。

②　開発許可について

開発許可については、都市計画法第29条に規定されています。

〇都市計画法第29条（開発行為の許可）（抄）

　　都市計画区域又は準都市計画区域内において開発行為をしようとする場合は、あらかじめ、都道府県知事の許可を受けなければならない。

〇市街化調整区域内の留意事項

　　市街化調整区域内においては、農林漁業建築物と公益的建築物等一定の開発行為以外については、規模に関係なく、都道府県知事の許可が必要になる。

参考　立地基準（34条）について

　　都市計画法の開発許可を受ける基準には、全国すべての区域に適用される「技術基準」と市街化調整区域のみで適用される「立地基準」があります。

①　技術基準

　　全国のすべての地域に適用される基準で、「技術的基準」または「全般許可基準」と呼ばれ、公共施設の整備、防災上の措置などの水準に関して審査するものです（都市計画法第33条）。

②　立地基準

　　日常生活などに必要な建築物等についての立地の適正性を判断するためのもので「立地基準」と呼ばれています（都市計画法第34条）。

　　立地基準は、市街化調整区域内であってもやむ得ない建築物の建築目的等に限り、その開発行為を認めるという趣旨で、その概要は次表のようになっています。

　　このうち、質疑事例集の内容を理解するには、「立地基準」の第1号（日用品店舗等）、第9号（沿道サービス施設）及び第11号（条例指定区域）が重要です。

■法第34条各号の概要

法第34条	開 発 行 為 の 内 容
1号	当該市街化調整区域周辺に居住している者の日常生活に必要なもの
2号	当該市街化調整区域内に存する鉱物資源、観光資源等の有効利用のため必要なもの
3号	温度、湿度、空気等について特別な条件を必要とする事業の用に供するもの※
4号	農業、林業、漁業の用に供するもの、又は農林水産物の処理、加工に必要なもの
5号	特定農山村地域における農林業等の活性化のための基盤整備の促進に関する法律の所有権移転登記等促進計画に定める利用目的によるもの※
6号	都道府県が国又は独立行政法人中小企業基盤整備機構と一体になって助成する中小企業者の行う他者との連携等に寄与する事業の用に供するもの
7号	市街化調整区域内において現に工業の用に供されている工場施設における事業と密接な関連を有する事業の用に供するもので、これらの事業活動の効率化を図るために必要なもの
8号	危険物の貯蔵又は処理に供するもので、市街化区域内に立地することが適当でないもの
8号の2	災害危険区域等の区域内からの移転によるもの
9号	市街化区域内に建築又は建築することが困難なもの
10号	地区計画又は集落地域整備法に基づく集落地域計画の内容に適合するもの
11号	市が条例で指定する市街化区域に近接する区域において、条例で定める周辺環境の保全上支障がある用途に該当しないもの
12号	市街化区域において行うことが困難又は著しく不適当と認められ、市が条例で区域、用途を限り定めたもの
13号	既存の権利の届出により、行われるもの
14号	上記以外のもので、開発審査会の議を経て、開発区域の周辺における市街化を促進するおそれがなく、かつ、市街化区域において行うことが困難又は著しく不適当と認められるもの

(出典：千葉市「開発許可等に関する立地基準」)

第6章 財産評価基本通達における土地評価の原則

参考 建築許可（都市計画法第43条第1項）について

市街化調整区域では、開発行為がなく建築だけを行う場合でも、原則として都市計画法43条の許可（建築許可）を得ることが必要です。

建築許可は、市街化調整区域のうち開発許可を受けた開発区域以外の区域における建築行為を規制する目的で設けられており、いわば開発行為を伴わないものに対する建築の許可のことをいいます。なお、建築許可は、開発行為に対する許可である開発許可とは異なり、すでに土地利用が図られていた土地に対して建築を認める制度ですので、開発許可と比べて手続は簡便です。

（開発許可の基準について）

市街化調整区域における開発許可基準に係る立地基準については、都市計画法を基礎とし、市町村別に「市街化調整区域にかかる開発行為の許可基準に関する条例」等により具体的かつ詳細な基準を定め、地域の実情に応じて運用されています。

したがって、雑種地の評価の実務においては、各市町村の担当部課において評価対象の雑種地について開発に当たっての基準の確認が必要となると考えられます。

・建築許可の例
　大規模な造成工事がないことが条件で、市街化区域から1km圏内や市街化区域まで4mの道路がつながっている場合

(6) ゴルフ場の用に供されている土地の評価

ゴルフ場の用に供されている土地の価額は、次の表に掲げる区分に従い、それぞれ評価します。（財産評価基本通達83）

	ゴルフ場の所在地域		評価方法	宅地とした場合の1m²当たりの価額
①	市街化区域及びそれに近接する地域	路線価地域	宅地比準方式	ゴルフ場の周囲の路線価をゴルフ場用地に接する距離で加重平均
		倍率地域	宅地比準方式	1m²当たりの固定資産税評価額に倍率を乗じる
②	①以外の地域		倍率方式	―

① 市街化区域及びそれに近接する地域にあるゴルフ場用地の評価（宅地比準方式）

そのゴルフ場用地が宅地であるとした場合の1m²当たりの価額にそのゴルフ場用地の地積を乗じて計算した金額の100分の60に相当する金額から、そのゴルフ場用地を宅地に造成する場合において通常必要と認められる1m²当たりの造成費に相当する金額として各国税局長の定める金額にそのゴルフ場用地の地積を乗じて計算した金額を控除した価額によって評価します。これを算式で示すと次のとおりです。

321

$$\begin{array}{l}\text{宅地であるとした場合の}\\ \text{1\,m}^2\text{当たりの価額}\end{array} \times \text{地積} \times 60\% - \begin{array}{l}\text{ゴルフ場用地に係る}\\ \text{1\,m}^2\text{当たりの宅地} \times \text{地積}\\ \text{転用時の造成費}\end{array}$$

　上記の場合において、そのゴルフ場が宅地であるとした場合の価額に100分の60を乗ずることとしているのは、大規模な宅地開発を行う場合に通常必要な公共施設用地への提供に相当する部分の面積を40％と考え除外したところの分譲可能面積を求めるためであるとされています。

② ①以外の地域にあるゴルフ場用地の評価（倍率方式）

　そのゴルフ場の固定資産税評価額に、一定の地域ごとに精通者意見価格等を基として各国税局の財産評価基準書に定める倍率を乗じて計算した金額によって評価します。

③ 評価上の留意点

イ　ゴルフ場用地の評価区分の確認方法

　評価対象地であるゴルフ場用地の評価方法が、①宅地比準方式又は②倍率方式のいずれに該当するかについては、財産評価基準書に記載されています。

ロ　ゴルフ場用地が路線価地域にある場合の1\,m²当たりの価額の算定方法

　その評価対象地であるゴルフ場用地の周囲に付されている路線価をそのゴルフ場用地に接する距離によって加重平均して求めた金額とします。

ハ　宅地比準方式の評価する場合の1\,m²当たりの宅地造成費

　市街化区域及びそれに近接する地域にあるゴルフ場用地を評価する場合におけるゴルフ場用地の1\,m²当たりの宅地造成費の額は、市街地農地等の評価に係る宅地造成費の金額により計算するものとされています。

ニ　ミニゴルフ場用地の場合の評価

（ミニゴルフ場用地の定義）

　評価通達上、上記の規定により評価するゴルフ場用地は次の①又は②の要件を充足したものをその評価の対象としています。したがって、その要件に該当しないいわゆる「ミニゴルフ場用地」については、上記までの評価方法は用いないこととなります。

①ホール数が18以上で、ホールの平均距離（コース総延長距離÷ホール数）が100\,m以上であり、かつ地積が10万\,m²以上のもの

②ホール数が9〜17で、ホールの平均距離が150\,m以上のもの

（ミニゴルフ場用地の評価方法）

　ミニゴルフ場用地については、財産評価基本通達82（雑種地の評価）に定める一般の雑種地の評価方法（近傍地比準価額方式又は倍率方式）により評価します。

第6章 財産評価基本通達における土地評価の原則

(7) 遊園地用地等の評価

　遊園地、運動場、競馬場その他これらに類似する施設の用に供されている土地の価額については、次に掲げる区分に従い、それぞれ次に掲げるところにより評価します。（財産評価基本通達83－2）

① 遊園地等の評価

　遊園地等の用に供されている土地の価額は、原則として、財産評価基本通達82（雑種地の評価）に定める雑種地の評価の定め（評価対象地と状況が類似する近傍地の土地の価額から比準して評価する方法）により評価します。

② ゴルフ場用地と同様に評価することを相当とする遊園地等の評価

　その規模等の状況からゴルフ場用地と同様に評価することが相当と認められる遊園地等の用に供されている土地の価額は、ゴルフ場用地の評価の定めを準用して評価します。

(8) 文化財建造物である構築物の敷地の用に供されている土地の評価

① 評価方法

　下に掲げる法律等の規定に基づく建造物（以下、これらを「文化財建造物」といいます。）である構築物の敷地の用に供されている土地の価額は、財産評価基本通達82（雑種地の評価）の定めにより評価した価額（近傍地比準価額方式又は倍率方式によって評価した価額）から、その価額に同通達24－8（文化財建造物である家屋の敷地の用に供されている宅地の評価）に定める割合（以下の表に掲げる文化財建造物の種類に応じて定める割合）を乗じて計算した金額を控除した金額によって評価するものとされています。（財産評価基本通達83－3）

■文化財建造物の範囲

> イ　文化財保護法第27条（指定）第1項に規定する重要文化財に指定された建造物
>
> ロ　同法第58条（告示、通知及び登録証の交付）第1項に規定する登録有形文化財である建造物
>
> ハ　文化財保護法施行令第4条（伝統的建造物群保存地区内における現状変更の規制の基準）第3項第1号に規定する伝統的建造物

■文化財建造物の種類別の控除割合

文化財建造物の種類	控除割合
重要文化財	0.7
登録有形文化財	0.3
伝統的建造物	0.3

上記の取扱いを算式にまとめると以下のとおりになります。

評価対象地が文化財建造物である構築物の敷地でないものとして、財産評価基本通達82（雑種地の評価）の定めにより評価した価額 × ［ 1 － 文化財建造物の種類別に定められた控除割合 ］

② 評価上の留意点

　文化財建造物である構築物と一体をなして価値を形成している土地がある場合の取扱いとして、文化財建造物である構築物の敷地とともに、その文化財建造物である構築物と一体をなして価値を形成している土地がある場合には、その土地の価額についても、上記①の文化財建造物である構築物の敷地の用に供されている土地の評価方法の定めを適用して評価するものとされています。

(9) 鉄軌道用地の評価

① 評価方法

　鉄道又は軌道の用に供する土地（以下「鉄軌道用地」といいます。）の価額は、その鉄軌道用地に沿接する土地の価額の3分の1に相当する金額によって評価します。これは、鉄軌道用地はその利用方法が帯状に固定化されていることから極めて限定的なものであり、その価額は、沿接する土地の価額と比較して相当の較差が生じるものと考えられるためです。

　この場合における「その鉄軌道用地に沿接する土地の価額」は、その鉄軌道用地をその沿接する土地の地目、価額の相違等に基づいて区分し、その区分した鉄軌道用地に沿接するそれぞれの土地の価額を考慮して評定した価額の合計額によることとされています。(評基通84)

　これを算式で示すと次のとおりです。

その鉄軌道用地に沿接する土地の価額（合計額）　×　1/3

② 鉄軌道用地の範囲

　鉄軌道用地の対象となる土地とは、以下に掲げるものをいいます。

　イ　線路敷（工場の敷地内にあるものを除きます。）の用に供する土地

　ロ　停車場建物、転・遷車台、給炭水設備、給袖設備、検車洗浄設備又は乗降場、積卸場の用に供する土地

　ハ　上記のイ及びロの土地に接する土地で、変電所、車庫、倉庫（資材置場を含みます。）、踏切番舎又は保線区、検車区、車掌区、電力区、通信区等の現業従業員の詰所の用に供する土地

第6章 財産評価基本通達における土地評価の原則

　また、いわゆる「駅ビル」の敷地の用に供されている土地の取扱いについては、上記イからハの用に供しつつ、百貨店、店舗その他もっぱら鉄道又は軌道による運送の用に供する建物・構築物以外の建物の敷地の用に併用されている駅ビルの敷地の場合には、鉄軌道用地として評価しません。

> **参考　財産評価基本通達（抜粋）**
>
> （ゴルフ場の用に供されている土地の評価）
> 83　ゴルフ場の用に供されている土地（以下「ゴルフ場用地」という。）の評価は、次に掲げる区分に従い、それぞれ次に掲げるところによる。（平3課評2－4外・平11課評2－2外・平16課評2－7外改正）
> ⑴　市街化区域及びそれに近接する地域にあるゴルフ場用地の価額は、そのゴルフ場用地が宅地であるとした場合の1平方メートル当たりの価額にそのゴルフ場用地の地積を乗じて計算した金額の100分の60に相当する金額から、そのゴルフ場用地を宅地に造成する場合において通常必要と認められる1平方メートル当たりの造成費に相当する金額として国税局長の定める金額にそのゴルフ場用地の地積を乗じて計算した金額を控除した価額によって評価する。
> 　　（注）そのゴルフ場用地が宅地であるとした場合の1平方メートル当たりの価額は、そのゴルフ場用地が路線価地域にある場合には、そのゴルフ場用地の周囲に付されている路線価をそのゴルフ場用地に接する距離によって加重平均した金額によることができるものとし、倍率地域にある場合には、そのゴルフ場用地の1平方メートル当たりの固定資産税評価額（固定資産税評価額を土地課税台帳又は土地補充課税台帳に登録された地積で除して求めた額）にゴルフ場用地ごとに不動産鑑定士等による鑑定評価額、精通者意見価格等を基として国税局長の定める倍率を乗じて計算した金額によることができるものとする。
> ⑵　⑴以外の地域にあるゴルフ場用地の価額は、そのゴルフ場用地の固定資産税評価額に、一定の地域ごとに不動産鑑定士等による鑑定評価額、精通者意見価格等を基として国税局長の定める倍率を乗じて計算した金額によって評価する。
>
> （遊園地等の用に供されている土地の評価）
> 83－2　遊園地、運動場、競馬場その他これらに類似する施設（以下「遊園地等」という。）の用に供されている土地の価額は、原則として、82（（雑種地の評価））の定めを準用して評価する。
> 　　ただし、その規模等の状況から前項に定めるゴルフ場用地と同様に評価することが相当と認められる遊園地等の用に供されている土地の価額は、前項の定めを準用して評価するものとする。この場合において、同項の⑴に定める造成費に相当する金額については、49（（市街地山林の評価））の定めにより国税局長が定める金額とする。（平3課評2－4外追加、平16課評2－7外改正）
>
> （文化財建造物である構築物の敷地の用に供されている土地の評価）
> 83－3　文化財建造物である構築物の敷地の用に供されている土地の価額は、82（（雑種地の評価））の定めにより評価した価額から、その価額に24－8（（文化財建造物である家屋の敷地の用に供されている宅地の評価））に定める割合を乗じて計算した金額を控除した金額によって評価する。

なお、文化財建造物である構築物の敷地とともに、その文化財建造物である構築物と一体をなして価値を形成している土地がある場合には、その土地の価額は、24－8の（注）に準じて評価する。（平16課評2－7外追加）

（鉄軌道用地の評価）
84　鉄道又は軌道の用に供する土地（以下「鉄軌道用地」という。）の価額は、その鉄軌道用地に沿接する土地の価額の3分の1に相当する金額によって評価する。この場合における「その鉄軌道用地に沿接する土地の価額」は、その鉄軌道用地をその沿接する土地の地目、価額の相違等に基づいて区分し、その区分した鉄軌道用地に沿接するそれぞれの土地の価額を考慮して評定した価額の合計額による。（昭41直資3－19・昭48直資3－33改正）

⑽　雑種地の賃借権等の評価

　相続税では雑種地等の賃借権評価は避けて通れません。雑種地が貸し付けられている場合の、その雑種地の上に存する賃借権、地上権等の評価とその権利の目的となっている雑種地の評価について説明します。

①　賃借権の評価（財産評価基本通達87）

　ここでは、雑種地の上にある権利の評価について解説します。雑種地に係る賃借権の価額は、原則として、その賃貸借契約の内容、利用の状況等を勘案して評定した価額によって評価します。雑種地という地目の性格上その範囲が広く、利用形態も多岐にわたることから、その権利ごと個別に評価することを原則としています。ただし、実務上は個別に評価することは稀であり、下記区分に従い評価する方法が一般的となっています。

イ　地上権に準ずる権利として評価することが相当と認められる賃借権

　「地上権に準ずる権利として評価することが相当と認められる賃借権」には、例えば、賃借権の登記がされているもの、設定の対価として権利金その他の一時金の授受のあるもの、堅固な構築物の所有を目的とするものなどが該当します。

　地上権に準ずる権利として評価することが相当と認められる賃借権の価額は、その雑種地の自用地としての価額に、その賃借権の残存期間に応じ、①その賃借権が地上権であるとした場合に適用される相続税法第23条《地上権及び永小作権の評価》もしくは地価税法第24条《地上権及び永小作権の評価》に規定する割合（以下「法定地上権割合」といいます。）又は、②その賃借権が借地権であるとした場合に適用される借地権割合のいずれか低い割合を乗じて計算した金額によって評価します。

第6章 財産評価基本通達における土地評価の原則

（イ）相続税法第23条に定める法定地上権割合

■**法定地上権割合**

残存期間	地上権割合
10年以下	5％
10年超15年以下	10％
15年超20年以下	20％
20年超25年以下	30％
25年超30年以下及び期間の定めがないもの	40％
30年超35年以下	50％
35年超40年以下	60％
40年超45年以下	70％
45年超50年以下	80％
50年超	90％

　相続税法第23条が規定する割合（法定地上権権割合）は、上記のとおりですが、表の上2段部分の割合は、財産評価基本通達86《貸し付けられている雑種地の評価》が定める割合とは異なることに留意してください。底地の評価は多く控除できることになっています。

（ロ）借地権割合

　借地権割合は、路線価図又は評価倍率表により確認します。

　なお、地上権に準ずる権利として評価することが相当と認められる賃借権としては、例えば下記のようなものが考えられます。

　・賃借権設定登記がなされているもの

　・賃借権設定の対価として権利金その他の一時金の授受があるもの

　・堅固な構築物の所有を目的とするもの

ロ　前記イに掲げる賃借権以外の賃借権

　前記イに掲げる賃借権以外の賃借権の価額は、その雑種地の自用地としての価額に、その賃借権の残存期間に応じその賃借権が地上権であるとした場合に適用される法定地上権割合の2分の1に相当する割合を乗じて計算した金額によって評価します。

参考　賃借権の存続期間50年に（令和2年4月1日施行）

　賃借権の存続期間は、20年から50年に改正されました。施行前に契約されたものは従前の取扱いとなります。

　賃貸借の存続期間は、50年（20年）を超えることはできません（民法第604条）。契約でこれより長い期間を定めたときであっても、その期間は、50年（20年）とします。

　賃貸借の存続期間は、更新することができます。ただし、その存続期間は、更新の時から50年（20

年）を超えることができません。

　留意すべきは、従前の賃貸借契約では最長20年であるため、例えば、50年契約をしていた場合であっても最長20年として評価することになります。

② 　賃借権の目的となっている雑種地（財産評価基本通達86(1)）

　賃借権の目的となっている雑種地の評価は、雑種地の自用地としての価額から上記①により評価した賃借権の価額を控除した金額により評価します。

　ただし、その賃借権の価額が、次に掲げるイ又はロの区分に従いそれぞれの金額を下回る場合には、イ又はロの金額を控除した金額をその雑種地の評価額とします。

イ　地上権に準ずる権利として評価することが相当と認められる賃借権

　その雑種地の自用地としての価額に、その賃借権の残存期間に応じ次に掲げる割合を乗じて計算した金額

■賃借権又は地上権等の目的となっている雑種地評価額から控除できる割合

賃借権の残存期間	地上権割合
5 年以下	5 ％
5 年超10年以下	10％
10年超15年以下	15％
15年超	20％

　賃借権又は地上権等の目的となっている雑種地の評価に関する財産評価基本通達86の定めは、上のとおりですが、上表の上 2 段部分の割合は、財産評価基本通達87《賃借権の評価》の定めによる割合とは異なることに留意してください。

　要は、雑種地の賃借権と賃借権又は地上権等の目的となっている雑種地の評価を合計しても100％に足りません。

ロ　イ以外の賃借権

　その雑種地の自用地としての価額に、その賃借権の残存期間に応じ次に掲げる割合を乗じて計算した金額

■賃借権の残存期間に応ずる割合

賃借権の残存期間	地上権割合
5 年以下	2.5％
5 年超10年以下	5 ％
10年超15年以下	7.5％
15年超	10％

③ 評価に際しての留意点

イ　賃借人が造成している場合（財産評価基本通達86（注））

賃借人がその雑種地の造成を行っている場合には、その造成が行われていないものとして財産評価基本通達82《雑種地の評価》の定めにより評価した価額から、その価額を基として、財産評価基本通達87《賃借権の評価》の定めに準じて評価したその賃借権の価額を控除した金額によって雑種地の価額を算出します。

例えば、ゴルフ場用地として貸し付けられている場合、造成を行うのはゴルフ場を経営する賃借人であることがほとんどであり、その造成により土地の評価額が上昇するようなときには、その上昇した評価額を基に賃貸人である土地所有者の土地を評価してしまうと不合理となります。したがって、土地所有者の土地を評価する場合には、賃貸前（造成前）の価額を基準として評価することになります。

ロ　地上権に準ずる賃借権に該当するか

地上権に準ずる賃借権にあたるか否かにより、賃借権の価額が倍になるかどうかが左右されるため、実務上、この論点での納税者側と課税庁側との争いが多く存在します。

特に堅固な構築物にあたるか否かが争点になることが多く、アスファルト舗装、簡易的なプレハブ程度だと堅固な構築物には該当しないというのが通例です。

ハ　一時的な使用に係る賃借権の評価

土地の賃貸借がある場合には、すべての場合において賃借権を控除できるわけではありません。建設現場の付近を臨時的な資材置き場として賃貸する場合など一時的な使用に係る賃借権や賃貸借期間が1年以下の賃借権については、当該賃借権は評価の対象としません。

ニ　賃貸借の残存期間の判定

賃貸借の残存期間によって控除できる金額が変動するため、残存期間の判定は雑種地を評価する上で重要な要素となります。基本的には、相続開始日から賃貸借契約書に記載されている賃貸借期間の満了日までの期間が残存期間となりますが、事案によってはその期間以外の期間が残存期間とされたケースもあります。

⑾　定期借地権の評価

最近のロードサイドの商業地等では、権利金の授与を行い普通借地権を設定することよりも、定期借地契約による、飲食店、コンビニエンスストア等の商業施設が一般的です。この場合は、例えば、せいぜい更地価格の約20％の保証金を預け、更新料を支払うこともなく、更地価格の約2％程度の地代で済ますことが一般的です。この場合の評価を説明します。

① **事業用の定期借地権の目的となっている土地の評価**

イ **定期借地権の概要**

定期借地権制度には、①一般定期借地権（借地借家法第22条）、②事業用定期借地権等（同法第23条）及び③建物譲渡特約付借地権（同法第24条）の３種類がありますが、これらの定期借地権等に共通する特徴は、借地契約の更新がなく、契約終了により確定的に借地関係が消滅することです。

このような定期借地権等については、慣行として形成されてきた借地権割合を基礎とした借地権の評価方法はなじまないことから、定期借地権等の評価方法が定められています。なお、一時使用目的の借地権（借地借家法第25条）も法定更新の制度等に関する規定の適用がありませんので、「定期借地権等」の中に含めて取り扱うこととしています。

ロ **定期借地権等の内容**

区分	定期借地権等			普通借地権	既存借地権 （旧借地法）
	一般定期 借地権	事業用定期 借地権等	建物譲渡特 約付借地権		
存続期間	50年以上	10年以上 50年未満	30年以上	30年以上	堅固な建物30年以上 ※１ 非堅固な建物20年以上 ※２
利用目的	制限なし	事業用に限る	制限なし	制限なし	制限なし
更新制度	なし	なし	なし	法定更新	法定更新
終了事由	期間満了	期間満了	建物譲渡	正当事由	正当事由

※１ 期間の定めがない場合60年
※２ 期間の定めがない場合30年

参考 **財産評価基本通達27-2、27-3**

（定期借地権等の評価）

27-2 定期借地権等の価額は、原則として、課税時期において借地権者に帰属する経済的利益及びその存続期間を基として評定した価額によって評価する。

ただし、課税上弊害がない限り、その定期借地権等の目的となっている宅地の課税時期における自用地としての価額に、次の算式により計算した数値を乗じて計算した金額によって評価する。

（算式）

$$\frac{次項に定める定期借地権等の設定の時における借地権者に帰属する経済的利益の総額}{定期借地権等の設定の時におけるその宅地の通常の取引価額} \times \frac{課税時期におけるその定期借地権等の残存期間年数に応ずる基準年利率による複利年金現価率}{定期借地権等の設定期間年数に応ずる基準年利率による複利年金現価率}$$

第6章 財産評価基本通達における土地評価の原則

（定期借地権等の設定の時における借地権者に帰属する 経済的利益の総額の計算）

27－3　前項の「定期借地権等の設定の時における借地権者に帰属する経済的利益の総額」は、次に掲げる金額の合計額とする。

(1)　定期借地権等の設定に際し、借地権者から借地権設定者に対し、権利金、協力金、礼金などその名称のいかんを問わず借地契約の終了の時に返還を要しないものとされる金銭の支払い又は財産の供与がある場合

　　課税時期において支払われるべき金額又は供与すべき財産の価額に相当する金額

(2)　定期借地権等の設定に際し、借地権者から借地権設定者に対し、保証金、敷金などその名称のいかんを問わず借地契約の終了の時に返還を要するものとされる金銭等（以下「保証金等」という。）の預託があった場合において、その保証金等につき基準年利率未満の約定利率による利息の支払いがあるとき又は無利息のとき

　　次の算式により計算した金額

保障金等の額に相当する金額 － ［保証金等の額に相当する金額 × 定期借地権等の設定期間年数に応じる基準年利率による複利現価率］

－ ［保証金等の額に相当する金額 × 基準年利率未満の約定利率 × 定期借地権等の設定期間年数に応じる基準年利率による複利年金現価率］

(3)　定期借地権等の設定に際し、実質的に贈与を受けたと認められる差額地代の額がある場合

　　次の算式により計算した金額

差額地代の額 × 定期借地権等の設定期間年数に応じる基準年利率による複利年金現価率

（注）

　1　実質的に贈与を受けたと認められる差額地代の額がある場合に該当するかどうかは、個々の取引において取引の事情、取引当事者間の関係等を総合勘案して判定するのであるから留意する。

　2　「差額地代の額」とは、同種同等の他の定期借地権等における地代の額とその定期借地権等の設定契約において定められた地代の額（上記（1）又は（2）に掲げる金額がある場合には、その金額に定期借地権等の設定期間年数に応ずる基準年利率による年賦償還率を乗じて得た額を地代の前払いに相当する金額として毎年の地代の額に加算した後の額）との差額をいう。

331

参考	財産評価基本通達25（貸宅地の評価）

宅地の上の存する権利の目的となっている宅地の評価は、次の掲げる区分に従い、それぞれ次に掲げるところによる。

（中略）

⑵　定期借地権等の目的となっている宅地の価額は、原則として、その宅地の自用地としての価額から、27-2（定期借地権等の評価）の定めにより評価したその定期借地権等の価額を控除した金額によって評価する。

　　ただし、同項の定めに評価した定期借地権等の価額が、その宅地の自用地としての価額に次の掲げる定期借地権等の残存期間に応じる割合を乗じる割合を乗じて計算した金額を下回る場合には、その宅地の自用地としての価額からその価額に次に掲げる割合を乗じて計算した金額を控除した金額によって評価する。

イ　残存期間が5年以下のもの　　　　　　100分の5

ロ　残存期間が5年を超え10年以下のもの　100分の10

ハ　残存期間が10年を超え15年以下のもの　100分の15

ニ　残存期間が15年を超えるもの　　　　　100分の20

（以下省略）

②　用語の説明

複利年金現価率	現金などを積み立てて複利で一定期間運用していった場合、最終的な総額の現在価値を求めるための係数です。資金を定期的に積み立てて複利運用していった場合、将来実際に支払われるのは、支払い続けた積立金に、複利運用することで得られた利益をプラスしたものになります。 これは、毎年一定金額を一定期間受け取るためには、現在いくらの元本があればよいかを計算するときに利用し、これを複利年金現価率といい、次の計算式によります。 （計算式） $$\dfrac{(1+r)^n - 1}{r(1+r)^n}$$ （例）年利率2％で5年間毎年100万円を受け取る場合に必要な金額は、以下のとおり複利年金現価は4.71で約471万円となります。 $$100万円 \times \dfrac{(1+0.02)^5 - 1}{0.02(1+0.02)^5} \fallingdotseq 471万円$$

複利現価率	将来の金額を一定の利回りで現在価値に割り引くための計算式です。$$\frac{1}{(1+r)^n}$$（例）年利率2％の場合、3年後に獲得する500万円の現在価値は、以下のとおり約471万円となります。$$500万円 \times \frac{1}{(1+0.02)^3} ≒ 471万円$$
基準年利率（財産評価基本通達4-4で規定されている）	相続税の計算などで基準となる利率のことで日本証券業協会によって公表されている利付国債の複利利回りをもとにして算出されています。 　年数区分としては、1〜2年の短期、3〜6年の中期、7年以上の長期の3つに分けられています。 （注）平成11年に基準年利率が追加されるまでは、財産から生ずべき収益力に応じ、8％又は6％の利率に応じた複利現価や複利年金現価の算式を適用して課税時期の現在価値を計算していました。
基準年利率未満の約定利率	地主が定期借地人に支払う利息の利率で、通常の場合、基準年利率未満です。

【事例】

1	設定契約年月日と期間	平成30年8月1日から設定期間20年
2	課税時期	令和4年3月3日
3	残年数等	16年5月
4	権利金（契約時支払）	8,000,000円
5	定期借地権の目的となる土地	宅地　249.33m²
6	平成30年分の路線価評価額	80,000,000円（設定時の自用地としての価額） 100,000,000円（設定時の通常の価額）
7	令和4年分の路線価評価額	88,000,000円（課税時期の自用地としての価額）
8	令和4年3月の7年以上の基準年利率	0.25％（国税庁から通達により公表）
9	課税時期における定期借地権の残存期間に応じた基準年利率による複利現価率：0.961	
10	課税時期における定期借地権の残存期間に応じた基準年利率による複利年金現価率：15.665	
11	定期借地権の設定期間に応じた基準年利率による複利年金現価率：19.484	

計算

1　定期借地権の評価額の計算

$$88,000,000円 \times \frac{8,000,000円}{100,000,000円} \times \frac{15.665}{19.484} = 5,660,110円$$

2　定期借地権の目的となっている宅地の評価額の計算

① 88,000,000円 － 5,660,110円 ＝ 82,339,890円

② 88,000,000円 ×（1－20％）＝ 70,400,000円

　定期借地権の目的となっている宅地の評価額は、上記①又は②の低い方70,400,000円となります。

　この場合、土地の定期借地権と底地の価額の合計は100％未満（86.4％）となります。

複　利　表　（令和4年1月～3月分）

区分	年数	年0.01％の複利年金現価率	年0.01％の複利現価率	年0.01％の年賦償還率	年1.5％の複利終価率	区分	年数	年0.25％の複利年金現価率	年0.25％の複利現価率
短期	1	1.000	1.000	1.000	1.015		36	34.386	0.914
	2	2.000	1.000	0.500	1.030		37	35.298	0.912
							38	36.208	0.909
区分	年数	年0.01％の複利年金現価率	年0.01％の複利現価率	年0.01％の年賦償還率	年1.5％の複利終価率		39	37.115	0.907
							40	38.020	0.905
中期	3	2.999	1.000	0.333	1.045				
	4	3.999	1.000	0.250	1.061		41	38.923	0.903
	5	4.999	1.000	0.200	1.077		42	39.823	0.900
	6	5.998	0.999	0.167	1.093		43	40.721	0.898
							44	41.617	0.896
区分	年数	年0.25％の複利年金現価率	年0.25％の複利現価率	年0.25％の年賦償還率	年1.5％の複利終価率		45	42.511	0.894
	7	6.931	0.983	0.144	1.109		46	43.402	0.891
	8	7.911	0.980	0.126	1.126		47	44.292	0.889
	9	8.889	0.978	0.113	1.143		48	45.179	0.887
	10	9.864	0.975	0.101	1.160		49	46.064	0.885
							50	46.946	0.883
	11	10.837	0.973	0.092	1.177				
	12	11.807	0.970	0.085	1.195		51	47.827	0.880
	13	12.775	0.968	0.078	1.213	長	52	48.705	0.878
	14			0.073	1.231		53	49.581	0.876
	15			0.068	1.250		54	50.455	0.874
							55	51.326	0.872
	16	15.665	0.961	0.064	1.268				
	17	16.623	0.958	0.060	1.288		56	52.196	0.870
	18	17.580	0.956	0.057	1.307	期	57	53.063	0.867
長	19	18.533	0.954	0.054	1.326		58	53.928	0.865
	20	19.484	0.951	0.051	1.346		59	54.791	0.863
							60	55.652	0.861
	21	20.433	0.949	0.049	1.367				

（複利年金現価率）（複利現価率）

道路と宅地評価

　宅地等の評価額は、接面する道路によって大きな影響を受けますが、以下、財産評価基本通達等により定められた道路と宅地評価について、基本的な事例を基に説明します。

1　セットバックを必要とする宅地の評価

　第3章4「建築基準法上の道路」で説明しましたが、建築基準法第42条第2項では、幅員4m未満の道路であっても、建築基準法が適用された際、建築物が立ち並んでおり、特定行政庁が指定したものは、建築基準法上の道路とみなします（「2項道路」といいます。）。

　この場合、道の中心線から左右それぞれ2mの線を道路境界とみなします。道の反対側が川やがけ地であるときは、反対側の境界線から4mの線を道路境界線みなします。

(1)　セットバックする面積の算出

　2項道路の場合、公道を含んでいる場合や私道の場合があり、道路の形態が明確でないことが少なくありません。また、認定道路（建築基準法第42条第1項第1号）でないため、道路台帳平面図が備え付けられていない場合が通常です。

　したがって、後退の起点である道の中心線を特定し、セットバック部分の面積を算出しなければなりません。そのためには、基準時（昭和25年11月23日）より存在した元の道路の位置、幅員等を調査することが必要となりますが、公道を含んでいる場合や私道の場合があり、それらが明確にわからないことが少なくありません。基本的には、現況形態を把握し中心線を特定し、ウォーキングメジャー等により測量することになります。

(2)　セットバック距離の測り方

　セットバックを要する道路に面する宅地について、道路中心線から後退する距離の測定は下図の要領に従います。

　(注)　道路幅員のとらえ方は、第3章4(8)から(10)（77ページ以降）を参照してください。

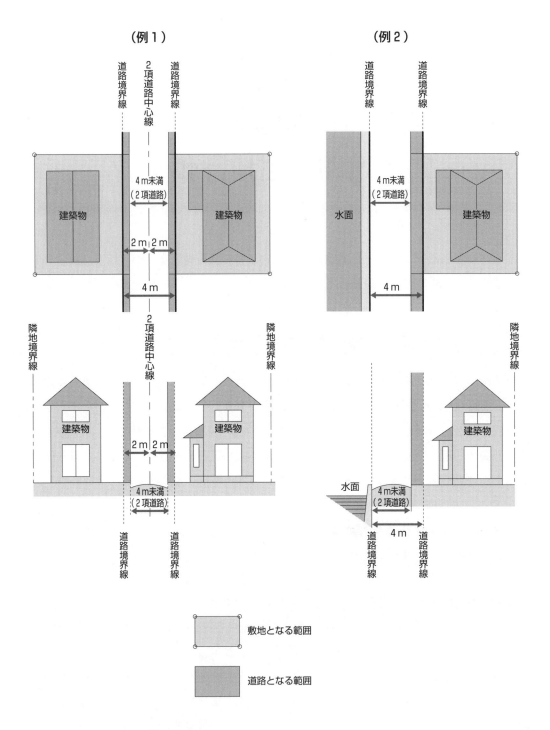

(3) セットバックの確認資料

建築計画概要書…建物の建築が行われている場合には、2項道路とセットバックの距離が確認できます(86ページ参照)。

(注) 建築計画概要書閲覧制度は、昭和46年1月1日施行の建築基準法一部改正により開始しましたのでそれ以前の申請については、当該申請書はありません。

第7章 道路と宅地評価

財産評価基本通達

（セットバックを必要とする宅地の評価）

24－6　建築基準法第42条第2項に規定する道路に面しており、将来、建物の建替え時等に
　　　同法の規定に基づき道路敷きとして提供しなければならない部分を有する宅地の価額は、
　　　その宅地について道路敷きとして提供する必要がないものとした場合の価額から、その価
　　　額に次の算式により計算した割合を乗じて計算した金額を控除した価額によって評価する。
　　　（以下省略）

（算式）

　評価額は、奥行価格補正等の画地補正後の価額から次の算式の割合を控除して算出します。

$$\frac{将来、建物の建替え時等に道路敷きとして提供しなければならない部分の地積}{宅地の総地積} \times 0.7$$

【控除割合の根拠】

　現在の利用には特に支障がない場合であっても、将来的には、セットバックすることにな
ります。

　したがって、その宅地の価額は、セットバックを要しない宅地の価額に比較して減価する
ことになりますが、その部分については、私道と比較すると、現にセットバックをしていな
い限り宅地として利用されているわけですので、少なくとも私道の価値率（30%）を下回る
ことはありません。

　そこで、セットバックを必要とする部分については7割を控除し、価値率を3割とします。

337

計算

正面路線価　　奥行価格補正率　　1㎡当たりの価額
64千円　×　0.95　＝　60.8千円

（注）　0.95は、奥行距離30mに対する奥行価格補正率

1㎡当たりの価額　　地積　　総額
60.8千円　×　150㎡　＝　9,120千円

自用地の評価額　　　　　　　　　　　　　　　セットバックを必要とする地積
9,120千円　－　（ 9,120千円　×　22.5㎡ / 150㎡（総地積）　×0.7 ）＝　評価額 8,162,400円

■セットバックを必要とする土地の評価明細書

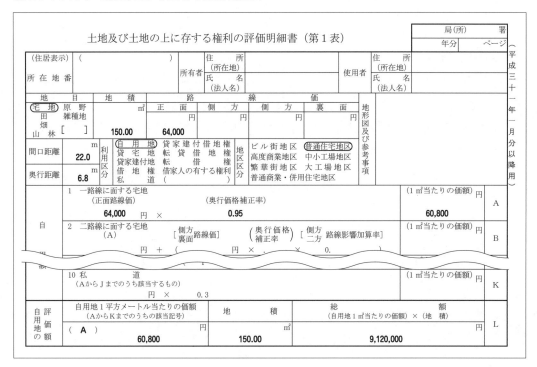

第7章 道路と宅地評価

2 私道の評価

(1) 私道の種類と評価

　私道の評価は、私道の種類により2通りあります。

・不特定多数の通行の用に供している私道は、課税対象ではなく、評価しません。

　(注)　固定資産税でも非課税扱いしています。

・特定の者の通行の用に供する私道（建築基準法第42条1項5号に定められる位置指定道路等）は、通常に評価した価額の30％に相当する価額により評価します。

参考　**財産評価基本通達24（私道の用に供されている宅地）より**

　私道の用に供されている宅地の価額は、財産評価基本通達11から21－2までの定めにより計算した価額の100分の30に相当する価額によって評価します。この場合において、その私道が不特定多数の者の通行の用に供されているときは、その私道の価額は評価しないことになります。

○私道評価の趣旨

　「その私道が不特定多数の者の通行の用に供されている」場合とは、その私道が、通り抜けできる状態であり、現に不特定多数の者の通行の用に供されている場合をいいます。このような場合は、所有権があっても、処分価値、利用価値等がないため、評価しません。

　一方、特定の者の通行の用に供されている場合、通り抜けできない私道で、その使用収益にある程度の制約はあるものの、処分の可能性や利用価値が残されていることなどから、通常の価額の30％相当額により評価することとしています。

○特定の者の通行の用に供されている私道の利用価値（参考　市町村におけるヒアリング結果）

　特定の者の通行の用に供されている私道である位置指定道路は、建築基準法第42条1項5号に定められた代表的な私道です。

　位置指定道路であっても私道でなく公道の場合もあり、また、第42条1項3号に定められる開発道路は通常、公道ですが、まれに私道の場合もあります。

　したがって、ここでは「位置指定道路等」と記載します。

　位置指定道路等が、評価対象土地の一部である場合、現実の利用が可能な範囲について説明します。

　なお、市町村によって状況は異なり、全国すべてに対応する内容ではないのでご留意願います。

①　道路法上の道路（公道）でない場合には管理は市区町村ではなく、その私道の敷地所有者が行います。

②　道路敷地内には建築基準法上、定着物の設置は禁止されており、建物・工作物は建築できません。しかし、自転車、移動可能な物置、植木鉢などの動産については設置を禁止する規定はありません。

③　駐車禁止、速度制限等の交通法規の規制に関しては警察当局の管轄であり、建築基準法や道路

339

法との関係はありません。

④　地下部分の利用に関しては、建築基準法には特に制限する規定はなく、地下備蓄倉庫などの越境があっても法律違反ではありません。ただし、位置指定道路の構造上の仕様に関する規定が市区町村により細かく決められており、その仕様を妨げる利用はできません。

以上のことから、他の私道共有者の同意があれば、駐輪場としての利用や可動型の物置、植木鉢等の動産設置は可能です。また、道路交通法により駐車禁止に指定されていなければ、青空駐車場としての利用の可能性もあります。

また、地下部分については、位置指定道路の構造的な仕様を阻害しない範囲で、地下備蓄倉庫等としての利用、地下水の利用などが可能です。

国税庁ホームページでは私道について内容を質疑応答事例に挙げていますので紹介します。

参考　国税庁「質疑応答事例」

不特定多数の者の通行の用に供されている私道

【照会要旨】

1　私道が不特定多数の者の通行の用に供されているときは、その私道の価額は評価しないこととなっていますが、具体的にはどのようなものをいうのでしょうか。

2　幅員2メートル程度で通り抜けのできる私道は財産評価基本通達24に定める不特定多数の者の通行の用に供されている私道に該当しますか。

【回答要旨】

1　「不特定多数の者の通行の用に供されている」例を具体的に挙げると、次のようなものがあります。

　イ　公道から公道へ通り抜けできる私道

　ロ　行き止まりの私道であるが、その私道を通行して不特定多数の者が地域等の集会所、地域センター及び公園などの公共施設や商店街等に出入りしている場合などにおけるその私道

　ハ　私道の一部に公共バスの転回場や停留所が設けられており、不特定多数の者が利用している場合などのその私道

2　不特定多数の者の通行の用に供されている私道とは、上記のようにある程度の公共性が認められるものであることが必要ですが、道路の幅員の大小によって区別するものではありません。

---

(2)　私道の評価において確認すべき資料

①　不特定多数の者が通り抜けできる私道

不特定多数の者が通り抜けできる私道の確認に必要な資料は次のとおりです。

ここでは現地写真により各種の資料の内容を説明し、私道の地積を測量します。

第7章 道路と宅地評価

■私道の確認に必要な資料

・路線価図　・認定路線情報　・公図　・地積測量図　・建築計画概要書
・道路台帳平面図　・登記情報　・写真等

■各種資料により私道負担が判明した事例

（対象地の写真）

現地調査：側方路線は認定道路ではないため道路種類は不明です。

路線価図：側方路線価が設定され側方加算が必要です。

341

認定路線情報：正面路線は認定道路（市道）です。

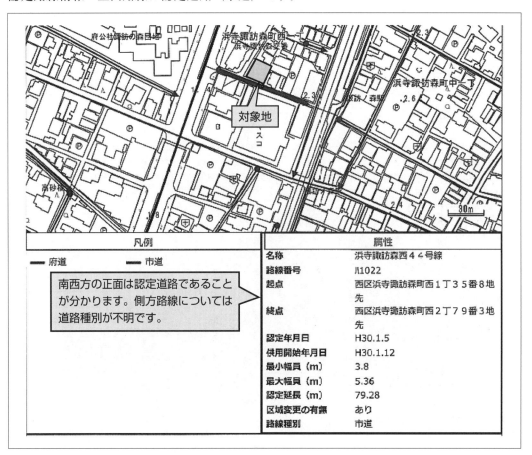

公図：公図の精度は低く、側方路線は表現されていません。

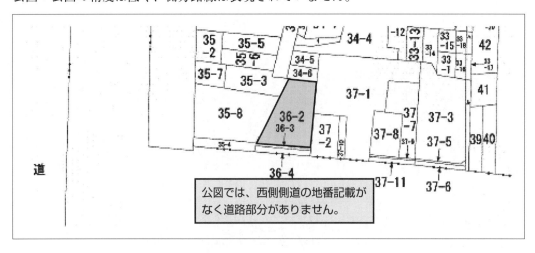

第7章 道路と宅地評価

地積測量図：地積測量図の精度は高いですが、側方路線は存在しません。

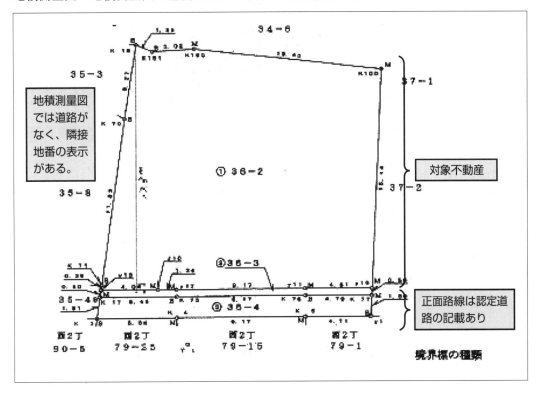

■建築計画概要書（完了検査済み確認）

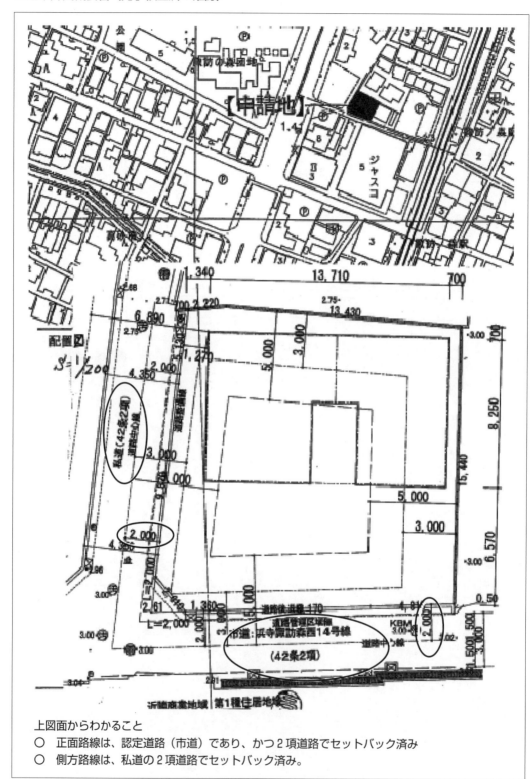

上図面からわかること
- 正面路線は、認定道路（市道）であり、かつ2項道路でセットバック済み
- 側方路線は、私道の2項道路でセットバック済み。

道路台帳平面図：認定道路でないため側方路線の明瞭な表記はありません。

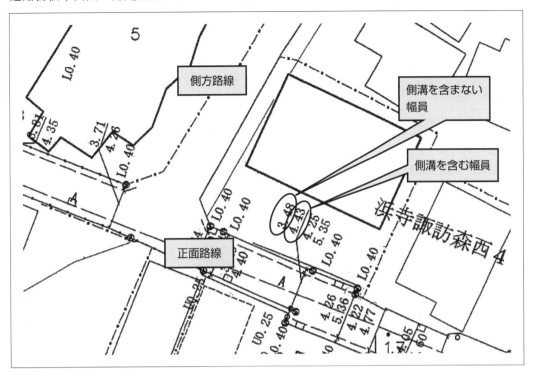

建物図面：建物図面の精度は低いが西側に道路表記があることが判明した。

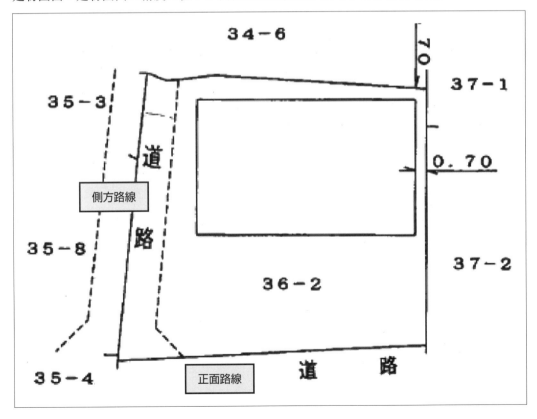

まとめ

○現地調査で角地であることを確認。

○市の認定道路情報では、正面路線が認定道路であることを確認。側方路線は道路種類が不明。

○公図では対象地と西側隣地の地番との間に道路が存在しない。地番の並びを確認。

○地積測量図では、対象地の形状を確認。

　対象地に道路は含まれないことが判明。

○建物計画概要書と地積測量図により、側方路線は2項道路で、セットバック済であることを確認。

○道路台帳では正面路線の道路状況を確認できたが、側方路線は2項道路のため道路状況は不明である。

○建物図面により、対象地が私道負担していることが判明。

（側方路線の評価）

　側方路線は2項道路であるが、対象地の一部を道路部分として分筆した形跡がなく、対象地の一部が不特定多数の者の用に供する私道であると判定した。

　したがって当該部分を特定多数の者が通り抜けできる私道として減額（0評価）する。

（参考）私道負担面積の計算

　　私道負担の面積は以下のとおり37.2m²です。

　　不特定多数の者が通り抜けできる道路であり該当地積相当額を減額する。

　　1　2.0m×17.6m＝35.2m²　道路部分

　　2　2.0m×2.0m×1/2＝2.0m²　隅切り部分

　　上記1＋上記2＝37.2m²……私道地積は37.2m²

② 位置指定道路

位置指定道路等の私道は、認定道路等の公道ではありませんので次の資料により基礎的な事項を確認します。

資料	参照ページ	入手先	使用目的等
登記事項証明書	8ページ	法務局	次の事項が確認できます。 ①共有の場合 　私道の面積と持分割合 ②単独所有の場合 　所有面積
固定資産税評価証明書	46ページ	市町村の固定資産税担当課等	課税、非課税の区分が確認ができ、特定多数又は、不特定の者の通行の用に供しているかの区別がわかります。
道路位置指定申請図	69ページ	市町村の建築指導課等	位置指定道路の場合は、幅員や延長距離を確認することができます。
建築計画概要書	86ページ	市町村の建築指導課等	前面道路の幅員や種類が記載されている場合があります。

(3) 特定路線価について

路線価地域内において、位置指定道路等などの行き止まり道路などの私道（相続税又は贈与税の課税上、路線価の設定されていない道路）のみに接している宅地を評価する必要がある場合には、当該道路を路線とみなして当該宅地を評価するための路線価（以下「特定路線価」という。）を納税義務者からの申出等に基づき設定することができます（350ページの「特定路線価設定申出書」等参照）。

これにより設定された路線価を特定路線価といいます。

(注) 特定路線価の価格は、その特定路線価を設定しようとする道路に接続する路線及び当該道路の付近の路線に設定されている路線価を基に、当該道路の状況、路線価図に定める地区の別等を考慮して税務署長が評定した1m²当たりの価額とされています。

(4) 特定路線価の設定が必要な具体事例

路線価地域において、評価すべき土地に接道する道路が行き止まり等の理由により、路線価が設定されていない場合は、特定路線価の設定が必要となります。

具体的には次図のB、C、E及びFのような宅地です。

なお、固定資産税の場合は、行き止まり等であっても、道路に路線価が設定されていることが一般的です（第6章「3　相続税路線価図と固定資産税路線価図の対比」240ページ参照）。

347

■特定路線価を設定した土地の評価

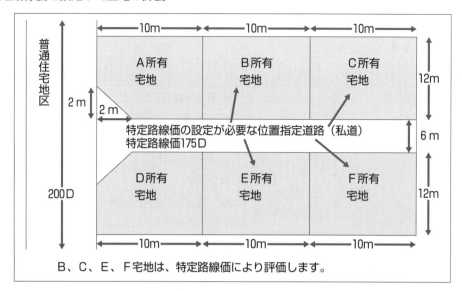

B、C、E、F宅地は、特定路線価により評価します。

　路線価の設定されていない道路にのみ接しているB、C、E及びFの各宅地の評価に当たっては、私道の部分に特定路線価を設定し、その特定路線価を基にして画地調整計算を行います。

　なお、ケースバイケースで特定路線価を設定せず、既存の路線価を基に画地調整等を行って評価することもあります。

計算

特定路線価　　奥行価格補正率　　1㎡当たりの価額
175千円　×　1.00　＝　175千円

1㎡当たりの価額　　地積　　宅地B,C,E,Fの評価額
175千円　×　120㎡　＝　21,000千円

参考　誤りやすい事例

一般の路線価のほか側方等に特定路線価が設定された宅地の評価
　この特定路線価は、B、C、E及びFの評価に用いるものですから、A及びDの評価に際してこの特定路線価の側方路線影響の加算を行う必要はありません。

(5) 特定路線価が設定されている私道の評価

　特定路線価が設定されている私道については、次のいずれかを評価額とします。
イ　私道に面している路線の路線価を基として、奥行価格補正率等を乗じて計算した金額の30％に相当する価額

$$200{,}000円 \underset{\substack{奥行価格\\補正率}}{\times\ 0.95} \underset{\substack{間口狭小\\補正率}}{\times\ 0.97} \underset{\substack{奥行長大\\補正率}}{\times\ 0.92} \times\ 0.3 \underset{\substack{地積}}{\times\ 184m^2} =\ 9{,}359{,}491円$$

ロ 特定路線価に30％等を乗じた価額

$$175{,}000円\ \times\ 0.3\ \underset{\substack{地積}}{\times\ 184m^2}\ =\ 9{,}660{,}000円$$

なお、所有地が貸家建付地の場合は、私道の評価額に貸家建付地の割合を乗じた価額が私道部分の価額となります。

> **参考　私道の所有形態**
>
> 建築基準法第42条1項5号等に定めがある位置指定道路等（私道）の所有の形態
>
> 　位置指定道路等で説明しましたが、私道の所有の形態は、次のものなどがあります。
>
> ① 道路の部分は分割せず、一筆の土地として、全体の土地を各自が共有する場合
> ② 所有する宅地面積の大きさに比例して持分を決める場合
> ③ 区画数で割り、分筆して各自が1筆ずつ所有する場合
>
> 　③の場合は、それぞれの所有者が、それぞれ所有する宅地が面する位置に接続して持分を持つ場合と、所有する区画と離れた位置に持つ場合があります。
>
>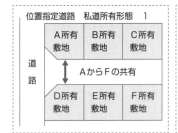

⑹ 特定路線価設定申出書

整理簿
※

平成
令和＿＿年分　特定路線価設定申出書

税務署受付印

＿＿＿＿＿＿＿＿＿＿税務署長

令和＿＿年＿＿月＿＿日　　申出者　住所(所在地)＿＿＿＿＿＿＿＿＿＿＿＿＿＿＿＿
　　　　　　　　　　　　　(納税義務者)　　　　〒

　　　　　　　　　　　　　　　氏名(名称)＿＿＿＿＿＿＿＿＿＿＿＿＿＿＿印

　　　　　　　　　　　　　　　職業(業種)＿＿＿＿＿＿電話番号＿＿＿＿＿＿＿

　　相続税等の申告のため、路線価の設定されていない道路のみに接している土地等を
評価する必要があるので、特定路線価の設定について、次のとおり申し出ます。

1　特定路線価の設定を必要とする理由	□　相続税申告のため（相続開始日＿＿＿＿＿年＿＿月＿＿日） 被相続人　住所＿＿＿＿＿＿＿＿＿＿＿＿＿＿＿＿＿＿ 　　　　　氏名＿＿＿＿＿＿＿＿＿＿＿＿＿＿＿＿＿＿ 　　　　　職業＿＿＿＿＿＿＿＿＿＿＿＿＿＿ □　贈与税申告のため（受贈日＿＿＿＿＿年＿＿月＿＿日）
2　評価する土地等及び特定路線価を設定する道路の所在地、状況等	「別紙　特定路線価により評価する土地等及び特定路線価を設定する道路の所在地、状況等の明細書」のとおり
3　添付資料	(1)　物件案内図（住宅地図の写し） (2)　地形図(公図、実測図の写し) (3)　写真　　撮影日＿＿＿＿＿年＿＿月＿＿日 (4)　その他　〔　　　　　　　　　　　　　　〕
4　連絡先	〒 住　所＿＿＿＿＿＿＿＿＿＿＿＿＿＿＿＿＿＿＿＿＿ 氏　名＿＿＿＿＿＿＿＿＿＿＿＿＿＿＿＿＿＿＿＿＿ 職　業＿＿＿＿＿＿＿＿＿＿電話番号＿＿＿＿＿＿＿
5　送付先	□　申出者に送付 □　連絡先に送付
＊　□欄には、該当するものにレ点を付してください。	

※印欄は記入しないでください。

(資9－29－A4統一)

350

記載方法等

　この申出書は、課税の対象となる路線価地域内に存する土地等について、その土地等に接している道路に路線価が設定されていないため、路線価を基に評価することができない場合に、その土地等を評価するための路線価（特定路線価）の設定を申し出るときに使用します。

1　この申出書は、相続税、贈与税の申告のため、路線価の設定されていない道路のみに接している土地等を評価することが必要な場合に提出してください。
2　この申出書は、原則として、納税地を所轄する税務署に提出してください。
3　「特定路線価により評価する土地等」、「特定路線価を設定する道路」及び「特定路線価を設定する道路に接続する路線価の設定されている路線」の状況等がわかる資料（物件案内図、地形図、写真等）を添付してください。

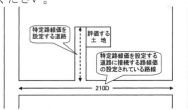

4　「特定路線価により評価する土地等」及び「特定路線価を設定する道路」の所在地、状況等については、「別紙　特定路線価により評価する土地等及び特定路線価を設定する道路の所在地、状況等の明細書」に記載してください。
　(1)　「土地等の所在地（住居表示）」欄には、「特定路線価により評価する土地等」の所在地を画地ごとに記載してください。
　(2)　「土地等の利用者名、利用状況及び地積」欄には、その土地等の利用者名、利用状況及び地積を記載してください。土地等の利用状況については、「宅地（自用地）」、「宅地（貸地）」などと記載してください。
　(3)　「道路の所在地」欄は、「特定路線価を設定する道路」の所在地の地番を記載してください。
　(4)　「道路の幅員及び奥行」欄には、「特定路線価を設定する道路」の幅員及び「特定路線価を設定する道路に接続する路線価の設定されている路線」からその土地等の最も奥までの奥行距離を記載してください。
　(5)　「舗装の状況」欄は、該当するものにレ点を付してください。
　(6)　「道路の連続性」欄は、該当するものにレ点を付してください。
　(7)　「道路のこう配」欄には、傾斜度を記載してください。
　(8)　「上水道」、「下水道」、「都市ガス」欄は、該当するものにレ点を付してください。各欄の「引込み可能」とは、「特定路線価を設定する道路」に上下水道、都市ガスが敷設されている場合及び「特定路線価を設定する道路」にはないが、引込距離約50ｍ程度のもので、容易に引込み可能な場合をいいます。
　(9)　「用途地域等の制限」欄には、その土地等の存する地域の都市計画法による用途地域（例えば、第１種低層住居専用地域等）、建ぺい率及び容積率を記載してください。
　(10)　「その他（参考事項）」欄には、上記以外に土地の価格に影響を及ぼすと認められる事項がある場合に記載してください。
　　（注）この申出書を提出した場合でも、路線価を基に課税の対象となる土地等を評価することができるときには、特定路線価を設定しないことになりますので留意してください。

別紙　特定路線価により評価する土地等及び特定路線価を設定する道路の所在地、状況等の明細書

土地等の所在地 （住居表示）	〔　　　　　　　　　〕		〔　　　　　　　　　〕	
土地等の利用者名、 利用状況及び地積	（利用者名） （利用状況）	㎡	（利用者名） （利用状況）	㎡
道路の所在地				
道路の幅員及び奥行	（幅員）　　　　m	（奥行）　　　m	（幅員）　　　　m	（奥行）　　　m
舗装の状況	□舗装済　・　□未舗装		□舗装済　・　□未舗装	
道路の連続性	□通抜け可能 　　（□車の進入可能・□不可能） □行止まり 　　（□車の進入可能・□不可能）		□通抜け可能 　　（□車の進入可能・□不可能） □行止まり 　　（□車の進入可能・□不可能）	
道路のこう配	度		度	
上　水　道	□有 □無（□引込み可能・□不可能）		□有 □無（□引込み可能・□不可能）	
下　水　道	□有 □無（□引込み可能・□不可能）		□有 □無（□引込み可能・□不可能）	
都　市　ガ　ス	□有 □無（□引込み可能・□不可能）		□有 □無（□引込み可能・□不可能）	
用途地域等の制限	（　　　　　　　）地域 建ぺい率（　　　　　　）％ 容積率（　　　　　　　）％		（　　　　　　　）地域 建ぺい率（　　　　　　）％ 容積率（　　　　　　　）％	
その他（参考事項）				

（資９－30－Ａ４統一）

⑺　特定路線価設定申出書の提出手続き

①　概要

　相続税又は贈与税の申告に際し、路線価の設定されていない道路のみに接している宅地の価額を評価するために路線価（特定路線価）の設定を求める手続きです。

②　手続対象者

　相続税又は贈与税の申告のために特定路線価の設定が必要となる者

③　提出方法

　申出書を作成の上、提出先に持参又は送付してください。

④　手数料

　不要です。

⑤　添付書類

　「別紙　特定路線価により評価する土地等及び特定路線価を設定する道路の所在地、状況等の明細書」及び物件案内図、地形図、写真等の資料

(8) 特定路線価チェックシート（東京国税局）

特定路線価設定申出書の提出チェックシート

フリガナ
申出者氏名：＿＿＿＿＿＿＿＿＿＿＿＿＿＿＿＿＿＿＿

「特定路線価設定申出書」を提出する場合には、次の事項のチェックをお願いします（原則として、「はい」が全て☑となった方のみ提出できます。）。

| 1 特定路線価の設定を必要とする年分の路線価は公開されていますか。 | いいえ➡ | 路線価の公開前に提出された場合には、路線価が公開された後の回答になります。 |

□ はい

| 2 特定路線価の設定を必要とする理由は、相続税又は贈与税の申告のためのものですか。 | いいえ➡ | 相続税又は贈与税の申告以外の目的のためには、特定路線価を設定できません。 |

□ はい

| 3 評価する土地等は、「路線価方式」により評価する地域（路線価地域）内にありますか。
※ 財産評価基準書（路線価図・評価倍率表）で確認できます。 | いいえ➡ | 「倍率方式」により評価する地域内にある土地等は、固定資産税評価額に所定の倍率を乗じて評価します。 |

□ はい

| 4 評価する土地等は、路線価の設定されていない道路のみに接している土地等ですか。 | いいえ➡ | 原則として、既存の路線価を基に画地調整等を行って評価します。
　例えば、下図の場合、評価対象地が路線価の設定されている道路に接しているので、その路線価を基に評価します。 |

□ はい

| 5 特定路線価を設定したい道路は、評価する土地等の利用者以外の人も利用する道路ですか。 | いいえ➡ | なお、評価方法など不明な点につきましては、相続税又は贈与税の納税地を管轄する税務署にご相談ください。 |

□ はい

| 6 特定路線価を設定したい道路は、建物の建築が可能な道路ですか。
※ 都県又は市町村の部署（建築指導課等）で確認できます。 | いいえ➡ | 　相談の結果、「特定路線価設定申出書」を提出していただく場合もあります。
※ 税務署での面接による相談は事前の予約が必要です。 |

□ はい

> ★ 特定路線価は、原則として「建築基準法上の道路等」に設定しています。
> 　「建築基準法上の道路等」とは、
> ① 「建築基準法第42条第1項第1号～第5号又は第2項」に規定する道路
> ② 「建築基準法第43条第2項第1号又は第2号（平成30年9月25日改正前の建築基準法第43条第1項ただし書を含む。）」の適用を受けたことのある敷地に面する道をいいます。

以下のいずれかの税務署に「特定路線価設定申出書」を提出してください。
・特定路線価の評定を担当する税務署（詳細は裏面をご覧ください。）
・納税地を所轄する税務署（納税地は、相続税の場合は被相続人の住所地、贈与税の場合は受贈者の住所地となります。）
・評価する土地等の所在地を所轄する税務署

（注）1 このチェックシートは、「特定路線価設定申出書」と併せて提出してください。
　　　2 財産評価基準書（路線価図・評価倍率表）は国税庁ホームページ【www.rosenka.nta.go.jp】で確認できます。
　　　3 通常、回答までに1か月程度の期間を要します。

第7章　道路と宅地評価

3　船場建築線とは

(1)　船場建築線の指定について

建築線とは、それ以上建築物が突出してはならない道路と敷地の境界線をいいます。

船場建築線は、「通称「船場」の区域における市街地建築物法第7条但書による建築線指定に関する件（昭和14年4月4日　大阪府告示第404号）」に基づき指定されています。

概略は、大阪市の中心市街地にある船場地区の主要道路のうち、東西の道路幅員12m、南北の道路幅員10mを確保するため、指定した建築線です。

なお、市街地建築物法は、昭和25年に廃止され、建築基準法（昭和25年施行）附則第5項において、「市街地建築物法第7条ただし書きの規定によって指定された境界線で、その間の距離が4m以上のものは、その建築線の位置にこの法律第42条第1項第5号の規定による道路の位置の指定があったものとみなす。」とされています。

このことから、現在の法律的根拠は、建築基準法第42条第1項第5号（位置指定道路）に求めることができます。

参考　**船場建築線（大阪市ホームページより）**

建築基準法において、道路斜線や容積率などにかかる制限は、道路境界の位置、道路の幅員が基準となっています。一方、船場地区は、幅員約6m及び8mの道路を中心に古くから市街地が形成された地区であるため、現在の建築基準法をそのままあてはめた場合には、現在建っている規模の建築よりも小規模な建築物となることがあります。

船場建築線は、このような船場地区のまちの歴史と建築の需要を踏まえ、旧市街地建築物法第7条ただし書にもとづき、昭和14年4月に大阪府告示404号によって指定されました。

現在では、建築基準法附則第5項の規定によって、船場建築線は、建築基準法第42条第1項第5号の規定による道路の境界線とみなされています。

その結果、建築基準法に定められた道路斜線制限や容積率制限の算定時の道路境界については、現況の道路境界ではなく、船場建築線が道路境界とみなされています。

このため、船場建築線が指定される前の道路幅員に比べ、道路斜線制限及び道路幅員により規定される容積率制限が大幅に緩和され、従来より高い建物の建築が可能となり一般的には延べ面積の増加が見込まれます。加えて、今後、建物の建ち替わりが進んだ場合、壁面の位置が整い、歩行者空間が確保されることにより、景観上すぐれた、安全なまちなみがつくられることになります。

---

(2)　建築線の指定の効果

道路の中心線から指定された建築線までの部分については、建築基準法上は道路とみなされ、建物の建替え等を行う場合には、道路として提供しなければならないことになります。したがって、この部分については、容積率の算定の根拠に算入されません。

ただし、地下については、建築可能です。

355

したがって、道路幅員の観点から法律的には、建築基準法第42条2項に定めるセットバックを必要とする宅地と同様になります。

(3)　船場建築線の指定のある土地の評価

　財産評価基本通達においては、現に宅地として使用していても、建物の建替え等を行う場合においてセットバック（後退）を必要とする宅地については、財産評価基本通達24－6（セットバックを必要とする宅地の評価）に評価方法が定められていますので、原則として、この評価方法に準じて評価します。

　また、建築基準法上の扱いは位置指定道路ですので、これを勘案した私道の評価を準用等して評価します。

(4)　具体的な評価方法

　船場建築線に係る土地の評価方法については、次のとおり評価します。

①　既に後退（セットバック）しているもの

イ　不特定多数の通行のための道路として公共の用に供しているものは評価しません。

　（根拠）不特定多数の通行の用に供されている私道の評価を準用します。

ロ　上記の場合において、地下部分を利用しているもの

　自用地価額の20パーセント相当額で評価

　地下部分について、利用しているため、あたかも地下部分について区分地上権を設定している場合と同様に評価することが相当であると考えられますので、地下部分の土地利用制限率を基とした割合により評価します。

ハ　構築物、工作物を設置して、公共の用に供されていないもの

　自用地価額の30パーセント相当額で評価

　（根拠）法律的には道路ですが、公共の用に供されておらず、不特定多数の利用の用に供されているとはいえませんので、財産評価基本通達24の私道の評価を準用します。

②　まだ後退していないもの

　自用地価額の30パーセント相当額で評価

　（根拠）財産評価基本通達24－6のセットバックを必要とする宅地の評価を準用します。

■船場建築線（大阪市船場地区）

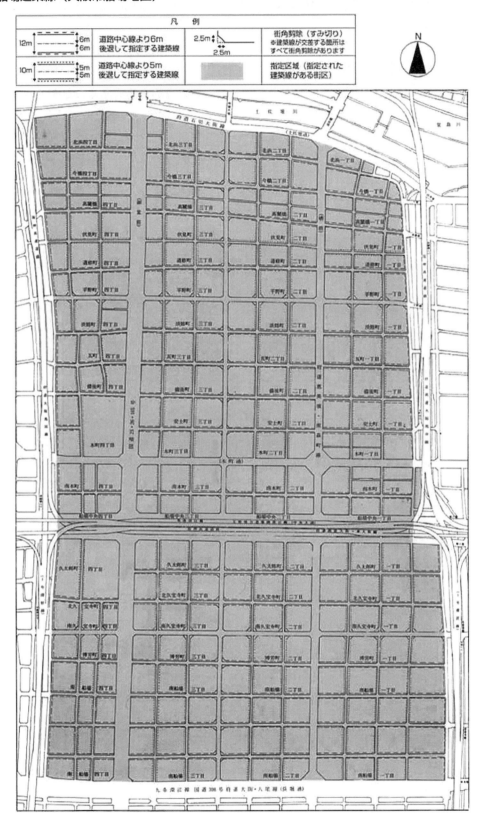

4 道路に関する評価上のしんしゃく

(1) 無道路地

① 無道路地の定義と評価

　宅地は、建物等が建築することができて初めて宅地の目的を達成することができます。したがって、宅地に建物建築の可否を判断するには、建築基準法等の知識が必要です。

　無道路地とは、建築基準法で定める道路に2m以上接しない宅地（これを接道義務といい、これを満たしていない宅地を含みます。）をいいます。

　接道義務を満たさない場合は、本来の宅地としての価値がないため、効用が発揮できないため、本来の価値の40％の範囲で減額できることになります。

② 接道義務

　宅地の接道義務は、次により建築基準法の道路に接することが建物建築の可能となる基準となります。

・建築基準法で定める道路（4m以上）に2m以上接すること

・市町村で別途定めるもの

参考　市町村で別途定めるものの例

東京都安全条例

（路地状敷地の形態）

第三条　建築物の敷地が路地状部分のみによって道路（都市計画区域外の建築物の敷地にあっては、道とする。以下同じ。）に接する場合には、その敷地の路地状部分の幅員は、路地状部分の長さに応じて、次の表に掲げる幅員以上としなければならない。ただし、建築物の配置、用途及び構造、建築物の周囲の空地の状況その他土地及び周囲の状況により知事が安全上支障がないと認める場合は、この限りでない。

敷地の路地状部分の長さ	幅員
20m以下のもの	2 m
20mを超えるもの	3 m

京都市建築基準条例

（路地状部分の建築制限等）

第5条　都市計画区域内において、建築物の敷地が幅員が8メートル未満の路地状の部分（以下「路地状部分」という。）のみにより道路に接するときは、路地状部分の1の幅員は、次の表の左欄に掲げる路地状部分の長さ応じ、同表の右欄に掲げる数値以上としなければならない。

20m以内のもの	2 m
20mを超え35m以内のもの	次の式により算出した数値 2＋（L－20）／15 Lは、路地状部分の長さ（単位はメートル）
35mを超えるもの	4 m

(2) 無道路地の具体的判定

【事例1】

次の事例は、無道路地と判定できるのでしょうか。

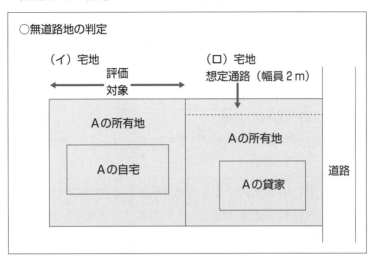

（イ）宅地及び（ロ）宅地の所有者が同一の場合、（イ）宅地の利用に当たって（ロ）宅地の一部を上図のとおり想定通路部分として利用することが可能ですので、（イ）宅地は袋地として不整形地としての評価をします。

【事例2】

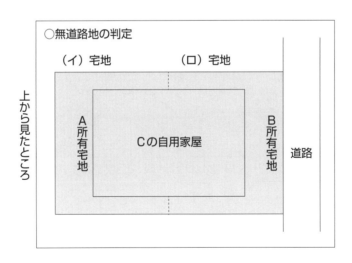

(イ)-2 底地部分の評価

（ロ）宅地が他人の所有なので（イ）貸宅地（底地）の価額を評価する場合には、無道路地となります。

この場合、無道路地の評価減として認められる金額は、無道路地について建築基準法その他法令において規定されている建築物を建築するために必要な道路に接すべき最小限の間口距離の要件に基づき最小限度の通路を開設する場合のその通路に相当する部分の価額とします。

(イ)-1及び(ロ)-1の借地権の評価

Cの有する借地権については、(イ)及び(ロ)宅地一体として評価することになります。

【事例3】

第5章「地目の判定と評価単位」の「4　地目別評価の例外」のところで説明したように、市街化調整区域以外の都市計画区域で市街地的形態を形成する地域において、市街地農地、市街地山林、市街地原野及び宅地と状況が類似する雑種地のいずれか2以上の地目が隣接している場合は、一団の土地として評価しますので無道路地にはなりません。

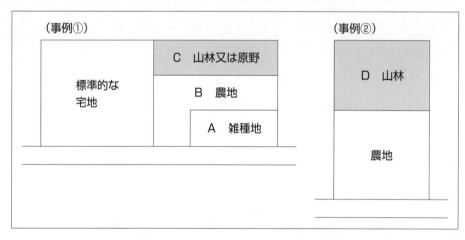

【事例4】

不合理分割のところで説明しましたが、相続や贈与による宅地の評価は、遺産分割後や受贈後の宅地の評価になります。

下の図の事例は、遺産分割や贈与（以下「分割」という。）により、無道路地を創出したものです。

このような場合は、分割後の画地では現在及び将来においても有効な土地利用が図られないと考えられますので、所有者単位で評価するのではなく、その分割前の画地を「1画地の宅地」として評価することとなり、上図の事例は、無道路地に該当しません。

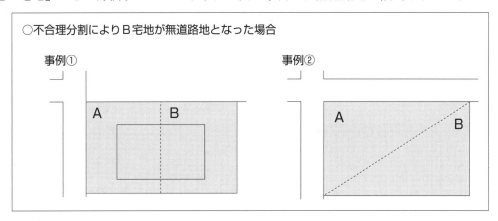

【事例5】

市街化調整区域以外の都市計画区域で市街地的形態を形成する地域において宅地と状況が類似する雑種地は、宅地比準により評価します。

また、当該雑種地について、一団の土地として評価しない場合は下図のような事例です。下図のイ、ロ及びハをそれぞれの利用の単位となっている一団ごとに評価すると宅地の効用を果たさない規模や形状で評価することになることが想定されます。

このため、利用の単位となっている雑種地の形状、地積の大小、位置等からみて全体を一団の雑種地として評価することが合理的でない場合には、イ、ロ及びハの全体をまとめて評価します。

したがって、イ資材置場については、無道路地の評価をしません。

○市街化調整区域以外の都市計画区域で市街地的形態を形成する地域において宅地と状況が類似する雑種地

イ資材置場 (雑種地)		宅地	宅地
ロ未利用 (雑種地)	ハ駐車場 (雑種地)		

(3) 無道路地の具体的評価事例

【事例1】（左右同じ事例です。）

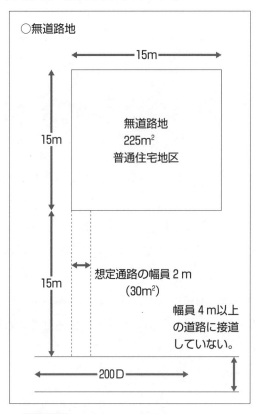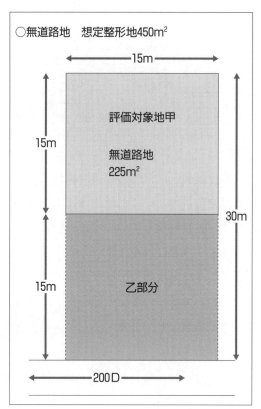

> **計算**　（甲部分の価額）

評価対象地甲の奥行価格補正率（30mの奥行に対応）0.95

乙部分の奥行価格補正率（15mの奥行に対応）1.00

① 甲、乙全体の価額

　路線価　　奥行価格補正率　　地積　　甲乙全体の価額
　200千円　×　0.95　×　450m² ＝　85,500千円

② 乙部分の価額

路線価　　　奥行価格補正率　　　地積　　　甲乙全体の価額
200千円　×　　1.00　　×　225m²　＝　45,000千円

③ 甲部分価額

①　−　②　＝　40,500千円

不整形地補正率の計算

想定整形地の間口距離　　想定整形地の奥行距離　想定整形地の地積
15m　　×　　　30m　　＝　　450m²

想定整形地の地積　不整形地の地積　　想定整形地の地積　　かげ地割合
（　450m²　−　225m²　）　÷　　450m²　　＝　50%

不整形地補正率表の補正率　　間口狭小補正率
④　　　0.79　　×　　0.90　　＝0.71　　　地積区分A

奥行長大補正率　　間口狭小補正率
⑤　　0.90　　×　　0.90　　＝　0.81

④と⑤のいずれか低い率0.71を採用する。

不整形地補正後価額

甲部分の価額　　　不整形地補正率　　不整形地補正後価額
40,500千円　×　　0.71　　＝　28,755千円

通路部分の価額

路線価　　　通路部分の地積　　通路部分の価額　　　　　限度額
200千円　×　　30m²　＝　6,000千円　＜　28,755千円　×　0.4

評価額の計算（土地及び土地の上に存する権利の評価明細書　添付）

不整形地補正後価額　　　通路部分の価額　　　評価額
28,755千円　−　6,000千円　＝　22,755千円

■無道路地の評価明細書

土地及び土地の上に存する権利の評価明細書（第１表）

	局(所)	署	年分	ページ

（住居表示）	（　　　　　）		所有者	住　所（所在地）		使用者	住　所（所在地）	
所在地番				氏　　名（法人名）			氏　　名（法人名）	

（平成三十一年一月分以降用）

地　目	地　積	路　　　　　線　　　　　価				地形図及び参考事項
⑳宅 地　山 林 田　雑種地畑　（　）	225.00 ㎡	正　面 200,000 円	側　方 円	側　方 円	裏　面 円	

間口距離	15.00 m	利用区分	㉞自 用 地　私　　　道	地区区分	ビル街地区　㉞普通住宅地区
奥行距離	15.00 m		貸 宅 地　貸家建付借地権貸家建付地　転 貸 借 地 権借 地 権（　）		高度商業地区　中小工場地区繁華街地区　大工場地区普通商業・併用住宅地区

自用地1平方メートル当たりの価額	1　一路線に面する宅地（正面路線価）　　甲・乙 200,000 円 × 乙 200,000 円 ×	（奥行価格補正率）0.95 1.00	× ×（地積）450㎡ 225㎡	（1㎡当たりの価額）85,500,000…① 45,000,000…② 円	A
	2　二路線に面する宅地（Ａ）　　　　円 ＋（	［側方・裏面 路線価］　（奥行価格補正率）円 × ．	［側方・二方 路線影響加算率］× 0. ）	（1㎡当たりの価額）①－② 40,500,000 円	B
	3　三路線に面する宅地（Ｂ）　　　　円 ＋（	［側方・裏面 路線価］　（奥行価格補正率）円 × ．	［側方・二方 路線影響加算率］× 0. ）	（1㎡当たりの価額）円	C
	4　四路線に面する宅地（Ｃ）　　　　円 ＋（	［側方・裏面 路線価］　（奥行価格補正率）円 × ．	［側方・二方 路線影響加算率］× 0. ）	（1㎡当たりの価額）円	D
	5-1　間口が狭小な宅地等（ＡからＤまでのうち該当するもの）　　　　円 ×（	（間口狭小補正率）　（奥行長大補正率）．　 × ． ）		（1㎡当たりの価額）円	E
	5-2　不 整 形 地（ＡからＤまでのうち該当するもの）40,500,000 円 ×	不整形地補正率※0.71		（1㎡当たりの価額）28,755,000 円	F

※不整形地補正率の計算
（想定整形地の間口距離）　（想定整形地の奥行距離）　（想定整形地の地積）
15 m × 30 m = 450 ㎡
（想定整形地の地積）　（不整形地の地積）　（想定整形地の地積）　（かげ地割合）
(450 ㎡ － 225 ㎡) ÷ 450 ㎡ = 50.0 ％

（不整形地補正率表の補正率）（間口狭小補正率）0.79 × 0.90 =（奥行長大補正率）（間口狭小補正率）0.90 × 0.90 =	（小数点以下2位未満切捨て）0.71 ① 0.81 ②	［不整形地補正率（①、②のいずれか低い率、0.6を下限とする。）］0.71

	6　地積規模の大きな宅地（ＡからＦまでのうち該当するもの）　規模格差補正率※　　　　円 × 0.	（1㎡当たりの価額）円	G

※規模格差補正率の計算
（地積（Ⓐ））　（Ⓑ）　（Ⓒ）　（地積（Ⓐ））　（小数点以下2位未満切捨て）
{ (㎡× +) ÷ ㎡} × 0.8 = 0.

	7　無　道　路　地（Ｆ又はＧのうち該当するもの）28,755,000 円 × (1 －	－6,000,000円　（※）通路部分の価額　　　　）	（1㎡当たりの価額）円	H

※割合の計算（0.4を上限とする。）
（正面路線価）　　　（通路部分の地積）　　　　　　［ＦまたはＧのうち該当するもの］　　（評価対象地の地積）
(200,000 円 × 30 ㎡) ÷ 円 × 225 ㎡ = -6,000,000円 22,755,000

	8-1　がけ地等を有する宅地　〔 南 、 東 、 西 、 北 〕（ＡからＨまでのうち該当するもの）　（がけ地補正率）　　　　円 × 0.	（1㎡当たりの価額）円	I

	8-2　土砂災害特別警戒区域内にある宅地（ＡからＨまでのうち該当するもの）　特別警戒区域補正率※　　　　円 × 0.	（1㎡当たりの価額）円	J

※がけ地補正率の適用がある場合の特別警戒区域補正率の計算（0.5を下限とする。）
〔 南 、 東 、 西 、 北 〕
（特別警戒区域補正率表の補正率）　（がけ地補正率）　（小数点以下2位未満切捨て）
0. × 0. = 0.

	9　容積率の異なる2以上の地域にわたる宅地（ＡからＪまでのうち該当するもの）　（控除割合（小数点以下3位未満四捨五入））　　　　円 ×（ 1 － 0. ）	（1㎡当たりの価額）円	K

	10　私　　　道（ＡからＫまでのうち該当するもの）　　　　円 × 0.3	（1㎡当たりの価額）円	L

自用地の評価額	自用地1平方メートル当たりの価額（ＡからＬまでのうちの該当記号）（ Ｈ ）　　　　　円	地　積225.00 ㎡	総　　　　　額（自用地1㎡当たりの価額）×（地　積）22,755,000 円	M

第7章 道路と宅地評価

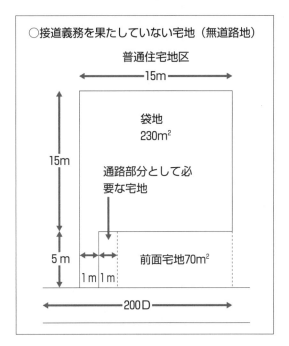

> **計算**　（袋地部分の価額）

評価対象地の奥行価格補正率（20mの奥行に対応）1.00
前面宅地部分の奥行価格補正率（5mの奥行に対応）0.92

① 袋地と前面宅地全体の価額

$$\underset{\text{路線価}}{200\text{千円}} \times \underset{\text{奥行価格補正率}}{1.00} \times \underset{\text{地積}}{300\text{m}^2} = \underset{\text{袋地と前面宅地全体の価額}}{60{,}000\text{千円}}$$

② 前面宅地部分の価額

$$\underset{\text{路線価}}{200\text{千円}} \times \underset{\text{奥行価格補正率}}{1.00} \times \underset{\text{地積}}{70\text{m}^2} = \underset{\text{前面宅地の価額}}{14{,}000\text{千円}}$$

（注）奥行距離が5mの場合の奥行価格補正率は0.92ですが、「0.92」とすると袋地（230m²）と前面宅地（70m²）全体（300m²）の単価より、道路に接する部分が欠落している不整形地の奥行価格補正後の単価が高くなり不合理なので、このように前面宅地の奥行距離が短いため奥行価格補正率が1.00未満となる場合においては、奥行価格補正率は1.00とします。

③ 袋地部分の価額

　　① － ② ＝ 46,000千円

不整形地補正率の計算

$$\underset{\text{想定整形地の間口距離}}{15\text{m}} \times \underset{\text{想定整形地の奥行距離}}{20\text{m}} = \underset{\text{想定整形地の地積}}{300\text{m}^2}$$

$$(\underset{\text{想定整形地の地積}}{300\text{m}^2} - \underset{\text{不整形地の地積}}{230\text{m}^2}) \div \underset{\text{想定整形地の地積}}{300\text{m}^2} = \underset{\text{かげ地割合}}{23.33\%}$$

④   不整形地補正率表の補正率   間口狭小補正率

④   0.94   ×   0.90   =   0.84 （小数点2位以下切捨て）   地積区分A

       奥行長大補正率   間口狭小補正率

⑤   0.90   ×   0.90   =   0.81

④と⑤のいずれか低い率0.81を採用する。

不整形地補正後価額

    袋地部分の価額   不整形地補正率   不整形地補正後価額

46,000千円   ×   0.81   =   37,260千円

通路部分として必要な宅地の価額

    路線価   必用部分の地積   通通路部分として必要な宅地の価額   限度額

200千円   ×   5㎡   =   1,000千円   ＜   37,260千円   ×   0.4

評価額の計算

    不整形地補正後価額   必用部分の価額   評価額

37,260千円   −   1,000千円   =   36,260千円

第7章 道路と宅地評価

■接道義務を果たしていない宅地（袋地）の評価明細書

土地及び土地の上に存する権利の評価明細書（第1表）

	局(所)	署	年分	ページ

（住居表示）	（　　　　　）	所有者	住　所（所在地）		使用者	住　所（所在地）		（平成三十一年一月分以降用）
所在地番			氏　名（法人名）			氏　名（法人名）		

地　目		地　積	路　　　線　　　価				地形図及び参考事項	
ⓧ宅地　山林 田　雑種地 畑　（　）		230.00 ㎡	正面 200,000 円	側方 円	側方 円	裏面 円		
間口距離	1 m	利用区分	ⓧ自用地　私　道 貸宅地　貸家建付借地権 貸家建付地　転貸借地権 借地権（　　　）	地区区分	ビル街地区　ⓧ普通住宅地区 高度商業地区　中小工場地区 繁華街地区　大工場地区 普通商業・併用住宅地区			
奥行距離	20 m							

自　用　地　1　平　方　メ　ー　ト　ル　当　た　り　の　価　額							
	1　一路線に面する宅地 　　正面路線価 袋地　200,000 前面宅地 200,000円 ×	（奥行価格補正率） 1.00 1.00	× ×	（地積） 300.00m² 70.00m²	（1㎡当たりの価額） 60,000,000…① 14,000,000…② 円	A
	2　二路線に面する宅地 　　（A） 　　　　　　　　円 ＋ （	［側方・裏面 路線価］ 　　円 × 　　　　　．　×	（奥行価格補正率） 0.	［側方・二方 路線影響加算率］ 　　）	（1㎡当たりの価額） ①－② 46,000,000 円	B
	3　三路線に面する宅地 　　（B） 　　　　　　　　円 ＋ （	［側方・裏面 路線価］ 　　円 × 　　　　　．　×	（奥行価格補正率） 0.	［側方・二方 路線影響加算率］ 　　）	（1㎡当たりの価額） 円	C
	4　四路線に面する宅地 　　（C） 　　　　　　　　円 ＋ （	［側方・裏面 路線価］ 　　円 × 　　　　　．　×	（奥行価格補正率） 0.	［側方・二方 路線影響加算率］ 　　）	（1㎡当たりの価額） 円	D
	5-1　間口が狭小な宅地等 　（AからDまでのうち該当するもの） 　　　　　　　円 × （	（間口狭小補正率） ．　 ×	（奥行長大補正率） ．　　　）		（1㎡当たりの価額） 円	E
	5-2　不　整　形　地 　（AからDまでのうち該当するもの） 　46,000,000 円 ×	不整形地補正率※ 0.81	＝37,260,000 ……③		（1㎡当たりの価額） 円 37,260,000	F
	※不整形地補正率の計算 （想定整形地の間口距離）　（想定整形地の奥行距離）　（想定整形地の地積） 　　　15 m　　×　　20 m　＝　300 ㎡ （想定整形地の地積）　（不整形地の地積）　（想定整形地の地積） （　300 ㎡ － 230 ㎡）÷ 300 ㎡ ＝ 23.33 ％（かげ地割合） （不整形地補正率表の補正率）（間口狭小補正率）（小数点以下2位未満切捨て） 　0.94 × 0.90 ＝ 0.84 ① （奥行長大補正率）　（間口狭小補正率） 　0.90 × 0.90 ＝ 0.81 ② ［不整形地補正率 ①、②のいずれか低い率、0.6を下限とする。］　0.81					
	6　地積規模の大きな宅地 　（AからFまでのうち該当するもの） 　　　　　　円 × ※規模格差補正率の計算 （地積Ⓐ）　（Ⓑ）　（Ⓒ）　（地積Ⓐ） ｛（　㎡× ＋ ）÷ ㎡｝× 0.8 ＝ 0.	規模格差補正率※ 0. （小数点以下2位未満切捨て）			（1㎡当たりの価額） 円	G
	7　無　道　路　地 　（F又はGのうち該当するもの）袋地　－1,000,000（※） 　37,260,000円 × ※割合の計算（0.4を上限とする。）通路拡張に必要な額 （正面路線価）（通路部分の地積）（F又はGのうち該当するもの）（評価対象地の地積） （ 200,000 円 × 5 ㎡）÷ 円 ㎡ ＝ 0.		（1 － 1,000,000円…④	）	（1㎡当たりの価額） 円 36,260,000	H
	8-1　がけ地等を有する宅地　　〔 南 、 東 、 西 、 北 〕 　（AからHまでのうち該当するもの） 　　　　　　円 ×	（がけ地補正率） 0.			（1㎡当たりの価額） 円	I
	8-2　土砂災害特別警戒区域内にある宅地 　（AからHまでのうち該当するもの） 　　　　　　円 × ※がけ地補正率の適用がある場合の特別警戒区域補正率の計算（0.5を下限とする。） （特別警戒区域補正率表の補正率）（がけ地補正率）（小数点以下2位未満切捨て） 　× 0. ＝ 0.	特別警戒区域補正率※ 0. 〔 南 、東 、 西 、 北 〕			（1㎡当たりの価額） 円	J
	9　容積率の異なる2以上の地域にわたる宅地 　（AからJまでのうち該当するもの） 　　　　　　円 × （ 1 － 0.	（控除割合（小数点以下3位未満四捨五入）） ）			（1㎡当たりの価額） 円	K
	10　私　　道 　（AからKまでのうち該当するもの） 　　　　　　円 × 0.3				（1㎡当たりの価額） 円	L

自用地の評価額	自用地1平方メートル当たりの価額 （AからLまでのうちの該当記号） （　H　）		地　積	総　　　　　　　額 （自用地1㎡当たりの価額）×（地積）	
	円		230.00 ㎡	③－④ 36,260,000 円	M

> **参考** 財産評価基本通達における道路に接しない宅地の評価
>
> （無道路地の評価）
>
> 20－3　無道路地の価額は、実際に利用している路線の路線価に基づき20（不整形地の評価）又は前項の定めによって計算した価額からその価額の100分の40の範囲内において相当と認める金額を控除した価額によって評価する。この場合において、100分の40の範囲内において相当と認める金額は、無道路地について建築基準法その他の法令において規定されている建築物を建築するために必要な道路に接すべき最小限の間口距離の要件（以下「接道義務」という。）に基づき最小限度の通路を開設する場合のその通路に相当する部分の価額（路線価に地積を乗じた価額）とする。
>
> （注）
>
> 1　無道路地とは、道路に接しない宅地（接道義務を満たしていない宅地を含む。）をいう。
>
> 2　20（不整形地の評価）の定めにより、付表5「不整形地補正率表」の（注）3の計算をするに当たっては、無道路地が接道義務に基づく最小限度の間口距離を有するものとして間口狭小補正率を適用する。

5　都市計画道路予定地の区域内にある宅地の評価減

(1)　概要

　都市計画が決定（告示）され、都市計画道路予定地となっている区域内においては、都市計画決定の告示から都市計画事業の認可・承認までの期間は、基本的に2階以上の建物の建築は認められていません。

　都市計画道路予定地の場合、いずれは、道路用地として時価で買収されるため、宅地としての通常の用途に供する場合に利用に制限があるとしても、買収までの期間が短時間であれば、土地価格に及ぼす影響は大きくありませんが、一般的には、道路用地として買収されるまでの期間は相当長期間であり、その土地の利用用途（商業地、住宅地等の地区区分別）、高度利用度（容積率の別）及び地積の関係によって土地価格に影響を及ぼすことになります。

　すなわち、地域の土地利用が高層化されているなど立体的利用が進んでいるほど、都市計画事業による土地の効用が阻害される度合は大きくなり、また、評価対象地に占める道路予定地の面積の割合が大きくなるほど、土地価格に及ぼす影響は大きくなると考えられます。

　したがって、このような都市計画道路予定地の区域内にある宅地の評価に当たっては、地区区分、容積率、地積割合の別によって定めた補正率を乗じて評価することになります。

　なお、課税時期において事業認可の告示があった場合でも、買収時期までは土地の利用に制限がありますので、買い取られる時期、予定対価の額等が未確定である場合は、予定

地の取扱いを適用できます。

(2) 都市計画事業と利用制限

都市施設（都市計画道路を含む。）の整備事業と市街地開発事業をいいます。

■都市計画事業の決定から完成までのフローとその概略

都市計画決定（告示）　➡　事業認可（告示）　➡　完成

（概略）

① 都市計画決定（告示）

都市計画は、道路・公園などの都市施設やニュータウンをつくる計画（市街地開発事業を含む。）が決定され、次に告示されます。

② 事業認可（告示）

「都道府県知事の認可」又は「国交大臣の承認・認可」とその告示、事業認可（告示）がなされて初めて着工となります。

③ 事業認可の前後で、土地の利用に次の制限が課せられる

イ 事業認可「前」の制限

都市計画決定から事業認可「前」の段階においては、（都市計画施設の区域又は市街地開発事業の施行区域内の制限）「建築物の建築」には、知事の「許可」が必要となります。

(注)　1　例えば、公園等の都市施設を予定している場所等に、勝手に建物を建てることができません。

　　　2　この段階では、「建築物の建築」のみが制限されます。

　　　　　例外として、以下の場合は、建築物建築においても知事の許可は不要です。

　　　　　・軽易な行為

　　　　　・非常災害のための応急処置

　　　　　・都市計画事業としての行為

ロ 事業認可「後」の制限

事業認可「後」の段階においては、（都市計画事業の事業地内の制限）次の行為には知事の「許可」が必要となります。

　・建築物の建築

　・工作物の建設

　・土地形質の変更

　・5 t 超の物件の放置、設置、堆積

(注) 例外規定はありません。（必ず、知事の「許可」が必要です。）

(3) 都市計画道路予定地の評価で確認を要する資料

① 都市計画図……指定容積率、建ぺい率、計画道路名称等の確認ができます。

② 都市計画道路予定図……予定地の面積確認ができます。

■都市計画道路予定図1

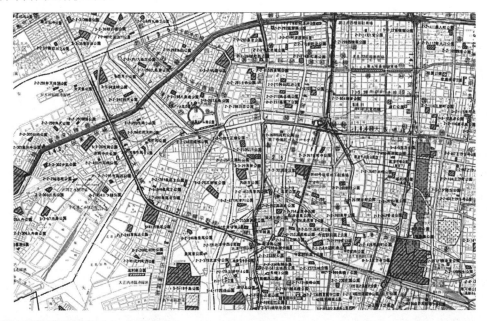

■都市計画道路予定図2（1/500）

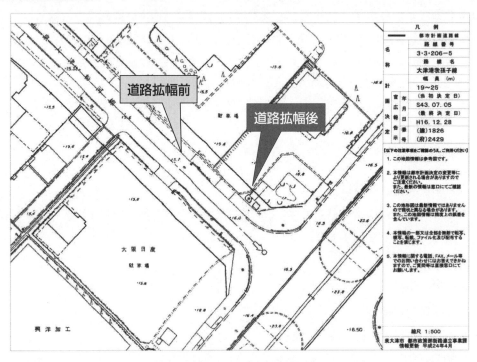

（注）500分の1なので三角スケールで測定可能

第7章 道路と宅地評価

参考　財産評価基本通達24－7

（都市計画道路予定地の区域内にある宅地の評価）

24－7　都市計画予定地の区域内（都市計画法第4条第6項に規定する都市計画施設のうち道路の予定の区域内をいう。）となる部分を有する宅地の価額は、その宅地のうちの都市計画道路予定地の区域内となる部分が都市計画予定地の区域でないものとした場合の価額に、次表の地区区分、容積率、地積割合の別に応じて定める補正率を乗じて計算した価額によって評価する。

地区区分／地積割合	ビル街地区、高度商業地区			繁華街地区、普通商業・併用住宅地区			普通住宅地区、中小工場地区、大工場地区	
容積率	600%未満	600%以上700%未満	700%以上	300%未満	300%以上400%未満	400%以上	200%未満	200%以上
30%未満	0.91	0.88	0.85	0.97	0.94	0.91	0.99	0.97
30%以上60%未満	0.82	0.76	0.70	0.94	0.88	0.82	0.98	0.94
60%以上	0.70	0.60	0.50	0.90	0.80	0.70	0.97	0.90

（注）地積割合とは、その宅地の総地積に対する都市計画道路予定地の部分の地積の割合をいう。

（4）　誤りやすい事例

① 都市計画道路予定地以外でも、都市計画施設のうち、次の「1 交通施設」、「2 公共空地」の予定地のうち、計画決定の告示後長期間にわたって事業決定の認可等がなされない場合にも、都市計画道路予定地の取扱いを準用できます。

参考　都市施設として都市計画に定めることができるもの

都市計画法第11条第1項

1　交通施設（道路、都市高速鉄道、駐車場、自動車ターミナルその他）
2　公共空地（公園、緑地、広場、墓園その他）
3　供給・処理施設（上水道、下水道、ごみ焼却場など）
4　水路（河川、運河など）
5　教育文化施設（学校、図書館、研究施設など）
6　医療・社会福祉施設（病院、保育所など）
7　市場、と畜場、火葬場
8　一団地の住宅施設（団地など）
9　一団地の官公庁施設
10　流通業務団地
11　電気通信施設、防風・防火・防水・防雪・防砂・防潮施設

　このように都市施設として定めることができるものには多くの種類がありますが、これらのうちからそれぞれの都市にとって必要なものを選択して都市計画に定めることになっています。

② 評価対象地が倍率地域にあり、固定資産税評価額が都市計画道路予定地であることを考慮されていない土地の場合は、「普通住宅地区」内にあるものとした場合の容積率、地積割合の別に定めた補整率を適用して差し支えありません。
③ 宅地比準方式により市街地農地等を評価する場合にも、上記と同様な評価を行うことができます。
④ 財産評価基本通達の補正率表の容積率は、指定容積率と基準容積率のどちらか厳しい（実際に適用される低い）方になります（90ページ参照）。

【事例1】都市計画道路予定地の評価

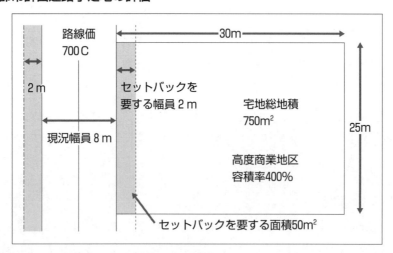

$$\underset{正面路線価}{700千円} \times \underset{奥行価格補正率}{1.00} = \underset{1m^2当たりの価額}{700千円}$$

$$\underset{1m^2当たりの価額}{700千円} \times \underset{地積}{750m^2} = \underset{補正前の自用地の価額}{525,000千円}$$

補正率を求める。

$$\frac{都市計画道路予定地面積（50m^2）}{総面積（750m^2）} ≒ 7\%$$

補正率表によると0.91が求められる。

$$525,000千円 \times \underset{補正率}{0.91} = \underset{自用地の価額}{477,750千円}$$

第7章　道路と宅地評価

■都市計画道路予定地の評価明細書

土地及び土地の上に存する権利の評価明細書（第1表）

局(所)	署	年分	ページ

（住居表示）	（　　　　　）	所有者	住　所 (所在地)		使用者	住　　所 (所在地)	
所在地番			氏　名 (法人名)			氏　　名 (法人名)	

地　　目	地　積	路　　　線　　　価				地形図及び参考事項
(宅　地) 山　林 田　　畑 雑種地（　　）	㎡ 750.00	正　面 700,000 円	側　方 円	側　方 円	裏　面 円	

間口距離	25.00 m	利用区分	(自 用 地) 私　　道 貸 宅 地　貸家建付借地権 貸家建付地　転　貸　借　地　権 借　地　権（　　　　　　）	地区区分	(ビル街地区)　(高度商業地区)　繁華街地区 普通商業・併用住宅地区 普通住宅地区　中小工場地区　大工場地区
奥行距離	30.00 m				

				(1㎡当たりの価額) 円	
自 用	1　一路線に面する宅地 　　（正面路線価） 　　700,000 円 ×	（奥行価格補正率） 1.00		700,000	A
	2　二路線に面する宅地 　　（A）	［側方・裏面 路線価］ 円 ＋ （　　　円 ×	（奥行価格補正率） ． ×	［側方・二方 路線影響加算率］ 0.　）	(1㎡当たりの価額) 円	B
	3　三路線に面する宅地 　　（B）	［側方・裏面 路線価］ 円 ＋ （　　　円 ×	（奥行価格補正率） ． ×	［側方・二方 路線影響加算率］ 0.　）	(1㎡当たりの価額) 円	C
	4　四路線に面する宅地				(1㎡当たりの価額)	

10　私　　　　　道 　　（AからKまでのうち該当するもの） 　　　円 × 　　0.3			(1㎡当たりの価額) 円	L

自用地の評価額	自用地1平方メートル当たりの価額 （AからLまでのうちの該当記号）	地　　積	総　　　　　　　　額 （自用地1㎡当たりの価額）×（地　積）	
	（　A　） 円 700,000	㎡ 750.00	円 525,000,000	M

（平成三十一年一月分以降用）

土地及び土地の上に存する権利の評価明細書（第2表）

セットバックを必要とする宅地の評価額	（自用地の評価額） 円 － (	（自用地の評価額） 円 × 該当地積 ㎡／総地積 ㎡ × 0.7)	（自用地の評価額） 円	N
都市計画道路予定地の区域内にある宅地の評価額	（自用地の評価額） 525,000,000 円 × 0.	（補正率） 91	（自用地の評価額） 477,750,000 円	O

大規模工場用地等の評価額	○　大規模工場用地等 　　（正面路線価） 　　　円 ×	（地　積） ㎡ ×	（地積が20万㎡以上の場合は0.95）	円	P
	○　ゴルフ場用地等 　　（宅地とした場合の価額）（地積） 　　（　　円 ×	（1㎡当たりの造成費） ㎡×0.6） － （　　円 ×	（地積） ㎡）	円	Q

（平成三十一年一月分以降用）

373

【事例２】容積率の異なる２以上の地域にわたる宅地の一部が都市計画道路予定地の区域内となる宅地の評価（国税庁「質疑応答事例」より）

次の図のように、容積率の異なる２以上の地域にわたる宅地の一部が都市計画道路予定地の区域内となっている場合、財産評価基本通達24－７（都市計画道路予定地の区域内にある宅地の評価）に定める補正率表の適用に当たり、「容積率」は、①都市計画道路予定地に係る部分の容積率によるべきでしょうか、それとも②各容積率を加重平均して求められる容積率（建築基準法第52条第７項）によるべきでしょうか。

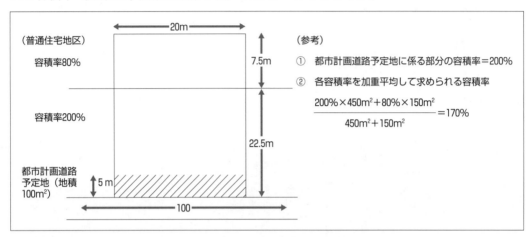

都市計画道路予定地の区域内にある宅地は、地域の土地利用が高層化されているなど立体的利用が進んでいる地域に存するものほど都市計画事業により土地の効用を阻害される割合は大きくなり、また、評価対象地に占める都市計画道路予定地の面積の割合が大きくなるほど土地価格に及ぼす影響は大きくなるという実態を踏まえ、宅地全体の容積率に対する補正率（しんしゃく率）を定めています。

したがって、財産評価基本通達24－７（371ページ）に定める補正率表を適用する場合の基となる容積率は、実際の都市計画道路予定地に係る容積率によるよりも、宅地全体の容積率、すなわち各容積率を加重平均して求められる容積率によるのが合理的と考えられます。

$$\underset{\text{正面路線価}}{100千円} \times \underset{\text{奥行価格補正率}}{0.95} = \underset{1\text{m}^2\text{当たりの価額}}{95千円}$$

$$\underset{1\text{m}^2\text{当たりの価額}}{95千円} \times \underset{\text{地積}}{600\text{m}^2} = \underset{\text{補正前の自用地の価額}}{57,000千円}$$

補正率を求める。

$$\frac{\text{都市計画道路予定地面積（100m}^2\text{）}}{\text{総面積（600m}^2\text{）}} ≒ 17\%$$

補正率表によると0.99が求められます。

$$\underset{\text{補正率}}{57,000千円} \times 0.99 = \underset{\text{自用地の価額}}{56,430千円}$$

第7章 道路と宅地評価

■都市計画道路予定地の評価明細書

土地及び土地の上に存する権利の評価明細書（第1表）

局(所)	署	年分	ページ

（平成三十一年一月分以降用）

（住居表示）	（ ）		所有者	住　所 （所在地）		使用者	住　所 （所在地）	
所在地番				氏　名 （法人名）			氏　名 （法人名）	

地　　目	地　積	路　　　線　　　価				地形図及び参考事項
(宅　地) 山　林 田　　畑 雑種地（　　）	㎡ 600.00	正　面 100,000	側　方 円	側　方 円	裏　面 円	

間口距離	20.00 m	利用区分	(自用地) 私　　道 貸　宅　地　貸家建付借地権 貸家建付地　転　貸　借　地　権 借　地　権（　　　　）	地区区分	ビル街地区　(普通住宅地区) 高度商業地区　中小工場地区 繁華街地区　大工場地区 普通商業・併用住宅地区
奥行距離	30.00 m				

					(1㎡当たりの価額) 円	
自 用 地	1　一路線に面する宅地	（正面路線価） 100,000　円　×	（奥行価格補正率） 0.95		95,000	A
	2　二路線に面する宅地 （A）	［側方・裏面 路線価］ 円　＋　（	（奥行価格補正率） 円　×　．	［側方・二方 路線影響加算率］ ×　0.　 ）	(1㎡当たりの価額) 円	B
	3　三路線に面する宅地 （B）	［側方・裏面 路線価］ 円　＋　（	（奥行価格補正率） 円　×　．	［側方・二方 路線影響加算率］ ×　0.　 ）	(1㎡当たりの価額) 円	C
	4　四路線に面する宅地	円　＋　（	－	）	(1㎡当たり	
	10　私　　　道 （AからKまでのうち該当するもの）	円　×　0.3			(1㎡当たりの価額) 円	L

自用地の評価額	自用地1平方メートル当たりの価額 （AからLまでのうちの該当記号） （　A　）	地　　積	総　　　　　額 （自用地1㎡当たりの価額）×（地　積）		M
	円 95,000	㎡ 600.00	円 57,000,000		

土地及び土地の上に存する権利の評価明細書（第2表）

（平成三十一年一）

セットバックを必要とする宅地の評価額	（自用地の評価額） 円　－　（	（自用地の評価額） 円　×	（該当地積） ㎡ ──────── （総 地 積） ㎡	× 0.7　）	（自用地の評価額） 円	N
都市計画道路予定地の区域内にある宅地の評価額	（自用地の評価額） 57,000,000　円　×	（補正率） 0.99			（自用地の評価額） 円 56,430,000	O

6　水路を隔てて評価する宅地がある場合

【事例1】

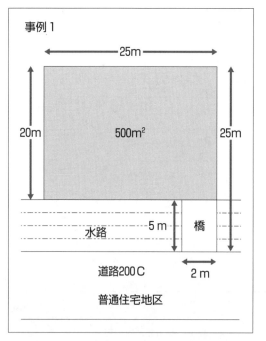

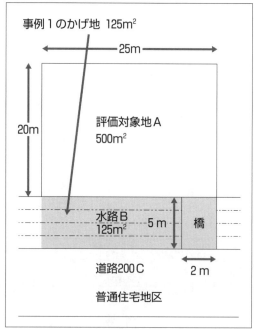

　道路との間に水路があり橋が架設されている場合には、橋の部分を含め不整形地としてのしんしゃくを行い評価します。

　ただし、評価する土地は橋部分を含まない土地の地積となります。

　具体的計算は、次のとおりです。

(1)　近似整形地（評価対象地Aと水路Bの625m²）の価額

> 奥行価格補正率は、道路を起点として補正します。

　　正面路線価　　奥行価格補正率(25m)　近似整形地AとBの地積計
　　200千円　×　　0.97　　×　　625m²　＝　121,250千円……①

　　正面路線価　　奥行価格補正率(5m)　　水路Bの地積
　　200千円　×　　1.00（注）　×　　125m²　＝　25,000千円……②

　　①　－　②　＝　96,250千円

（注）奥行距離が5mの場合の奥行価格補正率は0.92ですが、「0.92」とすると、評価する土地（500m²）と道路に面する水路部分と橋部分の土地（125m²）の合計（625m²）の単価より、評価する土地の奥行価格補正後の単価が高くなり不合理なので、このように道路に面する水路部分と橋部分の土地の奥行距離が短いため奥行価格補正率が1.00未満となる場合においては、奥行価格補正率は1.00とします。

不整形地補正率（0.81）の算出

$$かげ地割合 \ = \ \frac{125m^2}{625m^2} \ = \ 20\% \qquad 地積区分B$$

かげ地割合に
応ずる補正率　　間口狭小補正率　　（小数点第2位
　　　　　　　　　　　　　　　　未満切捨て）
0.97　　　×　　　0.90　　　＝　　0.87……①

間口狭小補正率　　奥行長大補正率
0.90　　　×　　　0.90　　　＝　　0.81……②

①　＞　②　なので0.81を採用する。

(2)　**評価額**

不整形地としての評価は、次のとおりです。

96,250千円　×　0.81　＝　77,962,500円

■水路を隔てて評価する宅地がある場合の評価明細書

土地及び土地の上に存する権利の評価明細書（第1表）

						局(所)	署	年分	ページ

所在地番	(住居表示) （　　　　）	所有者	住　所（所在地）		使用者	住　所（所在地）	
			氏　名（法人名）			氏　名（法人名）	

地 目	地 積	路 線 価	地形図及び参考事項

（平成三十一年一月分以降用）

地 目		地 積	路 線 価				
㉕宅地 山林		㎡	正　面	側　方	側　方	裏　面	
田 雑種地			円	円	円	円	
畑 （　　）		500.00	200,000				

間口距離	2.00 m	利用区分	⑪自用地 貸宅地	私　道 貸家建付借地権	地区区分	ビル街地区 高度商業地区	㉕普通住宅地区 中小工場地区
奥行距離	25.00 m		貸家建付地 借地権	転貸借地権 （　　　　）		繁華街地区 普通商業・併用住宅地区	大工場地区

			(1㎡当たりの価額)	
自 用 地 1 平 方 メ ー ト ル 当 た り の 価 額	1 一路線に面する宅地 （正面路線価） 200,000 200,000　円 × （奥行価格補正率） 0.97 (25m対応) 1.00（5m対応） 地積 × 625.00m² =121,250千円…① × 125.00m² =25,000千円…②	(1㎡当たりの価額) ①-② 円 96,250,000円	A
	2 二路線に面する宅地 （A） 円 + [側方・裏面 路線価]（奥行価格補正率） 円　. × [側方・二方 路線影響加算率] 0.	(1㎡当たりの価額) 円	B
	3 三路線に面する宅地 （B） 円 + [側方・裏面 路線価]（奥行価格補正率） 円　. × [側方・二方 路線影響加算率] 0.	(1㎡当たりの価額) 円	C
	4 四路線に面する宅地 （C） 円 + [側方・裏面 路線価]（奥行価格補正率） 円　. × [側方・二方 路線影響加算率] 0.	(1㎡当たりの価額) 円	D
	5-1 間口が狭小な宅地等 （AからDまでのうち該当するもの）（間口狭小補正率）（奥行長大補正率） 円 × （　. × 　. ）	(1㎡当たりの価額) 円	E
	5-2 不 整 形 地 （AからDまでのうち該当するもの）　不整形地補正率※ 96,250,000 円 ×　0.81 ※不整形地補正率の計算 （想定整形地の間口距離）（想定整形地の奥行距離）（想定整形地の地積） 25.00 m × 25.00 m = 625.00 ㎡ （想定整形地の地積）（不整形地の地積）（想定整形地の地積）（かげ地割合） （ 625.00 ㎡ － 500.00 ㎡）÷ 625.00 ㎡ = 20.0 ％ （不整形地補正率表の補正率）（間口狭小補正率）（小数点以下2位未満切捨て） 0.97 × 0.9 = 0.87 ①　　　　{不整形地補正率（①、②のいずれか低い率、0.6を下限とする。） （奥行長大補正率）（間口狭小補正率） 0.9 × 0.9 = 0.81 ②　　　0.81	(1㎡当たりの価額) 円 77,962,500	F
	6 地積規模の大きな宅地 （AからFまでのうち該当するもの）　規模格差補正率※ 円 × 0. ※規模格差補正率の計算 （地積Ⓐ）（Ⓑ）（Ⓒ）（地積Ⓐ）（小数点以下2位未満切捨て） {（ ㎡× + ）÷ ㎡} × 0.8 = 0.	(1㎡当たりの価額) 円	G
	7 無 道 路 地 （F又はGのうち該当するもの）（※） 円 × （ 1 － 0. ） ※割合の計算（0.4を上限とする。） （正面路線価）（通路部分の地積）（F又はGのうち該当するもの）（評価対象地の地積） （ 円 × ㎡）÷（ 円 × ㎡）= 0.	(1㎡当たりの価額) 円	H
	8-1 がけ地等を有する宅地 [南 、 東 、 西 、 北] （AからHまでのうち該当するもの）（がけ地補正率） 円 × 0.	(1㎡当たりの価額) 円	I
	8-2 土砂災害特別警戒区域内にある宅地 （AからHまでのうち該当するもの）　特別警戒区域補正率※ 円 × 0. ※がけ地補正率の適用がある場合の特別警戒区域補正率の計算（0.5を下限とする。） [南 、 東 、 西 、 北] （特別警戒区域補正率表の補正率）（がけ地補正率）（小数点以下2位未満切捨て） 0. × 0. = 0.	(1㎡当たりの価額) 円	J
	9 容積率の異なる2以上の地域にわたる宅地 （AからJまでのうち該当するもの）（控除割合（小数点以下3位未満四捨五入）） 円 × （ 1 － 0. ）	(1㎡当たりの価額) 円	K
	10 私 道 （AからKまでのうち該当するもの） 円 × 0.3	(1㎡当たりの価額) 円	L

自用地の評価額	自用地1平方メートル当たりの価額 （AからLまでのうちの該当記号） （ F ）　円	地 積 ㎡ 500.00	総 額 （自用地1㎡当たりの価額）×（地積） 円 77,962,500	M

378

【事例2】

水路を隔て橋（暗きょ）が架設されていない無道路地（宅地）で水路占用許可等が得られる場合は、無道路地としての評価をします。

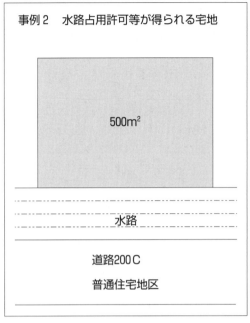

具体的には、上記事例1の評価額から通路に相当する部分の価額（橋（暗きょ）の最低限の架設費用相当額）を控除します。

（計算式）

　　事例1の評価額
　　77,962,500円　－　橋（暗きょ）の最低限の架設費用相当額
　　＝　事例2の土地の評価額

なお、最低限の橋（暗きょ）の架設費用相当額は、接道義務を満たす最低限の橋（暗きょ）の架設費用相当額で不整形地補正した後の価額の40％相当額を限度とします。

【事例3】

水路を隔て橋が架設されていない無道路地で水路占用許可等が得られない場合は、評価する土地と近傍の道路の位置関係等を考慮して正面路線となる道路を判定し、無道路地の評価をします。

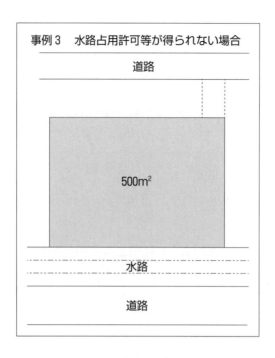

【事例4】

評価する土地が水路により分断されている場合は、宅地イは建築基準法の接道義務を果たしていないため無道路地、宅地ロは道路に面する土地として評価します。

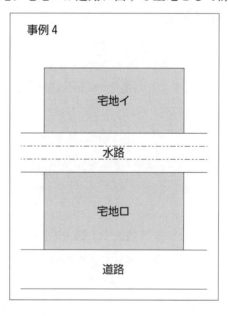

【事例5】【事例6】

　評価する宅地の背面や側面に水路がある場合は、原則として道路イに面する宅地として評価し、道路ロの側方路線影響加算や二方路線影響加算の加算はしません。

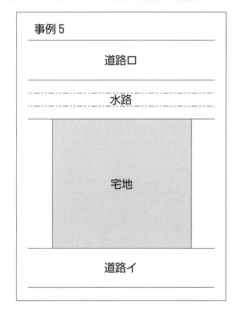
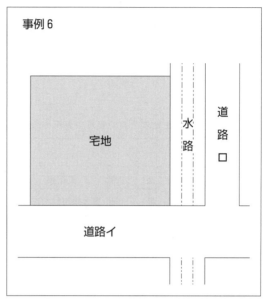

■法定外公共物占用許可申請書（例）

里道や水路等上に施設や工事物を設置する場合の許可申請書の例です。

様式第1　（第3条第1項関係）

法 定 外 公 共 物 占 用 許 可 申 請 書

（あて先）東大阪市長 　　　　　　　　　　　　　　令和　　　年　　　月　　　日

　　　　　　　　　　　　　　　　　　　　住　所

　　　　　　　　　　　　　　　　　　　　氏　名　　　　　　　　　　　　㊞

東大阪市法定外公共物管理条例第4条第1項の規定により許可を申請します。

占用の目的				
占用の場所	種　　別	里道敷　　　　水路敷　　　　その他（　　　　　　）		
	場　　所	東大阪市		
占 用 物 件	名　　　称		規　　模	数　　量
占用の期間	令和　　年　　月　　日から　　　　日間		占用物件の 構 造	別紙の通り
	令和　　年　　月　　日まで			
工事の時期	令和　　年　　月　　日から　　　　日間		工事実施の 方 法	別紙の通り
	令和　　年　　月　　日まで			
法定外公共物の 復 旧 方 法			添付書類	位置図・現況図・計画図・構造図・交通規制図・現況写真・※工程表
備　　考				

記載要領

1　申請者が法人である場合には、「住所」の欄に主たる事務所を、「氏名」の欄には名称及び代表者の氏名を、「担当者」の欄に所属・氏名を記載すること。

2　「場所」の欄には、地番まで記載すること。「里道敷　水路敷　その他」については、該当するものを○で囲み、「その他」の場合は、（　　　）内に記入すること。

3　「添付書類」の欄には、占用等の場所、物件の構造等を明らかにした図面その他必要な書類を添付する場合に、その書類名を記載すること。

■水路等使用許可申請書（例）

水路の上に橋を架ける場合等の許可申請書の例です。

水路等使用許可申請書（新規・変更）

年　　月　　日

（あて先）名古屋市長

〒□□□－□□□□

　　　　　　住　所

申請者

　　　　　　フリガナ

　　　　　　氏　名　　　　　　　　　　　㊞

　　　　　　生年月日　　　年　　月　　日

（法人の場合は所在地、名称並びに代表者の氏名及び生年月日）

（部署・電話番号）

〈申請代理人・電話番号〉

裏面記載の事項を誓約し、次のとおり名古屋市水路等の使用に関する条例第3条の許可を申請します。

1 水　路　名	
2 使 用 の 場 所	
3 目　　　　的	
4 工作物の名称又は種類	
5 工作物の構造又は能力	
6 工　事　の実施方法	
7 工　　　　期	
8 使 用 面 積	
9 使 用 期 間	
10 備　　　　考	前回許可年月日及び許可番号（変更の場合）

注）1　使用許可により暴力団を利することとなると認めるときは、使用許可をせず、又は既になした使用許可の取消をします。なお、その判断をするに当たっては、暴力団員であるかどうか等について、愛知県警察本部長の意見を聴くことがあります。
　　2　裏面には、暴力団等でない旨の誓約事項を記載する。
（添付書類）理由書、位置図、見取図、現況平面図、構造図（平面図、縦・横断面図）、求積図、工程表、公図の写し、現況写真、許可書の写し（変更の場合）
（提出部数）3部（正1部、副2部）

7　赤道で分断されている宅地

【事例】評価対象宅地に赤道のある時の評価（広大地に該当しない場合）

赤道により宅地が分断され、宅地イが無道路地である場合

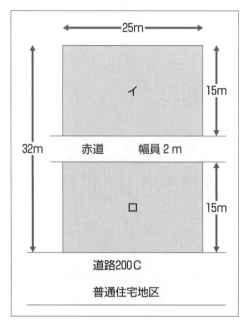

宅地イが無道路地である場合は、不整形地としての補正をした後の価額に無道路地の控除を行います（控除額は、不整形地としての補正をした後の価額の100分の40の範囲内です。）。

控除額の具体的な計算は、接道義務に基づき最小限度の通路を設ける場合の通路開設費用相当額となります。

なお、接道義務を満たすための通路部分は、幅員2m通路で長さ2mが必要なので4m^2となります。

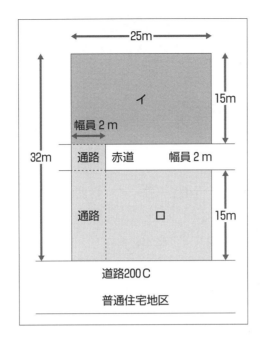

（宅地イの評価）

　無道路地イと前面宅地ロを合わせた土地の奥行価格補正後の価額から前面宅地ロの奥行価格補正後の価額を控除して無道路地の奥行価格補正後の価額を求めます。

　なお、通路部分の価額は払下げを受けることが可能な価額を1m²当たり200千円と仮定します。

① 無道路地イの奥行価格補正後の価額

・赤道を含む宅地イとロを合わせた土地の価額

$$\underset{\text{路線価}}{200千円} \times \underset{\substack{\text{奥行距離32mの}\\\text{奥行価格補正率}}}{0.93} \times \underset{\text{面積}}{800m^2} = 148,800千円 \cdots\cdots (A)$$

・宅地ロと赤道部分の価額

$$\underset{\text{路線価}}{200千円} \times \underset{\substack{\text{奥行距離17mの}\\\text{奥行価格補正率}}}{1.0} \times \underset{\text{面積}}{425m^2} = 85,000千円 \cdots\cdots (B)$$

$$\underset{(A)}{148,800千円} - \underset{(B)}{85,000千円} = \underset{\text{無道路地イの奥行価格補正後の価額}}{63,800千円}$$

不整形地補正

　不整形地補正率　0.79（普通住宅地区　地積区分A　かげ地割合53.1%）

$$\left(\text{かげ地割合} = \frac{\underset{\text{想定整形地の地積}}{800m^2} - \underset{\text{不整形地の地積}}{375m^2}}{\underset{\text{想定整形地の地積}}{800m^2}} \fallingdotseq 53.1\% \right)$$

　間口狭小補正率　0.90（間口距離2m）

奥行長大補正率　0.90（間口距離２ｍ、奥行距離32ｍ）

不整形地 補正率		間口狭小 補正率		小数点２位 未満切捨て		間口狭小 補正率		奥行長大 補正率	
0.79	×	0.90	=	0.71	<	0.90	×	0.90	= 0.81

無道路地イの
奥行価格補正後の価額　　　不整形補正率
63,800千円　×　　0.71　＝　45,298千円

② 無道路地としてのしんしゃく（通路部分の価額）

路線価　　　　　通路部分の地積　　　　　　　　　　限　度　額
200千円　×　　　4㎡　＝800千円　＜　45,298千円　×　0.4

③ 評価額

45,298千円　－　800千円　＝　44,498千円

参考　赤道、青道とは

　赤道というのは、あぜ道や里道、山道などの道で、国有地です。昔の公図で赤く着色されていたことから赤道といわれています。

　青道は昔の公図で青く着色されていたもので、水路や地形の変化などで水が流れていないような小河川です。

　赤道、青道とも旧法定外公共物であり、公図上に記載はあっても地番はありません。

　なお、財務省財務局ホームページには、旧法定外公共物（旧里道・旧水路）について次の記載があります。

旧法定外公共物（旧里道・旧水路）

　旧法定外公共物とは、道路法、河川法等の適用又は準用を受けない公共物のうち、現に、公共的な用途に使用されていないものを指し、その代表例として、機能を喪失した里道や水路などがあります。

　地域によっては、里道は赤道・赤線・赤地、水路は青道・青線・青地などと呼ばれることがあります。

　旧法定外公共物は財務局及び財務事務所が管理していますので、境界確定や購入手続きは最寄りの財務局・財務事務所へお問い合わせください。

　なお、道路法、河川法等の適用又は準用を受けない公共物である里道や水路のうち、その機能を有しているものは法定外公共物として、市町村が管理しています。

第7章 道路と宅地評価

■赤道で分断されている宅地イの評価明細書

土地及び土地の上に存する権利の評価明細書（第1表）

	局(所)	署	年分	ページ

（平成三十一年一月分以降用）

（住居表示）	（ ）		住 所			住 所	
所在地番		所有者	（所在地）		使用者	（所在地）	
			氏 名 （法人名）			氏 名 （法人名）	

地 目		地 積	路 線 価				地形図及び参考事項
(宅地) 山 林 田 雑種地 畑 ( )		㎡ 375.00	正 面 200,000 円	側 方 円	側 方 円	裏 面 円	

間口距離	2.00 m	利用区分	(自用地) 私 道 貸 宅 地 貸家建付借地権 貸家建付地 転 貸 借 地 権 借 地 権 ( )	地区区分	ビル街地区 (普通住宅地区) 高度商業地区 中小工場地区 繁華街地区 大工場地区 普通商業・併用住宅地区
奥行距離	32.00 m				

					1㎡当たりの価額		
自 用 地 1 平 方 メ ー ト ル 当 た り の 価 額	1 一路線に面する宅地 （正面路線価） （奥行価格補正率） 地積 200,000 200,000 円 × 0.93 (32m対応) × 800.00㎡＝148,800,000円…(A) 1.00 (17m対応) × 425.00㎡＝85,000,000円… (B)				(A)－(B) 63,800,000円	円	A
	2 二路線に面する宅地 （A） ［側方・裏面 路線価］ （奥行価格補正率） ［側方・二方 路線影響加算率］ 円 ＋ 円 × . × 0.				1㎡当たりの価額	円	B
	3 三路線に面する宅地 （B） ［側方・裏面 路線価］ （奥行価格補正率） ［側方・二方 路線影響加算率］ 円 ＋ 円 × . × 0.				1㎡当たりの価額	円	C
	4 四路線に面する宅地 （C） ［側方・裏面 路線価］ （奥行価格補正率） ［側方・二方 路線影響加算率］ 円 ＋ 円 × . × 0.				1㎡当たりの価額	円	D
	5-1 間口が狭小な宅地等 （AからDまでのうち該当するもの） （間口狭小補正率） （奥行長大補正率） 円 × （ . × . ）				1㎡当たりの価額	円	E
	5-2 不整形地 （AからDまでのうち該当するもの） 不整形地補正率※ 63,800,000 円 × 0.71 ※不整形地補正率の計算 （想定整形地の間口距離） （想定整形地の奥行距離） （想定整形地の地積） 25.00 m × 32.00 m ＝ 800.00 ㎡ （想定整形地の地積） （想定整形地の地積） （かげ地割合） （ 800.00 ㎡ － 375.00 ㎡） ÷ 600.00 ㎡ ＝ 53.1 ％ （不整形地補正率表の補正率）（間口狭小補正率） （小数点以下2位未満切捨て） ［不整形地補正率 0.79 × 0.90 ＝ 0.71 ① ①、②のいずれか低い （奥行長大補正率） （間口狭小補正率） 率、0.6を下限とする。 0.90 × 0.90 ＝ 0.81 ② 0.71				45,298,000… （C）	円	F
	6 地積規模の大きな宅地 （AからFまでのうち該当するもの） 規模格差補正率※ 円 × 0. ※規模格差補正率の計算 （地積（Ⓐ）） （Ⓑ） （ⒸⒸ） （地積（Ⓐ）） （小数点以下2位未満切捨て） ｛（ ㎡× ＋ ） ÷ ㎡｝ × 0.8 ＝ 0.				1㎡当たりの価額	円	G
	7 無 道 路 地 （F又はGのうち該当するもの） 4 ㎡（通路の地積） ※ ＝800,000円… （D） 200,000 円 × (1 － 0.) ※割合の計算（0.4を上限とする。） （F又はGのうち 800,000円＜45,298,000円×0.4 （正面路線価） （通路部分の地積） 該当するもの） （評価対象地の地積） （ 円 × ㎡） ÷ （ 円 × ㎡） ＝ 0.				(C)－(D) 44,498,000	円	H
	8-1 がけ地等を有する宅地 〔 南 、 東 、 西 、 北 〕 （AからHまでのうち該当するもの） （がけ地補正率） 円 × 0.				1㎡当たりの価額	円	I
	8-2 土砂災害特別警戒区域内にある宅地 （AからHまでのうち該当するもの） 特別警戒区域補正率※ 円 × 0. ※がけ地補正率の適用がある場合の特別警戒区域補正率の計算（0.5を下限とする。） 〔 南 、 東 、 西 、 北 〕 （特別警戒区域補正率表の補正率） （がけ地補正率） （小数点以下2位未満切捨て） 0. × 0. ＝ 0.				1㎡当たりの価額	円	J
	9 容積率の異なる2以上の地域にわたる宅地 （AからJまでのうち該当するもの） （控除割合（小数点以下3位未満四捨五入）） 円 × （ 1 － 0. ）				1㎡当たりの価額	円	K
	10 私 道 （AからKまでのうち該当するもの） 円 × 0.3				1㎡当たりの価額	円	L

自用地の評価額	自用地1平方メートル当たりの価額 （AからLまでのうちの該当記号）	地 積	総 額 （自用地1㎡当たりの価額）×（地 積）	
	（ H ） 円	㎡ 375.00	44,498,000	円 M

387

第8章

相続税の申告書等に添付する補足資料

　第7章までは、土地等を評価するための基礎資料の収集、地目の判定、評価単位（1画地）の判定、路線価による評価方法を中心に説明しました。

　本章では、路線価地域の土地等について、収集した資料等を実践的に活用して「土地及び土地の上に存する権利の評価明細書（第1及び2表）」（以下「評価明細書」といいます。）を作成し、更にそれを補足して評価内容が適切であることを示すための相続税申告書等の添付資料の作成について説明します。

　評価明細書（第1表）には「地形図と参考事項」記載欄がありますが、土地等の評価をするために必要な参考事項を記載するには小スペースであるため、場合によっては税務署へ評価する土地等の形状等の参考事項を正確に伝えることができません。

　これを補足するため、例えば、次の資料を作成し、評価明細書の附属書類として提出することをお勧めします。

■相続税等の申告書に添付する評価対象土地等の評価明細書の附属書類の例

---

① 　写真

② 　路線価図（案内図）

③ 　地積測量図等

④ 　上記資料等に基づく作図

⑤ 　土地等評価明細書基礎計表

（注）　土地等の形状及びその土地等に係る行政法規の規制等は千差万別であるため、それに応じて
　　　土地評価の補足書類を準備して添付してください。

第8章 相続税の申告書等に添付する補足資料

1 地積測量図等がある場合

① 地積測量図等がある場合は、地積測量図を方眼トレーシングペーパー（124ページ）に写し図面を作図します。

（留意点）

> イ 製図板（124ページ）を利用すると精度が高い作図ができます。
>
> 三角スケール（123ページ）や三角定規等のスケールを活用して線引きすると精度が高くなります。
>
> ロ 相続税等の財産評価に必要な実際の間口や想定整形地の間口距離並びに想定整形地の奥行距離や計算上の奥行距離等を算出します。
>
> この場合、地積測量図の縮尺に適合した距離を計算することに注意します。

② 上記の各間口・奥行距離等を評価明細書に記入し、土地評価のための計算をします。

2 地積測量図等がない場合

地積測量図等がない場合は、評価対象土地等の間口、奥行距離等を測定する必要がありますので第4章3「現地における物件調査の実務知識」で記載した資料及びウォーキングメジャー等の機器を活用し、評価に必要な間口、奥行距離等を測定し、地積測量図等の精度の高い地図がある場合にできる限り近づけます。

3 事 例

【事例1】申告書に添付する補足資料
■対象不動産写真

■路線価図

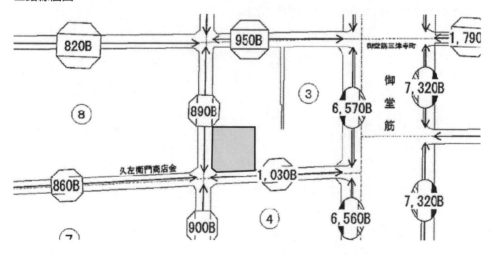

第8章 相続税の申告書等に添付する補足資料

■地積測量図

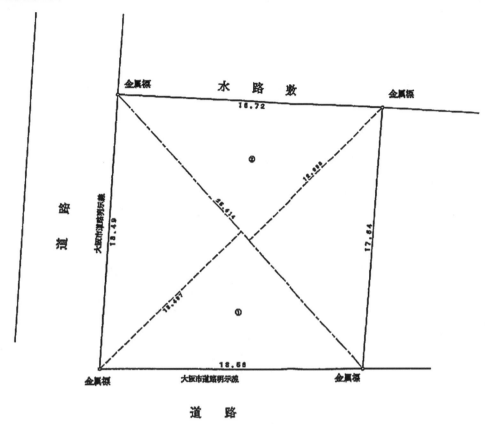

地積測量図に基づいて（方眼トレーシングペーパー等も可）作図します。

（注）地積測量図がない場合は、入手できる地図のうち、精度が最も高いと考えられるものにより作図します。

正面路線から見た場合の作業は次のとおり行います。

① 正面路線からの実際の間口、奥行距離の測量

② 正面路線からの想定の間口、奥行距離の測量

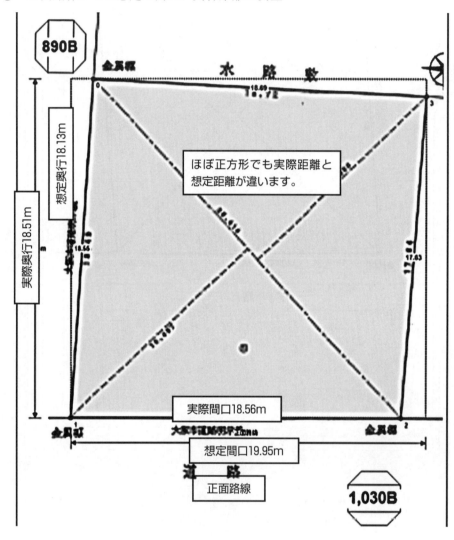

側方路線から見た場合の作業は次のとおり行います。

③　側方路線からの実際の間口、奥行距離の測量

④　側方路線からの想定の間口、奥行距離の測量

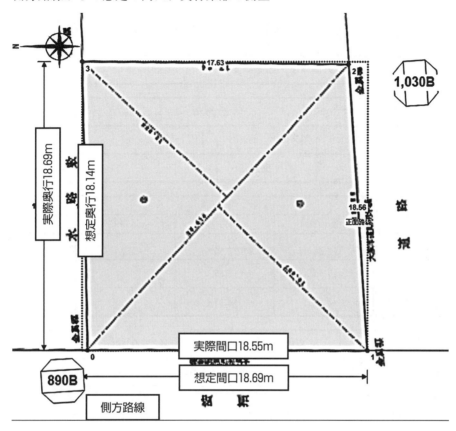

土地評価明細書基礎計算表は、奥行価格補正率、側方影響加算率等の根拠を説明する目的で作成します。

(注)　土地評価明細書基礎計算表は、筆者の作成した任意の表です。

土地評価明細書基礎計数表

No.		所在地番	大阪市中央区西心斎橋			地積	336.51	㎡

地　目	宅　地	利用区分	自用地		地区区分		繁華街

路線価	正面	1,030,000 円	側方①	890,000 円	側方②	円	裏面	円

借地権割合	80 %	借家権割合	30 %	持分	1 ／ 1

計　測　値					
符号	区　分	正　面	側方①	側方②	裏　面
A	間　口	18.56 m	18.55 m	m	m
B	想定整形地間口	19.95	18.69		
C	想定整形地奥行	18.51	18.69		

正面	間口距離	18.56 m	説明	正面A	計算上の奥行距離	
	奥行距離	18.13 m	説明	18.51 m（正面C）	≧	18.13 m（地積／正面A）
	奥行価格補正率	1.00	間口狭小補正率	1.00	奥行長大補正率	1.00

側方①	間口距離	18.55 m	説明	側方①A	計算上の奥行距離	
	奥行距離	18.14 m	説明	18.69 m（側方①C）	≧	18.14 m（地積／側方①A）
	奥行価格補正率	1.00	路線加算率	0.10	調整率	1	説明	側方①A／正面C

第8章 相続税の申告書等に添付する補足資料

側方路線影響加算率は、側方路線を基準とした想定整形地の想定間口距離を分母とし、実際の側方路線の長さを分子として計算します。

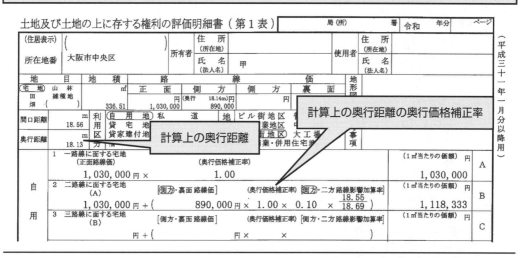

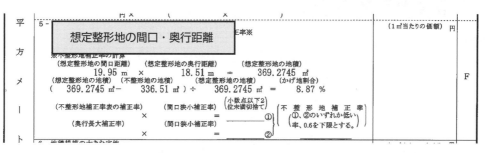

【事例2】申告書に添付する補足資料
■写真

■路線価図

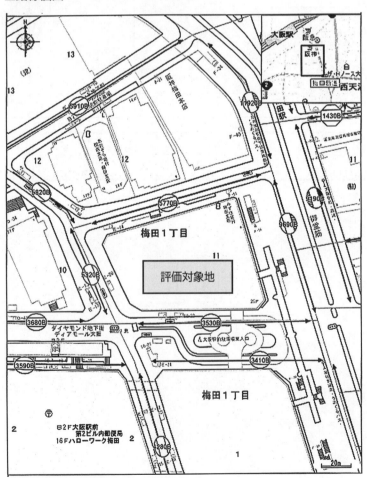

第8章 相続税の申告書等に添付する補足資料

■地積測量図

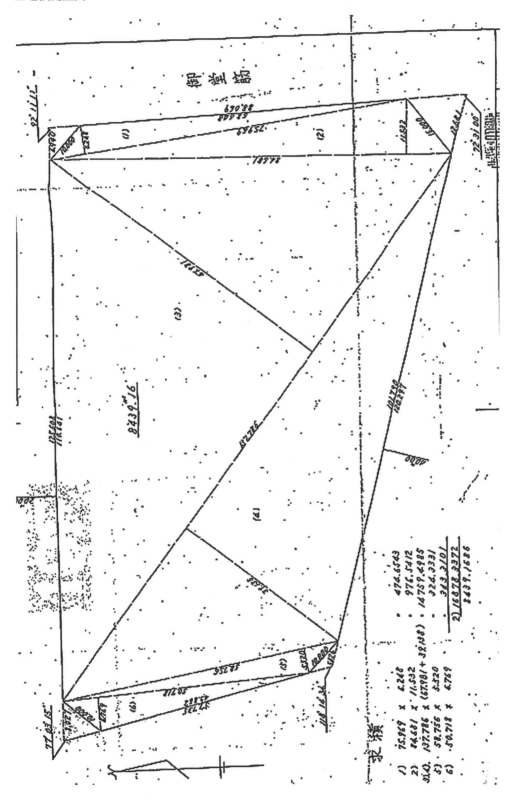

■四方各路線からの間口・奥行距離等、評価に必要な長さを測量

（作図1）

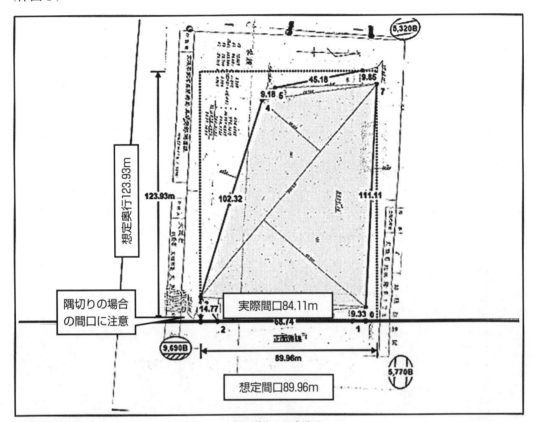

評価対象地の測定結果	
面積	8,439.16 ㎡
間口距離	84.11 m
計算上の間口距離	－ m
計算上の奥行距離	100.33 m
通路の面積	－ ㎡

想定整形地の測定結果	
面積	11,148.74 ㎡
間口距離	89.96 m
奥行距離	123.93 m

蔭地面積	2,709.58 ㎡
想定整形地面積	11,148.74 ㎡
蔭地割合	24.30 %

利用単位の測定結果		
No.	名称	面積
1		㎡
2		㎡
3		㎡
4		㎡
5		㎡
6		㎡
7		㎡
8		㎡
9		㎡
10		㎡
		㎡

1　実際間口距離と想定整形地の間口距離に注意
2　隅切りがある場合の間口距離は、隅切りがないものとして測定

(作図2)

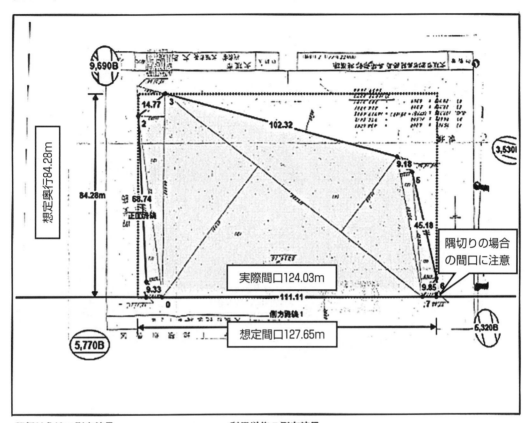

評価対象地の測定結果	
面積	8,439.16 ㎡
間口距離	124.03 m
計算上の間口距離	－ m
計算上の奥行距離	68.04 m
通路の面積	－ ㎡

想定整形地の測定結果	
面積	10,758.34 ㎡
間口距離	127.65 m
奥行距離	84.28 m

評価対象地の接道	－ m
想定整形地間口	－ m
路線影響加算率の調整	－ %

No.	名称	面積
1		㎡
2		㎡
3		㎡
4		㎡
5		㎡
6		㎡
7		㎡
8		㎡
9		㎡
10		㎡
		㎡

（作図３）

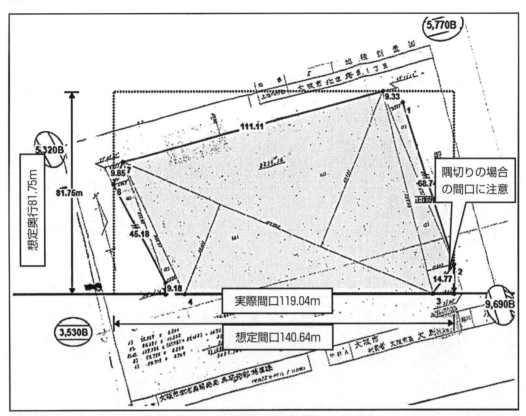

評価対象地の測定結果	
面積	8,439.16 ㎡
間口距離	119.04 m
計算上の間口距離	－ m
計算上の奥行距離	70.89 m
通路の面積	－ ㎡

想定整形地の測定結果	
面積	11,497.32 ㎡
間口距離	140.64 m
奥行距離	81.75 m

評価対象地の接道	－ m
想定整形地間口	－ m
路線影響加算率の調整	－ %

No.	名称	面積
1		㎡
2		㎡
3		㎡
4		㎡
5		㎡
6		㎡
7		㎡
8		㎡
9		㎡
10		㎡
		㎡

第8章 相続税の申告書等に添付する補足資料

（作図4）

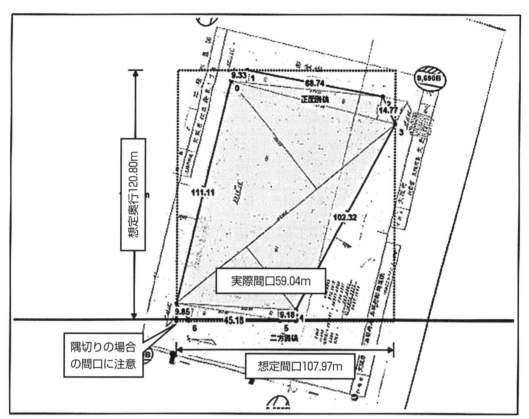

評価対象地の測定結果	
面積	8,439.16 ㎡
間口距離	59.04 m
計算上の間口距離	－ m
計算上の奥行距離	142.93 m
通路の面積	－ ㎡
想定整形地の測定結果	
面積	13,042.77 ㎡
間口距離	107.97 m
奥行距離	120.80 m
評価対象地の接道	－ m
想定整形地間口	－ m
路線影響加算率の調整	－ %

利用単位の測定結果		
No.	名称	面積
1		㎡
2		㎡
3		㎡
4		㎡
5		㎡
6		㎡
7		㎡
8		㎡
9		㎡
10		㎡
		㎡

土地等評価明細書基礎計表は、奥行価格補正率、影響加算率、調整率等の根拠を説明する目的で作成します。

（注）この表は、筆者が作成した任意の様式です。

土地評価明細書基礎計数表

No.		所在地番	大阪市北区梅田1丁目5番			地積	8,439.16 ㎡

地　目	宅　地	利用区分	自用地	地区区分	高度商業地区

路線価	正面	9,690,000 円	側方①	5,770,000 円	側方②	3,530,000 円	裏面	5,320,000 円

借地権割合	80 %	借家権割合	30 %	持分	1／1

計測値

符号	区　分	正　面	側方①	側方②	裏　面
A	間　口	84.11 ㎡	124.03 ㎡	119.04 ㎡	59.04 ㎡
B	想定整形地間口	89.96	127.65	140.64	107.97
C	想定整形地奥行	123.93	84.28	81.75	120.80

正面	間口距離	84.11 ㎡	説明	正面A			
	奥行距離	100.33 ㎡	説明	123.93 ㎡（正面C） ≧ 100.33 ㎡（地積／正面A）			
	奥行価格補正率	0.80	間口狭小補正率	1.00	奥行長大補正率	1.00	

計算上の奥行を採用

側方①	間口距離	124.03 ㎡	説明	側方①A			
	奥行距離	68.04 ㎡	説明	84.28 ㎡（側方①C） ≧ 68.04 ㎡（地積／側方①A）			
	奥行価格補正率	0.94	路線加算率	0.10	調整率	1.00	説明	側方①A／正面C

側方②	間口距離	119.04 ㎡	説明	側方②A			
	奥行距離	70.89 ㎡	説明	81.75 ㎡（側方②C） ≧ 70.89 ㎡（地積／側方②A）			
	奥行価格補正率	0.94	路線加算率	0.10	調整率	0.96	説明	側方②A／正面C

裏面	間口距離	59.04 ㎡	説明	裏面A			
	奥行距離	120.80 ㎡	説明	120.80 ㎡（裏面C） ＜ 142.93 ㎡（地積／裏面A）			
	奥行価格補正率	1.00	路線加算率	0.07	調整率	0.65	説明	裏面A／正面B

想定整形地の奥行を採用

備考	

（注）調整率＞1の場合は1とする。

第8章 相続税の申告書等に添付する補足資料

土地及び土地の上に存する権利の評価明細書（第1表）

		局(所)	署	年分	ページ

> 側方路線影響加算率は、側方路線を基準とした想定整形地の想定間口距離を分母とし、実際の側方路線の長さを分子として計算します。
> なお、二方路線影響加算率も同様です。

（平成三十一年一月分以降用）

間口距離

奥行距離 **100.33** 分 借地権（　　　　　　）分　普通商業・併用住宅地区

地形図及び参考事項

					(1㎡当たりの価額)		
自 用 地	1　一路線に面する宅地 　　（正面路線価）　　　　　　（奥行価格補正率） 　　**9,690,000** 円 × **0.80**					**7,752,000** 円	A
	2　二路線に面する宅地 　　（A）　　　　[側方・裏面 路線価]　（奥行価格補正率）　[側方 二方 路線影響加算率] 　　**7,752,000** 円 ＋ （ **5,770,000** 円 × **0.94** × **0.10** × $\frac{124.03}{127.65}$ ）					**8,278,998** 円	B
	3　三路線に面する宅地 　　（B）　　　　[側方・裏面 路線価]　（奥行価格補正率）　[側方 二方 路線影響加算率] 　　**8,278,998** 円 ＋ （ **3,530,000** 円 × **0.94** × **0.10** × $\frac{119.04}{140.64}$ ）					**8,559,855** 円	C
	4　四路線に面する宅地 　　（C）　　　　[側方・裏面 路線価]　（奥行価格補正率）　[側方 二方 路線影響加算率] 　　**8,559,855** 円 ＋ （ **5,320,000** 円 × **0.80** × **0.07** × $\frac{59.04}{107.97}$ ）					**8,722,763** 円	D
1	5-1　間口が狭小な宅地等 　　（AからDまでのうち該当するもの）　（間口狭小補正率）　（奥行長大補正率） 　　　　　　　　　円 × （　　　 ×　　　）					円	E
平 方 メ ー ト ル 当 た り の 価 額	5-2　不 整 形 地 　　（AからDまでのうち該当するもの）　　　不整形地補正率※ 　　**8,722,763** 円 × **0.99** ※不整形地補正率の計算 （想定整形地の間口距離）　（想定整形地の奥行距離）　（想定整形地の地積） 　　　**89.96** m ×　　　**123.93** m ＝ **11,148.7428** ㎡ （想定整形地の地積）　　（不整形地の地積）　（想定整形地の地積）　（かげ地割合） （ **11,148.7428** ㎡ － **8,439.16** ㎡ ）÷ **11,148.7428** ㎡ ＝ **24.30** % （不整形地補正率表の補正率）（間口狭小補正率）　（小数点以下2位未満切捨て） 　　**0.99**　 × **1.00** ＝ **0.99** ① （奥行長大補正率）（間口狭小補正率） 　　**1.00**　 × **1.00** ＝ **1.00** ② [不整形地補正率①、②のいずれか低い率、0.6を下限とする。] **0.99**					**8,635,535** 円	F
	6　地積規模の大きな宅地 　　（AからFまでのうち該当するもの）　　規模格差補正率※ 　　　　　　円 × 0. ※規模格差補正率の計算 （地積（Ⓐ）　㎡×（Ⓑ）　＋（Ⓒ）　）÷（地積（Ⓐ）　㎡ ）× 0.8 ＝ 0.（小数点以下2位未満切捨て）					円	G
	7　無 道 路 地 　　（F又はGのうち該当するもの）　　　　（※） 　　　　円 × （ 1 － 0.　） ※割合の計算（0.4を上限とする。） （正面路線価）　（通路部分の地積）　（F又はGのうち該当するもの）　（評価対象地の地積） （　　円 ×　　　㎡ ）÷（　　　円 ×　　　㎡ ）＝ 0.					円	H
の 価 額	8-1　がけ地等を有する宅地　〔 南 、 東 、 西 、 北 〕 　　（AからHまでのうち該当するもの）　　　（がけ地補正率） 　　　　　円 × 0.					円	I
	8-2　土砂災害特別警戒区域内にある宅地 　　（AからHまでのうち該当するもの）　　　特別警戒区域補正率※ 　　　　　円 × 0. ※がけ地補正率の適用がある場合の特別警戒区域補正率の計算（0.5を下限とする。） 〔 南 、 東 、 西 、 北 〕 （特別警戒区域補正率表の補正率）（がけ地補正率）　（小数点以下2位未満切捨て） 　　0.　 × 0.　 ＝ 0.					円	J
	9　容積率の異なる2以上の地域にわたる宅地 　　（AからJまでのうち該当するもの）　（控除割合（小数点以下3位未満四捨五入）） 　　　　円 × （ 1 － 0.　）					円	K
	10　私 道 　　（AからKまでのうち該当するもの） 　　　　円 × 0.3					円	L

自用地の評価額	自用地1平方メートル当たりの価額 （AからLまでのうちの該当記号）	地 積	総 額 （自用地1㎡当たりの価額）×（地 積）	
	（ **F** ）　　　　　円 　　**8,635,535**	㎡ **8,439.16**	(割合) $\frac{1}{1}$	円 **72,876,661,550**	M

403

第9章

居住用マンションの評価

1 令和6年1月1日からの居住用マンションの評価の概略

　令和4年4月19日の最高裁判決の影響により、居住用マンション一室（以下「マンション」といいます。）の評価額が時価を反映していない場合は評価方法を見直すことになり、令和5年9月28日付で「居住用の区分所有財産の評価について（法令解釈通達）」（以下「区分所有財産の評価通達」といいます。）が発遣され、続いて令和5年10月11日にその趣旨説明に係る情報（以下「区分所有財産の情報」といいます。）が公開されました。

　なお、適用時期は、令和6年1月1日以後に相続等又は贈与により取得した財産の評価からとなります。以下その内容について説明します。

（概略）

　マンション評価額が低い評価水準（相続税評価額÷市場価格）で、その時価との乖離が著しい一定の場合、令和6年分以降の評価額は、令和5年分までのマンションの評価方法による評価額に、区分所有補正率を乗じた価額となります。

　なお、評価水準が0.6未満の場合、評価乖離率（市場価格÷相続税評価額）に最低評価水準0.6（定数）を乗じたものが区分所有補正率となります。

　具体的な算式は、次のとおりです。

(1)　令和5年分までのマンション評価額

　相続等で取得したマンションの評価額は、通常、次の①と②の合計額です。

（算式）

　　①　建物（区分所有建物）の価額 ＝ 建物の固定資産税評価額 × 1.0倍

　　②　敷地（敷地利用権）の価額 ＝ 単価 × 敷地全体の面積 × 敷地権割合

(2)　令和6年分以後のマンションの評価額

　その時価の乖離が著しい一定の場合については、区分所有補正率により補正します。

第9章 居住用マンションの評価

（算式）

令和５年分までのマンションの評価方式の評価額×区分所有補正率

評価水準0.6未満の場合：評価乖離率×0.6
評価水準が１を超える場合：評価乖離率

(注) 評価乖離率と評価水準の関係は次のとおりです。
評価乖離率と評価水準を乗じると１になり、数学的には逆数です。

$$評価乖離率 = \frac{市場価格}{相続税評価額} \qquad 評価水準 = \frac{1}{評価乖離率} = \frac{相続税評価額}{市場価格}$$

2 評価水準別の区分所有補正率等の適用

(1) 評価水準が低い場合（評価水準60%未満）

評価水準が低い場合は、評価乖離率×0.6を適用して評価します。これは、評価乖離率が1.67倍を超える場合で、評価額が市場価格の60%水準になるよう増額します。

（算式）

令和５年分までのマンションの
評価方式の評価額　　　　×　区分所有補正率（評価乖離率　×　0.6）

(2) 評価水準が高い場合（評価水準100%超）

評価水準が高い場合は、評価乖離率のみ適用して評価します。

これは、評価乖離率が1.0倍未満の場合が該当し、最低評価水準0.6の定数は適用せず、評価乖離率のみを適用し、評価水準を100％の市場価格まで減額します。

（算式）

令和５年分までのマンションの
評価方式の評価額　　　　×　区分所有補正率（評価乖離率）

(3) 評価水準が適正な場合（評価水準60%以上100%以下）

評価水準が適正な場合は、補正は行いません。

この場合は、評価乖離率１倍以上で1.67倍以下となり、評価水準が適正であると考えられます。

以上の評価水準別の補正率等の適用を図にすると次のとおりです。

405

■評価水準別の補正率の適用有無（表は国税庁有識者会議資料を基に作成）

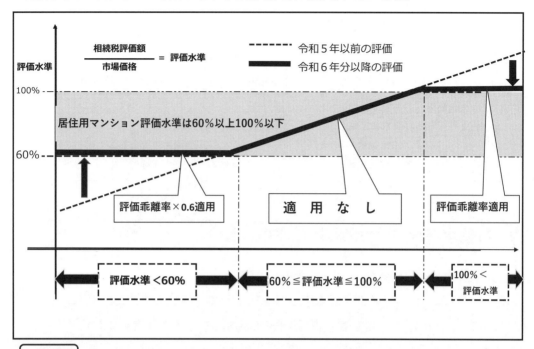

概　要
① 一戸建ての物件とのバランスも考慮して、相続税評価額が市場価格理論値の60％未満となっているもの(乖離率1.67倍を超えるもの)について、市場価格理論値の60％(乖離率1.67倍)になるよう評価額を補正する。
② 評価水準60％以上100％以下のものは補正しない。
③ 評価水準100％超のものは100％になるよう評価額を減額する。

3　「評価乖離率」の算定

（評価乖離率の算式）
　　　┌─ A ─┐ ┌─ B ─┐ ┌─ C ─┐ ┌─ D ─┐
　　　①×△0.033 ＋ ②×0.239 ＋ ③×0.018 ＋ ④×△1.195 ＋ 3.220

　算式は、マンション評価に必要な評価要因を以下の①から④に集約し、事例に基づき統計的手法により数値化したものです。
　この場合の評価要因は、①築年数、②総階数、③所在階、④敷地持分狭小度です。
（注）　評価乖離率は、「平成30年分のマンション一室の取引事例における取引価格÷評価対象マンション一室の相続税評価額」で計算した率です。

　上記算式の①から④の内容は、次のとおりです。
（注）　端数処理は「区分所有財産の評価通達」に記載されています。
①　一棟の区分所有建物の築年数

（注）　建築時から課税時期までの期間で、1年未満の端数は1年とします。

② 一棟の区分所有建物の「総階数指数」として、「総階数÷33」

（注）小数点以下第4位を切り捨て、1を超える場合は1とします。また、総階数に地階は含みません。

③ 一室の区分所有権等に係る専有部分の所在階

（注1）　専有部分が複数階にまたがる場合は、階数が低い階とします。

（注2）　専有部分が地階に所在する場合は、所在階は0階とし、③の値は0とします。

④ 一室の区分所有権等に係る「敷地持分狭小度」

（注1）　「敷地利用権の面積（注3）÷専有部分の面積（床面積）」により計算した値です。

（注2）　小数点以下第4位を切り上げます。

（注3）　敷地利用権の面積は、次の区分に応じた面積（小数点以下第3位切上げ）です。

イ　一棟の区分所有建物に係る敷地利用権が敷地権である場合

一棟の区分所有建物の敷地の面積 × 敷地権の割合

ロ　上記イ以外の場合

一棟の区分所有建物の敷地の面積 × 敷地の共有持分の割合

4　その他

⑴　マンション評価方法の見直し等

　上記2の最低評価水準(0.6)と評価乖離率を求める算式については、固定資産税の評価の見直し時期にあわせて見直すものとされています(「区分所有財産の情報」2)。

⑵　評価対象のマンション用途等

　建物の区分所有等に関する法律（区分所有法）に定める「居住の用に供する専有部分」にかかる区分所有権及びその敷地利用権で、たな卸商品は含みません。

⑶　マンションの評価の適用範囲

　マンションの評価を行う「マンション（一室の区分所有権等）」とは区分所有法第2条第1項の区分所有権をいい、同法第4条に規定する共用部分の共有持分を含みます。

　また、総階数2階以下の物件に係る各部分及び区分所有されている居住用部分が3以下であって、かつ、その全てが親族の居住用である物件（いわゆる二世帯住宅等）に係る各部分は含みません。

5　マンション評価の具体事例

　評価水準が60%未満の場合の評価事例です。

（事例の設定）

- ・築後2年の居住用マンション

- ・総階数10階、所在階10階

- ・敷地面積：1,907.27m²

- ・敷地権の割合：562151分の8382

- ・専有家屋の登記上の面積：80.61m²

- ・共用家屋の持分割合：売買契約書により敷地権の割合と同一と記載あり。

（注）マンションの共用家屋の所有権は、建物の区分所有等に関する法第14条により共有とされており、共有持分は、原則としてマンション全専有部分の専有面積合計に占める評価対象マンションの専有面積が占める割合（以下「専用面積割合」という。）によると規定されています。

　事例のマンション一棟の専有面積の合計は、5,381.83m²で市役所の固定資産税窓口等で確認できます。これによると、5,381.83m²（マンション一棟の専有面積の合計）分の80.61m²（専有家屋の登記上の面積）となり、本件の敷地権の割合とやや異なりますが、本件は売買契約書が確認できるため、これによる持分の敷地権の割合562151分の8382を採用します。

　なお、課税実務においても敷地権の割合による持分按分計算が容認されています。

- ・敷地の評価単価（画地調整率適用後）：200千円/m²

- ・固定資産税課税台帳の家屋面積：86.30m²

- ・固定資産税課税台帳の建物専有部分評価額：11,439,291円

- ・固定資産税課税台帳の共用家屋全体評価額合計：5,027,719円

（161,713円＋4,866,006円）

固定資産の課税明細書

お問い合わせはこの通知番号で

区分 所在地（家屋番号）	共用物件番号（分割）	登記地目・種類 現況地目・構造 住宅認定区分	屋根 建築年 階数	課税地積・課税延床面積(㎡) 前年度固定資産税課税標準額(円) 前年度都市計画税課税標準額(円)	価格（評価額）(円) 固定資産税課税標準額(円) 都市計画税課税標準額(円)	備考 軽減税額(円) 相当税額(円)
共用土地	0371061001	宅地		1907.27	339589423	減免
		宅地		51979941	54809852	
		専用住宅	F	103959883	109619706	16240
家屋 （142番1007）	0371061001	居宅 鉄筋コン造	陸屋根 令和4年 1F	86.30	11439291 11439291 11439291	新築減額試当 80100 114367
共用家屋 （142番2）	0371061001	倉庫 鉄筋コン造	陸屋根 令和4年 1F	1.22	161713 161713 161713	新築減額試当 22
共用家屋 （142番3）	0371061001	集会所 鉄筋コン造	陸屋根 令和4年 1F	36.71	4866006 4866006 4866006	新築減額試当 0
＊＊＊以下余白＊＊＊						
			F			

(1) 従前の評価方法によるマンションの敷地と建物評価額（補正率適用前）

① マンションの敷地利用権の評価額

　マンションの敷地利用権の評価額は、敷地の評価単価に敷地利用権の面積を乗じて評価

第9章 居住用マンションの評価

します。

　　イ　敷地全体の評価単価　　200千円/m² （画地調整率による補正後）

　　ロ　敷地権の割合　　　　8382/562151（敷地権の登記上の持分）

　　ハ　敷地利用権の面積　　　1,907.27m²×8382/562151≒28.44m²

　　　（注）　小数点以下第3位を切上げ

　　ニ　敷地利用権の評価額　　200千円/m²×28.44m²＝5,688千円

②　マンション建物の評価額

　マンションの建物の評価額は、家屋の専有部分と共用部分の固定資産税評価額の合計に敷地権の割合を乗じた価額を合計して評価します。

　　イ　専有部分の固定資産税評価額　11,439,291円

　　ロ　共用部分の固定資産税評価額　　　74,966円

　　　（共用部分の固定資産税評価額の算式）

共用家屋全体固定
資産税評価額計　　　敷地権の割合
5,027,719円　×　8382/562151　≒　74,966円

　マンションに係る建物の評価額は上記イとロを合計して評価します。

　　　　　　　　　　　　　　　　マンションに係る
　　上記イ　　　　　上記ロ　　　建物の評価額
11,439,291円　＋　74,966円　＝　11,514,257円

③　従前のマンションの評価方法によるマンションの敷地と建物評価額

　従前のマンションの評価方法によるマンションの敷地と建物評価額は、上記①と②を合計して評価します。

　　　　　　　　　　　　　　　従前のマンションの評価方法
　　上記①　　　　　上記②　　　による敷地と建物評価額合計
5,688,000円　＋　11,514,257円　＝　17,202,257円

(2)　令和6年1月1日以後相続・贈与分のマンション評価（補正率適用後）

　事例は、評価水準が60％未満の場合に該当するため、上記(1)によるマンション敷地と建物評価額合計に区分所有補正を行い、適正な評価水準（60％以上100％以下）になるよう評価します。

①　評価乖離率の算定

　評価乖離率の算定要素は次のとおりです。

　　A　築年数指数　△0.066（築2年×△0.033）

　　B　総階数指数　0.072（10階/33階×0.239）

　　　（小数点以下第4位を切り捨て）

409

C　所在階指数　0.18（10階×0.018）

D　敷地持分狭小度指数　△0.422

（算式）

敷地全面積　　　　　　　敷地権割合　　　　　敷地利用権
　　　　　　　　　　　　　　　　　　　　　　　の面積
1,907.27m² 　×　（8,382÷562,151）　≒　28.44m²（小数点以下第3位を切上げ）

敷地利用権　　　専有部分の　　　　　　　　　　敷地持分
の面積　　　　　登記上の面積　　　　　　　　　狭小度指数
28.44m²　÷　80.61m²　　×　△1.195　≒　△0.422

（小数点以下第4位を切上げ）

（評価乖離率の算定）

　　　　　　　　　　　　　　　　　　　　　　　　　　　　　評価乖離率
A（△0.066）＋ B（0.072）＋ C（0.18）＋ D（△0.422）＋ 定数3.220　＝　2.984

②　区分所有補正率の算定

　評価乖離率は2.984で、その逆数のである評価水準は約33.5％（1 ÷2.984≒0.335）ですので、評価水準が60％未満に該当し、この場合は、評価乖離率に0.6を乗じた区分所有補正率1.7904を算定することになります。

（区分所有補正率の算式）

評価乖離率　　　　定数　　区分所有補正率
2.984　　×　0.6　＝　1.7904

④　マンションの評価額

　評価水準が上記⑵の場合のマンションの評価額は、マンションの敷地及び建物評価額合計に区分所有補正率を乗じて30,798,920円となります（ここでは簡易に敷地と建物の合計額で計算しています。）。

（算式）

マンションの敷地
と建物評価額合計
（補正前）　　　　　　　区分所有補正率　　　マンションの評価額
17,202,257円　　×　　1.7904　　＝　　30,798,920

　なお、区分所有補正率の計算にあたっては、国税庁から「居住用の区分所有財産の評価に係る区分所有補正率の計算明細書（令和6年1月1日以降用）」の【計算ツール】（Excelファイル）が公表されています。

第9章 居住用マンションの評価

（参考）居住用の区分所有財産の評価について（法令解釈通達）

課評 2 -74

課資 2 -16

令和 5 年 9 月28日

各国税局長　殿

沖縄国税事務所長　殿

国税庁長官

居住用の区分所有財産の評価について（法令解釈通達）

　標題のことについては、昭和39年 4 月25日付直資56、直審（資）17「財産評価基本通達」（法令解釈通達）によるほか、下記のとおり定めたから、令和 6 年 1 月 1 日以後に相続、遺贈又は贈与により取得した財産の評価については、これにより取り扱われたい。

（趣旨）

　近年の区分所有財産の取引実態等を踏まえ、居住用の区分所有財産の評価方法を定めたものである。

記

（用語の意義）

1　この通達において、次に掲げる用語の意義は、それぞれ次に定めるところによる。

(1)　評価基本通達　　昭和39年 4 月25日付直資56、直審（資）17「財産評価基本通達」（法令解釈通達）をいう。

(2)　自用地としての価額　　評価基本通達25（（貸宅地の評価））（ 1 ）に定める「自用地としての価額」をいい、評価基本通達11（（評価の方式））から22－ 3 （（大規模工場用地の路線価及び倍率））まで、24（（私道の用に供されている宅地の評価））、24－ 2 （（土地区画整理事業施行中の宅地の評価））及び24－ 6 （（セットバックを必要とする宅地の評価））から24－ 8 （（文化財建造物である家屋の敷地の用に供されている宅地の評価））までの定めにより評価したその宅地の価額をいう。

(3)　自用家屋としての価額　　評価基本通達89（（家屋の評価））、89－ 2 （（文化財建造物である家屋の評価））又は92（（附属設備等の評価））の定めにより評価したその家屋の価額をいう。

(4)　区分所有法　　建物の区分所有等に関する法律（昭和37年法律第69号）をいう。

(5)　不動産登記法　　不動産登記法（平成16年法律第123号）をいう。

411

⑹　不動産登記規則　　不動産登記規則（平成17年法務省令第18号）をいう。

⑺　一棟の区分所有建物　　区分所有者（区分所有法第2条（（定義））第2項に規定する区分所有者をいう。以下同じ。）が存する家屋（地階を除く階数が2以下のもの及び居住の用に供する専有部分（同条第3項に規定する専有部分をいう。以下同じ。）一室の数が3以下であってその全てを当該区分所有者又はその親族の居住の用に供するものを除く。）で、居住の用に供する専有部分のあるものをいう。

⑻　一室の区分所有権等　　一棟の区分所有建物に存する居住の用に供する専有部分一室に係る区分所有権（区分所有法第2条第1項に規定する区分所有権をいい、当該専有部分に係る同条第4項に規定する共用部分の共有持分を含む。以下同じ。）及び敷地利用権（同条第6項に規定する敷地利用権をいう。以下同じ。）をいう。

　（注）　一室の区分所有権等には、評価基本通達第6章（（動産））第2節（（たな卸商品等））に定めるたな卸商品等に該当するものは含まない。

⑼　一室の区分所有権等に係る敷地利用権の面積　　次に掲げる場合の区分に応じ、それぞれ次に定める面積をいう。

　イ　一棟の区分所有建物に係る敷地利用権が、不動産登記法第44条（（建物の表示に関する登記の登記事項））第1項第9号に規定する敷地権である場合

　　　一室の区分所有権等が存する一棟の区分所有建物の敷地（区分所有法第2条第5項に規定する建物の敷地をいう。以下同じ。）の面積に、当該一室の区分所有権等に係る敷地権の割合を乗じた面積（小数点以下第3位を切り上げる。）

　ロ　上記イ以外の場合

　　　一室の区分所有権等が存する一棟の区分所有建物の敷地の面積に、当該一室の区分所有権等に係る敷地の共有持分の割合を乗じた面積（小数点以下第3位を切り上げる。）

⑽　一室の区分所有権等に係る専有部分の面積　　当該一室の区分所有権等に係る専有部分の不動産登記規則第115条（（建物の床面積））に規定する建物の床面積をいう。

⑾　評価乖離率　　次の算式により求めた値をいう。

（算式）

評価乖離率＝A＋B＋C＋D＋3.220

上記算式中の「A」、「B」、「C」及び「D」は、それぞれ次による。

「A」＝当該一棟の区分所有建物の築年数×△0.033

「B」＝当該一棟の区分所有建物の総階数指数×0.239（小数点以下第4位を切り捨てる。）

「C」＝当該一室の区分所有権等に係る専有部分の所在階×0.018

「D」＝当該一室の区分所有権等に係る敷地持分狭小度×△1.195（小数点以下第4位を切り上げる。）

第9章 居住用マンションの評価

(注) 1 「築年数」は、当該一棟の区分所有建物の建築の時から課税時期までの期間とし、当該期間に1年未満の端数があるときは、その端数は1年とする。

2 「総階数指数」は、当該一棟の区分所有建物の総階数を33で除した値（小数点以下第4位を切り捨て、1を超える場合は1とする。）とする。この場合において、総階数には地階を含まない。

3 当該一室の区分所有権等に係る専有部分が当該一棟の区分所有建物の複数階にまたがる場合には、階数が低い方の階を「当該一室の区分所有権等に係る専有部分の所在階」とする。

4 当該一室の区分所有権等に係る専有部分が地階である場合には、「当該一室の区分所有権等に係る専有部分の所在階」は、零階とし、Cの値は零とする。

5 「当該一室の区分所有権等に係る敷地持分狭小度」は、当該一室の区分所有権等に係る敷地利用権の面積を当該一室の区分所有権等に係る専有部分の面積で除した値（小数点以下第4位を切り上げる。）とする。

⑿ 評価水準　1を評価乖離率で除した値とする。

（一室の区分所有権等に係る敷地利用権の価額）

2　次に掲げる場合のいずれかに該当するときの一室の区分所有権等に係る敷地利用権の価額は、「自用地としての価額」に、次の算式による区分所有補正率を乗じて計算した価額を当該「自用地としての価額」とみなして評価基本通達（評価基本通達25並びに同項により評価する場合における評価基本通達27（（借地権の評価））及び27-2（（定期借地権等の評価））を除く。）を適用して計算した価額によって評価する。ただし、評価乖離率が零又は負数のものについては、評価しない。

（算式）

(1) 評価水準が1を超える場合

区分所有補正率＝評価乖離率

(2) 評価水準が0.6未満の場合

区分所有補正率＝評価乖離率×0.6

(注) 1 区分所有者が次のいずれも単独で所有している場合には、「区分所有補正率」は1を下限とする。

イ　一棟の区分所有建物に存する全ての専有部分

ロ　一棟の区分所有建物の敷地

2 評価乖離率を求める算式及び上記(2)の値（0.6）については、適時見直しを行うものとする。

413

（一室の区分所有権等に係る区分所有権の価額）

3　一室の区分所有権等に係る区分所有権の価額は、「自用家屋としての価額」に、上記
　2に掲げる算式（（注）　1を除く。）による区分所有補正率を乗じて計算した価額を当該
　「自用家屋としての価額」とみなして評価基本通達を適用して計算した価額によって評
　価する。ただし、評価乖離率が零又は負数のものについては、評価しない。

第9章 居住用マンションの評価

（参考）「居住用の区分所有財産の評価について」（法令解釈通達）の趣旨について（情報）

資産評価企画官情報 資産課税課情報	第2号 第16号	令和5年10月11日	国税庁 資産評価企画官 資産課税課

「居住用の区分所有財産の評価について」（法令解釈通達）の趣旨について（情報）

　令和5年9月28日付課評2-74ほか1課共同「居住用の区分所有財産の評価について」（法令解釈通達）により、居住用の区分所有財産の評価についての取扱いを定めたところであるが、その趣旨について別添のとおり取りまとめたので、参考のため送付する。

別添（PDF）

省略用語

　この情報において使用した次の省略用語の意義は、それぞれ次に掲げるとおりである。

相続税法（相法）　　　相続税法（昭和25年法律第73号）

評価通達（評基通）　　昭和39年4月25日付直資56、直審（資）17「財産評価基本通達」（法
　　令解釈通達）

区分所有法　　　　　　建物の区分所有等に関する法律（昭和37年法律第69号）

建築基準法　　　　　　建築基準法（昭和25年法律第201号）

民法　　　　　　　　　民法（明治29年法律第89号）

不動産登記法　　　　　不動産登記法（平成16年法律第123号）

不動産登記規則　　　　不動産登記規則（平成17年法務省令第18号）

別　添

目　　　次

ページ

1　用語の意義‥‥‥‥‥‥‥‥‥‥‥‥‥‥‥‥‥‥‥‥‥‥‥‥‥‥‥‥‥‥‥‥　1

2　一室の区分所有権等に係る敷地利用権の価額‥‥‥‥‥‥‥‥‥‥‥‥‥　13

3　一室の区分所有権等に係る区分所有権の価額‥‥‥‥‥‥‥‥‥‥‥‥‥　16

第9章 居住用マンションの評価

（用語の意義）

1 この通達において、次に掲げる用語の意義は、それぞれ次に定めるところによる。

⑴ 評価基本通達　　昭和39年4月25日付直資56、直審（資）17「財産評価基本通達」
（法令解釈通達）をいう。

⑵ 自用地としての価額　　評価基本通達25（（貸宅地の評価））⑴に定める「自用地と
しての価額」をいい、評価基本通達11（（評価の方式））から22－3（（大規模工場用地
の路線価及び倍率））まで、24（（私道の用に供されている宅地の評価））、24－2（（土
地区画整理事業施行中の宅地の評価））及び24－6（（セットバックを必要とする宅
地の評価））から24－8（（文化財建造物である家屋の敷地の用に供されている宅地
の評価））までの定めにより評価したその宅地の価額をいう。

⑶ 自用家屋としての価額　　評価基本通達89（（家屋の評価））、89－2（（文化財建造
物である家屋の評価））又は92（（附属設備等の評価））の定めにより評価したその家
屋の価額をいう。

⑷ 区分所有法　　建物の区分所有等に関する法律（昭和37年法律第69号）をいう。

⑸ 不動産登記法　　不動産登記法（平成16年法律第123号）をいう。

⑹ 不動産登記規則　　不動産登記規則（平成17年法務省令第18号）をいう。

⑺ 一棟の区分所有建物　　区分所有者（区分所有法第2条（（定義））第2項に規定す
る区分所有者をいう。以下同じ。）が存する家屋（地階を除く階数が2以下のもの及
び居住の用に供する専有部分（同条第3項に規定する専有部分をいう。以下同じ。）
一室の数が3以下であってその全てを当該区分所有者又はその親族の居住の用に
供するものを除く。）で、居住の用に供する専有部分のあるものをいう。

⑻ 一室の区分所有権等　　一棟の区分所有建物に存する居住の用に供する専有部
分一室に係る区分所有権（区分所有法第2条第1項に規定する区分所有権をいい、
当該専有部分に係る同条第4項に規定する共用部分の共有持分を含む。以下同じ。）
及び敷地利用権（同条第6項に規定する敷地利用権をいう。以下同じ。）をいう。

（注）　一室の区分所有権等には、評価基本通達第6章（（動産））第2節（（たな卸商品
等））に定めるたな卸商品等に該当するものは含まない。

⑼ 一室の区分所有権等に係る敷地利用権の面積　　次に掲げる場合の区分に応じ、
それぞれ次に定める面積をいう。

イ　一棟の区分所有建物に係る敷地利用権が、不動産登記法第44条（（建物の表示に
関する登記の登記事項））第1項第9号に規定する敷地権である場合
　　一室の区分所有権等が存する一棟の区分所有建物の敷地（区分所有法第2条第
5項に規定する建物の敷地をいう。以下同じ。）の面積に、当該一室の区分所有権
等に係る敷地権の割合を乗じた面積（小数点以下第3位を切り上げる。）

ロ　上記イ以外の場合
　　一室の区分所有権等が存する一棟の区分所有建物の敷地の面積に、当該一室の
区分所有権等に係る敷地の共有持分の割合を乗じた面積（小数点以下第3位を切
り上げる。）

417

⑽　一室の区分所有権等に係る専有部分の面積　　当該一室の区分所有権等に係る専有部分の不動産登記規則第115条（（建物の床面積））に規定する建物の床面積をいう。

⑾　評価乖離率　　次の算式により求めた値をいう。

（算式）

評価乖離率＝Ａ＋Ｂ＋Ｃ＋Ｄ＋3.220

上記算式中の「Ａ」、「Ｂ」、「Ｃ」及び「Ｄ」は、それぞれ次による。

「Ａ」＝当該一棟の区分所有建物の築年数×△0.033

「Ｂ」＝当該一棟の区分所有建物の総階数指数×0.239（小数点以下第４位を切り捨てる。）

「Ｃ」＝当該一室の区分所有権等に係る専有部分の所在階×0.018

「Ｄ」＝当該一室の区分所有権等に係る敷地持分狭小度×△1.195（小数点以下第４位を切り上げる。）

（注）1　「築年数」は、当該一棟の区分所有建物の建築の時から課税時期までの期間とし、当該期間に１年未満の端数があるときは、その端数は１年とする。

2　「総階数指数」は、当該一棟の区分所有建物の総階数を33で除した値（小数点以下第４位を切り捨て、1を超える場合は1とする。）とする。この場合において、総階数には地階を含まない。

3　当該一室の区分所有権等に係る専有部分が当該一棟の区分所有建物の複数階にまたがる場合には、階数が低い方の階を「当該一室の区分所有権等に係る専有部分の所在階」とする。

4　当該一室の区分所有権等に係る専有部分が地階である場合には、「当該一室の区分所有権等に係る専有部分の所在階」は、零階とし、Ｃの値は零とする。

5　「当該一室の区分所有権等に係る敷地持分狭小度」は、当該一室の区分所有権等に係る敷地利用権の面積を当該一室の区分所有権等に係る専有部分の面積で除した値（小数点以下第４位を切り上げる。）とする。

⑿　評価水準　　1を評価乖離率で除した値とする。

《説明》

1　基本的な考え方

相続税又は贈与税は、原則として、相続若しくは遺贈により取得した全ての財産の価額の合計額をもって、又はその年中において贈与により取得した全ての財産の価額の合計額をもって課税価格を計算することとされており（相法11の２、21の２）、これらの財産の価額について、相続税法は、「この章で特別の定めのあるものを除くほか、相続、遺贈又は贈与により取得した財産の価額は、当該財産の取得の時における時価による」（時価主義）旨を規定している（相法22）。そして、この「時価」とは、「課税時期において、

それぞれの財産の現況に応じ、不特定多数の当事者間で自由な取引が行われる場合に通常成立すると認められる価額」（客観的な交換価値）をいい、その価額は、「この通達（評価通達）の定めによって評価した価額による」こととしており（評基通1）、評価通達により内部的な取扱いを統一するとともに、これを公開することにより、課税の適正・公平を図るとともに、納税者の申告・納税の便にも供されている。

このように、評価の原則が時価主義をとり、客観的な交換価値を示す価額を求めようとしている以上、財産の評価は自由な取引が行われる市場で通常成立すると認められる売買実例価額によることが最も望ましいが、課税の対象となる財産は、必ずしも売買実例価額の把握が可能な財産に限られないことから、評価通達においては、実務上可能な方法で、しかもなるべく容易かつ的確に時価を算定するという観点から、財産の種類の異なるごとに、それぞれの財産の本質に応じた評価の方法を採用している。

不動産の評価においても、このような考え方に基づき、土地については、近傍の土地の売買実例価額や標準地についての公示価格、不動産鑑定士等による鑑定評価額及び精通者意見価格等を基として評価する「路線価方式」や「倍率方式」によって評価することとしている。他方、家屋については、再建築価格を基準として評価される「固定資産税評価額」に倍率を乗じて評価することとしている（固定資産税評価額に乗ずる倍率は評価通達別表1で「1.0」と定めている。）。家屋について、再建築価格を基準とする評価としているのは、売買実例価額は、個別的な事情による偏差があるほか、家屋の取引が一般的に宅地とともに行われている現状からして、そのうち家屋の部分を分離することが困難である等の事情を踏まえたものである。

しかしながら、居住用の区分所有財産（いわゆる分譲マンション）については、近年、不特定多数の当事者により市場において活発に売買が行われるとともに、従来に比して類似の分譲マンションの取引事例を多数把握することが容易になっている。また、相続税評価額と売買実例価額とが大きく乖離するケースもあり、平成30年中[注1]に取引された全国の分譲マンションの相続税評価額[注2]と売買実例価額との乖離について取引実態等を確認したところ、平均で2.34倍の乖離が把握され、かつ、約65％の事例で2倍以上乖離していることが把握された（以下、当該分譲マンションに係る取引実態等と一戸建て不動産の相続税評価額と売買実例価額との乖離に関する取引実態等を併せて、単に「取引実態等」という。）。

（注1）　足元のマンション市場は、建築資材価格の高騰等による影響を排除しきれない現状にあり、そうした現状において、コロナ禍等より前の時期として平成30年分の譲渡所得の申告により把握された取引事例に基づいている。

（注2）　ここでは、平成30年分の譲渡所得の申告により把握された取引事例に係る分譲マンションの相続税評価額に相当する額をいう。具体的には、それぞれの分譲マンションに係る土地部分の固定資産税評価額に近傍の標準地の路線価と固定資産税評価額との差に応ずる倍率及び敷地権の割合を乗じた額と家屋部分の固定資産税評価額との合計額により計算している。

また、不動産の相続税評価額と市場価格とに大きな乖離がある事例について、評価通達6（（この通達の定めにより難い場合の評価））の適用が争われた最高裁令和4年4月19日判決以降、当該乖離に対する批判の高まりや、取引の手控えによる市場への影響を懸念する向きも見られたことから、課税の公平を図りつつ、納税者の予見可能性を確保

する観点からも、類似の取引事例が多い分譲マンションについては、いわゆるタワーマンションなどの一部のものに限らず、広く一般的に評価方法を見直す必要性が認められた(注3)。

(注3)　令和5年度与党税制改正大綱(令和4年12月16日決定)において、「マンションについては、市場での売買価格と通達に基づく相続税評価額とが大きく乖離しているケースが見られる。現状を放置すれば、マンションの相続税評価額が個別に判断されることもあり、納税者の予見可能性を確保する必要もある。このため、相続税におけるマンションの評価方法については、相続税法の時価主義の下、市場価格との乖離の実態を踏まえ、適正化を検討する。」とされた。

2　新たな評価方法の概要

分譲マンションにおける相続税評価額と市場価格(売買実例価額)との乖離の要因として、まず、家屋の相続税評価額は、再建築価格に基づく固定資産税評価額により評価しているが、市場価格(売買実例価額)は、再建築価格に加えて建物総階数及び分譲マンション一室の所在階も考慮されているほか、固定資産税評価額への築年数の反映が大きすぎる(経年による減価が実態より大きい)と、相続税評価額が市場価格(売買実例価額)に比べて低くなるケースがあると考えられた。

また、土地(敷地利用権)の相続税評価額は、土地(敷地)の面積を敷地権の割合(共有持分の割合)に応じてあん分した面積に、1㎡当たりの単価(路線価等)を乗じて評価しているが、当該面積は、一般的に高層マンションほどより細分化されて狭小となるため、当該面積が狭小なケースは、立地条件が良好な場所でも、その立地条件が敷地利用権の価額に反映されづらくなり、相続税評価額が市場価格(売買実例価額)に比べて低くなることが考えられた。

そこで、相続税評価額が市場価格(売買実例価額)と乖離する要因と考えられた、①築年数、②総階数指数、③所在階及び④敷地持分狭小度の4つの指数を説明変数(注1)とし、相続税評価額と市場価格(売買実例価額)との乖離率を目的変数として、分譲マンションの取引実態等に係る取引事例について重回帰分析(注2)を行ったところ、決定係数(注3)：0.587(自由度調整済決定係数：0.586)となる有意な結果が得られた。

(注1)　各説明変数の意義等については、下記3⑸を参照。

(注2)　「重回帰分析」とは、2以上の要因(説明変数)が結果(目的変数)に与える影響度合いを分析する統計手法とされる。以下に示す算式の4つの指数に係る係数及び切片の値は、次の重回帰分析の結果求められたものである。

回帰統計	
決定係数	0.5870
自由度調整済決定係数	0.5864
観測数	2478

	係数	t値	P値	最小値	最大値	平均値	標準偏差
切片	3.220	65.60	0.001未満				
築年数	△0.033	△34.11	0.001未満	1	57	19	11.36
総階数指数	0.239	3.50	0.001未満	0.061	1	0.406	0.256
所在階	0.018	8.53	0.001未満	1	51	8	7.37
敷地持分狭小度	△1.195	△18.55	0.001未満	0.01	0.99	0.4	0.192

相関係数	乖離率	築年数	総階数指数	所在階	敷地持分狭小度
乖離率	1				
築年数	△0.635	1			
総階数指数	0.567	△0.404	1		
所在階	0.496	△0.310	0.747	1	
敷地持分狭小度	△0.523	0.240	△0.578	△0.417	1

(注3)　「決定係数」とは、推定された回帰式の当てはまりの良さの度合いを示す指標とされる。

この結果を踏まえ、次の理由から、以下に示す算式により求めた評価乖離率を基に相続税評価額を補正する方法を採用することとした。

① 分譲マンションは流通性・市場性が高く、類似する物件の売買実例価額を多数把握することが可能であり、かつ、価格形成要因が比較的明確であることからすれば、それら要因を指数化して売買実例価額に基づき統計的に予測した市場価格を考慮して相続税評価額を補正する方法が妥当であり、相続税評価額と市場価格との乖離を補正する方法として直截的であって、執行可能性も高いこと

② 相続税評価額と市場価格（売買実例価額）との乖離の要因としては、上記4つの指数のほかにもあり得るかもしれないが、申告納税制度の下で納税者の負担を考慮すると、これらの4つの指数は、納税者自身で容易に把握可能なものであることに加え、特に影響度の大きい要因であること

（算式）

評価乖離率＝Ａ＋Ｂ＋Ｃ＋Ｄ＋3.220
上記算式中の「Ａ」、「Ｂ」、「Ｃ」及び「Ｄ」は、それぞれ次による。
　　「Ａ」＝当該一棟の区分所有建物の築年数×△0.033
　　「Ｂ」＝当該一棟の区分所有建物の総階数指数×0.239（小数点以下第4位を切り捨てる。）
　　「Ｃ」＝当該一室の区分所有権等に係る専有部分の所在階×0.018
　　「Ｄ」＝当該一室の区分所有権等に係る敷地持分狭小度×△1.195（小数点以下第4位を切り上げる。）
（（注）は省略）

また、評価乖離率に基づく相続税評価額の補正に当たっては、次の理由から、上記算式により算出された評価乖離率の逆数である評価水準が0.6未満となる場合には、評価乖離率に0.6を乗じた値を区分所有補正率として、評価水準が1を超える場合には、評価乖離率を区分所有補正率として、それぞれ相続税評価額に乗ずることで補正することとした。

① 上記1のとおり、相続税又は贈与税については、相続若しくは遺贈により取得又はその年中に贈与により取得した全ての財産の価額の合計額をもって課税価格を計算することとされているところ、相続税評価額と市場価格（売買実例価額）との乖離に関して、同じ不動産である分譲マンションと一戸建てとの選択におけるバイアスを排除する観点から、一戸建てにおける乖離（取引実態等の結果は平均1.66倍）も考慮する必要がある。したがって、一戸建ての相続税評価額が市場価格（売買実例価額）の6割程度の評価水準となっていることを踏まえ、それを下回る評価水準の分譲マンションが一戸建てと比べて著しく有利となると不公平感が生じかねないため、分譲マンションにおいても少なくとも市場価格の6割水準となるようにしてその均衡を図る必要があること

② 路線価等に基づく評価においても、土地の価額には相当の値幅があることや、路線価等が1年間適用されるため、評価時点であるその年の1月1日以後の1年間の地価変動にも耐え得るものであることが必要であること等の評価上の安全性を配慮し、地価公示価格と同水準の価格の80％程度を目途に、路線価等を定めていること

なお、上記については、令和５年度与党税制改正大綱（令和４年12月16日決定）において、マンションの評価方法の適正化を検討する旨の記載（上記１（注３）参照）がされたことを受け、「マンションに係る財産評価基本通達に関する有識者会議」を令和５年１月から６月にかけて計３回開催し、分譲マンションの新たな評価方法等について有識者から意見を聴取しながら、その客観性及び妥当性について検討を行った。

３　用語の意義等

　本項は、本通達で使用する用語の意義を定めているが、その主な用語の意義等は、次のとおりである。

(1)　一棟の区分所有建物

　「一棟の区分所有建物」とは、区分所有者（区分所有法第２条（(定義)）第２項に規定する区分所有者をいう。以下同じ。）が存する家屋（地階を除く階数が２以下のもの及び居住の用に供する専有部分（同条第３項に規定する専有部分をいう。以下同じ。）一室の数が３以下であってその全てを当該区分所有者又はその親族の居住の用に供するものを除く。）で、居住の用に供する専有部分のあるものをいうこととしており、当該「一棟の区分所有建物」には、「地階を除く階数が２以下のもの」（注１）及び「居住の用に供する専有部分一室の数が３以下であってその全てを当該区分所有者又はその親族の居住の用に供するもの」（注２、３、４）を含まないこととしている。

（注１）　「地階」とは、「地下階」をいい、登記簿上の「地下」の記載により判断される。

（注２）　「専有部分一室の数が３以下」とは、一棟の家屋に存する（居住の用に供する）専有部分の数が３以下の場合（例えば、３階建てで各階が区分所有されている場合など）をいい、一の専有部分に存する部屋そのものの数をいうのではないから留意する。

（注３）　「区分所有者又はその親族の居住の用に供するもの」とは、区分所有者が、当該区分所有者又はその親族（以下「区分所有者等」という。）の居住の用に供する目的で所有しているものをいい、居住の用以外の用又は当該区分所有者等以外の者の利用を目的とすることが明らかな場合（これまで一度も区分所有者等の居住の用に供されていなかった場合（居住の用に供されていなかったことについて合理的な理由がある場合を除く。）など）を除き、これに該当するものとして差し支えない。

（注４）　「親族」とは、民法第725条（(親族の範囲)）各号に掲げる者をいう。

　これは、上記２のとおり、本通達が分譲マンションの流通性・市場性の高さに鑑み、その価格形成要因に着目して、売買実例価額に基づく評価方法を採用したものであるから、その対象となる不動産はその流通性・市場性や価格形成要因の点で分譲マンションに類似するものに限定されるべきところ、同じ区分所有財産であっても低層の集合住宅や二世帯住宅は市場も異なり、売買実例に乏しいことから、対象外としているものである。

　また、事業用のテナント物件や一棟所有の賃貸マンションなどについても、その流通性・市場性や価格形成要因の点で居住用の物件とは大きく異なることから対象外とし、居住の用に供する区分所有財産を対象としたものである。したがって、当該「居住の用」（すなわち、本通達における「居住の用に供する専有部分」）とは、一室の専有部分について、構造上、主として居住の用途に供することができるものをいい、原則として、登記簿上の種類に「居宅」を含むものがこれに該当する。なお、構造上、

422

主として居住の用途に供することができるものであれば、課税時期において、現に事務所として使用している場合であっても、「居住の用」に供するものに該当することとなる。

また、本通達における「一棟の区分所有建物」とは、区分所有者が存する家屋をいい、当該区分所有者とは、区分所有法第1条（（建物の区分所有））に規定する建物の部分を目的とする所有権（区分所有権）を有する者をいうこととしている。区分所有権は、一般に、不動産登記法第2条（（定義））第22号に規定する区分建物の登記がされることによって外部にその意思が表示されて成立するとともに、その取引がなされることから、本通達における「一棟の区分所有建物」とは、当該区分建物の登記がされたものをいうこととしている。したがって、区分建物の登記をすることが可能な家屋であっても、課税時期において区分建物の登記がされていないものは、本通達における「一棟の区分所有建物」には該当しない。

⑵　一室の区分所有権等

「一室の区分所有権等」とは、一棟の区分所有建物に存する居住の用に供する専有部分一室に係る区分所有権（区分所有法第2条第1項に規定する区分所有権をいい、当該専有部分に係る同条第4項に規定する共用部分の共有持分を含む。以下同じ。）及び敷地利用権（同条第6項に規定する敷地利用権をいう。以下同じ。）をいう。

なお、この一室の区分所有権等のうち、たな卸商品等に該当するものについては、他の土地、家屋と同様に、不動産ではあるものの、その実質がまさにたな卸商品等であることに照らし、評価通達133（（たな卸商品等の評価））により評価することを明らかにしている。

また、分譲マンションについては、区分所有法において「区分所有者は、その有する専有部分とその専有部分に係る敷地利用権とを分離して処分することができない」（区分所有法22①）と規定され、土地と家屋の価格は一体として値決めされて取引されており、それぞれの売買実例価額を正確に把握することは困難であるほか、上記2により算出された評価乖離率（又は区分所有補正率）は一体として値決めされた売買実例価額との乖離に基づくものであり、これを土地と家屋に合理的に分けることは困難である。

したがって、本通達においては、一室の区分所有権等に係る敷地利用権及び区分所有権のそれぞれの評価額に同一の補正率（区分所有補正率）を乗じて評価することとしており、また、貸家建付地又は貸家の評価や土地等にのみ適用される「小規模宅地等についての相続税の課税価格の計算の特例」（以下「小規模宅地等の特例」という。）などを踏まえ、それぞれ別々に評価額を算出することとしている。

（参考）　不動産の鑑定評価においては、複合不動産価格（建物及びその敷地（区分所有建物及びその敷地）の価格）の土地と建物の内訳価格の算定に当たっては、複合不動産における積算価格割合に基づいて建物に帰属する額を配分する方法（割合法）が用いられることがある。他方、相続税評価額は、上記1のとおり、土地については、近傍の土地の売買実例価額や標準地についての公示価格、不動産鑑定士等による鑑定評価額及び精算者意見価格等を基として評価するもので、基本的には取引事例比較法が適用されていると考えることができるほか、家屋については、再建築価格を基準として評価される固定資産税評価額を基として評価する

もので、基本的には原価法が適用されていると考えることができ、不動産の鑑定評価で用いられる積算価格と基本的な考え方は同じである。

本通達は、本通達適用前の分譲マンションの評価額（敷地利用権と区分所有権の評価額の合計額）に、売買実例価額を基とした補正率（区分所有補正率）を乗ずることで、分譲マンションの時価を指向するものである一方で、敷地利用権と区分所有権の評価額それぞれに同一の補正率（区分所有補正率）を乗じているのであるが、これは、不動産の鑑定評価における複合不動産の割合法による内訳価格の算定と同様に、本通達適用前の評価額の比（すなわち、積算価格の比）で本通達適用後の分譲マンションの価額をあん分するものであるともいえる。したがって、本通達では、敷地利用権の価額と区分所有権の価額をそれぞれ算出しているのであるが、時価としての妥当性を有するものであると考えられる。

⑶　一室の区分所有権等に係る敷地利用権の面積

「一室の区分所有権等に係る敷地利用権の面積」とは、一棟の区分所有建物に係る敷地利用権が、不動産登記法第44条（（建物の表示に関する登記の登記事項））第１項第９号に規定する敷地権（以下「敷地権」という。）である場合は、その一室の区分所有権等が存する一棟の区分所有建物の敷地の面積に、当該一室の区分所有権等に係る敷地権の割合を乗じた面積とすることとしている。

なお、この一室の区分所有権等が存する一棟の区分所有建物の敷地の面積は、原則として、利用の単位となっている１区画の宅地の地積によることとなる（注１）。

（注１）　ただし、例えば、分譲マンションに係る登記簿上の敷地の面積のうちに、私道の用に供されている宅地（評基通24）があった場合、評価上、当該私道の用に供されている宅地は別の評価単位となるが、当該私道の用に供されている宅地の面積については、居住用の区分所有財産について、上記２のとおり、上記２に掲げる算式により求めた評価乖離率に基づき評価することとした理由の一つが、申告納税制度の下で納税者の負担を考慮したものであるから、同様の趣旨により、納税者自身で容易に把握可能な登記簿上の敷地の面積によることとしても差し支えない。他方で、例えば、分譲マンションの敷地とは離れた場所にある規約敷地については、「一室の区分所有権等に係る敷地利用権の面積」には含まれない。

また、上記の場合以外の場合は、一室の区分所有権等が存する一棟の区分所有建物の敷地の面積に、当該一室の区分所有権等に係る敷地の共有持分の割合（注２）を乗じた面積として計算することとなる。

（注２）　一室の区分所有権等に係る敷地利用権が賃借権又は地上権である場合は、当該賃借権又は地上権の準共有持分の割合を乗ずる。

⑷　一室の区分所有権等に係る専有部分の面積

「一室の区分所有権等に係る専有部分の面積」とは、一室の区分所有権等に係る専有部分の不動産登記規則第115条（（建物の床面積））に規定する建物の床面積をいう。当該建物の床面積は、「区分建物にあっては、壁その他の区画の内側線」で囲まれた部分の水平投影面積（いわゆる内法面積）によることとされており、登記簿上表示される床面積によることとなる。

したがって、共用部分の床面積は含まれないことから、固定資産税の課税における床面積とは異なることに留意する。

⑸　評価乖離率

評価乖離率を求める算式は、上記２のとおりであるが、主な算式中の指数について

は、次のとおりである。

イ　築年数

　　「築年数」は、一棟の区分所有建物の建築の時から課税時期までの期間とし、当
　該期間に1年未満の端数があるときは、その端数は1年とする。

ロ　総階数指数

　　「総階数指数」は、一棟の区分所有建物の総階数を33で除した値（注）（小数点以
　下第4位を切り捨て、1を超える場合は1とする。）とし、この場合において、総
　階数には地階を含まないこととする。この「地階」については、上記(1)の地階と同
　義である。

　　（注）　建物総階数については、高さが概ね100m（1階を3mとした場合、約33階）を超える
　　　　　建築物には、緊急離着陸場等の設置指導等がなされることがあるが、それを超えて高くな
　　　　　ることによる追加的な規制は一般的にはないほか、評価乖離率に与える影響が一定の階数
　　　　　で頭打ちになると仮定して分析を行ったところ、良好な結果が得られたことから「総階数
　　　　　÷33（1を超える場合は1とする。）」を総階数指数としている。

ハ　所在階

　　「所在階」は、一室の区分所有権等に係る専有部分の所在階のことであり、当該
　専有部分が一棟の区分所有建物の複数階にまたがる場合（いわゆるメゾネットタイ
　プの場合）には、階数が低い方の階を所在階とし、当該専有部分が地階である場合
　は、零階とする。

　　なお、一室の区分所有権等に係る専有部分が、1階と地階にまたがる場合につい
　ても、階数が低い方の階（地階）を所在階とするから、算式中の「C」は零となる
　ことに留意する。

ニ　敷地持分狭小度

　　「敷地持分狭小度」は、一室の区分所有権等に係る敷地利用権の面積（上記(3)）
　を当該一室の区分所有権等に係る専有部分の面積（上記(4)）で除した値（小数点以
　下第4位を切り上げる。）をいう。

（参考）

○　建物の区分所有等に関する法律（抄）

（建物の区分所有）

第一条　一棟の建物に構造上区分された数個の部分で独立して住居、店舗、事務所又は倉庫その他建物としての用途に供することができるものがあるときは、その各部分は、この法律の定めるところにより、それぞれ所有権の目的とすることができる。

（定義）

第二条　この法律において「区分所有権」とは、前条に規定する建物の部分（第四条第二項の規定により共用部分とされたものを除く。）を目的とする所有権をいう。

2　この法律において「区分所有者」とは、区分所有権を有する者をいう。

3　この法律において「専有部分」とは、区分所有権の目的たる建物の部分をいう。

4　この法律において「共用部分」とは、専有部分以外の建物の部分、専有部分に属しない建物の附属物及び第四条第二項の規定により共用部分とされた附属の建物をいう。

5　この法律において「建物の敷地」とは、建物が所在する土地及び第五条第一項の規定により建物の敷地とされた土地をいう。

6　この法律において「敷地利用権」とは、専有部分を所有するための建物の敷地に関する権利をいう。

（規約による建物の敷地）

第五条　区分所有者が建物及び建物が所在する土地と一体として管理又は使用をする庭、通路その他の土地は、規約により建物の敷地とすることができる。

2　建物が所在する土地が建物の一部の滅失により建物が所在する土地以外の土地となつたときは、その土地は、前項の規定により規約で建物の敷地と定められたものとみなす。建物が所在する土地の一部が分割により建物が所在する土地以外の土地となつたときも、同様とする。

（分離処分の禁止）

第二十二条　敷地利用権が数人で有する所有権その他の権利である場合には、区分所有者は、その有する専有部分とその専有部分に係る敷地利用権とを分離して処分することができない。ただし、規約に別段の定めがあるときは、この限りでない。

2　前項本文の場合において、区分所有者が数個の専有部分を所有するときは、各専有部分に係る敷地利用権の割合は、第十四条第一項から第三項までに定める割合による。ただし、規約でこの割合と異なる割合が定められているときは、その割合による。

3　前二項の規定は、建物の専有部分の全部を所有する者の敷地利用権が単独で有する所有権その他の権利である場合に準用する。

○　不動産登記法（抄）

（定義）

第二条　この法律において、次の各号に掲げる用語の意義は、それぞれ当該各号に定めるところによる。

　　一～二十一　省略

　　二十二　区分建物　一棟の建物の構造上区分された部分で独立して住居、店舗、事務所又は倉庫その他建物としての用途に供することができるものであって、建物の区分所有等に関する法律（昭和三十七年法律第六十九号。以下「区分所有法」という。）第二条第三項に規定する専有部分であるもの（区分所有法第四条第二項の規定により共用部分とされたものを含む。）をいう。

　　二十三・二十四　省略

（建物の表示に関する登記の登記事項）

第四十四条　建物の表示に関する登記の登記事項は、第二十七条各号に掲げるもののほか、次のとおりとする。

　　一　建物の所在する市、区、郡、町、村、字及び土地の地番（区分建物である建物にあっては、当該建物が属する一棟の建物の所在する市、区、郡、町、村、字及び土地の地番）

　　二　家屋番号

　　三　建物の種類、構造及び床面積

　　四　建物の名称があるときは、その名称

　　五　附属建物があるときは、その所在する市、区、郡、町、村、字及び土地の地番（区分建物である附属建物にあっては、当該附属建物が属する一棟の建物の所在する市、区、郡、町、村、字及び土地の地番）並びに種類、構造及び床面積

　　六　建物が共用部分又は団地共用部分であるときは、その旨

　　七　建物又は附属建物が区分建物であるときは、当該建物又は附属建物が属する一棟の建物の構造及び床面積

　　八　建物又は附属建物が区分建物である場合であって、当該建物又は附属建物が属する一棟の建物の名称があるときは、その名称

　　九　建物又は附属建物が区分建物である場合において、当該区分建物について区分所有法第二条第六項に規定する敷地利用権（登記されたものに限る。）であって、区分所有法第二十二条第一項本文（同条第三項において準用する場合を含む。）の規定により区分所有者の有する専有部分と分離して処分することができないもの（以下「敷地権」という。）があるときは、その敷地権

2　前項第三号、第五号及び第七号の建物の種類、構造及び床面積に関し必要な事項は、法務省令で定める。

○ 不動産登記規則（抄）

（建物の種類）

第百十三条 建物の種類は、建物の主な用途により、居宅、店舗、寄宿舎、共同住宅、事務所、旅館、料理店、工場、倉庫、車庫、発電所及び変電所に区分して定め、これらの区分に該当しない建物については、これに準じて定めるものとする。

2 建物の主な用途が二以上の場合には、当該二以上の用途により建物の種類を定めるものとする。

（建物の床面積）

第百十五条 建物の床面積は、各階ごとに壁その他の区画の中心線（区分建物にあっては、壁その他の区画の内側線）で囲まれた部分の水平投影面積により、平方メートルを単位として定め、一平方メートルの百分の一未満の端数は、切り捨てるものとする。

○ 民法（抄）

（親族の範囲）

第七百二十五条 次に掲げる者は、親族とする。

　　一　六親等内の血族

　　二　配偶者

　　三　三親等内の姻族

第9章 居住用マンションの評価

（一室の区分所有権等に係る敷地利用権の価額）

2　次に掲げる場合のいずれかに該当するときの一室の区分所有権等に係る敷地利用
　権の価額は、「自用地としての価額」に、次の算式による区分所有補正率を乗じて計算
　した価額を当該「自用地としての価額」とみなして評価基本通達（評価基本通達25並
　びに同項により評価する場合における評価基本通達27（（借地権の評価））及び27－2
　（（定期借地権等の評価））を除く。）を適用して計算した価額によって評価する。ただ
　し、評価乖離率が零又は負数のものについては、評価しない。
　（算式）
　⑴　評価水準が1を超える場合
　　　区分所有補正率＝評価乖離率
　⑵　評価水準が0.6未満の場合
　　　区分所有補正率＝評価乖離率×0.6
　（注）1　区分所有者が次のいずれも単独で所有している場合には、「区分所有補正率」
　　　　　は1を下限とする。
　　　　イ　一棟の区分所有建物に存する全ての専有部分
　　　　ロ　一棟の区分所有建物の敷地
　　　　2　評価乖離率を求める算式及び上記⑵の値（0.6）については、適時見直しを行
　　　　　うものとする。

《説明》

　　前項の《説明》3⑵のとおり、本通達においては、一室の区分所有権等に係る敷地利
用権及び区分所有権のそれぞれの評価額に同一の補正率（区分所有補正率）を乗じて評
価することとしつつ、本項及び次項において、貸家建付地又は貸家の評価や小規模宅地
等の特例などを踏まえ、それぞれ別々に評価額を算出することとしている。

　　本項では、そのうち、一室の区分所有権等に係る敷地利用権の価額の評価方法につい
て定めており、当該敷地利用権の価額は、評価通達25（（貸宅地の評価））⑴に定める「自
用地としての価額」に、次の区分の場合に応じて、次の区分所有補正率を乗じた価額を
当該「自用地としての価額」とみなして評価通達を適用して計算した価額によって評価
することを明らかにしている。

　⑴　評価水準が1を超える場合
　　　区分所有補正率＝評価乖離率
　⑵　評価水準が0.6未満の場合
　　　区分所有補正率＝評価乖離率×0.6

　　そのため、例えば、貸家建付地に該当する一室の区分所有権等に係る敷地利用権の評
価をするに当たっては、当該みなされた「自用地としての価額」を基に、評価通達26（（貸
家建付地の評価））を適用して評価することとなる。他方で、例えば、借地権付分譲マン
ションの貸宅地（底地）の評価においては、その借地権の目的となっている土地の上に
存する家屋が分譲マンションであってもなくても、土地所有者から見ればその利用の制
約の程度は変わらないと考えられることから、評価通達25並びに同項により評価する場

429

合における評価通達27（（借地権の評価））及び27－2（（定期借地権等の評価））における「自用地としての価額」については、本通達の適用がないことを明らかにしている。

なお、本通達及び評価通達の定める評価方法によって評価することが著しく不適当と認められる場合には、評価通達6が適用されることから、その結果として、本通達を適用した価額よりも高い価額により評価することもある一方で、マンションの市場価格の大幅な下落その他本通達の定める評価方法に反映されない事情が存することにより、本通達の定める評価方法によって評価することが適当でないと認められる場合には、個別に課税時期における時価を鑑定評価その他合理的な方法により算定し、一室の区分所有権等に係る敷地利用権の価額とすることができる。この点は、他の財産の評価におけるこれまでの扱いと違いはない。

また、本通達では、前項の《説明》2のとおり、予測した市場価格の6割水準までの補正をすることとしているから、1を評価乖離率で除した値（評価乖離率の逆数）である評価水準を基に、上記の区分により評価することとしている。すなわち、評価水準が0.6未満の場合は、自用地としての価額に評価乖離率に0.6を乗じた値を区分所有補正率として乗ずることとし、評価水準が0.6以上1以下の場合は、補正を行わず、評価水準が1を超える場合は、自用地としての価額に評価乖離率を区分所有補正率として乗ずることとなる。したがって、この評価水準が1を超える場合とは、補正前の評価額（自用地としての価額）が予測した市場価格を超える場合のことであり、この場合の区分所有補正率は1未満となるから、評価額（自用地としての価額）を減額させる計算となる。

おって、前項の評価乖離率を求める算式において、理論的には、評価乖離率が零や負数になることが考えられるが、仮にこのような場合には、一室の区分所有権等に係る敷地利用権の価額を評価しないこととして取り扱う。ただし、このようなケースはほとんどないものと考えられるが、仮にこのようなケースにおいても、評価通達6の適用が否定される訳ではないことに留意する。

さらに、区分所有者が、「一棟の区分所有建物に存する全ての専有部分」及び「一棟の区分所有建物の敷地」（全ての専有部分に係る敷地利用権）のいずれも単独で所有している場合についても、区分建物の登記がされた一棟の区分所有建物であることから、当該一棟の区分所有建物の各戸（各専有部分一室）について本通達に基づく評価をする必要がある。ただし、この場合における当該区分所有者が所有する敷地（敷地利用権）については、区分所有財産ではあるものの、一の宅地を所有している場合と同等の経済的価値を有すると考えられる面もあることから、本項の（注）1において、その敷地（敷地利用権）の評価に当たっては、区分所有補正率は「1」を下限（評価乖離率が零又は負数の場合も区分所有補正率は「1」）として、自用地としての価額に乗ずることとしている。

ところで、前項の評価乖離率を求める算式及び評価水準に係る0.6の値については、本通達が、売買実例価額に基づき統計的に予測した市場価格を考慮して評価額を補正するものである以上、将来のマンションの市場の変化を踏まえたものとする必要があるから本項の（注）2において、適時見直しを行うことを留意的に明らかにしている。

この見直しは、3年に1度行われる固定資産税評価の見直し時期に併せて行うことが合理的であり、改めて実際の取引事例についての相続税評価額と売買実例価額との乖離

第9章 居住用マンションの評価

状況等を踏まえ、その要否を含めて行うこととなる。

　なお、取引相場のない株式を評価通達185((純資産価額))により評価する場合においても、本通達が適用されることに留意する。

（一室の区分所有権等に係る区分所有権の価額）

3　一室の区分所有権等に係る区分所有権の価額は、「自用家屋としての価額」に、上記
　　2に掲げる算式（（注）1を除く。）による区分所有補正率を乗じて計算した価額を当該
　　「自用家屋としての価額」とみなして評価基本通達を適用して計算した価額によって
　　評価する。ただし、評価乖離率が零又は負数のものについては、評価しない。

《説明》

　　前項と同様に、一室の区分所有権等に係る区分所有権の価額は、評価通達89（（家屋の
評価））、89－2（（文化財建造物である家屋の評価））又は92（（附属設備等の評価））の定め
により評価したその家屋の価額（自用家屋としての価額）に、前項の区分所有補正率を
乗じて計算した価額を「自用家屋としての価額」とみなして評価することとしている。
そのため、前項と同様に、例えば、貸家に該当する一室の区分所有権等に係る区分所有
権の評価をするに当たっては、当該みなされた「自用家屋としての価額」を基に、評価
通達93（（貸家の評価））を適用して評価することとなる。

　　なお、本通達及び評価通達の定める評価方法によって評価することが著しく不適当と
認められる場合に、評価通達6が適用される点については、前項と同様である。

　　また、前項と異なり、本項の一室の区分所有権等に係る区分所有権の価額については、
区分所有者が、「一棟の区分所有建物に存する全ての専有部分」及び「一棟の区分所有
建物の敷地」のいずれも単独で所有している場合であっても、区分所有補正率は「1」
を下限としないことに留意する。

　　おって、本通達1の評価乖離率を求める算式において、理論的には、評価乖離率が零
や負数になることが考えられるが、仮にこのような場合には、一室の区分所有権等に係
る区分所有権の価額を評価しないこととして取り扱う。ただし、このようなケースはほ
とんどないものと考えられるが、仮にこのようなケースにおいても、評価通達6の適用
が否定される訳ではないことに留意する。

50音順索引

【ア行】

青道	386
赤道	384, 386
位置指定道路	69
一団	170
一体	170
ウォーキングメジャー	120
永小作権	194
LGWAN・政府共通ネットワーク	17
奥行価格補正率表	218
奥行長大補正率表	227
乙区	10

【カ行】

買入限度額比	190
開発許可	319
開発行為	316, 318
開発道路	66
開発登録簿	68
開発登録簿用図面（土地利用計画図）	67
家屋価格等縦覧帳簿	40
家屋課税台帳	37
家屋名寄帳	41
家屋番号	12
家屋補充課税台帳	37
各階平面図	21, 33, 34
画地	170
画地調整率表	218
画地調整率表（旧）（平成3年分）	224
画地調整率表（旧）（昭和43年分）	225
がけ条例	305
がけ地補正率表	222
ガス管図面	113
肩ひも付き鞄	121
角地	231
カメラ	121
鑑定評価の手順	145
鑑定評価報告書の記載事項	144

完了検査	87
急傾斜地の崩壊による災害の防止に関する法律	305
境界	132
境界確定図（官民境界）	128
境界プレート（標）	129
協定道路	65
京都市建築基準条例	358
居住用マンションの評価	404
共用家屋	408
キルビメータ	123
近似整形地	274
Googleマップ	115
区画	170
屈折路	139
区分所有建物	412
区分所有補正率	405, 413
区分地上権に準ずる地役権	282
クリップボード	122
クリノメーター	122
傾斜地の宅地造成費	289
傾斜度	147
下水道図面	113
現況幅員	127
建築確認	87
建築基準法	76
建築基準法上の道路	63
建築計画概要書	84
建築計画概要書（付近見取図と配置図）	86
建築主事	65
現地における物件調査	116
検知ブロック	125
限定価格	189
公課証明書	46
甲区	10
耕作権	194
公図（地図に準ずる図面）	21, 28, 29, 30
公図の歴史	29
高度商業地区	62

433

公簿閲覧申請	40	
国土調査の成果に基づく地籍図	22	
国土地理院地図	147	
固定資産課税台帳	36, 38	
固定資産課税台帳の閲覧申請	40	
固定資産税課税明細書	43	
固定資産税評価証明書	45, 46	
固定資産税路線価図	47, 240	
固定資産税の評価単位	198	
固定資産評価基準	205	
固定資産評価要領	205	
ゴルフ場の用に供されている土地の評価	321	
コンクリートブロック	125	
コンベックス	120	

【サ行】

雑種地の評価	311	
三角関数表	149	
三角スケール（サンスケ）	123	
3項道路	76	
三方路線	238	
市街化区域・市街化調整区域	59	
市街地原野	162, 167	
市街地山林	162, 167	
市街地周辺農地	193	
市街地農地	193	
敷地持分狭小度	407	
敷地利用権	408	
実際の地積	134	
指定容積率	88	
私道の位置指定のための基準	70	
私道の評価	339	
四方路線	238	
市民農園	104, 284	
住居表示	15	
住宅地図	114	
14条地図	21, 24	
準角地	235	
準都市計画区域	58	
純農地	192	
償却資産課税台帳	38	
所在	10, 11	
しんしゃく割合別の評価	314	
森林簿	111	

水路等使用許可申請書	383	
水路を隔てて評価する宅地	376	
生産緑地	94, 299	
生産緑地法	94	
製図板	124	
精度区分	25	
接道義務	64	
セットバック	335	
船場建築線	355	
騒音計	122	
総額比	189	
双眼鏡	123	
造成費	289	
相続税納税猶予制度	110	
相続税路線価	240	
想定整形地の取り方	272	
側方路線影響加算率表	219	

【タ行】

第43条第1項ただし書き道路	64	
大工場地区	62	
宅地開発等指導要綱	83	
宅地造成費	289	
宅地の評価単位	169	
建物図面	21, 33, 34	
地役権が設定された登記事項証明書	32	
地役権図面	21, 30	
地形図（白地図）	147	
地図・地積測量図等の証明書等申請書	20	
地図等の精度	119	
地図に準ずる図面	21	
地図番号	9	
地積	10, 22	
地積規模の大きな宅地の評価	306	
地積区分表	220	
地積測量図	21, 26, 28	
地籍調査	22	
地番	10, 15	
地番参考図	47, 48	
地目の判定	150	
地目の判定（写真）	153	
地目別評価の例外	162	
中間農地	193	
中小工場地区	62	

鉄軌道用地の評価 ································· 324
登記オンライン申請システム ··················· 17
登記事項証明書（建物） ·························· 11
登記事項証明書（土地） ··························· 8
登記事項証明書交付申請書 ······················ 19
登記事項要約書 ·································· 13
登記事項要約書交付申請書 ······················ 14
登記情報提供サービス ··························· 18
登記済権利証 ····································· 2
登記の日付 ······································ 10
土地の表示登記 ·································· 26
宅地開発に関する指導基準例（堺市） ············· 83
東京都建築安全条例 ····························· 305
道路位置指定申請図 ····························· 69
道路境界確定図 ······························ 80, 83
道路境界図 ····································· 80
道路境界明示申請書 ····························· 131
道路台帳平面図 ······························ 80, 81
道路の幅員のとらえ方 ························· 77, 79
道路幅員 ·································· 77, 78, 79
トータルステーション ··························· 122
特定行政庁 ····································· 65
特定市街化区域内農地対象市一覧 ················· 97
特定生産緑地 ······························ 99, 298
特定道路 ······································· 91
特定農地貸付法 ································· 105
特定路線価 ····································· 347
特定路線価設定申出書 ··························· 350
特定路線価チェックシート ······················ 354
都市計画区域 ··································· 58
都市計画証明書（生産緑地） ···················· 103
都市計画図 ····································· 57
都市計画道路予定図 ····························· 370
都市施設 ······································· 371
都市農地貸借法 ································· 104
土砂災害防止法 ································· 299
土砂災害特別警戒区域 ··························· 299
土地・家屋名寄帳 ······························· 41
土地価格等縦覧帳簿 ····························· 40
土地課税台帳 ··································· 36
土地区画整理事業等の図面 ······················ 94
土地区画整理事業中の土地評価 ·················· 283
土地区画整理法 ································· 92
土地分割評価届出書 ····························· 210

土地補充課税台帳 ······························· 37

【ナ行】

２項道路 ···································· 72, 335
二方路線影響加算率表 ··························· 219
二方路線 ······································· 237
認定幅員 ······································· 126
農地の評価単位 ································· 193
農地の評価方法 ································· 195

【ハ行】

倍率地域の土地の評価 ··························· 207
繁華街地区 ····································· 62
筆 ··· 170
筆界特定 ·· 9
評価乖離率 ································ 404, 406
評価水準 ·································· 404, 405
評価倍率表 ····································· 215
表題部の登記 ··································· 26
ビル街地区 ····································· 62
不動産番号 ··································· 9, 11
不合理分割 ····································· 186
不整形地の奥行距離 ····························· 136
不整形地の評価 ································· 269
不整形地補正率表 ······························· 220
普通住宅地区 ··································· 63
普通商業地区 ··································· 62
不動産鑑定評価 ································· 143
不動産登記事務取扱手続準則 ··················· 151
不動産登記規則 ································· 34
不特定多数の者が通り抜けできる私道 ······ 340
プラニメータ ··································· 123
ブルーマップ ······························ 16, 114
文化財建造物である構築物の敷地の用に供されて
　いる土地の評価 ······························· 323
併用住宅地区 ··································· 62
方位磁石 ······································· 122
方眼トレーシングペーパー ······················ 124
法定外公共物占用許可申請書 ··················· 382
法務局 ··· 6
法務局・市町村調査兼物件調査票 ··············· 51
法務局作成の地図 ······························· 22

【マ行】

巻尺 …………………………………………… 120
間口が狭い宅地の評価……………………… 268
間口狭小補正率表 …………………………… 221
間口距離………………………………………… 136
マップナビおおさか………………………… 56
無道路地………………………………………… 358

【ヤ行・ラ行】

遊園地用地等の評価………………………… 323
床面積…………………………………………… 12
容積率…………………………………………… 87
容積率の異なる2以上の地域にわたる宅地の評価
　　　　…………………………………………… 279
用途地域……………………………………… 59
擁壁工事……………………………………… 293
ライフラインの図面……………………… 112
立地基準……………………………………… 319
レーザー距離計…………………………… 121
路線価図……………………………………… 213
路線価図（旧）（平成3年分）……………… 229
路線価図（旧）（昭和43年分）…………… 230
路線価図（相続税・固定資産税の対比）…… 240

■著者略歴

東北　篤（とうほく　たかし）

昭和29年	大阪市旭区生まれ
昭和52年	不動産鑑定士第二次試験合格
昭和53年	和歌山大学経済学部卒業
昭和53年	大阪国税局採用
平成４年	大阪国税局課税第一部資産評価官付評価係長
平成８年	大阪国税局課税第一部資産評価官付主査
平成10年	大阪国税局課税第一部資産課税課課長補佐
平成15年	大阪国税局課税第一部資産評価官付総括主査
平成17年	大阪国税局課税第一部国税訟務官
平成20年	和歌山税務署副署長
平成23年	大阪国税局総務部主任税務相談官
平成24年	国税不服審判所（総括）国税審判官（神戸）
平成25年	大阪国税局調査第二部統括国税調査官
平成26年	泉大津税務署長
平成27年	定年退職
同　年	税理士・不動産鑑定士　開業
平成28年	イーストノース株式会社設立
現　　在	国土交通省地価公示鑑定評価員
	大阪国税局差押不動産鑑定人
	大阪国税局鑑定評価員・土地評価精通者
	大阪府基準地価格鑑定評価員
	堺市固定資産鑑定評価員

第4版 資料収集・現地調査から評価まで
ここが違う！ プロが教える土地評価の要諦

2024年1月15日 発行

著 者　東北 篤 ©

発行者　小泉 定裕

発行所　株式会社 清文社

東京都文京区小石川1丁目3−25（小石川大国ビル）
〒112−0002　電話 03（4332）1375　FAX 03（4332）1376
大阪市北区天神橋2丁目北2−6（大和南森町ビル）
〒530−0041　電話 06（6135）4050　FAX 06（6135）4059
URL https://www.skattsei.co.jp/

印刷・製本：㈱太洋社

■著作権法により無断複写複製は禁止されています。落丁本・乱丁本はお取り替えします。
■本書の内容に関するお問い合わせは編集部までFAX（06-6135-4056）又はメール（edit-w@skattsei.co.jp）でお願いします。
＊本書の追録情報等は、当社ホームページ（http://www.skattsei.co.jp）をご覧ください。

ISBN978-4-433-72243-2